Über dieses Buch

Der bedeutende englische Realist Thomas Hardy (1840–1928), in England berühmt und viel gelesen, bleibt bei uns noch zu entdecken: Mit der vorliegenden Ausgabe wird erstmals eine deutsche Übersetzung seines 1874 anonym erschienenen großen Romans ›Far from the Madding Crowd‹ unter dem Titel ›Am grünen Rand der Welt‹ vorgelegt – das Werk, das seinen Ruhm begründete.

Eins mit seiner Welt weiß sich der Held des Romans, der Farmer Gabriel Oak; nur so kann er die Enttäuschungen und Demütigungen von seiten seiner Angebeteten Bathsheba Everdene verwinden. Bathsheba, egoistisch und launenhaft, wählt mit untrüglichem Gespür immer wieder den falschen Mann, bis sie nach bitteren Erfahrungen erkennt, daß sie zu Oak gehört. Hinter der mühsam gekitteten Idylle drohen freilich die Schatten der Auflösung.

Ganz im Stil des traditionellen Erzählens legt Hardy einen Hauch des Archaischen über seinen ländlichen Schauplatz und seine einfachen Figuren. Völlig unprätentiös und unaffektiert vermag er gerade den modernen Leser in seinen Bann zu schlagen, weil unter der Schlichtheit seiner heilen Welt eine tiefe Trauer und ein unabweisbarer Skeptizismus fühlbar werden. »The sad man sighed his fantasies« – diese Gedichtzeile von Hardy könnte als Motto über seinem Werk, im besonderen aber über ›Am grünen Rand der Welt‹ stehen. Die Spannung zwischen Altem und Neuem, pastoraler Welt und aufkommendem Industriezeitalter, zwischen der Klage um den Verlust und dem eigensinnigen Festhalten an der Utopie berührt auch den heutigen Leser unmittelbar.

D1003011

Literatur · Philosophie · Wissenschaft

Klett-Cotta im dtv

Thomas Hardy

Am grünen Rand der Welt

(Far from the Madding Crowd)

Deutscher Taschenbuch Verlag

Vollständige Ausgabe.
Aus dem Englischen übertragen von Peter Marginter.
Die Übersetzung des Vorworts besorgte
Roswith Krege-Mayer.
Mit einer Zeittafel, einer Landkarte sowie einem
Verzeichnis der Ortsnamen.

Titel der Originalausgabe:
›Far from the Madding Crowd‹
(London 1874)

Deutsche Erstausgabe
November 1984
Deutscher Taschenbuch Verlag GmbH & Co. KG,
München
© für die deutsche Ausgabe: Ernst Klett Verlage
GmbH & Co. KG, Stuttgart
Umschlaggestaltung: Celestino Piatti unter Verwendung eines
Gemäldes von Félix Vallotton: Landschaft mit Pferdekarren 1911
(© SPADEM Paris und Bild · Kunst, Bonn 1984)
Gesamtherstellung: C. H. Beck'sche Buchdruckerei,
Nördlingen
Printed in Germany · ISBN 3–423–02137–3

INHALT

ANHANG

Bei den Vorbereitungen zu einer Neuauflage dieses Romans werde ich daran erinnert, daß es in den Monat für Monat in einer Unterhaltungszeitschrift erscheinenden Kapiteln dieses Buches war, wo ich zum ersten Mal das Wort »Wessex« gebrauchte – ein Wort, das aus Urkunden der frühen englischen Geschichte entlehnt ist und dem ich hier eine fiktive Bedeutung als gegenwärtiger Name eines Distrikts gab, der einst zu jenem versunkenen Königreich gehörte. Da die Romane in der Reihe, die ich zu schreiben gedachte, wesentlich von der Art waren, die man als Lokalromane bezeichnet, schienen sie einen Gebietsnamen zu erfordern, der dem Schauplatz eine gewisse Einheit verleihe. In der Meinung, daß die Grenzen einer einzigen heutigen Grafschaft für dieses Vorhaben zu eng wären und daß es gegen einen erfundenen Namen Einwände gäbe, habe ich jenen alten Namen ans Licht geholt. Die so bezeichnete Gegend war nur von ferne bekannt, und ich wurde oft auch von gebildeten Lesern gefragt, wo sie denn liege. Gleichwohl waren Presse und Leserschaft geneigt, mein wunderliches Vorhaben zu begrüßen und folgten mir bereitwillig in den Anachronismus, sich ein Wessex unter Königin Viktoria vorzustellen – ein modernes Wessex mit Eisenbahnen, Briefpost, Mähmaschinen, Fürsorgeanstalten, Sicherheitszündhölzern, Arbeitern, die lesen und schreiben konnten, und Kindern in staatlichen Schulen. Ich glaube aber, ich gehe nicht fehl, wenn ich behaupte, daß man von der Existenz eines zeitgenössischen Wessex, bevor ich sie 1874 in diesem Roman bekanntgab, wenn überhaupt, dann weder in der Literatur noch im heutigen Sprachgebrauch je gehört hatte und daß man demzufolge Ausdrücke wie »ein Wessexer Bauer« oder »das Wessexer Brauchtum« auf keine jüngere Zeit hätte beziehen können als die der normannischen Eroberung.

Ich sah nicht voraus, daß sich dieser Gebrauch des Wortes, der auf eine moderne Erzählung hatte beschränkt bleiben sollen, so weit ausbreiten würde, daß er über die Seiten eben dieser Chroniken hinausgriffe. Aber das Wort wurde bald anderswo aufgenommen, zum ersten Mal in dem inzwischen eingestellten *Examiner,* der in seiner Ausgabe vom 15. Juli 1876 unter der Überschrift »Der Wessexer Landarbeiter« einen Artikel brachte, der, wie sich herausstellte, keine historische

Abhandlung über die Landwirtschaft zu Zeiten der sieben angelsächsischen Reiche war, sondern über das heutige Landvolk der südwestlichen Grafschaften berichtete.

Seither kam der Name, den ich nur für Horizont und Landschaft einer teils wirklichen, teils erträumten Gegend gebrauchen wollte, als zweckmäßige Benennung einer Provinz immer mehr in Umlauf; und allmählich gewann mein Traumland die Handfestigkeit eines Gebiets, wo die Leute hinfahren, sich ein Haus bauen und von wo sie an die Zeitungen schreiben konnten. Aber ich bitte alle gutwilligen und idealgesinnten Leser, dies zu vergessen und der Vorstellung, es gebe Bewohner eines viktorianischen Wessex auch außerhalb dieser Romane, in denen ihre Lebensumstände und ihre Unterhaltungen geschildert werden, mit standhaftem Unglauben zu begegnen.

Überdies wäre das Dorf Weatherbury, in dem die meisten Szenen des vorliegenden Romans aus dieser Reihe spielen, für den Reisenden wohl kaum ohne entsprechende Hinweise in einer bestimmten heutigen Ortschaft zu erkennen, obwohl zu der noch gar nicht so fernen Zeit, als die Erzählung geschrieben wurde, reale Anhaltspunkte für die Schilderungen der Orte und der Personen sich unschwer hätten auffinden lassen. Die Kirche steht noch, zum Glück unversehrt und unrestauriert*, und auch ein paar von den alten Häusern sind erhalten. Doch die Mälzerei, vormals so charakteristisch für das Kirchspiel, wurde im Verlauf der letzten zwanzig Jahre niedergerissen, ebenso wie die meisten der strohgedeckten, mit Dachluken versehenen kleinen Häuser, in denen einstmals Familien wohnten. Das schöne Spätrenaissancehaus der Heldin findet man noch; allerdings ist es in der Erzählung um einen Hexensprung von einer Meile oder etwas mehr von seiner wirklichen Stelle entrückt, in seinem Aussehen jedoch genau so beschrieben, wie es sich noch heute im Sonnenschein und im Mondlicht darbietet. Das ortsübliche Barlaufspiel, das sich vor nicht allzu langer Zeit noch einer unverwüstlichen Beliebtheit auf dem hartgetretenen Platz vor dem Kirchhof zu erfreuen schien, ist, so weit ich sehe, bei den heutigen Schuljungen völlig in Vergessenheit geraten. Das Bibelorakel mit Hilfe eines Schlüssels, die sehr ernstgenommenen Valentinsgaben, das Festessen nach der Schafschur, die langen, hellen Kittel der Männer und die große Scheuer ver-

---

* 1912 ist dies nicht mehr der Fall.

schwanden ebenso wie die alten Häuser. Darüber hinaus soll sich auch viel von jener Neigung zu einem guten Trunk verloren haben, für die das Dorf seinerzeit gewissermaßen berühmt war. All diese Veränderungen wurzeln wohl darin, daß die alteingesessenen Dorfbewohner, welche die alten Sitten und Gebräuche wahrten, durch eine Bevölkerung mehr oder minder unseßhafter Tagelöhner verdrängt wurden, was zu einem Bruch in der Stetigkeit der Lokalgeschichte geführt hat und sich verhängnisvoller als alles andere gegen die Bewahrung der Legenden, des Brauchtums, des geselligen Zusammenhalts und der Eigenbrötelei ausgewirkt hat. Unerläßliche Voraussetzung für deren Fortbestand wäre die über Generationen hinweg gewahrte Bindung an den angestammten Grund und Boden.

1895–1902   T. H.

Wenn Farmer Oak lächelte, reichten seine Mundwinkel fast bis zu den Ohren; von den Augen blieben nur Spalten, und die Fältchen rundum verbreiteten sich über sein Gesicht wie Sonnenstrahlen auf einer Kinderzeichnung.

Gabriel hieß er mit Vornamen, und werktags war er ein junger Mann von vernünftigem Urteil und ungezwungenen Bewegungen, ordentlich gekleidet und auch sonst wohlgeartet. An Sonntagen pflegte er nebulose Ansichten, neigte zu Aufschüben und fühlte sich durch den ›guten Anzug‹ und den Schirm behindert: In summa ein Mann, der sich selbst moralisch in die weite Zone zwischen Kommunionbank und Wirtshaus einordnete, wo die Lauen zu Hause sind – der also in die Kirche ging, aber innerlich gähnte, wenn die Gemeinde beim Credo angelangt war, und an das bevorstehende Mittagessen dachte, während er der Predigt zuhören wollte. Ein recht übler Bursche also für seine kritischen Freunde, wenn sie sich ärgerten, und ein ganz anständiger Mensch, wenn sie bei guter Laune waren; ansonsten für sie ein Mann, dessen Charakterfarbe man als ›Pfeffer-und-Salz‹ bezeichnen konnte.

Da es in Oaks Leben sechsmal mehr Werktage als Sonntage gab, waren es die alten Kleider, die sein Äußeres bestimmten. Das Bild, das sich seine Nachbarn von ihm machten, zeigte ihn immer nur in diesem Aufzug. Er trug einen flachen Filzhut, der am Rand etwas zerdehnt war, weil er bei starkem Wind sicherheitshalber fest auf den Kopf gezogen wurde, und einen weiten, braunen Mantel mit geräumigen Taschen; die Beine steckten in gewöhnlichen Ledergamaschen und Stiefeln von eindrucksvollem Format, die jedem Fuß bequemen Aufenthalt boten und es dem Träger gestatteten, den ganzen Tag über in einem Bach zu stehen und keine Nässe zu spüren – ihr Erzeuger war ein gewissenhafter Mann, der sich bemühte, allfällige Mängel im Zuschnitt durch großzügige Dimensionen und Dauerhaftigkeit aufzuwiegen.

Als Uhr trug Mr. Oak ein Ding bei sich, das man als kleinen Silberwecker bezeichnen konnte, das heißt, nach Form und Zweck eine Taschenuhr, dem Kaliber nach aber ein Wecker. Dieser Apparat war um einiges älter als Oaks Großvater und zeichnete sich dadurch aus, daß er entweder vor oder überhaupt nicht ging. Außerdem drehte sich manchmal der kleine Zeiger lose um den Mittelzapfen, und dann ließen sich zwar die Minuten genau ablesen, aber niemand war sicher, zu welcher Stunde sie gehörten. Plötzlichen Stillstand der Uhr behob Oak durch Schütteln und leichte Schläge, und bösen Folgen der beiden anderen Mängel wußte er zu entgehen, indem er ständig Sonne und Sterne beobachtete und zum Vergleich heranzog oder bei den Nachbarn seine Nase an die Fenster drückte, bis er ausgemacht hatte, welche Stunde drinnen die grünen Zifferblätter auf den Standuhren wiesen. Zu erwähnen wäre noch, daß Oaks Uhrtasche, hochliegend im seinerseits weit unter die Weste hinaufreichenden Leibgurt, schwer zugänglich war und die Uhr daher einen Notbehelf darstellte, an den man nur durch ein seitliches Verrenken des Körpers und ein Verziehen von Mund und Gesicht, das vor Anstrengung rot anlief, herankam, indem man die Uhr wie einen Brunneneimer an der Kette heraufzog.

Einem aufmerksamen Beobachter, der Gabriel Oak an einem gewissen Dezembermorgen – es war sonnig und überaus mild – gesehen hätte, wie er über eines von seinen Feldern ging, wären an ihm wohl auch noch andere Züge aufgefallen. Vielleicht hätte er festgestellt, daß Oaks Gesicht viel Jugendliches in Farbe und Linien bis ins Mannesalter bewahrt hatte: in entlegeneren Winkeln erinnerte sogar noch manches an einen kleinen Jungen. Mit seinem kräftigen und hohen Wuchs wäre ihm ein eindrucksvoller Auftritt sicher gewesen, wenn er darauf mehr Bedacht gelegt hätte. Aber es gibt eine Art Männer, seien sie aus der Stadt oder vom Land, deren Wirkung auf andere nicht so sehr mit Fleisch und Knochenbau, sondern mit etwas Geistigem zu tun hat: Indem sie ihre Größe zeigen, werden sie kleiner. Und so hatte auch Oaks Gangart – aus einer ruhigen Bescheidenheit, die einer Vestalin angestanden hätte und ständig darauf hinzuweisen schien, daß seine territorialen Ansprüche in dieser Welt sehr begrenzt seien – etwas Unauffälliges durch diese nur leicht gebeugte, als solche aber durch ein Vorneigen der Schultern betonte Haltung.

Wenn ein Mensch mehr von der Einschätzung seines Äußeren abhängt als von der Begabung, sich in seiner Haut wohl zu fühlen, mag das ein Mangel sein. Für Oak allerdings traf das nicht zu. Er hatte eben jenen Punkt im Leben erreicht, ab dem nicht mehr ›jung‹ vorangesetzt wird, wenn es um den ›Mann‹ geht. Er befand sich auf dem Höhepunkt männlicher Entwicklung; zwischen Verstand und Gefühl gab es bei ihm eine klare Grenze: Er hatte die Jahre hinter sich, in denen sich beides als Folge der Jugend unterschiedslos vermischt, und er war noch nicht dort angelangt, wo sich beides unter dem Einfluß einer Frau und einer Familie wieder zu Vorurteilen vereinigt. Kurzum, er war achtundzwanzig und Junggeselle.

Das Feld, auf dem er sich an jenem Morgen befand, liegt an der Flanke eines Hügelkamms, der als Norcombe Hill bekannt ist. Über einen Ausläufer dieses Hügels führt die Landstraße, die Emminster mit Chalk-Newton verbindet. Als Oak beiläufig über die Hecke schaute, sah er einen schmucken, gefederten Wagen, gelblackiert und fröhlich gemustert, der von zwei Pferden gezogen wurde. Der Kutscher ging nebenher und hielt seine Peitsche kerzengerade. Der Wagen war mit Hausrat und Blumentöpfen beladen, und zuoberst saß eine junge, hübsche Frau. Gabriel hatte die Szene nicht länger als eine halbe Minute betrachtet, als das Gefährt unmittelbar vor seinen Augen angehalten wurde.

»Wir haben das Heckbrett verloren, Miss«, sagte der Kutscher.

»Das war es also!« erwiderte das Mädchen mit sanfter, dennoch nicht besonders leiser Stimme. »Als es bergauf gegangen ist, habe ich ein merkwürdiges Geräusch gehört.«

»Ich laufe nur rasch zurück.«

»Ja, tu das«, sagte sie.

Die klugen Pferde standen vollkommen ruhig, während die Schritte des Kutschers mit zunehmender Entfernung verklangen.

Das Mädchen oben auf der Wagenladung saß reglos, umgeben von Tischen und Stühlen mit aufwärts gerichteten Beinen, hinter sich eine Eichenbank, vor sich eine Dekoration von Geranientöpfen, Myrten und Kakteen, dazu ein Käfig samt Kanarienvogel – alles vermutlich aus den Fenstern eines eben geräumten Hauses. Außerdem gab es eine Katze in einem Weidenkorb, die unter dem Deckel hervor aus halbgeschlossenen Augen die kleinen Vögel in der Umgebung mit Wohlgefallen betrachtete.

Untätig wartete das Mädchen eine Weile. Das einzige Geräusch, das in der Stille vernehmbar war, kam von dem Kanarienvogel, der auf den Sprossen seines Gefängnisses herumhüpfte. Dann blickte das Mädchen aufmerksam hinunter –

nicht auf den Vogel oder die Katze, sondern auf ein längliches, in Papier verschnürtes Paket, das zwischen ihnen lag. Sie schaute sich um, ob der Kutscher schon komme, aber da er nicht zu sehen war, wanderten ihre Augen wieder zurück zu dem Paket, ihre Gedanken schienen um seinen Inhalt zu kreisen. Schließlich hob sie es auf den Schoß und knüpfte die Verpackung auf: Ein kleiner Drehspiegel kam hervor, in dem sie sich prüfend betrachtete. Ihre Lippen teilten sich zu einem Lächeln.

Es war ein schöner Morgen; in der Sonne glühte das rote Jäckchen der jungen Dame wie Scharlach, auf ihrem munteren Gesicht und dem dunklen Haar lag ein mildes Leuchten. Die Myrten, Geranien und Kakteen ihr zu Füßen verliehen mit ihrem frischen Grün dem ganzen Bild – Pferde, Wagen, Mobiliar und Mädchen – einen eigenartig frühlingshaften Reiz. Niemand hätte zu sagen gewußt, was sie in Gegenwart von Spatzen und Amseln und des von ihr unbemerkten Farmers, auf die sich ihr Publikum beschränkte, zu einer solchen Pantomime veranlaßte – und ob sie das Lächeln zunächst nur aufgesetzt hatte, um ihr Talent in dieser Kunst zu prüfen. Schließlich wurde daraus ein echtes Lächeln. Sie errötete vor sich selbst und wurde, als sie das im Spiegel sah, nur noch röter.

Die Verlagerung einer solchen Handlung an einen anderen als den üblichen Ort, wo sie angebracht gewesen wäre – von der Morgenstunde im Schlafzimmer, zu der man sich ankleidet, mitten in eine Reise unter freiem Himmel –, gab dem Unbedeutenden etwas reizvoll Neues, das an sich gar nicht dazugehörte. Die Szene hatte einen eigenen Zauber. Eine der Weiblichkeit zuerkannte Schwäche hatte sich ans Licht der Sonne gewagt, und dieses tauchte sie in den Glanz des Nochniedagewesenen. Gabriel Oak konnte sich ein paar spöttische Gedanken nicht verkneifen, so wenig er an sich zu Kritik neigte. Das Mädchen hatte wirklich keinen Anlaß, in den Spiegel zu schauen. Weder rückte sie ihren Hut zurecht, noch streifte sie ihr Haar glatt oder gab einem Grübchen einen Druck zur Korrektur. Nichts ließ darauf schließen, daß sie, als sie den Spiegel aufgenommen hatte, etwas dergleichen beabsichtigte. Sie besah sich einfach als ein wohlgelungenes, weiblich ausgestaltetes Geschöpf der Natur, und ihre Gedanken schienen zu noch fernliegenden, aber nicht unwahrscheinlichen Träumen abzuschweifen, in denen Männer mitspielten – ein Vorauskosten zu erwartender

Triumphe –, wobei das Lächeln offenbar den Herzen galt, die da verloren und erobert wurden. Auch das ließ sich aber nur erraten, denn der ganze Handlungsablauf zeigte zu wenig Absicht, um eine solche Annahme zu rechtfertigen.

Nun waren wieder die Schritte des Kutschers zu hören. Das Mädchen schob den Spiegel in das Papier und legte das Paket zurück an seinen Platz.

Als der Wagen weitergefahren war, verließ Gabriel seinen Späherposten, stieg zur Straße hinunter und folgte dem Gefährt bis zu der Mautstelle ein Stück Weges nach der Talsohle, wo der Gegenstand seines Interesses nun anhielt, um die Gebühr zu bezahlen. Er war noch an die zwanzig Schritt von der Schranke entfernt, als er Zeuge einer Auseinandersetzung wurde. Das Paar, das mit dem Wagen gekommen war, und der Mann an der Mautschranke stritten wegen zwei Pennies.

»Das ist die Nichte der Gnädigen, die obenauf sitzt, und sie sagt, daß es genug ist, was ich dir angeboten hab, du Geizkragen, und daß sie mehr nicht zahlen wird.« So die Worte des Kutschers.

»Meinetwegen. Dann darf die Nichte der Gnädigen nicht durch«, erwiderte der Mauteinnehmer.

Oak blickte von einer Partei zur anderen und dachte vor sich hin. Irgendwie hörten sich die »zwei Pennies« so unbedeutend an. Drei Pennies waren vollgewichtiges Geld, das hätte einen Taglohn schon fühlbar geschmälert und wäre darum nicht so leicht zu entscheiden gewesen: aber zwei Pennies? »Da«, sagte er und drückte dem Mauteinnehmer zwei Pennies in die Hand. »Laß die junge Dame durch.« Dann blickte er zu ihr auf; sie hatte seine Worte gehört und blickte zu ihm herunter.

Gabriels Gesicht war so gebildet, daß es genau die Mitte zwischen der Schönheit des heiligen Johannes und der Häßlichkeit des Judas Ischariot hielt, wie die zwei auf einem Fenster in der Kirche, die er zu besuchen pflegte, dargestellt waren, so daß kein einziger Zug an ihm wegen seiner edlen Linienführung oder des Gegenteils hervorzuheben gewesen wäre. Das schien auch das Urteil des Mädchens mit der roten Jacke und den dunklen Haaren zu sein, denn sie blickte ihn nur beiläufig an und befahl dem Kutscher weiterzufahren. Vielleicht hatte ihr Blick auch eine Spur von Dank ausdrücken wollen, aber sie verlor kein Wort darüber. Noch wahrscheinlicher ist es freilich, daß sie gar keine Dankbarkeit empfand, denn sie hatte ihren

Willen nicht durchsetzen können, und wir wissen ja, wie Frauen einen Beistand dieser Art lohnen.

Der Mauteinnehmer sah dem Fahrzeug nach. »Ein sauberes Mädchen«, sagte er zu Oak.

»Aber nicht ohne Fehler«, fand Oak.

»Wie auch nicht?«

»Und der größte davon ist – na: immer dasselbe halt.«

»Dickschädlig, meinst du? Allerdings.«

»O nein.«

»Was sonst?«

Gabriel, den vielleicht doch das mangelnde Interesse der hübschen Reisenden ein wenig kränkte, sah zu der Stelle zurück, wo er sie beobachtet hatte, und stellte fest: »Die Eitelkeit.«

Es war fast zwölf in der Nacht vor dem Thomastag, dem kürzesten Tag im Jahr. Ein unfreundlicher Wind blies von Norden her über den Hügel, wo Oak den gelben Wagen samt Fahrgast ein paar Tage zuvor im Sonnenlicht gesehen hatte.

Norcombe Hill, nicht weit von der einsamen Tollerhöhe gelegen, ist einer von jenen Flecken, die auf einen Wanderer den Eindruck eines Landschaftsbildes machen, das dem Unzerstörbaren so nahe kommt wie kaum etwas anderes auf dieser Welt. Es handelte sich um einen unauffälligen Buckel aus Kalkstein und Erde – ein geläufiges Beispiel für jene glattgeschliffenen Aufwölbungen, die auch am Tag eines ganz großen Aufruhrs unberührt bleiben, wenn viel großartigere Gipfel und schwindelerregende Abgründe in sich zusammenstürzen.

Der Hügel war auf der Nordseite von einem alten, ziemlich verkommenen Buchenwald bedeckt, dessen oberer Rand über die Kuppe reichte und ihre Rundung gegen den Himmel wie mit einer Mähne säumte. In dieser Nacht schützten die Bäume den Südhang vor den heftigsten Windstößen, die gegen den Wald anfuhren, wie nörgelnd in ihm wühlten oder mit leiserem Seufzen über seine Wipfel fegten. Das dürre Laub im Graben brodelte und kochte unter dem Ansturm, und manchmal sog es ein paar Blätter heraus und wirbelte sie über das Gras. Einige wenige Spätlinge unter all dem Abgestorbenen, die noch bis in den Winter hinein an ihren Zweigen gehangen waren, lösten sich nun und raspelten trocken gegen die Stämme.

Zwischen diesem halb bewaldeten, halb kahlen Hügel und dem verschwimmenden, stillen Horizont, der sich ohne scharfe Grenzen von der Kuppe aus eröffnete, gab es eine geheimnisvolle Zone von dichten Schatten – nur die Geräusche, die von dort kamen, ließen ahnen, daß sie ungefähr Ähnliches verbargen wie das Sichtbare hier. Die dünnen Gräser, die da und dort auf dem Hügel wuchsen, wurden vom Wind einmal heftiger, dann wieder sanfter bewegt, als seien es ganz verschiedene Winde: der eine rieb sich an ihnen, ein anderer kämmte sie bis auf den Grund, ein dritter bürstete wie ein weicher Besen über sie hin. Das instinktive menschliche Verhalten war, stehenzubleiben und zu lauschen, wie die Bäume zur Rechten und zur

Linken, wechselnd wie in den Antiphonen eines Kirchengesanges, klagten und einander riefen; wie die Büsche und anderen Gebilde im Windschatten hierauf die Melodie übernahmen und zu kaum hörbarem Schluchzen dämpften; und wie die weitereilenden Lüfte hierauf südwärts untertauchten, bis nichts mehr zu vernehmen war.

Der Himmel war klar – erstaunlich klar – und das Funkeln all der Sterne schien wie der Rhythmus eines einzigen Körpers, im Takt eines allumfassenden Pulsschlags. Der Polarstern war genau dort, wo der Wind herkam, und seit Einbruch der Dunkelheit hatte sich der Große Bär nach außen gegen Osten gedreht, bis er in rechtem Winkel zur Erdachse stand. Der Unterschied in den Farben der Sterne, von dem man in England mehr aus Büchern als aus Erfahrung weiß, war hier tatsächlich feststellbar. Das machtvolle Feuer des Sirius blendete das Auge mit stählernem Glitzern, Capella war gelb, Aldebaran und Beteigeuze leuchteten in glühendem Rot.

Für jemanden, der in solch einer klaren Mitternacht allein auf einem Hügel steht, wird die Rotation des Erdballs zu einem fast greifbaren Erlebnis. Vielleicht wird dieses Gefühl von dem Panorama der Sterne hervorgerufen, die über das Irdische wandern, vielleicht hängt es auch mit dem weiten Blick zusammen, der sich von einem Hügel aus bietet, mit dem Wind oder mit der Einsamkeit; der Eindruck, daß man dahingetragen wird, ist jedenfalls, was immer die Ursache sein mag, sehr lebendig und unabweislich. Man spricht gern vom Rausch der Geschwindigkeit: Um dieses Vergnügen in epischer Breite auszukosten, muß man zu fortgeschrittener Nachtstunde auf einem Hügel stehen, sich seiner Größe, abgesetzt von der Vielzahl der zivilisierten Menschheit, die eben jetzt in Träumen befangen liegt und diese Fülle an Geschehen versäumt, bewußt sein, sich lange und still dem majestätischen Ziehen durch die Sternenräume hingeben. Es ist schwer, nach so einer nächtlichen Erkundungsfahrt wieder zur Erde zurückzukehren und zu glauben, daß das Bewußtsein solch grandiosen Dahineilens aus einem winzigen Menschenkörper kommt.

Plötzlich war an diesem Ort, vor diesem Himmel, eine unerwartete Lautfolge zu vernehmen. Die Töne waren von einer Klarheit, wie sie der Wind nie hervorbringt, und in einer Sequenz, die es in der Natur nicht gibt. Sie stammte aus Farmer Oaks Flöte.

Die Melodie schwang sich nicht frei durch den Äther, sie hörte sich irgendwie gedämpft an und war überhaupt viel zu schwach, um die Weite zu füllen. Sie kam von einem kleinen, dunklen Objekt unter der Buchenhecke – von einer Schäferhütte, deren nun sichtbare Kontur einem nicht näher Vertrauten kaum etwas über ihren Sinn und Zweck verraten hätte.

Insgesamt erinnerte das Bild an eine kleine Arche auf einem kleinen Ararat, wenn man sich an den Umriß und Bau der Archen in den Spielzeugläden hält – solche Bilder sind ja den Menschen besonders dauerhaft, weil schon sehr früh eingeprägt – und dieses Muster als ungefähr zutreffend hinnimmt. Die Hütte stand auf kleinen Rädern, die ihren Boden etwa fußhoch über die Erde hoben. Solche Schäferhütten werden auf die Weide mitgeführt, wenn die Lammzeit beginnt, und bieten dem Schäfer, wenn er auch nachts zugegen sein muß, einen Unterstand.

Erst seit kurzem hieß Gabriel bei den Leuten ›Farmer‹ Oak. In den zwölf Monaten, die dieser Nacht vorangegangen waren, hatten ihn geduldiger Fleiß und ein nicht weniger beständiger Optimismus so weit gebracht, daß er eine kleine Schaffarm, zu der Norcombe Hill gehörte, pachten und mit zweihundert Schafen bestücken konnte. Vorher war er für eine kurze Zeit Verwalter gewesen, und noch weiter zurück einfach ein Schäfer, der von Kindheit an seinem Vater geholfen hatte, die Herden von Gutsherren zu hüten, bis der alte Gabriel ins Grab gesunken war.

Das Wagnis, ganz allein und ohne Hilfe als sein eigener Herr, nicht als Lohnempfänger, und mit einem noch nicht bezahlten Vorschuß an Schafen zu wirtschaften, gab seinem Leben eine schicksalhafte Wendung, und Gabriel war sich seiner Situation deutlich bewußt. Der erste Fortschritt in dieser neuen Richtung war das Lammen seiner Schafe, und da er sich von Jugend auf mit Schafen auskannte, hatte er sich gehütet, in diesen Tagen die Sorge um sie einem Mietling oder einem Grünschnabel anzuvertrauen.

Der Wind fuhr fort, an den Ecken der Hütte zu rütteln, aber das Flötenspiel verstummte. Ein helles Rechteck erschien in der Seitenwand der Hütte, und in der Öffnung zeigte sich die Gestalt von Farmer Oak. Er trug eine Laterne in der Hand, schloß die Türe hinter sich und war hierauf fast zwanzig Minuten lang in dieser Ecke des Feldes sehr beschäftigt; da und dort tauchte der Laternenschein auf und wieder unter, beleuchtete oder ver-

dunkelte ihn je nach seinem Standort vor oder hinter der Lichtquelle.

Oaks Bewegungen waren von ruhigem Nachdruck, aber
langsam, und ihre Überlegtheit paßte gut zu seinem Geschäft.
Da Zweckmäßigkeit aller Schönheit zugrundeliegt, hätte niemand seinem stetigen Hin und Her, das wie ein Tanz mit der
Herde war, eine gewisse Anmut absprechen können. Obwohl
er, wenn es darauf ankam, so blitzartig rasch denken und handeln konnte wie irgendeiner aus der Stadt, dem dies eher angeboren ist, so war seine Stärke im Moralischen, Physischen und
Geistigen doch eine statische, die von Anstößen im Grund wenig oder gar nicht abhing.

Sogar in dem ungewissen Mondlicht hätte man bei genauerer
Umschau gemerkt, wie Farmer Oak einen Teil dessen, was
man etwa als wildwüchsigen Hang bezeichnen konnte, in diesem Winter für seine hochfliegenden Pläne hergerichtet hatte.
Verstreut an verschiedenen Stellen wuchsen strohgedeckte
Hürden aus dem Boden, zwischen und unter denen sich die
weißlichen Formen der braven Mutterschafe raschelnd bewegten. Die Glöckchen, die während seiner Abwesenheit geschwiegen hatten, begannen wieder zu läuten, wegen des rundum dichteren Wuchses der Wolle mehr gedämpft als hell. Dies
dauerte so lange, bis sich Oak von der Herde zurückzog. Er
ging zu der Hütte, in den Armen ein neugeborenes Lamm, das
aus vier Beinen bestand, lang wie von einem ausgewachsenen
Schaf, verbunden durch ein schrumpeliges Häutchen, an Sub-
stanz etwa die Hälfte der Beine, das fürs erste den ganzen Körper des Tiers darstellte.

Das Bündelchen Leben legte er auf eine Handvoll Heu vor
den kleinen Ofen, auf dem eine Kanne mit Milch warmgestellt
war. Oak blies in die Laterne und drückte den Docht aus. Seine
Lagerstatt war von einer Kerze erhellt, die an einem zurechtge-
bogenen Draht hing. Ein ziemlich hartes Lager aus ein paar
achtlos hingebreiteten Kornsäcken bedeckte zur Hälfte den
Boden dieser kleinen Behausung, und auf ihm streckte sich der
junge Mann aus, lockerte sein wollenes Halstuch und schloß
die Augen. Etwa nach der Zeitspanne, die ein an körperliche
Arbeit nicht gewöhnter Mensch für die Entscheidung braucht,
auf welche Seite er sich drehen soll, schlief Farmer Oak bereits.

Das Innere der Hütte, wie es sich nun zeigte, war heimelig
und einladend; neben der Kerze spiegelte auch das Häufchen

roter Glut sein freundliches Licht, soweit es reichte, und selbst Gerät und Werkzeug schien sich darin wohl zu fühlen. In der Ecke lehnte der Schäferstock, und auf einem Bord an der einen Seite standen in Flaschen und Büchsen die einfachen Mittel, mit denen man Schafe verarztet: Weingeist, Terpentin, Teer, Magnesium, Ingwer und Kastoröl waren das Wichtigste. Übereck auf einem Wandbrett gab es Brot, Speck, Käse und einen Becher für das Bier oder den Apfelwein aus der Tonflasche darunter. Neben dem Proviant lag die Flöte, die vorhin dem einsamen Beobachter mit ihrer Melodie die Zeit vertrieben hatte. Belüftet wurde das Gehäuse durch zwei runde Löcher, wie Bullaugen einer Schiffskabine, denen man Bretter vorschieben konnte.

Das von der Wärme angeregte Lamm begann zu blöken, und dieser Laut wurde, wie das bei erwarteten Geräuschen üblich ist, sofort von Gabriels Ohr und Hirn aufgenommen und verstanden. Indem er mit derselben Leichtigkeit, die er im umgekehrten Ablauf bewiesen hatte, nun aus dem tiefen Schlaf zu hellwachem Bewußtsein zurückkehrte, blickte er auf seine Uhr, stellte fest, daß der Stundenzeiger wieder verrutscht war, nahm das Lamm auf die Arme und trug es in die Dunkelheit. Nachdem er das kleine Ding bei seiner Mutter abgesetzt hatte, blieb er noch stehen und schaute prüfend zum Himmel auf, um an dem Stand der Sterne die Zeit abzulesen.

Im Süden standen Hundsstern und Aldebaran auf halber Höhe und zeigten auf die flimmernden Pleiaden, und zwischen ihnen hing das Sternbild des Orion, das nie so lebhaft funkelt wie in dieser Stunde, da es sich über den Horizont aufschwingt. Kastor und Pollux mit ihrem stillen Leuchten standen fast im Zenit; das nüchtern-düstere Quadrat des Pegasus schob sich gegen Nordwesten; von fern durch den Wald glitzerte Wega wie eine Lampe, die in den entlaubten Bäumen hing, und der Thron der Kassiopeia stand schwerelos auf den höchsten Zweigen.

»Ein Uhr«, sagte Gabriel.

Da ihm nicht selten bewußt war, daß seine Art zu leben auch einen gewissen Zauber besaß, blieb er, nachdem er den Himmel als nützliches Instrument betrachtet hatte, noch stehen und überschaute ihn mit dem Wohlgefallen, das einem erlesenen Kunstwerk angemessen ist. Für einen Augenblick schien ihn die beredte Einsamkeit der Szenerie oder, genauer gesagt, ihr völliges Verleugnen von allem, was sie in Gestalt und Laut an

Menschlichem einschloß, zu beeindrucken. Es war, als ob es keine Menschen mit ihren Formen, Beziehungen, Sorgen und Freuden – als ob es auf der im Schatten liegenden Hemisphäre kein fühlendes Wesen außer ihm gäbe. Als ob sie alle hinüber auf die Sonnenseite gegangen wären.

In solchen Gedanken, den Blick ins Weite gerichtet, erfaßte Gabriel dann doch, daß das Licht hinter den Ausläufern des Waldes in Wahrheit nicht der niedrige Stern war, für den er es gehalten hatte. Es war kein natürliches Licht, und es war ganz nahe.

Manche Menschen fürchten sich in der Nacht, wenn sie ganz allein sind und nicht die Gesellschaft haben, die sie herbeiwünschen und erwarten; trotzdem greift es die Nerven noch mehr an, wenn sich Instinkt, Gefühl, Erfahrung, Analogie, Erlerntes, Wahrscheinlichkeit und Logik – was immer dem Denken seine Sicherheit gibt – verbündet haben, um das Bewußtsein zu überzeugen, daß es von allem abgeschnitten ist, und dann plötzlich ein geheimnisvoller Schicksalsgefährte auftaucht.

Farmer Oak stieg zum Wald hinauf und zwängte sich durch das Unterholz auf der Windseite. Eine dunkle Masse erinnerte ihn daran, daß es hier einen Schuppen gab, der in den Hang so hineingebaut war, daß der hintere Teil des Dachs sich fast auf Bodenebene befand. Vorn bestand er aus Balken, die mit Brettern verkleidet und mit einem Schutzanstrich von Teer versehen waren. Durch Ritzen im Dach und in den Seitenwänden drang Licht in Punkten und Strichen und verbreitete die Helligkeit, die Oak angezogen hatte. Er trat zur Hinterfront, stützte sich auf das Dach und preßte ein Auge dicht an eine Lücke, so daß er den Raum überblicken konnte.

Drinnen waren zwei Frauen und zwei Kühe. Neben einer der letzteren stand ein Eimer, in dem ein Brei von Kleie dampfte. Eine der Frauen war über die mittleren Jahre hinaus. Ihre Gefährtin war offenbar jung und anmutig: Oak konnte ihr Aussehen nicht richtig beurteilen, weil sie sich fast unter seinem Auge befand und er sie daher so aus der Vogelschau sah, wie der Satan bei Milton zunächst das Paradies erblickt. Sie trug weder Haube noch Hut, hatte sich aber in einen langen Mantel gehüllt und diesen auch als Bedeckung über den Kopf geworfen.

»So – und jetzt nach Hause«, sagte die ältere der beiden, die Hände in die Hüften gestützt, und faßte mit einem Blick zusammen, was sie geleistet hatten. »Hoffentlich kommt die Daisy durch. Nie im Leben hat mich etwas so erschreckt, aber ich will gern noch einmal aufstehen, wenn sie sich erholt.«

Die junge Frau, deren Lider bei der leisesten Verführung durch die Stille zufallen würden, gähnte, ohne die Lippen allzuweit zu öffnen und steckte damit Gabriel an. Mitfühlend gähnte auch er.

»Ich würde uns so viel Geld wünschen, daß wir uns einen Mann für solche Sachen leisten könnten«, sagte sie.

»Weil wir es aber nicht haben, müssen wir es selber tun«, sagte die andere. »Wenn du hierbleibst, mußt du mithelfen.«

»Na, wenigstens der Hut ist weg«, fuhr die Jüngere fort. »Wahrscheinlich ist er über die Hecke geflogen. Zu dumm: So ein leichter Wind – und nimmt ihn mit . . .«

Die aufrecht stehende Kuh war ein Devon-Rind, mit einer glatten, warmen Haut von kräftigem Indianerrot, einheitlich getönt von den Augen bis zum Schwanz, als ob man das Tier in einen Farbbottich getaucht hätte, und ihr langer Rücken war wie mit dem Lineal gezogen. Die andere Kuh war grau und weiß gescheckt. Neben ihr bemerkte Oak nun ein Kälbchen, etwa einen Tag alt, dessen blöder, auf die zwei Frauen gerichteter Blick verriet, daß es an das Erlebnis des Sehens noch nicht gewöhnt war. Es wandte sich immer wieder zu der Laterne, die es offenbar, da seine ererbten Instinkte noch nicht durch Erfahrung korrigiert waren, für den Mond hielt. Bei den Schafen und Kühen von Norcombe Hill war sichtlich für die Zukunft vorgesorgt.

»Wir sollten uns Hafermehl kommen lassen«, sagte die ältere Frau. »Die Kleie ist aus.«

»Ja, Tante. Ich werde mit dem Pferd hinüberreiten, sobald es hell ist.«

»Aber wir haben keinen Damensattel.«

»Ich kann auch auf dem anderen sitzen. Keine Sorge!«

Oak, der diese Worte hörte, hätte gar zu gern ihr Gesicht gesehen, aber weil ihm das durch den Kapuzeneffekt des Mantels und seine luftige Position verwehrt wurde, mußte er es seiner Phantasie überlassen, das Fehlende zu ergänzen. Selbst bei Objekten, die uns klar vor der Nase stehen, färben und kneten wir ja den Augenschein nach unseren Bedürfnissen. Hätte Gabriel von vornherein freien Blick auf die junge Frau gehabt, so wäre sie von ihm als mehr oder weniger hübsch eingestuft worden je nachdem, ob seine Seele im Augenblick nach einem Andachtsbild verlangte oder schon mit einem solchen ausgestattet war. Da es ihm aber seit längerem an einem Gegenstand gebrach, der eine zunehmende innere Leere ausgefüllt hätte, und sein Standort der Phantasie keine Grenzen setzte, malte er sich eine strahlende Schönheit aus.

Dank einem der launischen Zufälle, bei denen die Natur, wie eine geschäftige Mutter, scheinbar für eine Sekunde in ihrem rastlosen Tun einhält und ihre Kinder zum Lächeln bringt, ließ das Mädchen nun den Mantel fallen. Schwarzes Haar fiel in Locken über ein rotes Jäckchen. Oak erkannte sie sofort als die Pantomimin – die mit dem gelben Wagen, den Myrten und dem Spiegel; nüchterner ausgedrückt als die Frau, die ihm zwei Pennies schuldete.

Sie stellten das Kalb wieder neben seine Mutter, nahmen die Laterne und gingen hinaus. Das Licht sank immer weiter den Hügel hinab, bis es nur mehr ein Nebelfleck war. Gabrial Oak kehrte zu seiner Herde zurück.

Der träge Morgen graute. Da nun aber der Ort, wo etwas geschieht, schon darum von neuem wieder interessant wird, ging Oak aus keinem triftigeren Anlaß außer dem, daß sich dort das nächtliche Geschehen zugetragen hatte, wieder in den Wald. Als er da gedankenverloren stand, vernahm er vom Fuß des Hügels her den Hufschlag eines Pferdes, und bald darauf erschien in seinem Blickfeld ein rostrotes Pony, das auf seinem Rücken ein Mädchen trug und den Weg heraufkam, der an dem Kuhstall vorbeiführte. Es handelte sich um die junge Frau aus der vergangenen Nacht. Gabriel fiel sofort der Hut ein, von dem sie erwähnt hatte, daß sie ihn verloren habe. Vielleicht kam sie, um ihn zu suchen. Gabriel stöberte eilig in dem Graben, fand tatsächlich nach etwa zehn Yards den Hut im Laub, nahm ihn und begab sich zu seiner Hütte zurück. Dort schloß er sich ein, lugte aber durch das Bullauge in die Richtung, aus der die Reiterin kommen mußte.

Da war sie schon und blickte erst um sich, dann über die Hecke. Gabriel wollte sich schon aufmachen und ihr den Fund zurückerstatten, als ein unerwartetes Verhalten ihrerseits ihn bewog, das Vorhaben zunächst aufzuschieben.

Hinter dem Kuhstall lief der Weg quer durch das Wäldchen. Es war kein Reitweg, nur ein Fußpfad, und die in geringer Höhe darüber gebreiteten Äste machten es unmöglich, aufrecht unter ihnen hindurchzureiten. Das Mädchen, das keinen Reitrock trug, schaute sich einen Augenblick um, als ob es sich vergewissern wollte, daß niemand in Sicht war, und legte sich dann gewandt hintüber auf den Rücken des Pferdes, den Kopf über seinem Schweif, die Füße an seinen Schultern, die Augen himmelwärts. Rasch wie ein Eisvogel, lautlos wie ein Falke war es in diese Position geglitten. Gabriels Augen hatten kaum zu folgen vermocht. Das hochgewachsene, schlanke Pony schien an derlei gewöhnt und schritt unbeirrt weiter. So kam das Mädchen unter den Ästen durch.

Die Reiterin fühlte sich offensichtlich zwischen Kopf und Schwanz eines Pferdes wie zu Hause, und als nach dem Wäldchen der Grund für ihr außergewöhnliches Benehmen weggefallen war, wechselte sie in eine andere, noch eindeutiger bequeme Stellung. Sie hatte keinen Damensattel, und man erkannte unschwer, daß es für sie unmöglich war, seitwärts und zugleich fest auf dem glatten Leder zu sitzen. Indem sie nun wieder wie eine Gerte in die Senkrechte schnellte und sich noch einmal versicherte, daß niemand um die Wege war, setzte sie sich so in den Sattel, wie es sein Bau verlangte, allerdings kaum von weiblichen Wesen erwartet wurde, und trabte in Richtung der Mühle von Tewnell davon.

Belustigt und vielleicht auch etwas verblüfft hängte Oak den Hut in die Hütte und wandte sich wieder seinen Schafen zu. Eine Stunde verging, dann kehrte das Mädchen zurück, jetzt anständig im Damensitz und mit einem Sack Kleie vor sich. Als es sich dem Kuhstall näherte, kam ihm ein Junge mit einem Milcheimer entgegen und hielt den Zügel, während es aus dem Sattel glitt. Der Junge führte das Pferd weg und ließ den Eimer bei dem Mädchen.

Bald darauf drang in regelmäßigem Takt dumpfes und helleres Zischen aus dem Stall, das vertraute Geräusch des Melkens. Gabriel nahm den verlorenen Hut und stellte sich an dem Weg auf, den das Mädchen vom Hügel herunterkommen würde.

Da war sie schon, in der einen Hand den Eimer, der gegen ihr Knie hing. Der linke Arm, als Gegengewicht ausgestreckt, zeigte genug Blöße, um Oak wünschen zu lassen, daß es Sommer wäre und er ihn ganz ohne Hüllen sehen könnte. Sie kam so munter und frei daher, als wollte sie jeden Zweifel an ihrer Existenzberechtigung von vornherein ausschalten, und diese doch etwas kühne Anmaßung wirkte nicht einmal herausfordernd, weil man bei ihrem Anblick spürte, daß sie eigentlich recht hatte. Wie Pathos aus dem Mund eines Genies nur an Bedeutung steigert, was bei einem mittelmäßigen Künstler lächerlich erschienen wäre, so hob ihr Verhalten die schon offenbaren Qualitäten noch hervor. Sie war ein wenig überrascht, als sie Gabriels Gesicht wie einen Mond hinter der Hecke aufsteigen sah.

Als es nun an dem Farmer war, seine vage Vorstellung von ihren Reizen den Tatsachen anzugleichen, kam dabei nicht weniger, sondern eher etwas anderes heraus. Das fing bei ihrer Größe an. Sie machte einen Eindruck, als sei sie besonders hochgewachsen, aber der Eimer war klein und die Hecke sehr niedrig, und rechnete man ab, was beim Vergleich damit überschätzt wurde, so konnte sie nicht größer sein, als das von den Frauen festgelegte Idealmaß vorschreibt. Alle Züge, auf die es ankommt, waren bei ihr streng und ebenmäßig. Wer über Land reist und Augen für das Schöne hat, wird beobachtet haben, daß in England die Frauen mit klassischen Gesichtszügen selten auch eine entsprechende Figur besitzen, weil das Gesicht in seiner Vollkommenheit im Verhältnis zum übrigen Körper meist zu großflächig ist; wie andererseits eine anmutige, wohlproportionierte Figur von acht Kopfeslängen gewöhnlich in ein nichtssagendes Gesicht übergeht. Man soll aus einem Milchmädchen keine Göttin machen, hätte in diesem Fall aber doch zugeben müssen, daß jede Kritik unangebracht war, und sich darauf beschränkt, die gelungene Beziehung der Teile zum Ganzen eingehend und genießerisch zu betrachten. Der Umriß ließ auf einen schönen Hals und ebensolche Schultern schließen: Seit sie kein Kind mehr war, aber hatte die niemand mehr gesehen. Hätte man sie in ein ausgeschnittenes Kleid gesteckt, sie wäre davongelaufen und kopfüber in einen Busch verschwunden. Dennoch war sie alles andere als schüchtern – nur daß sie instinktiv die Grenze zwischen dem, was man sehen, und dem, was man nicht sehen darf, höher ansetzte, als das in der Stadt üblich ist.

Daß auch die junge Frau an ihre Figur und ihr Gesicht dachte, als sie Oaks Blick darauf ruhen spürte, ist nur natürlich und mit Sicherheit anzunehmen. Ein wenig mehr Selbstbewußtsein wäre bereits Eitelkeit gewesen, ein wenig mehr Zurückhaltung hätte ihr Würde gegeben. Die Strahlung des männlichen Auges scheint in ländlichen Gegenden auf das jungfräuliche Gesicht wie ein Kitzel zu wirken: Sie strich mit der Hand über das ihre, als ob Gabriel die rosige Haut durch eine körperliche Berührung erregt hätte, und zugleich nahm sie die Freiheit ihrer Bewegungen zurück ins Schickliche. Trotzdem war es keineswegs das Mädchen, sondern der Mann, der errötete.

»Ich habe einen Hut gefunden«, sagte Oak.

»Er gehört mir.« Sie unterdrückte, weil es ihr schicklicher schien, den Wunsch, laut herauszulachen, und begnügte sich mit einem winzigen Lächeln. »Er ist mir letzte Nacht davongeflogen.«

»Um ein Uhr?«

»Ja – da war es« Sie war überrascht. »Woher wißt Ihr das?«

»Ich war hier.«

»Ihr seid der Farmer Oak, nicht wahr?«

»So ungefähr. Dieses Land habe ich noch nicht lange.«

»Eine große Farm?« fragte sie und schaute um sich. Sie warf das Haar, das im Schatten richtig schwarz war, aus der Stirn, und die Sonne, die nun schon seit einer Stunde am Himmel stand, ließ die Locken in den Farben ihrer Strahlen aufleuchten.

»Nein, nicht groß. Ungefähr hundert.« (Wenn von einer Farm die Rede ist, wird die Bezeichnung für das Flächenmaß von den Landleuten weggelassen, so wie man etwa bei Hirschen einen Zehnender auch einfach ›Zehner‹ nennt.)

»Ich habe den Hut heute früh gesucht«, fuhr sie fort. »Ich mußte nach Tewnell zur Mühle reiten.«

»Ja, das mußtet Ihr.«

»Woher wißt Ihr das?«

»Ich habe Euch gesehen.«

»Wo?« fragte sie, und ein bestimmter Verdacht ließ ihr Gesicht und Körper erstarren.

»Hier, auf dem Weg durch den Wald – und dann weiter den Hügel hinunter«, sagte Farmer Oak mit einer Miene, als wisse er sehr genau, woran er eben dachte, schaute dabei auf einen fernen Punkt in der angegebenen Richtung und kehrte sich hierauf wieder seinem Gegenüber zu, um ihm in die Augen zu blicken.

Was er sah, ließ ihn das Gesicht so plötzlich wieder abwenden, als habe man ihn bei etwas Verbotenem ertappt.

Bei der Erinnerung an die seltsamen Eskapaden unter den Bäumen schlug zunächst dem Mädchen das Herz rascher, dann wurden seine Wangen heiß. Es war eine gute Gelegenheit, eine Frau erröten zu sehen, die sonst nicht dazu neigte. Bis unter das Haar war das Milchmädchen purpurn erblüht wie eine Rose, alle Schattierungen der Züchter durcheilend. Worauf Gabriel so rücksichtsvoll war, den Blick abzuwenden.

Noch schaute der mitfühlende Mann anderswohin und überlegte, wann sie sich so weit erholt haben würde, daß er sich ihr zukehren durfte. Er vernahm ein Geräusch wie von einem dürren Blatt, das der Wind davonträgt, und sah auf. Sie war fort.

Mit einer Miene, die sich zwischen Lachen und Weinen hielt, machte sich Gabriel wieder an seine Arbeit.

Fünf Tage und Abende gingen dahin. Die junge Frau kam regelmäßig, um die gesunde Kuh zu melken und die kranke zu betreuen, gestattete es ihrem Blick aber nie, zu Farmer Oak hin abzuschweifen. Sein Mangel an Takt hatte sie tief gekränkt;

nicht weil er etwas gesehen hatte, was er nicht umhin konnte zu sehen, sondern weil er es sie hatte wissen lassen. Ohne Gebot gibt es keine Sünde, ohne Zeugen nichts Unziemliches. Sie schien zu finden, daß Gabriel sie durch sein Schauen, ohne daß sie etwas dazugetan, zu einer Frau gemacht hatte, die nicht weiß, was sich schickt. In ihm nährte dies bittere Reue; und zugleich war es ein Mißgeschick, das eine verborgene Inbrunst erst anfachte, die er in dieser Beziehung hegte.

Trotzdem hätte die Bekanntschaft in allmählichem Vergessen versiegen können, wenn nicht am Ende dieser Woche ein weiteres Ereignis eingetreten wäre. Eines Nachmittags fiel Frost ein, der gegen Abend immer schärfer wurde, wie Schnüre, die langsam zusammengezogen werden. Es war die Zeit, zu der in den Bauernkaten der Atem der Schläfer an den Laken gefriert und hinter den dicken Mauern der Herrenhäuser den Gästen der Rücken kalt wird, während das Kaminfeuer die Gesichter glühen läßt. Manch Vögelchen im kahlen Geäst wiegte sich an jenem Abend mit leerem Magen in den Schlaf.

Als die Zeit des Melkens heranrückte, schaute Oak wie immer zu dem Kuhstall hinüber. Schließlich wurde ihm aber kalt, er schüttete den trächtigen Schafen noch eine Schicht von wärmendem Stroh auf, ging in die Hütte und heizte den Ofen nach. Der Wind kam unter der Türe herein. Um ihn abzuhalten, legte Oak einen Sack hin und wendete die Hütte etwas weiter gegen Süden, aber da fauchte es nun durch eines der beiden Luftlöcher herein, die in die Seiten eingeschnitten waren.

Gabriel wußte natürlich, daß immer ein Luftloch – und zwar das an der windgeschützten Seite – offen bleiben muß, wenn die Tür zu ist und der Ofen brennt. Als er das windseitige Luftloch geschlossen hatte, wandte er sich um und wollte das andere öffnen. Dann beschloß er aber doch, sich zuerst einmal hinzusetzen und beide Löcher für ein paar Minuten geschlossen zu halten, bis die Temperatur in der Hütte ein wenig angestiegen wäre. Also setzte er sich hin.

Sein Kopf begann auf ungewohnte Weise zu schmerzen, und da er vermutete, daß er nach den vergangenen Nächten, in denen sein Schlaf oft unterbrochen worden war, nun einfach müde sei, wollte Oak aufstehen, das Luftloch öffnen und sich dann eine Ruhepause gestatten. Er schlief jedoch ein, ohne die notwendige Vorbereitung getroffen zu haben.

Nie erfuhr Gabriel, wie lange er bewußtlos dagelegen hatte. Als er wieder zu Sinnen kam, schien ihm zunächst, daß etwas Merkwürdiges vorging. Sein Hund heulte, sein Kopf schmerzte fürchterlich – jemand schleifte ihn herum, Hände lösten ihm das Halstuch.

Als er die Augen aufschlug, stellte er fest, daß die Abenddämmerung ganz unerwartet fortgeschritten war. Das Mädchen mit den so anziehenden Lippen und weißen Zähnen befand sich an seiner Seite – und mehr noch, erstaunlich mehr: Sein Kopf lag in ihrem Schoß, sein Gesicht und sein Nacken waren unangenehm feucht, und ihre Finger knöpften seinen Kragen auf.

»Was ist denn los?« fragte Oak lallend.

Die Frage schien sie zu erheitern, aber nicht so sehr, daß sie an ihrer Situation besonderes Vergnügen empfunden hätte.

»Nichts mehr«, erwiderte sie, »da Ihr nicht tot seid. Es ist ein Wunder, daß Ihr in dieser Hütte nicht erstickt seid.«

»Ah, die Hütte!« murmelte Gabriel. »Zehn Pfund habe ich dafür bezahlt. Aber die verkaufe ich jetzt und setze mich unter ein Strohdach, wie sie es früher getan haben, und zum Schlafen rolle ich mich auf eine Strohschütte. Schon einmal ist mir das um ein Haar passiert!« Gabriel unterstrich seine Worte, indem er mit der Faust auf den Boden schlug.

»An der Hütte liegt es eigentlich nicht«, stellte das Mädchen in einem Ton fest, der es als eines dieser neuartigen weiblichen Phänomene auswies, die einen Gedanken zu Ende denken, bevor sie mit dem Satz beginnen, der ihn mitteilen will. »Ihr hättet Euer Hirn anstrengen sollen. So etwas Dummes: Die Luftlöcher verstopft lassen!«

»Ja, das war's vermutlich«, gab Oak geistesabwesend zu. Er bemühte sich, mit dem Gefühl zurechtzukommen, daß er so mit ihr beisammen war, mit seinem Kopf auf ihrem Kleid, bevor das Gegenwärtige von dem Vergangenen aufgesogen wurde. Er hätte gewünscht, daß sie wüßte, was in ihm vorging, aber es wäre nicht schwieriger gewesen, einen Duft mit einem Netz einzufangen, als zu versuchen, so unartikulierte Empfindungen in die groben Maschen der Worte zu fassen. Er blieb daher stumm.

Sie half ihm beim Aufsetzen. Oak wischte sein Gesicht trocken und schüttelte sich. »Wie kann ich Euch danken?« erkundigte er sich schließlich, nachdem etwas von seiner natürlichen Bräune und Röte in sein Gesicht zurückgekehrt war.

»Oh, keine Ursache«, entgegnete das Mädchen mit einem Lächeln, das auch gleich für Gabriels nächste Äußerung galt, was immer er sagen mochte.

»Wie habt Ihr mich gefunden?«

»Ich bin zum Melken gekommen, und da habe ich gehört, wie Euer Hund geheult und an der Hüttentür gekratzt hat. Ein Glück, denn die Daisy hat jetzt bald keine Milch mehr, und nach der nächsten oder übernächsten Woche werde ich nicht mehr herkommen. Der Hund hat mich gesehen, er ist zu mir gesprungen und hat mich am Rock gepackt. Da bin ich herübergekommen und erst einmal um die Hütte herumgegangen, um zu schauen, ob die Luken verlegt sind. Mein Onkel hat so eine Hütte, und ich habe ihn zu seinem Schäfer sagen gehört, daß er nicht einschlafen darf, ohne eine Luke offenzulassen. Dann habe ich die Tür aufgemacht, und Ihr seid dagelegen wie ein Toter. Ich habe Euch mit Milch angeschüttet, weil kein Wasser da war und ich nicht daran dachte, daß das keinen Sinn hat, weil die Milch warm ist.«

»Vielleicht wäre ich gestorben«, sagte Gabriel, mehr zu sich selbst als zu ihr.

»O nein!« widersprach sie. Derart Tragisches schien ihr nicht zu behagen: Wenn man einen Menschen vom Tod errettet hat, muß das, was es zu sagen gibt, auf die Bedeutung der Tat abgestimmt werden – und davor scheute sie zurück.

»Ich vermute, Ihr habt mir das Leben gerettet, Miss – Ich kenne nur den Namen Eurer Tante – Wie heißt ihr?«

»Das werde ich Euch nicht sagen – lieber nicht. Ich sehe keinen Grund dafür, denn in Zukunft werde ich Euch kaum mehr begegnen.«

»Trotzdem wüßte ich es gern.«

»Ihr könnt Euch bei meiner Tante erkundigen – sie wird es Euch sagen.«

»Ich heiße Gabriel Oak.«

»Ich nicht. So bestimmt, wie Ihr Euren Namen aussprecht, scheint er Euch sehr zu gefallen, Gabriel Oak.«

»Es ist der einzige, den ich habe. Damit muß ich mich abfinden.«

»Ich habe meinen nie leiden können. Er hört sich komisch an.«

»Vielleicht werdet Ihr bald einen anderen haben.«

»Gott behüte! Was Ihr Euch alles über andere Leute zusammenreimt, Gabriel Oak!«

»Nein, Miss – verzeiht, ich dachte, Ihr hättet vielleicht nichts dagegen. Aber mir ist schon klar, daß ich gegen Euch nicht aufkomme, wenn ich zu sagen versuche, was mir auf der Zunge liegt. Ich war nie sehr klug im Kopf. Aber ich danke Euch. Bitte – gebt mir Eure Hand!«

Sie zögerte, ein wenig verwirrt von dem altväterischen Ernst, mit dem Oak eine so lockere Unterhaltung beschloß. »Gut«, sagte sie endlich und gab ihm ihre Hand. Die zusammengepreßten Lippen drückten aus, daß es nichts zu bedeuten habe.

Er hielt die Hand nur einen Augenblick lang. Aus Furcht, seine Gefühle zu zeigen, tat er das Gegenteil und berührte ihre Finger nur ganz leicht, als mangle es ihm an Selbstvertrauen.

»Tut mir leid«, sagte er gleich darauf.

»Was?«

»Daß ich Eure Hand nicht länger gehalten habe.«

»Ihr dürft sie noch einmal haben: Da –« Sie reichte ihm die Hand ein zweites Mal. Oak hielt sie diesmal länger – auffällig lange sogar. »Wie weich sie ist – und jetzt im Winter. Gar nicht aufgesprungen oder rauh.«

»Nun – das reicht jetzt«, sagte das Mädchen, ohne ihm die Hand zu entziehen. »Aber ich nehme an, daß Ihr sie küssen wollt? Ich erlaube es Euch.«

»Daran habe ich überhaupt nicht gedacht«, gestand Gabriel schlicht. »Aber ich werde gern –«

»Nein, das werdet Ihr nicht!« Sie nahm ihre Hand zurück.

Gabriel begriff, daß er schon wieder taktlos gewesen war.

»Und jetzt könnt Ihr herausfinden, wie ich heiße«, sagte sie mit leichtem Spott und ging.

Überlegenheit an einer Frau ist für das andere Geschlecht in der Regel nur dann erträglich, wenn sie unbewußt bleibt. Dennoch geschieht es, daß eine solche Überlegenheit dem Mann, der sich gern einfangen lassen möchte, nicht unerwünscht kommt.

Dieses wohlgeartete und hübsche Mädchen begann im Gefühlsleben des jungen Farmers Oak alsbald eine bemerkenswerte Rolle zu spielen.

Liebe ist wahrhaftig der schlimmste Wucher: Wer sein Herz gegen ein anderes hingibt, wie das im Fall einer reinen Leidenschaft geschieht, hofft auf unverhältnismäßigen Profit für seine Seele; auf niedrigerer Ebene ist es der Gewinn an körperlicher Lust oder materiellem Besitz. Jeden Morgen kalkulierte Oak seine Chancen, als handle es sich um den Stand einer Aktie. Die Ähnlichkeit zwischen Oaks Hund, der auf sein Fressen, und Oak selbst, der auf das Mädchen wartete, war so auffällig, daß der Farmer sie als peinlich empfand und den Hund nicht anschaute. Dennoch spähte er jedesmal wieder durch die Hecke, bis sie zur Stunde erschien, und so vertieften sich seine Gefühle für sie, ohne daß auf ihrer Seite etwas Vergleichbares stattgefunden hätte. Noch hatte sich Oak nicht zurechtgelegt, was er sagen wollte, und da er auch nicht fähig war, Liebesschwüre zu erfinden, bei denen sich das Ende auf den Anfang reimt – nichts Aufwühlendes

»voll Lärm und Raserei, was nichts bedeutet« –,

sagte er gar nichts.

Seine Nachforschungen ergaben, daß das Mädchen Bathsheba Everdene hieß und ihre Kuh noch etwa eine Woche lang Milch hatte. Ihm graute vor dem achten Tag.

Der achte Tag traf schließlich ein. Nun gab die Kuh in diesem Jahr keine Milch mehr, und Bathsheba Everdene kam nicht mehr auf den Hügel. Gabriel befand sich auf einem Tiefpunkt, wie er vor kurzem für ihn kaum vorstellbar gewesen wäre. Er pfiff nicht mehr, sondern fand Genuß daran, »Bathsheba« vor sich hin zu sagen, fand plötzlich Geschmack an schwarzem Haar, obwohl er schon als Junge für Braun geschwärmt hatte, und zog sich so in sich zurück, daß der Raum, den er im Bewußtsein anderer Menschen einnahm, nicht mehr der Rede wert war. Die Liebe ist stark im Bereich des Möglichen, in der Wirklichkeit macht sie schwach; die Ehe hingegen verwandelt die Einbuße in Zugewinn, dessen Umfang in unmittelbarem Verhältnis zu dem Stellenwert der Blödigkeit stehen soll – und das zum Glück oft auch tut –, die er ersetzt. Oak sah nun einen Ausweg in diese Richtung und sprach zu sich: »Entweder ich mache sie zu meiner Frau, oder ich tauge zu überhaupt nichts mehr!«

Inzwischen zerbrach er sich den Kopf über irgendeinen triftigen Anlaß, um bei Bathshebas Tante anzuklopfen.

Den Vorwand verschaffte ihm endlich der Tod eines Mutterschafs, das ein gesundes Lamm zurückließ. An einem Tag, der sich sommerlich gab, aber durch und durch Winter war – ein schöner Januarmorgen mit genug Blau am Himmel, um frohgestimmte Menschen mehr davon verlangen zu lassen, bei zeitweiligem Aufleuchten von silbrigem Sonnenschein –, legte Oak das Lamm in einen makellosen Sonntagskorb und stapfte über die Felder zum Haus von Mrs. Hurst, der Tante. George, der Hund, lief hinterher mit einer Miene, in der sich seine Besorgnis über die riskante Wendung ausdrückte, welche die Schäferei zu nehmen schien.

Der blaue Holzrauch, der aus dem Schornstein kräuselte, hatte Gabriel seltsam angeregt. Abends hatte er ihn in seiner Phantasie zu seinem Ursprung hinab verfolgt, den Herd vor sich gesehen – und daneben Bathsheba. Sie war zum Ausgehen gekleidet, denn Gabriels Zuneigung machte die Kleider, die sie auf dem Hügel getragen hatte, zu einem Bestandteil ihrer Person; sie waren in der Frühzeit seiner Liebe ein notwendiger Bestandteil des begehrenswerten Ganzen, das sich Bathsheba Everdene nannte.

Gabriel hatte sich fein herausgeputzt – ein Kompromiß zwischen adretter Sorgfalt und dekorativer Nachlässigkeit, halbwegs zwischen sonnigem Markttag und verregnetem Sonntag. Er reinigte gründlich die silberne Uhrkette mit Kreidepulver, zog den Schuhen frische Senkel in die Löcher, deren Messingränder er poliert hatte, und drang bis in das Herz des Wäldchens vor, um sich einen neuen Spazierstock zu schneiden, den er auf dem Rückweg heftig zurechtschnitzte, holte vom Grund der Kleidertruhe ein frisches Taschentuch, zog die leichte, mit den Ranken einer eleganten, die Vorzüge von Rose und Lilie ohne deren Mängel vereinigenden Blume gemusterte Weste an und verwandte alle Pomade, die er besaß, auf sein sonst trockenes, sandfarbenes und unentwirrbar krauses Haar, bis es eine ganz neue, prächtige Tönung hatte, irgendwo zwischen Guano und Mörtel, und an seinem Kopf klebte, wie die Brotkrumen an einem Schnitzel oder Tang an einem Felsklotz bei Ebbe.

Nur das Tschilpen von ein paar Spatzen auf der Dachtraufe störte die Stille um das kleine Haus, und man konnte sich dabei vorstellen, daß es der Gesellschaft auf dem Dach genau so wie unter diesem vor allem um Skandal und Tratsch ging. Es schien kein gutes Omen, und als ein recht unzeitiges Vorspiel zu seinem Auftritt bemerkte Oak, als er eben beim Gartengatter anlangte, wie dahinter eine Katze beim Anblick des Hundes George sich feindselig buckelte und die Haare sträubte. George achtete nicht darauf; er hatte das abgebrühte Alter erreicht, in dem man jedes überflüssige Gebell als Atemverschwendung vermeidet – auch die Schafe verbellte er nur auf Befehl und tat es dann mit so völlig distanziertem Ausdruck wie der Übermittler eines Bannstrahls, der hin und wieder nicht anders kann, als der Herde zu ihrem eigenen Wohl einen Schrecken einzujagen.

Hinter einigen Lorbeerbüschen, in die sich die Katze geflüchtet hatte, drang eine Stimme hervor:

»Arme Kleine! Hat dich so ein widerliches Hundetier fressen wollen? So eine arme Kleine!«

»Ich bitte um Vergebung«, widersprach Oak der Stimme, »aber George ist wirklich wie ein Lämmchen hinter mir hergegangen.«

Der Satz war kaum zu Ende, als Oak ein Zweifel hinsichtlich der Person überkam, der seine Antwort gegolten hatte. Niemand zeigte sich, und er hörte, wie sich die Betreffende zwischen den Büschen zurückzog.

Gabriel überlegte, und er tat es so angestrengt, daß ihm die Mühe des Denkens die Stirn furchte. Wenn das Ergebnis einer Verhandlung ebenso leicht einen Wandel zum Schlimmeren wie zum Besseren bringen kann, wirkt alles Unvorhergesehene sich in lähmender Furcht vor einem Mißerfolg aus. Ein wenig geknickt näherte sich Gabriel der Haustür: Die Voraussetzungen, welche die Wirklichkeit soeben geschaffen hatte, waren ganz andere als die, auf welche hin er sich vorbereitet hatte.

Bathshebas Tante war im Haus. »Könntet Ihr Miss Everdene

wissen lassen, daß jemand da ist, der gern mit ihr sprechen würde?« begann Mr. Oak. (Auf dem Land ist es kein Beweis für mangelnde Kinderstube, wenn man sich selbst als einen Jemand bezeichnet; es kommt vielmehr aus einer feinfühligen Bescheidenheit, von der das Stadtvolk, das seine Visitenkarten abgibt und sich anmelden läßt, keine Ahnung hat.)

Bathsheba war nicht zugegen. Die Stimme hatte offenbar ihr gehört.

»Wollt Ihr hereinkommen, Mr. Oak?«

»O danke«, sagte Gabriel und folgte der Tante zum Kamin. »Ich habe ein Lamm für Miss Everdene gebracht. Ich habe mir gedacht, daß sie es vielleicht aufziehen möchte. Mädchen tun das gern.«

»Mag sein«, erwog Mrs. Hurst. »Obwohl sie hier nur zu Gast ist. Wenn Ihr ein bißchen warten wollt, wird Bathsheba gleich da sein.«

»Ja, ich werde auf sie warten«, sagte Gabriel und setzte sich. »Das Lamm ist aber nicht der wirkliche Grund, weshalb ich gekommen bin. Um es kurz zu machen: Ich wollte sie fragen, ob sie nicht heiraten möchte.«

»Tatsächlich?«

»Ja. Wenn sie es nämlich möchte, würde gern ich es sein, der sie heiratet. Wißt Ihr, ob es auch noch andere junge Männer gibt, die hinter ihr her sind?«

»Laßt mich nachdenken«, sagte Mrs. Hurst und stocherte im Feuer, obwohl kein Anlaß zum Schüren vorlag. »Ja, natürlich – eine ganze Menge. Ihr versteht ja, Farmer Oak, wie das bei einem so hübschen Mädchen ist, – sehr gebildet ist sie auch . . . Sie hätte einmal Erzieherin werden sollen, wißt Ihr, nur daß sie zu ungebärdig dafür war . . . Nicht daß die jungen Leute hierher kommen würden, aber – gütiger Himmel! – wie es halt bei einer Frau ist, muß sie wohl ein Dutzend haben.«

»Das ist schlimm«, fand Farmer Oak und blickte betrübt auf einen Sprung in den Steinfliesen. »Ich bin nichts Besonderes und hätte nur eine Chance gehabt, wenn ich der Erste gewesen wäre . . . Nun, da muß ich nicht länger warten, denn das war alles, weshalb ich gekommen bin. So ziehe ich eben wieder ab, Mrs. Hurst –«

Als Gabriel etwa zweihundert Meter am Rand der Hochfläche gegangen war, hörte er, wie jemand hinter ihm »Hoi! Hoi!« rief – und das in einer höheren Tonlage, als man diesen Ruf sonst auf den Feldern zu hören gewohnt ist. Er schaute sich um und sah ein Mädchen, das ihm nachlief und ein weißes Taschentuch schwenkte.

Oak blieb stehen. Die Gestalt kam näher. Es war Bathsheba Everdene. Gabriels Gesicht rötete sich; das ihre war es schon – anscheinend aber nicht vor Aufregung, sondern vom Laufen.

»Farmer Oak – ich –« sagte sie und legte eine Atempause ein. Sie stellte sich vor ihm auf, das Gesicht verzogen, und stemmte eine Hand in die Seite.

»Ich habe Euch eben besuchen wollen«, sagte Gabriel, bevor sie zu Wort kam.

»Ja – das weiß ich«, keuchte sie. Ihr Herz schlug wie bei einem kleinen Vogel, Schweiß stand auf der erhitzten Stirn wie der Tau auf einem Pfingstrosenblatt, bevor es die Sonne trocknet. »Ich habe nicht gewußt, daß Ihr um meine Hand bitten wolltet, sonst wäre ich sofort aus dem Garten ins Haus gekommen. Ich bin Euch nachgelaufen, um Euch zu sagen – daß meine Tante nicht recht getan hat, als sie Euch fortschickte.«

Gabriel lebte auf. »Es tut mir leid, daß Ihr meinetwegen so rasch laufen mußtet«, sagte er und bereitete sich darauf vor, dankbar entgegenzunehmen, was ihm in den Schoß fallen wollte. »Wartet noch, bis Ihr wieder bei Atem seid.«

»Es war einfach falsch – wenn die Tante behauptet hat, daß ich schon einen Verehrer habe«, fuhr Bathsheba fort. »Ich habe keinen, mit dem ich gehe – und ich habe auch nie einen gehabt. Und da – wie es heutzutage schon mit uns Frauen steht – habe ich mir gedacht, daß es doch zu dumm wäre, wenn Ihr geht und glaubt, ich hätte gleich mehrere.«

»Oh, das ist aber wirklich eine gute Nachricht!« rief Oak. Er lächelte auf seine besondere Art und wurde rot vor Freude. Die Hand, die sie in die Seite gepreßt hatte, lag nun anmutig auf ihrem Busen, um das heftig pochende Herz zu beruhigen, und er streckte die seine nach ihr aus. Aber kaum hatte er ihre Hand gefaßt, da entschlüpfte sie seinen Fingern wie ein Aal und verbarg sich hinter Bathshebas Rücken.

»Ich habe eine hübsche kleine Farm«, sagte Gabriel, schon nicht mehr ganz so sicher.

»Ja, die habt Ihr.«

»Ein Mann hat mir Geld vorgestreckt, damit ich anfangen kann, aber das wird bald abgezahlt sein, und ich bin zwar ein recht alltäglicher Mensch, aber doch ein bißchen weitergekommen, seit ich meine kurzen Hosen abgelegt habe.« Gabriel betonte »ein bißchen« mit selbstzufriedener Zurückhaltung, die ausdrücken sollte, daß es eigentlich »sehr viel« war. Er fuhr fort: »Und ich bin sicher, daß ich noch einmal so tüchtig arbeiten kann, wenn wir erst verheiratet sind.«

Er trat einen Schritt vor und streckte wieder die Hand aus. Bathsheba hatte ihn an einer Stelle eingeholt, wo eine verkrüppelte Stechpalme voll roter Beeren stand. Als sie sah, daß seine Annäherung ihre Bewegungsfreiheit zu beschränken, ja aufzuheben drohte, wich sie hinter den Busch zurück.

»Nein, Farmer Oak«, sagte sie über den Busch hinweg und sah Gabriel mit großen Augen an. »Ich habe nie behauptet, daß ich Euch heiraten will.«

»Nun, das verstehe ein anderer!« rief Oak empört. »Jemandem so nachlaufen – und dann sagt Ihr ihm, daß Ihr ihn gar nicht haben wollt!«

»Mir ist es nur um eines gegangen«, sagte sie bestimmt, wenn auch nicht unberührt von der absurden Situation, in die sie sich gebracht hatte: »Daß es keinen gibt, dem ich mein Herz geschenkt habe – und schon gar nicht ein Dutzend, wie es meine Tante haben wollte. Ich mag es nicht, wenn man mich so als etwas nimmt, das irgendwelche Männer haben, obwohl mich vielleicht eines Tages einer haben wird. Wenn mir darum gewesen wäre, Euch zu kriegen, wäre ich Euch nicht so nachgelaufen – das wäre ja mehr als ungehörig! Aber es war nichts dabei, wenn ich etwas Falsches, das man Euch gesagt hat, richtigstellen wollte.«

»Nein – es war nichts dabei.« Aber manchmal ist man mit einem impulsiven Urteil zu großzügig, und daher fügte Oak, als er die Umstände genauer bedacht hatte, doch hinzu: »So sicher bin ich aber nicht, ob wirklich nichts dabei war.«

»Wenn ich mir Zeit zum Überlegen genommen hätte, ob ich Euch heiraten möchte oder nicht, wärt Ihr schon über den Hügel gewesen.«

»Gut«, sagte Gabriel und wurde wieder munterer. »Überlegt es Euch also. Ich werde ein Weilchen warten, Miss Everdene. Wollt Ihr mich heiraten? Bitte, tut es, Bathsheba! Ich liebe Euch mehr, als Ihr ahnt!«

»Ich will versuchen, es mir zu überlegen«, entgegnete sie, beträchtlich unsicherer. »Wenn ich überhaupt hier im Freien denken kann. Mich lenkt so vieles ab.«

»Aber zumindest versuchen könntet Ihr es!«

»Gebt mir Zeit.« Bathsheba schaute von Gabriel weg in die Ferne.

»Ich werde Euch glücklich machen«, sagte er zu ihrem abgewandten Kopf, über den Busch hin. »In ein paar Jahren werdet Ihr ein Klavier haben – heutzutage ist das so bei der Frau von einem Farmer –, und ich werde so lange mit der Flöte üben, bis ich Euch am Abend begleiten kann.«

»Ja, das würde mir gefallen.«

»Und so einen kleinen Wagen für zehn Pfund, mit dem Ihr auf den Markt fahren könnt; und hübsche Blumen und Vögel – ich meine: Hühner und Enten, weil die nützlich sind –« redete Gabriel weiter, zwischen Poesie und Prosa schwankend.

»Das würde mir auch sehr gefallen.«

»Und ein Mistbeet für Gurken, wie bei einer großen Dame.«

»Ja.«

»Und nach der Hochzeit geben wir eine Heiratsanzeige in die Zeitung.«

»Ach ja! Das wäre sehr, sehr schön!«

»Und unsere Kinder – alle die süßen Kleinen! Und wenn wir zu Hause am Kamin sitzen und Ihr aufblickt, bin ich da – und wenn ich aufblicke, seid Ihr da!«

»Nicht so schnell – und keine Zweideutigkeiten!«

Ihre Miene umwölkte sich, und sie schwieg eine Weile. Sein Blick wanderte über die roten Beeren zwischen ihnen, immer wieder und so lang, daß die Stechpalme für ihn von diesem Tag an ein Symbol für den Heiratsantrag war. Endlich wandte sich Bathsheba entschlossen zu ihm.

»Nein, es hat keinen Sinn«, sagte sie. »Ich mag Euch nicht heiraten.«

»Versucht es!«

»Ich habe es versucht – die ganze Zeit, während ich nachgedacht habe: Denn eigentlich wäre eine Heirat schon etwas Schönes. Die Leute würden über mich reden und glauben, daß ich mein Schäfchen ins Trockene gebracht habe, und ich würde mich fühlen wie nach einem Sieg. Aber ein Mann, mit dem man verheiratet ist –«

»Ja?«

»Nun, er würde, wie Ihr sagtet, immer da sein. Wann immer ich aufschaue, ist er da.«

»Natürlich würde er – das heißt: Ich.«

»Ich will damit sagen, daß ich nichts dagegen hätte, eine Braut bei einer Hochzeit zu sein, wenn ich dazu keinen Bräutigam brauchen würde. Aber weil eine Frau so einen Auftritt nicht allein haben kann, werde ich nicht heiraten – zumindest jetzt noch nicht.«

»»Und so etwas Verrücktes soll ich Euch abnehmen?«

Diese Kritik veranlaßte Bathsheba, ihre Würde durch eine leichte Geste zu unterstreichen, mit der sie sich von ihm abkehrte.

»Gott sei mein Zeuge, aber ich wüßte mir nichts Dümmeres, was ein Mädchen sagen könnte!« rief Oak. »Liebste Bathsheba«, fuhr er beschwichtigend fort, »seid doch nicht so!« Oak seufzte tief und aus ehrlichem Herzen – daran ließ auch die Tatsache keinen Zweifel, daß es sich wie das Ächzen eines ganzen Trauerweidenhains oder eher wie fernes Gewittergrollen anhörte. »Warum wollt Ihr mich nicht?« fragte er bittend und begann den Busch zu umrunden, um auf ihre Seite zu gelangen.

»Ich kann nicht«, sagte sie und wich zurück.

»Aber warum nicht?« bohrte er hartnäckig. Er zweifelte schließlich daran, sie jemals zu erreichen, blieb stehen und schaute über den Busch zu ihr.

»Weil ich Euch nicht liebe.«

»Ja, aber –«

Sie unterdrückte ein Gähnen so weit, daß es nicht kränkte und fast gar nicht ungezogen war. »Ich liebe Euch nicht«, sagte sie.

»Aber ich liebe Euch – und für meine Person genügt es mir, wenn Ihr mich mögt.«

»Oh, Mr. Oak – das hört sich so einfach an! Ihr würdet mich verachten lernen.«

»Niemals!« beteuerte Oak mit solchem Ernst, daß er allein schon durch das Gewicht seiner Worte geradewegs durch den Busch und in ihre Arme zu kommen schien. »Eines im Leben ist mir gewiß – das werde ich immer tun: Euch lieben, mich nach Euch sehnen und Euch begehren, bis zu meinem Tod!« In seiner Stimme schwang nun echtes Pathos, und seine breiten, braunen Hände zitterten merklich.

»Es hört sich so verkehrt an, daß ich Euch nicht haben soll, wenn Ihr so starke Gefühle habt«, gab sie ein wenig beunruhigt zu und blickte suchend um sich, um einen Ausweg aus ihrem moralischen Dilemma zu finden. »Ich gäbe etwas darum, daß ich Euch nicht nachgelaufen wäre!« Dennoch schien es, als könnte sie durch eine rasche Wendung das Gespräch wieder in heitere Bahnen lenken. Sie gab sich keck. »Es würde nicht gehen, Mr. Oak. Ich brauche jemanden, der mich zähmt. Ich bin zu unabhängig. Und das würdet Ihr nie fertigbringen. Ich weiß es!«

Oak schlug seine Augen auf das Feld nieder, um anzudeuten, daß jedes Argumentieren sinnlos sei.

»Mr. Oak«, sagte sie, nüchtern und voll klarer Bestimmtheit: »Ihr seid besser gestellt als ich. Ich besitze kaum einen Penny auf dieser Welt – ich lebe bei meiner Tante, weil sie mich durchfüttert. Ich habe eine bessere Schulbildung als Ihr – und ich liebe Euch überhaupt nicht: So sieht der Fall von meiner Seite aus. Und nun zu Euch: Ihr seid ein Farmer, der eben anfängt, und einfach aus gesundem Menschenverstand solltet Ihr, wenn Ihr überhaupt heiratet (woran Ihr jetzt freilich besser noch nicht denken würdet), eine Frau mit Geld heiraten, mit der Ihr eine größere Farm bewirtschaften könnt als die, die Ihr jetzt habt.«

Mit ein wenig Überraschung und viel Bewunderung schaute Gabriel sie an.

»Genau das habe ich mir auch gedacht!« gestand er schlicht.

Farmer Oak besaß mehr als eine christliche Tugend zuviel, um bei Bathsheba Erfolg zu haben: Bescheidenheit und ein Übermaß an Ehrlichkeit. Bathsheba brachte das nun wirklich aus der Fassung.

»Aber warum seid Ihr dann überhaupt hergekommen?« wollte sie wissen. Sie war fast – vielleicht auch schon richtig – wütend, auf jeder Wange breitete sich ein roter Fleck aus.

»Ich kann nicht tun, was wahrscheinlich – wahrscheinlich –«

»Richtig wäre?«

»Nein, vernünftig.«

»*Jetzt* habt Ihr gestanden, Mr. Oak!« rief sie, noch mehr von oben herab, und schüttelte verächtlich den Kopf. »Glaubt Ihr wirklich, daß ich Euch nach alldem noch heiraten könnte? Nicht, wenn es nach mir geht.«

»Mißversteht mich doch nicht!« unterbrach er sie heftig. »Nur weil ich ehrlich zugebe, was jeder Mann in meiner Lage bedacht haben würde, lauft Ihr rot an und geht auf mich los! Daß Ihr nicht gut genug für mich wärt, ist doch Unsinn. Ihr sprecht wie eine Dame – das ganze Dorf merkt es – und Euer

Onkel ist, wie ich höre, ein Großbauer, viel größer, als ich es jemals sein werde. Darf ich Euch am Abend besuchen, oder wollt Ihr, daß wir am Sonntag zusammen ausgehen? Ich will nicht, daß Ihr Euch sofort entscheidet, wenn Euch nicht danach ist.«

»Nein – nein – ich kann nicht. Drängt mich nicht länger, bitte! Ich liebe Euch nicht – es wäre einfach lächerlich«, sagte sie und lachte.

Kein Mann mag es, wenn er sich mit seinen Gefühlen an der Nase im Kreis herumgeführt sieht. »Gut denn«, sagte Oak fest wie einer, der alles Menschenmögliche versucht hat und sich nun von der Welt abkehrt, »dann werde ich Euch nicht mehr fragen.«

Als Gabriel eines Tages hörte, daß Bathsheba Everdene fortgezogen war, hatte die Nachricht auf ihn eine Wirkung, die nur jemanden überrascht hätte, der nicht weiß, daß ein Schlußstrich um so weniger endgültig ist, je nachdrücklicher er gezogen wird.

Es ist eine Binsenweisheit, daß es ebensowenig ein Patentrezept gegen Verliebtheit wie für ihr Gegenteil gibt. Manche glauben, daß die Ehe ein Ausweg ist, aber bekanntlich geht das oft daneben. Eine Trennung, wie sie das Schicksal Gabriel Oak durch Bathshebas Verschwinden als Heilmittel anbot, ist zwar bei Menschen von bestimmter Gemütslage wirksam, hat aber bei anderen eher zur Folge, daß sie den ihnen entzogenen Gegenstand ihrer Zuneigung idealisieren – vor allem bei jenen, deren Zuneigung, so still und unauffällig sie sein mag, tief und dauerhaft ist. Oak zählte zur Gruppe jener Beständigen. Er hatte das Gefühl, daß das heimliche Feuer, das ihn mit Bathsheba verschmolz, mit klarerer Flamme brannte, seit sie fort war – mehr änderte sich nicht.

Der Ansatz zu einer Freundschaft mit ihrer Tante war im Keim erstickt, als Bathsheba seinen Antrag abgewiesen hatte, und alles, was Oak über sie erfuhr, kam nicht aus erster Hand. Anscheinend befand sie sich nun an einem Ort, der Weatherbury hieß und mehr als zwanzig Meilen entfernt lag, aber in welcher Eigenschaft – als Gast oder für ständig – konnte er nicht herausfinden.

Gabriel hatte zwei Hunde. George, der ältere, zeichnete sich durch eine ebenholzschwarze Nasenspitze, gesäumt mit einer rosigen Borte, und ein unregelmäßig geflecktes Fell aus, wobei die Farbe der Flecken zwischen Weiß und Schiefergrau lag. Das Grau war allerdings nach Jahren in Sonne und Regen aus den exponierteren Büscheln herausgesengt und ausgewaschen; sie hatten ein rötliches Braun angenommen, als wäre der Blauton des Graus verblaßt wie das Indigo auf Turners Bildern. Was einmal Haar gewesen war, hatte sich durch das lange Zusammenleben mit Schafen anscheinend zu einer Art Wolle von minderer Qualität und Faser verwandelt.

Dieser Hund hatte ursprünglich einem rohen, cholerischen Schäfer gehört, und die Folge davon war, daß George die subtilen Abstufungen beim Schimpfen und Fluchen genauer kannte als irgendein anderes altes Lästermaul im Umkreis. Lange Erfahrung hatte ihn so haarscharf zwischen Befehlen wie »Da komm her!« und »Daher, du Satan!« zu unterscheiden gelehrt, daß er auf den Bruchteil einer Sekunde wußte, wie prompt er auf den betreffenden Ruf hin von den Schafsschwänzen abzulassen hatte, um einen Hieb mit der Schäferkruke zu vermeiden. Er war zwar alt, aber klug und noch immer verläßlich.

Der junge Hund war Georges Sohn und vielleicht der Mutter nachgeschlagen, denn er sah George nicht sehr ähnlich. Er lernte das Schafehüten, um nach dem Tod des Alten einmal der Herde zu folgen, war aber nicht über die Anfangsgründe hinaus. Er begriff absolut nicht, daß es nicht dasselbe ist, ob man etwas gut oder zu gut macht. So beflissen und zugleich vernagelt war dieser junge Hund (er besaß keinen eigenen Namen, sondern sprach allzeit bereit auf jedes freundliche Wort an), daß er, wenn man ihn zum Treiben ausschickte, die Herde mit dem größten Vergnügen quer durch die ganze Grafschaft gejagt hätte, sofern er nicht zurückgepfiffen oder durch das Beispiel des alten George erinnert wurde, daß es nun genug sei.

Soviel zu den Hunden. Am anderen Ende von Norcombe Hill gab es einen Kalkbruch; seit Generationen hatte man dort Kalk abgebaut und damit die umliegenden Farmen versorgt. Zwei Heckenzüge liefen V-förmig auf ihn zu, trafen sich aber zuletzt doch nicht. Die schmale Öffnung zwischen ihnen, die sich unmittelbar über der Steilwand des Kalkbruchs befand, war durch einen einfachen Lattenzaun abgesperrt.

Eines Nachts, als Farmer Oak zu seinem Haus zurückkehrte, weil er seine Anwesenheit auf dem Hügel für nicht mehr vonnöten hielt, rief er wie gewöhnlich nach den Hunden, um sie bis zum nächsten Morgen im Schuppen einzuschließen. Nur einer kam: der alte George; der andere war weder auf der Straße noch im Garten zu finden. Dann erinnerte sich Gabriel, daß er die zwei Hunde auf dem Hügel gelassen hatte, wo sie ein totes Lamm auffressen durften (Lammfleisch hielt er in der Regel von ihnen fern, ausgenommen in Zeiten, in denen anderes Futter knapp wurde), und er vermutete, daß der junge noch damit beschäftigt war. Also ging Gabriel ins Haus, um sich den Luxus eines Bettes zu gönnen, der ihm in letzter Zeit nur an Sonntagen zuteil geworden war.

Es war eine ruhige, feuchte Nacht. Kurz vor Tagesanbruch

wurde Gabriel überraschend von vertrautem Läuten geweckt. Für einen Schäfer ist der Klang der Schafglocken ein Geräusch, das er ständig um sich hat wie andere Leute das Ticken der Uhr, und es erregt nur dann seine Aufmerksamkeit, wenn es verstummt oder sich auf einmal nicht mehr wie das übliche Gebimmel anhört, das dem darauf eingestimmten Ohr auch aus der Ferne verrät, daß in der Hürde alles in Ordnung ist. In der feierlichen Stille des aufkommenden Tages vernahm Gabriel nun diesen Ton, aber die Glöckchen bimmelten lauter und rascher als sonst. So etwas kann zwei verschiedene Gründe haben: Entweder grasen die Schafe, welche die Glocken tragen, rascher als sonst, wie das etwa der Fall ist, wenn die Herde auf neues Weideland überwechselt und das Geläut deshalb aus dem Takt kommt – oder die Schafe fangen zu rennen an, was ein noch schnelleres, aber den Takt haltendes Bimmeln bewirkt. Das erfahrene Ohr Oaks teilte ihm mit, daß das Geräusch, das er eben hörte, von einer Herde in vollem Lauf herrührte.

Er sprang aus dem Bett und in die Kleider, eilte durch den Frühnebel die Straße entlang und stieg den Hügel hinan. Die Schafe, die schon geworfen hatten, standen abgetrennt von den etwa zweihundert, die erst später fällig waren. Diese zweihundert waren wie vom Erdboden verschluckt. Die fünfzig mit den Lämmern standen hinter ihrem Zaun drüben, wie er sie verlassen hatte, aber die übrigen – der Hauptteil der Herde – war nirgends zu sehen. So laut er konnte, stieß Gabriel den Ruf der Schäfer aus:

»Ovi-ovi-ovi!«

Nicht ein einziges Blöken. Er ging zu der Hecke. Da war eine Bresche – und da waren auch die Spuren der Schafe. Es überraschte Gabriel, daß sie so etwas zu dieser Jahreszeit getan haben sollten, er führte es aber sofort auf ihre winterliche Vorliebe für Efeu zurück, und davon wuchs eine Menge in dem Wäldchen. Er ging ihnen nach. Sie waren auch nicht in dem Wäldchen. Er rief wieder – so laut, daß die Täler und fernsten Hügel mit ihrem Echo antworteten: aber kein Schaf. Er trat unter den Bäumen hervor und ging den Kamm des Hügels entlang. Auf der äußersten Höhe, wo die zwei bereits erwähnten, aufeinander zulaufenden Hecken am Rand des Kalkbruchs endeten, sah er den jüngeren Hund gegen den Himmel stehen – schwarz und bewegungslos wie Napoleon auf Sankt Helena.

Eine entsetzliche Ahnung stieg in Oak auf. Wie körperliche

Schwäche überkam es ihn, als er weiterging: An einer Stelle war das Geländer durchbrochen, und eben dort sah er die Spuren seiner Schafe. Der Hund lief herbei, und leckte Gabriels Hand und gab zu verstehen, daß er irgendeinen Sonderlohn für seinen Wächterdienst erwarte. Oak schaute über die Steilwand. Dort unten lagen die Schafe, tote und sterbende – ein Haufen von zweihundert zerschmetterten Körpern, die in ihrem derzeitigen Zustand für mindestens zweihundert weitere gelten konnten.

Oak war ein Mann von starken Gefühlen. Diese Gefühle hatten sich oft gegen ein absichtsvolles Handeln gekehrt, das an Planung herankam, und ihn wie mit einer eigenen Dynamik fortgetragen. Immer war es wie ein Schatten über ihm gelegen, daß seine Schafe auf der Schlachtbank enden mußten; daß für jeden Schäfer der Tag kommt, an dem er zum Verräter an seiner wehrlosen Herde wird. Seine erste Reaktion jetzt war Mitleid mit diesen sanften Tieren und ihren ungeborenen Lämmern, die ein so unzeitiges Schicksal ereilt hatte.

Eine Sekunde darauf kam ihm ein anderer Aspekt des Falles zu Bewußtsein: Die Schafe waren nicht versichert. Alle Ersparnisse eines bescheidenen Lebens waren mit einem Schlag dahin. Der Traum vom selbständigen Farmerleben war aus, vielleicht für immer. Gabriel hatte zwischen seinem achtzehnten und achtundzwanzigsten Jahr so viel Energie, Geduld und Fleiß darauf verwandt, um bis an diesen Punkt zu kommen, daß er sich wie ausgehöhlt fühlte. Er stützte sich auf einen Geländerbalken und barg sein Gesicht in den Händen.

Immerhin hat auch ein solcher Zustand der Lähmung seine bemessene Dauer. Schließlich kam wieder Leben in Farmer Oak. Es war nicht weniger bemerkenswert als charakteristisch, daß der erste Satz, zu dem er fand, Dankbarkeit ausdrückte.

»Gott sei gelobt, daß ich keine Frau habe! Wie hätte *sie* die Armut ertragen, die jetzt über mich kommt!«

Oak hob den Kopf, umfaßte mit einem unruhigen Blick die Szene und fragte sich, was nun zu tun wäre. Vor dem Kalkbruch lag ein runder Teich, und darüber hing rippendürr ein fahlgelber Mond, dem nur mehr wenige Tage beschieden waren – von links rückte der Morgenstern gegen ihn vor. Der Teich glänzte wie das Auge eines Toten; eine Brise fuhr über ihn, als die Welt erwachte, sie dehnte und verzerrte das Spiegelbild des Mondes, ohne es zu zerbrechen, und verwandelte den

Widerschein des Sterns zu einem leuchtenden Strich auf dem Wasser. Das alles sah Oak und behielt es im Gedächtnis.

Vieles sprach dafür, daß der arme Hund – unter dem Eindruck, daß man ihn hielt, damit er hinter den Schafen herlief, und seinen Dienst um so besser tat, je mehr er lief – zunächst das tote Lamm verspeist und daraus vielleicht einen zusätzlichen Antrieb erhalten hatte, worauf er alle Schafe in einer Ecke versammelte und die furchtsamen Tiere durch die Hecke und über das obere Feld trieb – und dort hatte ihnen die Angst solche Kräfte verliehen, daß sie einen Teil des morschen Geländers niederbrachen: So hatte der Hund sie in den Abgrund gejagt.

Georges Sohn hatte seine Arbeit zu gründlich getan, um weiterzuleben, und wurde daher noch am selben Mittag weggeführt und erschossen. Wieder ein Beispiel für das Mißgeschick, das Hunde und andere Philosphen trifft, wenn sie ein Prinzip bis in sein logisches Extrem verfolgen und in einer Welt, die vor allem auf Kompromisse angelegt ist, auf Konsequenz bestehen wollen.

Gabriels Farm war von einem Viehhändler bestückt worden – im Vertrauen auf Oaks vertrauenerweckendes Äußeres und seinen guten Leumund –, der von dem Farmer bis zur Rückzahlung des Vorschusses einen Anteil am Ertrag erhalten sollte. Oak fand, daß der Wert von Tieren, Frucht und Gerät, soweit es sein Eigentum war, ungefähr hinreichte, um seine Schuld zu bezahlen. Danach war er ein freier Mann. Was er am Leib hatte, gehörte ihm – aber das war auch alles.

Zwei Monate vergingen: Das bringt uns zu einem Tag im Februar, an dem in Casterbridge, dem Hauptort der Grafschaft, der Verdingmarkt stattfand.

An dem einen Ende der Straße standen an die zwei- bis dreihundert wackere Tagelöhner, die auf ihr Glück warteten – alles Männer von dem Schlag, der in der Arbeit nichts Schlimmeres sieht als ein Ankämpfen gegen die natürliche Trägheit, und im Vergnügen nichts Anspruchvolleres, als dieser Trägheit nachzugeben. Die Kärrner und Kutscher unterschieden sich von den anderen durch ein Stück Peitschenschnur, das sie um den Hut geschlungen hatten; Dachdecker trugen ein Büschel zurechtgestutztes Stroh; Schäfer hielten ihre Kruken: So konnte man auf einen Blick erkennen, was für Arbeit ein jeder suchte.

In der Menge befand sich auch ein athletischer junger Mann, der sich von den übrigen ein wenig abhob. Seine Überlegenheit war sogar so fühlbar, daß ihn mehrere von den biederen Landarbeitern für einen Farmer hielten und mit »Sir« um Arbeit ansprachen.

»Ich suche selber eine«, war seine regelmäßige Antwort. »Wißt Ihr jemanden, der einen braucht?«

Gabriel war blasser geworden. Sein Blick war nachdenklicher und sein Gesicht nicht mehr so heiter. Er hatte eine Durststrecke hinter sich, auf der er mehr gewonnen als verloren hatte. Hof und Herde waren dahin, aber er hatte zu einer Gelassenheit gefunden, die er vorher nicht gekannt hatte, und dazu jenen Abstand zu den Wechselfällen des Schicksals, der zum festen Grund für menschliche Größe wird, wenn er den Betreffenden nicht, wie das oft geschieht, auf schlimme Wege bringt. So war Gabriel in seiner Erniedrigung erhöht worden, und sein Verlust wurde zum Gewinn.

Am Vormittag hatte ein Reiterregiment die Stadt verlassen, und ein Sergeant hatte mit seinen Leuten in den vier Straßen die Werbetrommel gerührt. Als der Tag sich neigte und Gabriel noch immer nicht angeheuert war, wünschte er fast, daß er sich den Soldaten angeschlossen hätte und zum Dienst am Vaterland fortgezogen wäre. Müde vom Herumstehen auf dem Marktplatz und nicht sehr wählerisch, was die Arbeit betraf, beschloß er, sich auch zur Übernahme von anderen Tätigkeiten als der eines Verwalters anzubieten.

Es hatte den Anschein, daß alle Farmer Schäfer brauchten – und Schafehüten verstand Gabriel wirklich von Grund auf. Er bog in eine düstere Straße, von dort in ein noch düstereres Gäßchen und betrat eine Schmiede.

»Wie lang braucht Ihr für eine Schäferkruke?«

»Zwanzig Minuten.«

»Was kostet es?«

»Zwei Schilling.«

Er setzte sich auf die Bank. Der Schmied fertigte die Kruke an und schenkte ihm den Stock dazu.

Dann begab sich Gabriel in einen Kleiderladen, wo vor allem Kundschaft vom Land einkaufte. Weil die Kruke seine Barschaft fast erschöpft hatte, versuchte er – mit Erfolg – seinen Mantel gegen einen richtigen Schäferkittel einzutauschen.

Nachdem das Geschäft abgewickelt war, eilte er wieder zurück auf den Platz und stellte sich dort als Schäfer, die Kruke in der Hand, an den Randstein.

Nun, da er sich in einen Schäfer verwandelt hatte, schien es, daß vor allem Verwalter gefragt waren. Immerhin wurden ein paar Farmer auf ihn aufmerksam und traten heran. Der Dialog, der darauf folgte, hielt sich etwa in folgendem Rahmen:

»Woher kommt Ihr?«

»Von Norcombe.«

»Das ist weit.«

»Fünfzehn Meilen.«

»Wem hat die Farm gehört, wo Ihr zuletzt wart?«

»Mir selbst.«

Diese Antwort wirkte jedesmal, als hätte Gabriel eine ansteckende Krankheit. Der Farmer rückte von ihm ab und schüttelte zweifelnd den Kopf. Wie sein Hund war Gabriel zu gut für das, was man von ihm wollte, und über diesen Punkt kam er nicht hinaus.

Besser ist es, irgendeine Chance zu ergreifen, wie sie sich bietet, und Mittel und Wege zu finden, sich ihr anzupassen, statt einen guten Plan reifen zu lassen und auf eine Gelegenheit zu warten, ihn in die Tat umzusetzen. Gabriel wünschte, er hätte sich nicht auf Schäfer festgelegt, sondern zu beliebigen Aufgaben erboten, wie sie die ländliche Arbeitswelt, für deren Bedarf der Markt aufkam, sonst noch erforderte. Beim Saatgutstand sangen und pfiffen ein paar fröhliche Burschen. Gabriels Hand, die eine Weile müßig in der Tasche des Kittels gelegen hatte, rührte an die Flöte, die er dort verwahrt hatte. Das war nun ein Anlaß, sein teuer erkauftes Wissen praktisch anzuwenden.

Er zog die Flöte hervor und fing an »Jockey to the Fair« zu spielen – wie einer, der nie auch nur einen Schatten von Sorge kennengelernt hat. Arkadiens Süße schwang in Oaks Spiel, und die vertrauten Töne machten ihm nicht weniger als den Zuhörern das Herz leicht. Er blies munter drauflos und hatte nach einer halben Stunde so viele Pennies eingenommen, daß es für einen armen Mann schon ein kleines Vermögen war.

Auf seine Fragen erfuhr er, daß am nächsten Tag ein Markt in Shottsford stattfinden sollte.

»Wie weit ist es bis Shottsford?«

»Zehn Meilen hinter Weatherbury.«

Weatherbury! Dorthin war Bathsheba vor zwei Monaten gezogen. Wie ein Blitz aus heiterem Himmel war der Name des Orts gefallen.

»Wie weit ist es bis Weatherbury?«

»Fünf oder sechs Meilen.«

Vermutlich hatte Bathsheba auch Weatherbury schon längst verlassen, aber die Gegend war doch so interessant, daß Oak sich veranlaßt fühlte, es als nächstes auf dem Markt von Shottsford zu versuchen, weil Shottsford im Bezirk von Weatherbury lag. Davon abgesehen waren die Leute aus Weatherbury auch sonst durchaus nicht uninteressant. Wenn es stimmte, was man ihnen nachsagte, nahmen sie es an Fleiß, Frohsinn, Wohlstand und Schlauheit mit allen in der übrigen Grafschaft auf. Oak beschloß, auf dem Weg nach Shottsford die Nacht in Weatherbury zu verbringen, und schlug auch schon die Landstraße ein, von der man ihm gesagt hatte, daß sie ohne Umweg zu diesem Dorf führe.

Die Straße verlief durch feuchte Wiesen, durchzogen von kleinen Bächen, deren schillernde Oberfläche in der Mitte sanft gewellt, an den Rändern wie geknittert war; wo die Strömung schneller war, trieb auch weißer Schaum in Flocken heiter und unbeirrt bachabwärts. Weiter oben tanzte das tote, dürre Laub über den Boden, wirbelte in Kapriolen, die ihm der Wind vorpfiff, und die Vögel in den Hecken plusterten ihre Federn und machten es sich für die Nacht bequem; sie blieben sitzen, solange

Oak weiterging, flogen aber auf, wenn er stehenblieb, um nach ihnen zu schauen. Er kam durch den Wald von Yalbury, wo die Wildtauben aufbaumten, und hörte das »gö-gög« der Fasanhähne und das leise Fiepen ihrer Hennen.

Nach drei oder vier Meilen waren die Formen der Landschaft zu einheitlichem Schwarz geronnen. Als er den Hügel von Yalbury hinunterstieg, vermochte er gerade noch vor sich einen Wagen auszumachen, der am Straßenrand unter den ausladenden Ästen eines großen Baums stand.

Als er näher kam, stellte er fest, daß der Wagen ohne Pferde war und anscheinend niemand um die Wege. Wie der Wagen da stand, hatte man ihn offenbar für die Nacht abgestellt, denn bis auf ein halbes Bündel Heu war er ganz leer. Gabriel setzte sich auf die Deichsel und überdachte seine Lage. Er mußte einen guten Teil der Strecke nun schon hinter sich haben, und weil er seit dem frühen Morgen auf den Beinen war, fühlte er sich versucht, sein Lager im Heu auf dem Wagen aufzuschlagen, statt weiter in Richtung Weatherbury zu wandern, um dort für eine Unterkunft zu bezahlen.

Er aß seine letzten Speckbrote und trank aus der Mostflasche, die er vorsorglich mit sich führte. Dann stieg er in den verlassenen Wagen, wo er die eine Hälfte des Heus als Matratze ausbreitete, so gut ihm das in der Dunkelheit gelang, und die andere Hälfte als Federbett so über sich zog, daß er ganz davon bedeckt war. Sein Körper fühlte sich so wohl wie je in seinem Leben. Melancholische Erwägungen konnte allerdings ein Mann wie Oak, der mehr als andere Leute zum Grübeln neigte, nicht ganz verbannen, wenn er daran dachte, was für ein düsteres Kapitel seiner Biographie sich da aufgeschlagen hatte. So schlief er im Gedanken an sein Mißgeschick als Liebhaber und Schäfer ein; denn die Hirten teilen mit den Seeleuten die Fähigkeit, Morpheus herbeizurufen, statt auf ihn warten zu müssen.

Als er etwas plötzlich aufwachte, nach einem Schlaf von unbestimmbarer Dauer, hatte der Wagen sich in Bewegung gesetzt. Das Tempo, in dem er dahinpolterte, war für ein ungefedertes Fahrzeug ganz beachtlich: für Oak, dessen Kopf auf dem Bodenbrett auf und nieder hüpfte wie ein Paukenschlegel, alles andere als eine bequeme Reise. Dann unterschied er zwei Stimmen, die sich vorn auf dem Wagen unterhielten. Einigermaßen ratlos – unter günstigeren Voraussetzungen wäre er wohl erschrocken, aber Unglück ist ein starkes Sedativ – lugte er aus dem Heu. Zunächst sah er nur die Sterne. Der Große Wagen stand fast im rechten Winkel zum Polarstern, und Gabriel schloß daraus, daß es etwa neun Uhr war – er hatte also zwei Stunden geschlafen. Diese kleine astronomische Berechnung erfolgte ganz automatisch, während er bereits behutsame Anstalten traf, um nach Möglichkeit herauszufinden, in wessen Hände er gefallen war.

Zwei Gestalten waren unscharf auszunehmen, sie saßen vorn, die Beine über dem Wagenrand, und einer der beiden kutschierte. Gabriel unterschied alsbald den Kutscher. Anscheinend waren die beiden wie Gabriel auf dem Markt von Casterbridge gewesen.

Ein Gespräch war im Gang, das etwa so weiterlief:

»Zum Anschauen ist sie sauber gestellt, da gibt's nichts – aber das ist nur die Haut von der Frau, und gerade die am schönsten zum Anschauen sind, die haben im Inneren einen Stolz wie ein wahrer Luzifer.«

»Jaja – schaut ganz danach aus, Billy Smallbury – schaut ganz danach aus.« Diese Bemerkung war etwas unsicher vorgebracht, wozu noch die Situation beitrug, denn das Holpern des Wagens wirkte sich auch auf den Kehlkopf des Sprechers aus. Bei diesem handelte es sich um den Mann, der die Zügel hielt.

»Ein eitles Weibsbild ist sie – nach dem, was man über sie redet.«

»Ah! Wenn das so ist, kann ich ihr bestimmt nicht in die Augen schauen – Gott behüte! Ich nicht – hahaha! Für so etwas bin ich zu schüchtern!«

»Ja – sehr eitel ist sie. Es heißt, daß sie jedesmal am Abend, wenn sie ins Bett geht, in den Spiegel schaut, ob ihre Schlafhaube auch richtig sitzt.«

»Und dabei nicht einmal verheiratet! Allerhand!«

»Und am Planino spielen kann sie auch, heißt es. So geschickt ist sie da, daß sich ein Psalm anhört wie irgendwas zum Tanzen.«

»Unglaublich! Das sind schöne Aussichten für uns! Ich fühl mich schon wie ein Junger! Und wie zahlt sie?«

»Das weiß ich nicht, Master Poorgrass.«

Als er das und ähnliches hörte, kam Gabriel der irrwitzige Gedanke, die beiden könnten vielleicht von Bathsheba sprechen. Allerdings gab es keine stichhaltigen Indizien dafür, denn der Wagen fuhr zwar in Richtung Weatherbury, ebensogut aber vielleicht auch darüber hinaus, und bei der Frau, von der die Rede war, handelte es sich vermutlich doch um eine Dame von Stand. Sie befanden sich jetzt ganz dicht vor Weatherbury, und Gabriel, der die zwei Plauderer nicht unnötig erschrecken wollte, schlüpfte ungesehen vom Wagen herunter.

Er wandte sich zu einer Öffnung in der Straßenhecke, die sich als Gatter erwies, auf das er sich schwang, um zu überdenken, ob er ein billiges Quartier im Dorf oder ein noch wohlfeileres in irgendeinem Heu- oder Kornschober suchen sollte. Das Quietschen und Rumpeln des Wagens verklang. Er wollte eben weitergehen, als er zu seiner Linken, etwa eine halbe Meile weit entfernt, eine ungewöhnliche Helligkeit bemerkte. Oak behielt sie im Auge: Das Glühen wurde stärker. Etwas stand in Flammen.

Gabriel stieg wieder auf das Gatter, sprang auf der anderen Seite hinunter in ein, wie er feststellte, gepflügtes Feld, über das er auf kürzestem Weg dem Feuer zulief, dessen Schein sich doppelt so rasch verstärkte, weil es selbst sich ausbreitete und Gabriel zugleich näherkam, bis er schließlich, ganz deutlich im Licht, die Umrisse von Heuhaufen ausnehmen konnte. Der Brand war auf einem Heuplatz ausgebrochen. Gabriels übermüdetes Gesicht war nun von einer satten, orangeroten Glut bestrahlt, die tanzenden Schatten von Dornzweigen warfen ein Muster auf seinen Kittel und die Gamaschen – der Feuerschein war durch eine entlaubte Hecke, die dazwischen lag, gefiltert –, und der metallische Schnörkel der Schäferkruke spiegelte silbern die Strahlen. Er kam zu dem Grenzzaun und blieb stehen, um Atem zu schöpfen. Es schien, daß der Platz völlig menschenleer war.

Da brannte ein langgestreckter Strohhaufen, und das Feuer hatte sich so weit in diesen hineingefressen, daß an ein Löschen nicht zu denken war. Ein Strohhaufen brennt anders als ein Haus. Wenn der Wind das Feuer einwärts bläst, löst sich das von ihm ergriffene Stroh wie Zucker auf, seine Kontur verliert sich für den Blick. Dennoch widersteht ein guter gefügter Heu- oder Strohhaufen eine Weile auch einem Feuer, sofern es ihn nur von außen ergreift.

Was Gabriel sah, war ein locker aufgeschütteter Strohhaufen, und die Flammen stießen blitzartig rasch darin vor. Die Glut auf der Windseite wechselte zwischen Weiß und Rot wie bei einer Zigarre. Dann rollte ein Bündel, das oben gelegen hatte, prasselnd herunter; die Flammen dehnten sich aus, wogten seufzend, ohne ein Knistern. Von der Gegenseite wälzte sich der Rauch horizontal ab wie treibende Wolken, und dahinter lohten im Verborgenen andere Feuer, die den Rauchschleier zu einheitlichem Gelb einfärbten. Einzelne Halme im Vordergrund verzehrten sich in der vorankriechenden Hitze wie Knoten von rotem Gewürm, und darüber leuchteten schemenhafte Feuerfratzen mit Zungen, die aus dem Mäulern hingen, rollenden Augen und anderen gespenstischen Formen, von denen ab und zu die Funken aufschwärmten wie Vögel aus einem Nest.

Als Oak feststellte, daß der Fall ernster war, als er zunächst vermutet hatte, gab er seine Zuschauerrolle sehr schnell auf. Eine Rauchfahne wehte seitab und enthüllte ihm in beunruhigender Nachbarschaft des brennenden Haufens einen Weizenschober und dahinter eine ganze Reihe von weiteren – der Großteil dessen, was die Farm an Körnerfrucht hervorgebracht hatte. Der Strohhaufen hatte also nicht, wie Gabriel angenommen, mehr oder weniger für sich allein dagelegen, sondern stand in direkter Verbindung zu den übrigen Schobern der Gruppe.

Gabriel sprang über die Hecke und sah, daß er nicht allein war. Der erste, der ihm begegnete, lief wie gehetzt herum, als wären seine Gedanken meterweit dem Körper voraus und könnten diesen nicht schnell genug hinterherziehen.

»Gütiger Himmel! Feuer! Feuer! Ein guter Herr und ein schlimmer Knecht ist das Feuer – Feuer! Will sagen ein schlimmer Knecht und ein guter Herr. Komm her, Mark Clark! Du auch, Billy Smallbury – und du, Maryann Money – und du, Jan Coggan – und Matthew dort!« Andere Gestalten erschienen hinter dem Rufer aus den Rauch. Gabriel fand sich in zahlreicher Gesellschaft, deren Schatten fröhlich auf und ab tanzten – freilich im Rhythmus der Flammen, ganz und gar nicht nach dem Willen derer, zu denen sie gehörten. Die Leute – sie zählten zu jener Schicht, bei der sich Gedanken in Gefühlen ausdrücken, Gefühle hingegen in Erregung – gingen die Sache mit bemerkenswertem Mangel an Zielbewußtsein an.

»Sperrt den Luftzug unter dem Kornschober!« schrie Gabriel denen zu, die ihm zunächst standen. Das Korn lagerte auf einer Plattform, die von Steinen getragen war, und zwischen diesen leckten und züngelten munter die gelben Flämmchen von dem brennenden Stroh herüber. Wenn das Feuer erst einmal unter die Plattform vordrang, war alles verloren.

»Holt eine Plane – schnell!« befahl Gabriel.

Man brachte eine der Planen, mit denen die Schober abgedeckt werden, und hängte sie wie einen Vorhang in den Luftzug. Die Flammen zogen sich sofort vor die Plattform zurück und richteten sich senkrecht empor.

»Stellt euch mit einem Eimer Wasser her und haltet das Tuch naß!« ordnete Gabriel an.

Die Flammen, die nun aufwärts getrieben wurden, begannen die Eckpfeiler des breiten Daches anzugreifen, unter dem der Kornschober aufgeschichtet war.

»Eine Leiter!« schrie Gabriel.

»Die Leiter hat am Stroh gelehnt und ist bis auf den letzten Span verbrannt«, antwortete ein gespenstischer Schemen aus dem Rauch.

Oak packte die Enden einer Garbe, legte sie um den Balken, stemmte die Füße ein und kletterte, gelegentlich mit dem Schaft der Schäferkruke nachhelfend, zu dem überhängenden Dach hinauf. Dort setzte er sich sogleich rittlings auf den mittleren Querbalken und fing an, mit der Kruke die Glutteilchen, die im Dachstroh hafteten, hinunterzuschlagen, wobei er nach einem belaubten Ast, einer Leiter und Wasser rief.

Billy Smallbury – einer von den zwei Männern, die auf dem Wagen gewesen waren – hatte inzwischen eine Leiter aufgetrieben, über die nun Mark Clark heraufstieg und sich neben Oak an dem Strohdach festhielt. Der Rauch in dieser Ecke war zum Ersticken, und Clark, ein gelenker Bursche, übernahm jetzt einen Eimer Wasser, mit dem er Oaks Gesicht näßte und ihn auch sonst abspritzte, während Gabriel, der nun in der einen Hand einen langen Buchenast und in der anderen seine Kruke hielt, alles vom Schober hinunterkehrte, was Feuer gefangen hatte.

Zu ebener Erde waren die Dorfbewohner noch immer voll beschäftigt, den Brand einzudämmen, ohne damit viel auszurichten. Sie waren in rotgoldenes Licht getaucht, vor einem Hintergrund von wechselnden Schattenmustern. Hinter der Kante des größten Schobers, vor dem Feuerschein geschützt, stand ein Pony, auf dem eine junge Frau saß. Neben ihr, zu Fuß, war eine andere Frau. Die beiden wollten offenbar dem Feuer nicht zu nahe kommen, um das Pferd nicht zu beunruhigen.

»Ein Schäfer ist es«, sagte die stehende Frau. »Ja – ein Schäfer. Seht nur, wie seine Kruke glänzt, wenn er auf den Schober schlägt! Und in seinen Kittel sind doch wahrhaftig zwei Löcher gebrannt! Ein hübscher Bursche ist er auch ...«

»Zu wem gehört er?« fragte die Reiterin mit klarer Stimme.

»Weiß ich nicht, Madam.«

»Weiß es einer von den anderen?«

»Keiner kennt ihn – ich hab sie gefragt. Er ist fremd hier, sagen sie.«

Die junge Frau ritt aus dem Schatten hervor und blickte besorgt um sich.

»Ist die Scheune sicher?« fragte sie.

»Meinst du, daß die Scheune sicher ist, Jan Coggan?« gab die zweite Frau die Frage an den nächsten Mann weiter.

»Jetzt schon, möcht' ich denken. Wenn es den Schober erwischt hätte, wär' die Scheune mitgegangen. Dem mutigen Schäfer da oben haben wir's vor allem zu danken – dem dort, der über dem Schober sitzt und mit seinen langen Armen um sich schlägt wie eine Windmühle.«

»Der leistet ganze Arbeit«, stellte die junge Frau im Sattel fest und blickte durch ihren dichten Wollschleier zu Gabriel hinauf. »Ich wollte, wir hätten ihn als Schäfer! Weiß keiner von euch, wie er heißt?«

»Nie im Leben hab ich ihn gesehen – und seinen Namen weiß ich schon gar nicht.«

Das Feuer wurde allmählich zurückgedrängt. Gabriel hatte keinen Anlaß mehr, in seiner luftigen Höhe zu verweilen, und traf Anstalten zum Abstieg.

»Maryann«, sagte das Mädchen auf dem Pferd: »Geh hin zu ihm, wenn er herunterkommt, und richte ihm aus, daß ich ihm für den großen Dienst danken möchte, den er uns erwiesen hat.«

Maryann begab sich zu dem Schober und traf Oak am Fuß der Leiter an. Sie gab ihre Botschaft weiter.

»Wo ist euer Herr, der Farmer?« erkundigte sich Gabriel, dem blitzartig der Gedanke gekommen war, daß er hier vielleicht Arbeit finden könnte.

»Wir haben keinen Herrn; es ist eine Herrin, Schäfer.«

»Eine Frau, die eine Farm führt?«

»Das will ich meinen! Und Geld hat sie auch!« warf einer, der danebenstand, ein. »Es ist noch nicht lang, daß sie von anders-

woher gekommen ist. Sie hat die Farm von ihrem Onkel übernommen, der plötzlich gestorben ist. Schon der hat sein Geld
nach Humpen gemessen. Jetzt, heißt es, hat sie ihre Finger in
jeder Bank von Casterbridge. Dreht jeden Batzen dreimal um –
so wie unsereiner den Heller.«

»Dort ist sie – die dort auf dem Pony«, sagte Maryann, »die
mit dem schwarzen löcherigen Zeug vor dem Gesicht.«

Oak näherte sich der weiblichen Gestalt, die auf dem Pferd
saß, mit der Demut, die ihn sein hartes Schicksal gelehrt hatte.
Sein Gesicht war rußverschmiert, von Rauch und Hitze unkenntlich gebeizt; der Kittel hatte Brandlöcher und troff von
Wasser; der Eschenschaft seiner Schäferkrüke war angekohlt
und eine gute Spanne kürzer. Er lüftete respektvoll, aber nicht
unterwürfig den Hut, trat dicht an ihre vom Sattel hängenden
Füße heran und sagte zögernd:

»Braucht Ihr vielleicht einen Schäfer, Gnädige?«

Sie hob den wollenen Schleier, der ihr Gesicht verhüllte, und
blickte überrascht hinunter. Gabriel und Bathsheba Everdene,
das kaltherzige Mädchen seiner Träume, standen Aug in Auge.

Bathsheba sagte nichts, und er wiederholte mit müder, nie-
dergeschlagener Stimme:

»Braucht Ihr einen Schäfer, Gnädige?«

Bathsheba zog sich in den Schatten zurück. Sie wußte nicht recht, ob dieses merkwürdige Zusammentreffen sie belustigte oder ihr peinlich war. In ihrer Empfindung mischte sich ein wenig Mitleid mit einer Spur Genugtuung: Mitleid für Gabriel in dieser Lage und Genugtuung im Hinblick auf ihre eigene Position. Verlegenheit war nicht dabei. Als sie sich an Gabriels Liebeserklärung in Norcombe erinnerte, stellte sie nur fest, daß sie diese beinahe vergessen hatte.

»Ja«, sagte sie leise, richtete sich zu ihrer neuen Würde auf und wandte sich wieder zu ihm, mit leicht geröteten Wangen: »Ich brauche einen Schäfer, aber –«

»Das ist der rechte Mann, Madam«, versicherte ruhig einer von den Leuten aus dem Dorf.

Überzeugung ist ansteckend. »Ja, das ist er«, fügte ein zweiter entschieden hinzu.

»Genau der Mann!« bekannte ein dritter aus vollem Herzen.

»Wie vom Himmel gefallen!« schloß sich ein vierter an.

»Dann laßt ihn also wissen, daß er mit dem Verwalter sprechen soll«, sagte Bathsheba.

Nun lief alles ganz geschäftsmäßig ab. Um der Begegnung ihr gebührendes Maß an Romantik zu geben, hätte es eines Sommerabends und keiner Zeugen bedurft.

Gabriels Herz schlug wild, als er entdeckte, daß es sich bei dieser geheimnisvollen Ischtar nur um eine andere Erscheinungsform der wohlvertrauten und verehrten Aphrodite handelte. Man wies ihn zu dem Verwalter, der mit ihm beiseitetrat, um zu bereden, was vor dem Antritt seines Dienstes nötig war.

Das Feuer vor ihnen erstarb. »Leute«, sagte Bathsheba, »nach dieser Schinderei sollt ihr etwas zur Stärkung haben. Kommt ihr zu mir ins Haus?«

»Wir würden viel ungezwungener einen auf Euch heben und einen Bissen nachschieben, Miss, wenn Ihr's uns in die Mälzerei zu Warren schicken wolltet«, erwiderte der Wortführer.

Bathsheba ritt fort in die Dunkelheit, die Männer stapften zu zweit und dritt dem Dorf zu. Nur Oak und der Verwalter blieben noch bei dem Schober.

»So«, sagte der Verwalter schließlich, »wir sind uns, denke ich, über alles einig, was Eure Arbeit betrifft. Ich gehe jetzt nach Hause. Habt eine gute Nacht, Schäfer!«

»Könnt Ihr mich wo unterbringen?« erkundigte sich Gabriel.

»Leider, das kann ich nicht«, sagte der Verwalter und rückte von Oak ab wie ein Christ in der Kirche, wenn der Klingelbeutel kommt und er nichts spenden will. »Wenn Ihr die Straße weitergeht, kommt Ihr zu Warrens Mälzerei, wo sie jetzt alle hin sind, um was zu verdrücken. Bestimmt wird Euch einer sagen können, wo Ihr etwas findet. Gute Nacht, Schäfer!«

Der Verwalter, der eine so nervöse Scheu davor hatte, seinen Nächsten wie sich selbst zu lieben, stieg den Hügel hinan, und Oak ging dem Dorf zu, noch immer verwirrt von dem unerwarteten Zusammentreffen mit Bathsheba, glücklich, sie nahe zu wissen, und voll Staunen über die Schnelligkeit, mit der sich das unerfahrene Mädchen aus Norcombe zu dieser befehlsgewohnten, kühlen Frau entwickelt hatte. Aber manche Frauen brauchen nur die Herausforderung, damit sie ihr gewachsen sind.

Um den Weg zu finden, mußte er seine Träumereien doch ein wenig einschränken, und so gelangte er zum Kirchhof. Er bog um die Mauer. Es gab dort einige sehr alte Bäume, und ein breiter weicher Grasstreifen dämpfte Gabriels Schritt sogar in dieser Jahreszeit, die alles verhärtet. Als er sich vor einem Stamm befand, der anscheinend der Älteste von den Alten war, fiel ihm jemand auf, der dort hinten stand. Gabriel ging unbeirrt weiter, aber gleich darauf stieß er zufällig ein loses Steinchen an. Das Geräusch genügte, um die bis dahin wie erstarrte Gestalt aufzustören, sie rührte sich und lockerte ihre Haltung.

Es war ein zartes, eher dürftig gekleidetes Mädchen.

»Guten Abend«, grüßte Gabriel freundlich.

»Guten Abend«, dankte das Mädchen.

Die Stimme war unerwartet anziehend, von jenem leisen und sanften Tonfall, der etwas Schwärmerisches vermittelt und in Büchern häufiger vorkommt als in der Wirklichkeit.

»Könnt Ihr mir sagen, ob ich hier auf dem rechten Weg zu Warrens Mälzerei bin?« erkundigte sich Gabriel. Es war ihm zunächst wirklich um die Auskunft zu tun, aber er wollte auch diese süße Stimme noch einmal hören.

»Geht nur weiter, sie ist dort unten am Hügel. Aber wißt Ihr vielleicht –« Das Mädchen zögerte, bevor es weitersprach:

»Wißt Ihr vielleicht, wie lange der ›Rehbock‹ offen hält?« Gabriels Freundlichkeit schien es ihr ebenso angetan zu haben wie ihm die melodische Stimme.

»Ich weiß nicht, wo oder was der ›Rehbock‹ ist. Wollt Ihr noch heute abend dorthin?«

»Ja –« Wieder verstummte die junge Frau. Es bestand kein Anlaß, das Gespräch fortzusetzen, und die Tatsache, daß sie es dennoch tat, kam wohl aus einem unbewußten Bedürfnis, ihre Betroffenheit hinter ein paar Worten zu verbergen, wie es auch findige Leute machen, wenn sie etwas verheimlichen wollen. »Ihr seid nicht aus Weatherbury?« fragte sie schüchtern.

»Nein. Ich bin der neue Schäfer – eben erst angekommen.«

»Nur ein Schäfer? Wie Ihr Euch gebt, hätte ich Euch für einen Farmer gehalten.«

»Nur ein Schäfer«, wiederholte Gabriel in sachlich abschließendem Ton. Seine Gedanken bewegten sich in der Vergangenheit, während sein Blick auf die Füße der Frau gerichtet war. Erst jetzt sah er, daß dort eine Art Bündel lag. Sie mochte bemerkt haben, worauf sein Auge fiel, denn sie sagte bittend:

»Sprecht nicht darüber im Dorf, daß Ihr mich hier gesehen habt – nicht in den nächsten Tagen –«

»Wenn Ihr es so wünscht, werde ich es nicht tun«, sagte Oak.

»Ich danke Euch sehr«, erwiderte sie. »Ich bin arm, und ich will nicht, daß die Leute etwas über mich erfahren.« Dann war sie still und zitterte.

»An einem so kalten Abend solltet Ihr einen Mantel tragen«, stellte Gabriel fest. »Ich würde Euch raten, in ein Haus zu gehen.«

»O nein! Wollt Ihr jetzt bitte gehen und mich allein lassen? Vielen Dank für Eure Auskunft.«

»Ja, ich gehe«, sagte er. Dann fügte er zögernd hinzu: »Da Ihr nicht eben wohlhabend seid, wollt Ihr vielleicht eine Kleinigkeit von mir annehmen? Es ist nur ein Schilling, aber das ist alles, was ich Euch geben kann.«

»Doch – gebt ihn mir«, sagte die Unbekannte dankbar.

Als beider Hände, bevor das Geld von einer zur anderen wechselte, im Dunkeln einander suchten, ergab sich etwas Winziges und zugleich Aufschlußreiches. Gabriels Finger streiften das Handgelenk der jungen Frau. Der Puls schlug so heftig, daß er erschrak. Er hatte oft dieses rasche Pochen in der Lendenader seiner Lämmer gespürt, wenn sie völlig erschöpft waren. Es deutete auf einen Kräfteverschleiß, der nach Wuchs und Haltung des Mädchens zu viel an bereits aufgebrauchten Reserven forderte.

»Was fehlt Euch?«

»Nichts.«

»Aber ich fühle es –«

»Nein, nein! Verratet niemandem, daß Ihr mich gesehen habt!«

»Gute Nacht denn –«

»Gute Nacht.«

Das Mädchen blieb bei dem Baum zurück, als wäre es dort angewurzelt, und Gabriel stieg zum Dorf Weatherbury oder Lower Longpuddle, wie es auch genannt wird, hinunter. Wie der Schatten einer tiefen Trauer war es über ihn gekommen, als er dieses schmale, zerbrechliche Geschöpf berührt hatte. Dennoch empfiehlt sich Mäßigung bei so unbestimmten Gefühlen, und Gabriel bemühte sich, nicht weiter daran zu denken.

Warrens Mälzerei war von einer alten, mit Efeu überwucherten Mauer umgeben. Vom Äußeren des Gebäudes war um diese Stunde nicht viel zu erkennen, aber seine Bestimmung war aus den Umrissen, die sich gegen den Himmel abzeichneten, hinlänglich klar. Ein überhängendes Strohdach stieg bis zu einem Punkt in der Mitte an, den ein Holztürmchen mit Jalousien an allen vier Seiten krönte, aus deren Spalten eine Art Nebel in die Nachtluft entwich. Vorn gab es kein Fenster, aber eine viereckige Öffnung in der Tür war mit einer Scheibe verglast, durch die jetzt ein rotes, freundliches Licht auf die Mauer und den Efeu fiel. Von innen waren Stimmen zu vernehmen.

Oaks Hand tastete suchend über die Türe, bis er eine Lederschlaufe fand, an der er zog. Ein hölzerner Riegel hob sich, und die Türe schwang auf.

Die einzige Lichtquelle in dem Raum war das Feuerloch des Dörrofens, aus dem die rote Glut so flach wie die Strahlen der untergehenden Sonne den Boden bestrich und die Schatten aller Unebenheiten in den Gesichtern der rundum Versammelten nach oben projizierte. Von der Tür zum Ofen war ein Pfad in die sonst holprigen Steinfliesen getreten. Eine geschweifte Sitzbank aus ungehobelter Eiche verlief entlang der einen Wand, und in einem entlegenen Winkel stand ein kurzes Bett mit Strohsack, dessen Eigentümer und Benützer der Mälzer war.

Dieser betagte Mann saß nun vor dem Feuer. Das eisgraue Haar und der Bart wuchsen auf seinem verhutzelten Körper wie Moos und Flechten an einem kahlen Apfelbaum. Er trug Kniehosen und hochgeschnürte Schuhe, die bis über die Knöchel reichten, und hatte den Blick in die Flammen gerichtet.

Die Atmosphäre war gesättigt vom süßen Geruch des frischen Malzes, der in Gabriels Nase stieg. Das Gespräch, bei dem es offenbar um die Ursache des Brandes gegangen war, verstummte sofort, und aller Augen maßen ihn mit einer Intensität, die sich im Runzeln der Stirnhaut und in zusammengekniffenen Lidern zeigte, als sei er ein Licht, das sie blendete. Danach stellten mehrere bedächtig fest:

»Mir scheint, das ist der neue Schäfer.«

»Wir haben uns schon gefragt, ob das nicht eine Hand an der

Tür ist, die nach dem Riegel sucht, aber es hätte auch ein Blatt gewesen sein können, das es darangeweht hat«, bemerkte ein anderer. »Tretet ein, Schäfer, und seid willkommen, obwohl wir Euren Namen nicht wissen.«

»Gabriel Oak heiße ich.«

Auf das hin wandte sich der in der Mitte sitzende Mälzer um, als drehte sich ein rostiger Kran um seine Achse.

»Das kann doch nicht der Enkel von Gabriel Oak aus Norcombe drüben sein!« drückte er Überraschung auf eine Weise aus, die nicht verlangte, daß man sie wörtlich nehme.

»Mein Vater und mein Großvater haben Gabriel geheißen und sind damit alt geworden«, teilte der Schäfer gelassen mit.

»Dacht' ich es mir doch, wie ich sein Gesicht oben auf dem Schober gesehen habe! Und was habt Ihr bisher so getrieben, Schäfer?«

»Vielleicht werde ich hier bleiben«, erwiderte Oak.

»Eine Ewigkeit lang hab ich Euren Großvater gekannt«, fuhr der Mälzer fort. Die Worte flossen ohne weiteres Zutun, als habe es dafür nur des Anstoßes vorhin bedurft.

»Tatsächlich?«

»Und Eure Großmutter!«

»Was?! Die auch?«

»So wie ich Euren Vater als kleinen Jungen gekannt habe. Mein kleiner Jacob hier und Euer Vater waren die dicksten Freunde – wie zwei Brüder. Nicht wahr, Jacob?«

»Gewiß«, bestätigte sein Sohn, ein junger Mann um die Fünfundsechzig mit einem zur Hälfte kahlen Schädel. In seinem Oberkiefer steckte ein einziger Zahn, auffällig wie ein Meilenstein an einer Böschung. »Obwohl er mit Joe noch mehr beisammen war. Aber mein William muß den Mann, der hier steht, gekannt haben. Nicht wahr, Billy? Bevor du von Norcombe fort bist?«

»Nein, das war Andrew«, berichtigte Jacobs Sohn Billy, ein Kind von etwa vierzig Jahren. Er zeichnete sich durch eine heitere Seele in einem melancholischen Körper aus, und sein Schnurrbart war schon mit etwas Grau durchsetzt.

»Ich kann mich an Andrew erinnern«, bestätigte Oak. »Er war damals für mich schon einer von den Großen.«

»Ja. Und einmal war ich mit Liddy, meiner Jüngsten, zur Taufe von meinem Enkel drüben«, fuhr Billy fort. »Da haben wir über seine Familie gesprochen. Erst vor einem Jahr zu

Lichtmeß war es, wie das Stiftungsgeld an die Armen verteilt worden ist – ich weiß es noch genau, weil sie sich alle bei der Sakristei anstellen mußten: Ja, über seine Familie!«

»Nehmt einen Schluck, Schäfer! Wir haben frisch angeschlagen, besser wird's nicht so bald wieder«, sagte der Mälzer, indem er seine Augen hob, die von den vielen Jahren, die sie ins Feuer gestarrt hatten, rot und verquollen waren. »Gib den Gottverzeih her, Jacob. Schau nach, ob er heiß ist.«

Jacob bückte sich nach dem ›Gottverzeih‹, einem hohen Humpen mit zwei Henkeln, der in der Asche stand, angekohlt und rissig von der Hitze. Außen war er wie mit einem Pelz überzogen, vor allem um den Ansatz der Henkel, deren innere Beugen unter dieser Kruste aus immer wieder mit Apfelwein genetzter und hartgebackener Asche vermutlich seit Jahren das Tageslicht nicht gesehen hatten, aber für einen verständigen Trinker war das Gefäß um nichts schlechter; innen und um den Rand strahlte es vor Sauberkeit. Warum ein solcher Humpen in Weatherbury und Umgebung ›Gottverzeih‹ genannt wird, ist nicht geklärt. Wahrscheinlich deshalb, weil er so groß ist, daß einem, der plötzlich den Grund sieht, das böse Gewissen packt.

Jacob, der die Temperatur des Getränks feststellen sollte, tauchte gelassen seinen Zeigefinger hinein und teilte mit, daß er fast auf den Grad richtig sei. Er hob den Humpen und traf höfliche Anstalten, ein wenig von der am Boden haftenden Asche mit dem Saum seines Kittels abzuwischen, weil der Schäfer immerhin ein Fremder war.

»Einen sauberen Becher für den Schäfer!« befahl der Mälzer.

»Nicht doch«, wehrte Gabriel freundlich ab. »Sauberer Dreck macht mir nichts aus, solang ich weiß, was es ist.« Er nahm den Humpen und trank zwei Fingerbreit oder auch mehr; dann reichte er ihn, wie es sich gehört, an den nächsten weiter. »Mir fiele nicht ein, meinen Nachbarn auch noch Mühe mit dem Geschirrspülen zu machen, wo es doch auf der Welt sonst genug zu tun gibt«, fügte Oak mit angefeuchteter Stimme hinzu, nachdem er sich vom Anhalten des Atems, das einen ausgiebigen Schluck aus einem großen Krug begleitet, wieder erholt hatte.

»Ein vernünftiger Mann«, stellte Jacob fest.

»Gewiß, da hat es keine Zweifel«, pflichtete ein forscher junger Mann bei. Er hieß Mark Clark: einer von jenen liebenswürdigen und umgänglichen Herren, wie man sie auf jeder Reise kennenlernt, unweigerlich mit ihnen trinkt und leider dann auch die Zeche zahlt.

»Und hier, Schäfer, ist ein Happen Brot und Speck, den das Fräulein herübergeschickt hat. Der Apfelwein rinnt besser hinunter, wenn man einen Bissen dazu ißt. Aber paßt auf beim Kauen, Schäfer! Wie ich den Speck geholt habe, ist er mir auf der Straße heruntergefallen, und vielleicht ist er jetzt ziemlich sandig. Trotzdem ist es ein sauberer Dreck. Wir alle wissen, wie Ihr gesagt habt, was es ist, und Ihr seid offenbar keiner, der viel Umstände macht.«

»Ich mache überhaupt keine Umstände«, versicherte der freundliche Oak.

»Wenn Ihr mit den Zähnen nicht zusammenbeißt, merkt Ihr den Sand nicht. Das ist der ganze Zaubertrick.«

»Genau das meine ich, Nachbar.«

»Ja, das ist der wahre Enkel von seinem Großvater. Auch der Großvater war so ein gutmütiger, unkomplizierter Mann«, stellte der Mälzer fest.

»Trinkt nur, Henry Fray – trinkt!« sagte Jan Coggan großzügig, als das Gefäß, das im Kreis herumging, sich ihm allmählich näherte. Er pflegte, was geistige Getränke betraf, radikal sozialistische Grundsätze.

Henry, der bis dahin vor sich hingestarrt hatte, zierte sich nicht. Er war ein Mann von mehr als mittleren Jahren, mit hoch angesetzten Brauen, der von der Schlechtigkeit der Welt überzeugt war, und mit seinem Dulderblick, der durch sein Gegenüber hindurchging, die mißlichen Zustände, wie sie sich seiner Einbildung darstellten, nicht aus den Augen verlor. Er unterschrieb immer als ›Henery‹ und bestand hartnäckig auf dieser Schreibweise. Schulmeister, die gelegentlich zu bemerken wagten, daß das zweite ›e‹ überflüssig und altmodisch sei, erhielten zur Antwort, daß er auf den Namen ›H-e-n-e-r-y‹ getauft sei und dabei auch bleiben werde – und das in einem Ton der Überzeugung, daß für ihn ein Unterschied in der Rechtschreibung durchaus mit Fragen des persönlichen Charakters zu tun habe.

Mr. Jan Coggan, von dem der Humpen an Henery gelangt war, hatte ein großflächiges, gerötetes Gesicht mit listig glitzernden Augen. Bei zahllosen Hochzeiten der letzten zwanzig Jahre tauchte sein Name im Heiratsregister von Weatherbury als Brautführer und Trauzeuge auf; auch bei Taufen heikler Natur fungierte er häufig als der erste Pate.

»Nur zu, Mark Clark, nur zu! Im Faß gibt's davon noch genug«, sagte Jan.

»Bin schon dabei. Das ist meine einzige Medizin«, erwiderte Mr. Clark, der zwar zwanzig Jahre jünger als Jan Coggan war, sich aber in derselben Umlaufbahn bewegte. Er schwitzte allenthalben Heiterkeit aus und verfügte für festliche Gelegenheiten über ein Sonderrepertoire.

»He, Joseph Poorgrass! Ihr habt ja nichts gehabt!« rief Mr. Coggan einem Mann zu, der verlegen im Hintergrund saß, und hielt ihm den Humpen hin.

»Überhaupt ein bescheidener Mensch, unser Joseph Poorgrass!« sagte Jacob Smallbury. »Bei der jungen Gnädigen habt Ihr ja nicht einmal ihrem Blick standgehalten, hab' ich gehört?«

Alles blickte mitleidig zu Joseph Poorgrass hinüber.

»Nein – ich habe sie kaum angeschaut«, flüsterte Joseph Poorgrass und machte sich beim Sprechen noch kleiner, vermutlich aus Angst, sich ungebührlich hervorzutun. »Und dann, wie ich sie doch angeschaut habe, bin ich ganz rot geworden.«

»Armer Kerl«, fand Mr. Clark.

»Bei einem Mann ist das sehr ungewöhnlich«, stellte Jan Coggan fest.

»Ja«, fuhr Joseph Poorgrass fort. Seine Schüchternheit, die ihn als angeborener Mangel so plagte, erfüllte ihn nun, da man sie als interessanten Fall betrachtete, mit bescheidenem Stolz. »Über und über rot bin ich geworden – die ganze Zeit über, solange sie mit mir gesprochen hat!«

»Ich glaub's dir, Joseph Poorgrass. Wir alle wissen ja, wie zart du besaitet bist.«

»Eine lästige Mitgift für einen Mann«, meinte der Mälzer. »Und so lang schon leidest du daran!«

»Schon als kleiner Junge. Ja – Mutter hat sich schreckliche Sorgen deswegen gemacht – ja. Aber geholfen hat es nichts.«

»Bist du jemals in die Welt hinausgezogen und hast versucht, damit fertig zu werden?«

»O ich habe es mit allem Möglichen versucht! Einmal haben sie mich zur Kirmes von Greenhill in einen großen Zirkus mitgenommen, wo Frauen herumgeritten sind. Auf den Pferden sind sie gestanden und haben kaum mehr angehabt als ein

Hemd! Aber geholfen hat es mir überhaupt nichts. Dann war ich Kegelbursch auf der Damenkegelbahn hinter dem Schneiderwirt in Casterbridge: Eine sehr heikle Situation für einen braven Burschen – richtig sündhaft! Den ganzen Tag über habe ich dort herumstehen und zuschauen müssen, wie sie es treiben. Aber auch das war umsonst – nachher war's um nichts besser. Das Rotwerden liegt bei uns schon lang in der Familie. Ich hab noch Glück, daß es nicht ärger ist.«

»Allerdings«, meinte Jacob Smallbury und widmete sich einer gründlicheren Betrachtung des Themas: »Man kann es auch so sehen. Dein Zustand ist dennoch schlimm genug, Joseph! Bei einer Frau ist es nur natürlich, aber Ihr versteht, Schäfer, daß es für diesen armen Kerl peinlich ist?«

»Gewiß«, stimmte Gabriel, dessen Gedanken woanders gewesen waren, zu. »Sehr peinlich für ihn.«

»Und sehr ängstlich ist er auch«, fügte Jan Coggan hinzu. »Einmal hat er bis in die Nacht hinein in Yalbury Bottom gearbeitet und sich nach einem Gläschen auf dem Heimweg im Wald von Yalbury verirrt. Nicht wahr, Master Poorgrass?«

»Nein, bitte nicht! Nicht diese Geschichte!« flehte der bescheidene Mann und versuchte, seine Verlegenheit hinter einem Lachen zu verbergen.

»– Und so hat er sich ganz heillos verlaufen«, fuhr Mr. Coggan ungerührt fort. Eine wahre Geschichte, gab er zu verstehen, läßt sich so wenig aufhalten wie die Zeit oder der Wechsel von Ebbe und Flut, ohne Ansehen der Person. »Und wie er da mitten in der Nacht in seiner Angst nicht mehr aus den Bäumen herausgefunden und ›Zu Hilfe! Zu Hilfe!‹ gerufen hat, war da zufällig eine Eule, die ›Hu-hu‹ geschrien hat – Ihr wißt ja, Schäfer, wie die Eulen schreien« – Gabriel nickte – »und darauf hat unser Joseph, zitternd wie ein Lämmerschwanz, geantwortet: ›Ich bin's, Joseph Poorgrass aus Weatherbury, mit Verlaub.‹«

»Nein, nein! Das geht zu weit!« wehrte sich der schüchterne Mann, den plötzlich wilder Mut packte. »›Mit Verlaub‹ habe ich nicht gesagt. Ich kann es beschwören, daß ich nicht gesagt habe: ›Joseph Poorgrass aus Weatherbury, mit Verlaub‹! Nein! Nein! Alles, was recht ist, aber ›mit Verlaub‹ habe ich nicht zu dem Vogel gesagt, weil mir doch klar war, daß es kein Herr von Stand sein kann, der da in der Nacht herumbrüllt. ›Joseph Poorgrass aus Weatherbury‹: Kein Wort mehr habe ich gesagt –

und auch das hätte ich nicht getan, wenn da nicht der gewürzte Met bei Förster Day gewesen wär' . . . O ich bin nur froh, daß es so ausgegangen ist!«

Die Frage, wie es nun wirklich gewesen war, wurde von der Gesellschaft stillschweigend fallengelassen. Jan fuhr fort:

»Und gottesfürchtig ist er wie keiner: Nicht wahr, Joseph? Ein anderes Mal hast du dich auch beim Lämmertor verlaufen – nicht wahr, Joseph?«

»Habe ich«, gab Poorgrass widerstrebend zu, als handle es sich um etwas zu Bedeutsames für einen bescheidenen Menschen.

»Ja. Auch das war mitten in der Nacht. Das Tor ging nicht auf, so sehr er sich bemühte, und weil er wußte, daß da nur der Teufel seine Hand im Spiel haben konnte, fiel er auf die Knie.«

»Ja«, fiel Joseph ein, dem die Wärme des Feuers, der Apfelwein und die Anspielung auf die erzählerischen Qualitäten dieses Erlebnisses das Selbstbewußtsein stärkten. »Mir setzt fast das Herz aus, aber ich knie nieder und spreche das Vaterunser und dann auch gleich den Glauben und die Zehn Gebote, wie's sich gehört. Aber nein: Das Tor geht nicht auf! Also mache ich weiter mit ›Vor euch, Brüder und Schwestern‹. Vier sind es jetzt, denke ich, und mehr weiß ich nicht aus dem Gebetbuch: Wenn das nichts hilft, hilft überhaupt nichts, und ich bin ein verlorener Mann. Wie ich dann zu der Stelle ›alle Engel und Heiligen‹ komme, stehe ich auf – und das Tor ist offen! Ja, Nachbarn: Das Tor ist aufgegangen wie immer!«

Alle widmeten sich der Betrachtung des offenbaren Hintersinns. Sie senkten ihre Blicke in die glutbestrahlte Aschengrube, die wie eine Wüste unter senkrechter Tropensonne lag, und ihre Augen verengten sich zu schmalen Schlitzen, teils wegen des blendenden Lichts, teils auch mit Rücksicht auf die Bedeutsamkeit der Geschichte.

Gabriel brach das Schweigen: »Wie lebt es sich eigentlich hier bei euch? Und wie ist sie als Herrin, wenn man für sie arbeitet?«

Gabriels Brust erbebte leicht, als er vor den Anwesenden, ohne daß sie es merkten, seine innerste Herzensangelegenheit zur Sprache brachte.

»Wir wissen noch nicht viel von ihr – überhaupt nichts. Erst vor ein paar Tagen ist sie aufgetaucht. Ihr Onkel ist krank geworden – man hat den Doktor gerufen, aber nicht einmal der mit seiner großen Erfahrung hat ihm helfen können. Ich würde meinen, daß sie die Farm weiterführen will.«

»Auf das dürfte es wohl hinauskommen«, vermutete auch Jan Coggan. »Sehr feine Leute. Ich wüßte nicht, wo ich lieber im Dienst wäre. Ihr Onkel war ein hochanständiger Mensch, Junggeselle – habt Ihr ihn gekannt, Schäfer?«

»Nein.«

»Ich bin zu ihm ins Haus gekommen, wie ich mit meiner ersten Frau gegangen bin, der Charlotte ... Kuhdirn ist sie bei ihm gewesen. Ein sehr gutherziger Mann, der Farmer Everdene – und weil ich ein braver Bursche war, hat er mir erlaubt, zu ihr zu kommen und Bier zu trinken, soviel ich wollte. Nur mitnehmen habe ich nichts dürfen; abgesehen von dem, was ich schon drin gehabt habe –«

»Jaja, Jan Coggan. Wir wissen schon, wie's gemeint ist.«

»– und ihr versteht, das Bier war prima, und weil er so liebenswürdig war, wollte auch ich ihm Ehre antun und mich benehmen, wie's sich gehört. Darum habe ich mich nicht auf einen Fingerhut beschränkt, denn so etwas wäre eine Beleidigung seiner Großzügigkeit gewesen.«

»Allerdings, Master Coggan, das wär's gewesen«, pflichtete ihm Mark Clark bei.

»– und darum hab' ich jedesmal, bevor ich hingegangen bin, eine Menge Salzheringe gegessen, und wenn ich dann angekommen bin, war ich trocken wie Löschpapier – so völlig ausgedörrt, daß das Bier mir wie von selber hineingegluckert ist – Ah! Und wie kühl und samtig! Goldene Zeiten! Besser als in diesem Haus hab' ich nirgends getrunken! Weißt du noch, Jacob? Du hast mich manchmal begleitet?«

»Weiß ich – weiß ich«, bestätigte Jacob. »Aber auch das andere, das wir am Pfingstmontag im ›Rehbock‹ gehabt haben – das war auch sehr in Ordnung.«

»Zugegeben. Aber vom wirklich Feinen, von dem du nachher keinen Brummschädel kriegst, davon hat es nirgends was Besseres gegeben als in der Küche bei Farmer Everdene. Nur Fluchen hast du nicht dürfen, nicht einmal ein unschuldiges Sackerment herauslassen, auch wenn's noch so lustig war und keiner etwas dabei gefunden hätte, weil doch so ein gutes, altes Wort, das der Pfarrer nicht hören darf, einen hin und wieder sehr erleichtert, wenn man sich so sauwohl fühlt.«

»Stimmt«, stellte der Mälzer fest. »Die Natur verlangt's, daß man regelmäßig flucht, sonst fehlt einem was. Die sündhaften Wörter sind etwas Lebensnotwendiges.«

»Aber die Charlotte –«, fuhr Coggan fort: »Nicht eines von den gewissen Wörtern hätte die Charlotte durchgelassen, nie hätte sie auch nur weggehört! ... Ah, die arme Charlotte! Ich möchte wissen, ob sie jetzt wenigstens im Himmel ist! Aber sie hat immer soviel Pech gehabt ... Kann sein, daß sie die falsche Richtung erwischt hat.«

»Hat einer von euch Miss Everdenes Eltern gekannt?« erkundigte sich der Schäfer. Er hatte einige Mühe, das Gespräch in der gewünschten Bahn zu halten.

»Flüchtig«, antwortete Jacob Smallbury. »Sie waren aus der Stadt und haben nicht hier gelebt. Sie sind schon seit Jahren tot. Weißt du, Vater, wie ihre Eltern waren?«

»Nun ja«, meinte der Mälzer. »Er war recht unauffällig, aber sie war eine schöne Frau. Er hat sie bestimmt sehr geliebt.«

»Gar kein Ende hat er gefunden beim Küssen, heißt es«, erinnerte sich Coggan.

»Auch nachher, wie sie schon verheiratet waren, soll er richtig stolz auf sie gewesen sein«, fügte der Mälzer hinzu.

»Ja«, fuhr Coggan fort. »So vernarrt in sie war er, daß er jede Nacht dreimal die Kerze angezündet hat, um sie anzuschauen.«

»Liebe ohne Maßen! Ich hätte nicht vermutet, daß es das gibt«, murmelte Joseph Poorgrass, der sich bei seinen moralischen Reflektionen eines gehobenen Wortschatzes zu bedienen pflegte.

»Warum auch nicht«, fand Gabriel.

»Ja, es ist die reine Wahrheit!«, bekräftigte der Mälzer. »Ich habe die beiden gut gekannt. Levi Everdene hat er geheißen ... Das sagt sich so leichthin, aber eigentlich war er was Besseres, ein Herrenschneider nämlich mit einem Haufen Geld. Ein paarmal hat er sein ganzes Vermögen verloren, so daß alles über ihn geredet hat.«

»Und ich habe ihn für einen einfachen Mann gehalten!« wunderte sich Joseph Poorgrass.

»O nein! Einen ganzen Berg Schulden hat er gehabt – Hunderte und Hunderte in Gold und Silber!«

Der Mälzer war ein wenig kurzatmig, so daß Mr. Coggan, der vorübergehend eine in die Asche gefallene Kohle beobachtet hatte, mit listigem Zwinkern den Faden weiterspann.

»Aber bald darauf – ob ihr es glaubt oder nicht – war dieser Mensch (also der Vater von Miss Everdene) einer von den ärgsten Schürzenjägern! Nicht daß er es absichtlich geworden wäre, er hat nicht anders können. Mit seinen Vorsätzen war er ein treuer Ehemann, aber das Herz ist mit ihm durchgegangen. ›Coggan‹, hat er gesagt, ›ich könnte mir keine schönere Frau wünschen als meine eigene. Weil ich aber das Gefühl habe, daß sie sowieso zu mir gehört, kann ich einfach nicht wegschauen, wenn ich eine andere sehe.‹ Auch damit ist er aber, höre ich, schließlich fertig geworden. Er hat ihr den Ehering abgezogen und sie wie früher, wenn sie nach Ladenschluß beisammengesessen sind, mit ihrem Mädchennamen genannt. Er hat sich vorgemacht, daß sie nur sein Mädchen und er mit ihr überhaupt nicht verheiratet ist, und sobald er sich fest eingebildet hat, daß er etwas Sündhaftes tut, hat er sie geliebt wie vorher, und sie haben miteinander gelebt wie ein Muster von einem Paar.«

»Allerdings ein sehr unchristliches Rezept«, brummte Joseph Poorgrass. »Trotzdem müssen wir die gütige Vorsehung preisen, daß sie Schlimmeres verhütet hat. Er hätte ja auch den Weg des Bösen weitergehen und nur mehr Augen für das Sündhafte – sozusagen das primitiv Sündhafte – haben können.«

»Es war nämlich so«, erläuterte Billy Smallbury, »daß er wohl den Willen hatte, das Rechte zu tun, aber sein Herz nicht dabei war.«

»So bewährt hat er sich, daß er auf seine alten Tage richtig fromm geworden ist. Nicht wahr, Jan?« erinnerte sich Joseph Poorgrass. »Er hat sich ein zweites Mal konfirmieren lassen, mit mehr Andacht, und das ›Amen‹ hat er fast so laut gesagt wie die Vorbeter. Und dann hat er auch gern erbauliche Sprüche von den Grabsteinen abgeschrieben. Wenn es zum ›So leuchte euer Licht vor den Menschen‹ gekommen ist, hat er den Sammelbeutel gehalten, und oft ist er bei armen Kindern, die keinen Vater gehabt haben, Pate gestanden. Auf seinem Tisch hat er eine Sparbüchse für die Mission stehen gehabt und seine Besucher geschröpft, bevor sie gewußt haben, wie ihnen geschah. Ja. Und wenn die Jungen aus dem Waisenhaus in der Kirche gelacht haben, hat er es ihnen hinter die Ohren gegeben, daß sie kaum mehr aufrecht stehen gekonnt haben. Und auch sonst hat er noch viele fromme Werke getan, wie das in der Natur von einem heiligmäßig veranlagten Menschen ist.«

»Ja, da hat er dann kaum mehr an weltliche Dinge gedacht«, ergänzte Billy Smallbury. »Einmal begegnet ihm Pastor Thirdly und sagt: ›Guten Morgen, Mister Everdene. Was für ein schöner Tag!‹ – ›Amen‹, antwortete Everdene ganz geistesabwesend darauf, weil ihm zu einem Pastor nichts anderes als Religion eingefallen ist. Ja, er war ein sehr guter Christ.«

»Als Kind hat die Tochter nach überhaupt nichts ausgesehen«, bemerkte Henery Fray. »Nie hätte einer vermutet, daß einmal aus ihr ein so sauberes Mädchen wird.«

»Hoffentlich ist sie nicht nur äußerlich sauber.«

»Ja. Aber um die Wirtschaft und um uns wird sich vor allem der Verwalter kümmern müssen.«

»Wenn der nicht wie der Bock zum Gärtner taugt«, meinte Mark Clark. »So ein scheinheiliger Patron.«

»Stimmt«, bestätigte Henery, als wollte er damit sagen, daß jeder Scherz seine Grenzen hat. »Ganz unter uns: Ich glaube, der Kerl lügt am Sonntag genauso wie an jedem anderen Tag. Das ist meine Meinung!«

»Gott behüte!« entsetzte sich Gabriel. »Zurückhaltend seid ihr nicht!«

»Sehr richtig«, gab der Übelgelaunte zu und blickte in die Runde. Sein bitteres Lachen verriet, daß er das Elend des Daseins klarer durchschaut hatte als der Durchschnitt. »Ah! Es gibt solche Leute und andere, aber dieser Mensch –: Ich danke!«

Gabriel fand, daß er das Thema wechseln sollte. »Ihr müßt schon sehr alt sein, Mälzer, wenn Ihr Söhne habt, die längst nicht mehr die Jüngsten sind.«

»Vater kann sich gar nicht mehr erinnern, wie alt er ist«, schaltete sich Jacob ein. »Und in letzter Zeit ist er auch noch so krumm und lahm geworden«, fügte er mit einem Blick auf seinen Vater hinzu, dessen Rücken noch gebeugter war als sein eigener. »Wie ein Klappmesser.«

»Was krumm ist, hält lang«, stellte der Mälzer brummig fest.

»Der Schäfer würde gern hören, was du dein Leben lang so getrieben hast. Nicht wahr, Schäfer?«

»Gern!« bejahte Gabriel wie einer, der schon monatelang darauf gewartet hat. »Wie alt seid Ihr, Mälzer?«

Der Mälzer räusperte sich dramatisch und ließ seinen Blick bis ans äußerste Ende der Aschengrube schweifen, um sich hierauf mit jenem Zögern auszudrücken, das einem Gegenstand angemessen ist, dessen Bedeutung die Zuhörer verpflichtet, sich in Geduld zu fassen. »Nun –: An das Jahr, in dem ich geboren bin, erinnere ich mich nicht, aber vielleicht komme ich darauf, wenn ich zusammenrechne, wie lange ich wo gelebt habe. Bis zu meinem elften Jahr war ich in Upper Longpuddle zu Hause, dann sieben Jahre in Kingsbere« – er nickte gegen Osten –, »und dort habe ich auch die Mälzerei gelernt. Dann bin ich nach Norcombe gegangen und habe dort zweiundzwanzig Jahre durch gemalzt – und zweiundzwanzig Jahre die Rüben gehäufelt und bei der Ernte gearbeitet. Ah, ich habe das alte Norcombe gekannt, wie von Euch noch keiner geträumt hat, Master Oak!« (Oaks Lächeln besagte, daß er nicht daran zweifle.) »Und dann habe ich vier Jahre lang in Dunnover gemalzt und vier Jahre lang Rüben gehäufelt. Darauf war ich vierzehn Mal elf Monate in Millponds St. Jude« – Nicken gegen Nordwest – »Der alte Twills hat mich nie länger als elf Monate in einem aufgenommen, weil er der Gemeinde bei einem Unfall nichts für mich zahlen wollte. Dann war ich drei Jahre in Mellstock – und jetzt wird es zu Lichtmeß einunddreißig Jahre, daß ich hierher gekommen bin.«

»Hundertsiebzehn«, grinste ein anderer Alter, ein guter Kopfrechner von wenig Worten, der bis dahin unauffällig in einer Ecke gesessen hatte.

»Nun: So alt bin ich eben!« bestätigte der Mälzer mit Nachdruck.

»Aber nein, Vater«, wandte Jacob ein. »Daß du im Sommer Rüben gehäufelt und im Winter gemalzt hast, ist im selben Jahr gewesen. Du darfst nicht jede Hälfte für sich mitzählen, Vater!«

»Hol's der Kuckuck! Ich habe doch auch im Sommer gelebt, oder? Das weiß ich am besten! Nächstes Mal wollt ihr vielleicht behaupten, daß mein Alter überhaupt nicht der Rede wert ist!«

»Niemand wird das«, beschwichtigte ihn Gabriel.

»Ihr seid bestimmt sehr alt, Mälzer«, bezeugte auch Jan Coggan. »Das wissen wir alle, und Ihr müßt in Eurer Natur schon eine ganz besondere Veranlagung haben, daß Ihr so alt geworden seid, hab' ich nicht recht, Nachbar?«

»Gewiß, gewiß. Was ganz Besonderes«, bekannte die Versammlung einmütig.

Der Mälzer beruhigte sich. Er war sogar von sich aus bereit, etwas von dem preiszugeben, was so viele Jahre einbringen, indem er erwähnte, daß das Gefäß, aus dem hier getrunken wurde, drei Jahre älter sei als er.

Als man den Humpen betrachtete, zeigte sich das Mundstück von Gabriel Oaks Flöte über dem Rand der Kitteltasche, und Henery Fray rief: »Hab' ich Euch nicht erst in Casterbridge gesehen, wie Ihr eine ganz große Flöte geblasen habt?«

»Wohl möglich«, entgegnete Gabriel und wurde ein wenig rot. »Ich habe einiges Pech gehabt, Nachbarn – das hat mich so weit gebracht. Ich war nicht immer so arm.«

»Denkt nicht daran, Schäfer!« riet ihm Mark Clark. »Wenn Ihr's nicht schwer nehmt, wird auch Eure Zeit kommen. Wie wär's mit einem Liedchen, wenn Ihr nicht zu müde seid?«

»Seit Weihnachten habe ich nichts trommeln oder pfeifen gehört«, sagte auch Jan Coggan. »Kommt, spielt uns etwas vor, Master Oak!«

»Gern«, ging Gabriel darauf ein, zog seine Flöte heraus und setzte sie zusammen.

»Ein billiges Instrument, Nachbarn. Aber ich will gern für Euch mein Bestes versuchen.«

Oak begann mit ›Jockey to the Fair‹ und spielte diese zündende Melodie dreimal durch, wobei er beim dritten Mal die Noten auf sehr künstlerische und lebhafte Weise verzierte, indem sein ganzer Körper in raschen Pendelbewegungen mitschwang und die Füße den Takt klopften.

»Sehr gut spielt er – wirklich sehr gut!« lobte ein junger Ehemann, der nichts Erwähnenswertes an sich hatte und daher ›Susan Talls Mann‹ genannt wurde. »So auf der Flöte spielen, das würd' ich mein Lebtag nicht fertig bringen.«

»Ein gescheiter Bursche ist er, und wir können froh sein, daß wir so einen Schäfer haben«, stellte Joseph Poorgrass in sanftem Ton fest. »Wir alle sollten dankbar sein, daß er uns so etwas Hübsches aufspielt – und nicht eines von diesen Hurenliedern. Gott hätte aus dem Schäfer ebenso einen Mann ohne Anstand und Ehre – einen von den Verworfenen sozusagen – machen können. Um unserer Frauen und Töchter willen sollten wir Gott danken!«

»Ja – Gott danken!« stimmte bereitwillig auch Mark Clark ein, dem es nicht darauf ankam, daß er kaum zwei von Josephs Worten mitbekommen hatte.

»Ja«, fuhr Joseph, der sich nun ganz als biblische Figur fühlte, fort: »Denn das Böse ist in unseren Tagen so mächtig geworden, daß man weder einem glattrasierten Herrn im weißen Hemd noch einem zerlumpten Bettler auf der Straße ansieht, was in ihnen steckt.«

»Ja, jetzt kann ich mich an Euer Gesicht erinnern, Schäfer«, stellte Henery Fray fest, indem er Gabriel, der zum nächsten Stück ansetzte, aus seinen trüben Augen prüfend anblickte. »Ja! Jetzt, da ich Euch beim Flötenblasen zuschaue, weiß ich wieder, daß Ihr derselbe seid, den ich in Casterbridge gesehen habe. Euer Mund war auch so zugespitzt, und Eure Augen sind hervorgequollen wie bei einem, der erwürgt wird ... So wie jetzt!«

»Es ist schade, daß der Mensch, wenn er auf der Flöte spielt, wie eine Vogelscheuche aussieht«, fügte Mr. Mark Clark der Kritik an Gabriels Äußerem hinzu, als dieser mit der furchterregenden Grimasse, die das Instrument ihm abverlangte, den Refrain von ›Dame Durden‹ hervorstieß:

›S war'n Moll' und Bet' und Doll' und Kate'
Und Dor'-othy Drag'-gle Tail'.‹

»Ich hoffe, Ihr nehmt dem jungen Mann nicht übel, was er über Euer Gesicht gesagt hat«, flüsterte Joseph zu Gabriel hinüber.

»Nicht im geringsten«, versicherte Mr. Oak.

»Weil Ihr ja sonst ein sehr gut aussehender Mann seid«, ergänzte Joseph Poorgrass mit gewinnender Sanftheit.

»Ja, das seid Ihr, Schäfer«, fanden auch die anderen.

»Vielen Dank«, erwiderte Oak mit schicklicher Bescheidenheit, beschloß aber zugleich, daß er sich niemals von Bathsheba beim Spiel auf der Flöte zusehen lassen würde.

»Ah! Bei der Hochzeit von mir und meiner Frau in der Kirche von Norcombe«, machte sich der alte Mälzer, der es ungern sah, wenn sich das Gespräch mit jemand anderem befaßte, wieder bemerkbar, »da hat es allgemein geheißen, daß wir das schönste Paar in der ganzen Umgebung waren.«

»Seither hast du dich allerdings sehr verändert, Mälzer – hol's der Teufel!« stellte eine Stimme mit jenem Nachdruck fest, der beim Verkünden von Binsenwahrheiten angebracht erscheint. Die Stimme gehörte einem alten Mann im Hintergrund, dessen üble Laune und rüdes Benehmen von dem gelegentlichen Kichern, das er zum allgemeinen Gelächter beitrug, nur ungenügend aufgewogen wurde.

»O nein!« widersprach Gabriel.

»Spielt jetzt nicht mehr weiter, Schäfer«, bat Susan Talls Mann, der Jungverheiratete, der schon einmal gesprochen hatte. »Ich muß jetzt gehen, aber solange es Musik gibt, kann ich mich nicht losreißen. Wenn ich mir vorstelle, daß Ihr weiterspielt, wenn ich fort bin, werde ich ganz trübselig.«

»Warum hast du's so eilig, Laban?« fragte Coggan. »Du bist doch sonst immer einer von den Letzten?«

»Na ja, Nachbarn – ihr versteht: Weil ich doch letzthin geheiratet und jetzt eine Frau habe, die einen Anspruch auf mich hat –« Er wußte nicht weiter.

»Neue Herren, neue Bräuche«, zitierte Coggan. »So heißt es doch . . .«

»Ja, wirst schon recht haben – hahaha«, stimmte ihm Susan Talls Mann zu. Sein Lachen wollte ausdrücken, daß er grundsätzlich bereit war, einen Spaß nicht krumm zu nehmen. Dann wünschte er eine gute Nacht und zog ab.

Henery Fray war der erste, der ihm folgte. Dann stand Gabriel auf und ging mit Jan Coggan, der ihm eine Unterkunft angeboten hatte. Ein paar Minuten später, als auch die übrigen schon auf den Beinen und zum Gehen bereit waren, kam jedoch Fray eilig zurück. Er fuchtelte bedeutungsvoll mit dem Finger und warf einen Blick, der vom Allerneuesten, das er zu berichten hatte, leuchtete, auf den Nächstbesten, bei dem es sich zufällig um Joseph Poorgrass handelte.

»O! Was gibt's denn, Henery? Was ist los?« rief Joseph und wich zurück.

»Wo brennt's, Henery?« fragten Jacob und Mark Clark.

»Pennyways – der Verwalter! Unser Verwalter Pennyways! Wie ich's gesagt habe!«

»Was? Hat er wirklich gestohlen?«

»Gestohlen. Ihr sagt es! Es war so, daß Miß Everdene, wie sie nach Hause gekommen ist, noch einmal ihre Runde gemacht und nachgeschaut hat, ob alles in Ordnung ist – und da stößt sie in der Scheune mit Pennyways zusammen, der mit einem Sack Gerste über die Stiege hinunterschleicht! Sie ist ihm angesprungen wie eine Wildkatze, so was habt ihr noch nicht gesehen! – Wir sind doch unter uns?«

»Klar, Henery – klar!«

»Sie ist ihn also angesprungen, und um es kurz zu machen: Nachdem sie ihm versprochen hat, daß sie ihn nicht anzeigt, hat er zugegeben, daß er nicht weniger als fünf Säcke davongetragen hat. Na, mehr hat er nicht gebraucht, um zu fliegen – Und jetzt frage ich mich nur, wen wir jetzt als Verwalter kriegen?«

Diese Frage war so inhaltsschwer, daß Henery auf der Stelle dem großen Humpen zusprechen mußte, bis der Grund deutlich zu sehen war. Aber er hatte noch nicht den ›Gottverzeih‹ auf den Tisch zurückgestellt, als der Flitterwöchner – Susan Talls Mann – in noch größerer Aufregung hereinplatzte.

»Habt ihr schon gehört, was im ganzen Ort geredet wird?«

»Über Pennyways?«

»Nein, das andere!«

»Nichts. Keinen Ton!« bekannten sie und starrten Laban Tall auf den Adamsapfel, als ob dort steckte, was er zu sagen hatte.

»Eine Nacht der Greuel!« murmelte Joseph Poorgrass. Seine Hände flatterten. »Mein linkes Ohr hat mir so geklungen, daß es sich wie Mord angehört hat! Und eine schwarze Katze ist mir auch über den Weg gelaufen!«

»Fanny Robin – die jüngste Magd von Miss Everdene! Sie ist verschwunden! Vor zwei Stunden schon haben sie abschließen wollen, aber sie war nicht da. Und jetzt trauen sie sich nicht ins Bett, weil sie Angst haben, daß sie Fanny aussperren. Sie würden sich nicht solche Sorgen machen, wenn die Fanny nicht seit ein paar Tagen so niedergeschlagen gewesen wäre, und Maryann überlegt schon, ob wir nicht eine Anzeige erstatten müssen, daß das Mädchen abgängig ist!«

»Im Feuer ist sie! Verbrannt!« stammelte Joseph Poorgrass mit trockenen Lippen.

»Nein – im Wasser!« widersprach Tall.

»Oder sie hat es mit dem Rasiermesser von ihrem Vater getan!« argwöhnte Billy Smallbury mit lebhaftem Sinn für das schaurige Detail.

»Also – Miß Everdene möchte mit ein paar von uns reden, bevor wir schlafen gehen. Erst die Geschichte mit dem Verwalter und jetzt das Mädchen – das war fast zuviel für das Fräulein.«

Bis auf den Mälzer, den weder Schreckensmeldungen noch Feuer, Regen oder Donner aus seiner Höhle scheuchen konnten, eilten sie alle die Straße zum Farmhaus hinauf. Als ihre Schritte verklungen waren, setzte sich der Mälzer wieder hin und stierte wie immer mit seinen roten, tränenden Augen in den Ofen.

Oben im offenen Schlafzimmerfenster waren Bathshebas Kopf und Schultern auszunehmen, in geisterhaftes Weiß gehüllt.

»Sind welche von meinen Leuten bei euch?« fragte sie vorsichtig.

»Ja, Fräulein, nicht nur einer«, antwortete Susan Talls Mann.

»Morgen früh sollen ein paar von euch in den Dörfern rundherum nachfragen, ob man eine Fanny Robin gesehen hat. Vermeidet aber ein Aufsehen. Vorläufig ist noch kein Grund zur Besorgnis. Sie muß fortgegangen sein, während wir alle beim Feuer waren.«

»Entschuldigt bitte, aber hat sie vielleicht irgendeinen Verehrer hier im Ort gehabt?« erkundigte sich Jacob Smallbury.

»Das weiß ich nicht«, sagte Bathsheba.

»Wir haben nichts dergleichen gehört, Fräulein«, kam es auch von anderen Seiten.

»Es ist auch nicht sehr wahrscheinlich«, meinte Bathsheba. »Wenn sie einen anständigen Burschen gehabt hätte, wäre er wohl ins Haus gekommen. Aber das Merkwürdigste an ihrem Verschwinden – eigentlich das einzige, was mir wirklich Sorge macht – ist, daß Maryann gesehen hat, wie sie nur in ihrem Hauskleid fortgegangen ist. Nicht einmal eine Haube hat sie aufgehabt.«

»Und ihr meint, Fräulein – verzeiht, wenn ich so offen rede –, daß eine junge Frau sich kaum mit ihrem Burschen treffen würde, ohne sich vorher aufzuputzen«, vermutete Jacob im Hinblick auf einstige Erfahrungen. »Das ist richtig. So etwas würde sie nie getan haben.«

»Genau habe ich es nicht sehen können, aber ich glaube, daß sie ein Bündel bei sich gehabt hat«, sagte eine weibliche Stimme, die Maryann zu gehören schien, aus einem anderen Fenster. »Aber sie hat keinen Hiesigen gehabt. Der Ihrige lebt in Casterbridge und ist, soviel ich weiß, ein Soldat.«

»Weißt du, wie er heißt?«

»Nein, Fräulein. Sie hat nie von ihm gesprochen.«

»Vielleicht kann ich es herausfinden, wenn ich nach Casterbridge zur Kaserne gehe«, schlug William Smallbury vor.

»Gut. Wenn sie morgen nicht zurückkommt, gehst du hin und schaust, ob du ihn sehen kannst. Ich würde mich nicht so verantwortlich für sie fühlen, wenn sie Verwandte oder Freunde hätte, und ich hoffe sehr, daß sie nicht durch einen solchen

Mann zu Schaden gekommen ist ... Davon abgesehen ist da noch diese scheußliche Geschichte mit dem Verwalter – aber darüber kann ich jetzt nicht sprechen.«

Bathsheba hatte so viele Gründe für ihre Zurückhaltung, daß sie es überflüssig fand, auf einen davon im einzelnen einzugehen. »Tut also, was ich euch gesagt habe«, schloß sie und zog das Fenster zu.

»Wird gemacht, Fräulein«, erwiderten die Männer und machten sich auf den Weg.

In dieser Nacht, die Gabriel Oak bei Coggan verbrachte, war seine Phantasie hinter den geschlossenen Lidern sehr geschäftig; ein Strom von Bildern zog an ihnen vorüber wie ein Fluß, der unter dem Eis rasch dahinfließt. Es waren immer die Nächte gewesen, in denen er Bathsheba besonders lebhaft vor sich gesehen hatte, und auch diesmal beschwor er zärtlich ihr Bild, während die dunklen Stunden langsam fortschritten. Selten wiegen die Wonnen der Phantasie die Qual der Schlaflosigkeit auf, aber bei Oak taten sie es in dieser Nacht wahrscheinlich doch, denn die Freude, sie wenigstens gesehen zu haben, ließ ihm zunächst den großen Unterschied zwischen Sehen und Haben nicht bewußt werden.

Er überlegte auch, wie er sein bißchen Werkzeug und die wenigen Bücher aus Norcombe holen sollte: ›Des Jünglings bester Freund‹, ›Anleitungen für den Hufschmied‹, ›Der Tierarzt‹, ›Das verlorene Paradies‹, ›Pilgrim's Progress‹, ›Robinson Crusoe‹, Ashs ›Wörterbuch‹ und Walkingams ›Arithmetik‹ stellten seine Bibliothek dar, und trotz der beschränkten Auswahl hatte er durch gründliches Lesen daraus mehr solides Wissen erworben als mancher Begünstigte aus vielen vollbestückten Regalen.

Bei Tageslicht erwies sich das Heim von Bathsheba Everdene, Oaks neuer Herrin, als ein verwitterter Bau, seiner Architektur nach aus den Anfängen der klassischen Renaissance, dessen Dimensionen auf den ersten Blick zeigten, daß er, wie es so häufig vorkommt, früher das Herrenhaus eines kleinen Guts gewesen war, das als gesondertes Besitztum nicht mehr existierte, sondern in den ausgedehnten Ländereien eines hier nicht mehr ansässigen Großgrundbesitzers aufgegangen war, zu denen einige solche bescheidene Ansitze gehörten.

Kannelierte Pilaster aus massivem Stein schmückten die Front, die Schornsteine über dem Dach waren in Segmente unterteilt oder wie Säulen geformt, und die Giebel mit Haustein verblendet und mit Aufsätzen und ähnlichem Zierat geschmückt, der noch die gotische Herkunft verriet. Weiches braunes Moos, wie verschossener Samt, wucherte in Kissen auf den Steinplatten, und aus den Traufen der niederen Nebengebäude sproß die Hauswurz oder Fetthenne. Moos – hier von der silbrig-grünen Art – säumte auch den Kiesweg, der von der Tür zur Landstraße hinausführte, und ließ die nußbraunen Steinchen nur etwa schrittbreit in der Mitte durchblicken. Dieser Umstand und überhaupt die schläfrige Stille, die über dem Ganzen lag – im Gegensatz zu dem Leben, das an der Rückseite des Gebäudes herrschte – vermittelte einen Eindruck, als habe sich bei der Anpassung des Hauses an die Bedürfnisse der Landwirtschaft sein innerer Organismus verdreht, so daß es jetzt in die Gegenrichtung blickte. Derartige Kehrtwendungen, seltsame Verwachsungen und befremdliche Lähmungserscheinungen kann man nicht selten als Folge gewerblicher Nutzung an Gebäuden – einzeln oder auch im Zusammenhang von Straßen und Städten – beobachten, die ursprünglich nur darauf angelegt waren, daß man in ihnen sein Leben genießen sollte.

Lebhafte Stimmen klangen an diesem Morgen aus den oberen Räumen, zu denen die Hauptstiege – harte Eiche mit einem Geländer, massiv wie Bettpfosten und im Stil der Entstehungszeit gedreht und geschnitzt, dazu ein balkenstarker Handlauf und Stufen, die sich wie ein Mensch, der über seine Schulter zu blicken versucht, um eine Spindel wanden – hinaufführte. Die Böden im ersten Stock waren alles andere als eben, sie stiegen zu Graten an und fielen zu Tälern ab, und da man gerade die Teppiche entfernt hatte, waren auch die zahllosen Wurmlöcher in den Brettern bloßgelegt. Jedes Fenster antwortete mit einem Klirren, wenn eine Tür geöffnet oder geschlossen wurde, jede heftige Bewegung löste ein Zittern aus, und ein Knarren begleitete wie ein Geist den Besucher durch das ganze Haus.

In dem Raum, wo das Gespräch stattfand, saßen Bathsheba Everdene und Liddy Smallbury, Kammermädchen und Gesellschafterin in einem, nebeneinander auf dem Boden und sortierten einen Wust von Papieren, Büchern, Flaschen und allerhand Kram, der dort ausgebreitet lag und aus dem Haushalt des früheren Besitzers stammte. Liddy, die Urenkelin des Mälzers, war ungefähr gleich alt wie Bathsheba und nach ihrem Äußeren das perfekte Muster eines munteren englischen Landkindes. Was ihren Zügen an Vollkommenheit fehlte, wurde vollauf durch die bezaubernden Farben wettgemacht, zur herrschenden Winterszeit somit ein sanftes Rot auf prallen Rundungen, wie von Terborgh oder Gerard Douw gemalt, und wie bei diesen großen Koloristen in einem Antlitz, dessen Anmut sich knapp von der Schwelle zum Idealtyp zurückhielt. Liddy war anpassungsfähig, aber nicht unternehmend wie Bathsheba, und der Ernst, den sie manchmal zur Schau trug, stammte teils wohl aus echter Betroffenheit, teils war er aber auch angelernt, weil es sich so gehörte.

Wenn man dem Geräusch einer Scheuerbürste nachging, gelangte man durch eine halboffene Tür zu Maryann Money, der Putzmagd, deren kreisrundes Gesicht nicht so sehr vom Alter als von den langen, staunenden Blicken auf fernliegende Gegenstände gefurcht war. Schon der Gedanke an Maryann verscheuchte alle Trübsal, und ihre Erwähnung beschwor das Bild eines schrumpeligen Apfels.

»Sei einen Moment still!« sagte Bathsheba durch die Tür zu ihr. »Ich höre etwas.«

Maryann hielt die Bürste an.

Der Hufschlag eines Pferdes war zu vernehmen, das sich der Front des Hauses näherte, langsamer wurde, beim Gartentor haltmachte und dann – höchst merkwürdig! – über den moosigen Pfad zur Eingangstür vordrang.

Jemand klopfte mit einem Stock oder dem Griff einer Reitgerte.

»So eine Frechheit!« flüsterte Liddy: »Reitet einfach über den Fußweg! Warum ist er nicht beim Tor stehengeblieben? Gütiger Himmel! Ein feiner Herr! Ich sehe seinen Hut.«

»Still!« zischte Bathsheba.

Liddys Interesse drückte sich hierauf mimisch aus.

»Warum geht Mrs. Coggan nicht zur Tür?« wollte Bathsheba wissen.

Es pochte wieder, und noch energischer.

»Maryann! Geh du!« befahl Bathsheba, der angesichts der Fülle romantischer Möglichkeiten die Stimme zu versagen drohte.

»O Fräulein – in diesem Zustand?!«

Darauf ließ sich nach einem Blick auf Maryann nichts erwidern.

»Liddy – dann du!« sagte Bathsheba.

Liddy hob ihre vom Staub des Gerümpels bedeckten Hände und blickte flehend auf ihre Herrin.

»Da – jetzt geht Mrs. Coggan!« registrierte Bathsheba und atmete, nachdem sie gut eine Minute die Luft angehalten hatte, erleichtert durch.

Die Tür ging auf und eine tiefe Stimme sagte –

»Ist Miss Everdene zu Hause?«

»Ich werde nachsehen, Sir«, entgegnete Mrs. Coggan.

Gleich darauf erschien sie im Zimmer.

»Gott, was für ein Leben!« rief Mrs. Coggan: Sie erfreute sich blühender Gesundheit und verfügte für jede Bemerkung über eine dem Pegelstand ihrer Gefühle entsprechende Tonlage; davon abgesehen verstand sie es, mit mathematischer Präzision Pfannkuchen zu wenden und Staubwedel zu dirigieren. Im Augenblick waren ihre Hände mit Teig verklebt und die Arme weiß von Mehl. »Jedesmal, wenn ich einen Pudding machen will und bis über die Ellbogen drinstecke, kitzelt es mich entweder in der Nase, so daß ich's nicht aushalte, ohne mich zu reiben, oder es klopft an der Tür. Mr. Boldwood ist hier und möchte Euch sehen, Miss Everdene.«

Bei einer Frau ist die Kleidung ein wesentlicher Teil ihres Körpers, und wenn da nicht alles in Ordnung ist, kommt das einer Mißbildung oder einer häßlichen Wunde gleich. Bathsheba sagte daher prompt: »In diesem Aufzug kann ich ihn nicht empfangen. Was soll ich tun?«

Da man sich in Weatherbury nicht einfach verleugnen lassen

konnte, schlug Liddy vor: »Bestellt ihm, daß Ihr voll Staub seid und nicht zu ihm hinunter könnt.«

»Ja, das klingt recht gut«, fand Mrs. Coggan.

»Sagt ihm, daß ich ihn nicht sehen kann. Das sollte genügen!«

Mrs. Coggan ging hinunter und richtete aus, was ihr aufgetragen war, setzte jedoch aus eigenem hinzu: »Das Fräulein staubt eben Flaschen ab und ist nicht sehr präsentabel – darum.«

»Macht nichts«, erwiderte die tiefe Stimme gelassen. »Ich wollte mich nur erkundigen, ob man etwas von Fanny Robin gehört hat.«

»Bis jetzt nicht, Sir – aber vielleicht später am Abend. William Smallbury ist nach Casterbridge gegangen, wo sie einen Verehrer haben soll, und die anderen fragen sonst überall herum.«

Darauf war wieder der Hufschlag zu vernehmen, wie er sich entfernte, und die Tür fiel ins Schloß.

»Wer ist Mr. Boldwood?« fragte Bathsheba.

»Ein Herr, dem die Farm von Little Weatherbury gehört.«

»Verheiratet?«

»Nein, Fräulein.«

»Wie alt ist er?«

»An die Vierzig, würde ich sagen. Ein schöner Mann, obwohl er ziemlich streng dreinschaut. Und Geld hat er auch.«

»Diese blöde Staubwischerei! Immer kommt irgend etwas dazwischen!« beklagte sich Bathsheba. »Warum hat er sich nach Fanny erkundigt?«

»O – wie sie klein war, hat es niemanden gegeben, der sich um sie gekümmert hätte, und da hat er sie zur Schule geschickt und ihr die Stelle hier bei Eurem Onkel verschafft. Soweit ist er ja ein sehr gütiger Mann, aber – na ja . . .«

»Wie meinst du das?«

»Für eine Frau ein hoffnungsloser Fall! In ganzen Rudeln sind sie hinter ihm hergewesen! Jede in der Umgebung, ob wohlgeboren oder von einfachen Leuten: Alle haben sie es schon versucht. Jane Perkins hat ihn zwei Monate lang belagert wie eine Festung, die zwei Taylormädchen sind ihm ein ganzes Jahr hindurch nachgelaufen, und die Tochter von Farmer Ives hat sich nächtelang die Augen ausgeweint und gut zwanzig Pfund für neue Kleider ausgegeben, aber – na ja, geradeso hätte sie das Geld zum Fenster hinauswerfen können.«

In diesem Augenblick erschien ein kleiner Junge unter der Tür. Es handelte sich um einen von den Coggans, die im Bezirk so verbreitet waren wie die Smallburys. Er hatte ständig irgendeinen lockeren Zahn oder einen blutenden Finger, den er mit einer Miene, als hebe er sich damit aus der restlichen, von derartigen Leiden verschonten Menschheit heraus, seinen besonderen Freunden zeigen mußte. Von diesen wurde erwartet, daß sie bedauernd und zugleich bewundernd »Du armes Kind!« riefen.

»Ich hab einen Pen – ny!« krähte der kleine Coggan.

»Von wem hast du ihn, Teddy?« fragte Liddy.

»Vom Mi–ster Bold-wood! Er hat ihn mir gegeben, weil ich ihm das Tor aufgemacht hab!«

»Und was hat er gesagt?«

»›Wohin läufst du, Kleiner?‹ ›Zu Miss Everdene‹, hab ich gesagt. Und da hat er gesagt: ›Das ist eine Frau, die weiß, was sie tut – nicht wahr, Kleiner?‹ Und ich hab' gesagt: ›Ja.‹«

»Vorlauter Fratz! Warum hast du das gesagt?«

»Weil er mir einen Penny gegeben hat.«

»Was für eine Aufregung!« stellte Bathsheba ärgerlich fest, als der Junge fort war. »Verschwinde jetzt, Maryann – geh den Boden scheuern oder tu sonst was! Du solltest lieber heiraten, statt mich hier aufzuhalten!«

»Ja, Fräulein, das wär schon recht. Aber einen von den Armen mag ich nicht – und ein Reicher mag mich nicht. So steh' ich da und hab' keinen . . .«

»Hat es schon einmal einen gegeben, der Euch heiraten wollte, Miss?« erkühnte sich Liddy zu fragen, als sie wieder mit Bathsheba allein war. »Bestimmt ein gutes Dutzend, nicht wahr?«

Bathsheba zögerte, als ob sie eine Antwort verweigern wollte, aber die Versuchung, ja zu sagen, war, da es wirklich in ihrer Macht stand, unwiderstehlich für eine junge Frau mit Zukunftsplänen, so sehr sie sich auch einbildete, als alt zu gelten.

»Einer hat es einmal versucht«, entgegnete sie, als sei sie in diesen Dingen sehr erfahren, und vor ihr stieg das Bild Gabriel Oaks – als Farmer – auf.

»Schön muß das sein!« vermutete Liddy, und die Mühe, sich so etwas vorzustellen, war ihr dabei anzusehen. »Und Ihr habt ihn nicht mögen?«

»Er war für mich nicht gut genug.«

»Wie schön muß das sein, jemanden abzuweisen, wenn die meisten von uns nur zu froh sind, einen zu kriegen! Mir ist, als ob ich es hören würde: ›Nein, Sir – ich befinde mich doch etwas über Eurem Niveau.‹ Oder: ›Küßt mir den Fuß, Sir – mein Mund ist für Lippen da, die Gewichtigeres zu sagen haben.‹ Und habt Ihr ihn geliebt?«

»Natürlich nicht. Aber er hat mir recht gut gefallen.«

»Gefällt er Euch noch immer?«

»Natürlich nicht. Wer kommt da schon wieder?«

Liddy schaute aus einem Hinterfenster in den Hof hinunter, der jetzt, da sich der Abend ankündigte, farblos und dämmerig wurde. In lockerem, aber offensichtlich durch eine gemeinsame Absicht verbundenem Gänsemarsch näherte sich eine Reihe von Gestalten, einige in den üblichen Kitteln aus schneeweißem Segeltuch, andere in solchen aus rohem, bräunlich-hellem Leinen, an Bünden, Brust, Rücken und Ärmeln kunstvoll gefältelt. Ein paar Frauen in Holzpantinen bildeten die Nachhut.

»Die Philister kommen!« teilte Liddy mit, ihre Nase platt an die Scheibe gedrückt.

»Ah, sehr gut. Geh hinunter, Maryann, und laß sie in der Küche warten bis ich mich umgezogen habe. Und dann führe sie in die Halle.«

X. Herrin und Gesinde

Eine halbe Stunde später trat Bathsheba, dem Anlaß entsprechend gekleidet und von Liddy gefolgt, von oben in die alte Halle und fand dort ihr Gesinde, das sich am unteren Ende auf einer langen Bank und einem Kanapee verteilt hatte. Sie setzte sich an einen Tisch und öffnete das Lohnbuch, die Feder in der Hand und daneben einen leinenen Geldbeutel, aus dem sie ein Häufchen Münzen leerte. Liddy wählte sich ihren Platz an Bathshebas Seite und nahm eine Näharbeit auf, die sie hin und wieder unterbrach, um in die Runde zu blicken oder mit der Miene einer Vertrauensperson eines der Silberstücke, die vor ihr lagen, aufzunehmen und zu betrachten, als handle es sich um ein Kunstwerk, das in ihr nicht einmal andeutungsweise den Wunsch wecken konnte, es etwa in seiner Eigenschaft als Geld zu besitzen.

»Zwei Punkte«, sagte Bathsheba, »muß ich klarstellen, bevor wir anfangen: Erstens habe ich Pennyways wegen Diebstahls entlassen und mich entschlossen, künftig auf einen Verwalter zu verzichten und die Farm selbst zu führen, mit meinem eigenen Kopf und mit eigenen Händen.«

Das Staunen der Männer äußerte sich in hörbarem Schnaufen.

»Der zweite Punkt betrifft Fanny. Habt ihr etwas über sie erfahren?«

»Nichts, Fräulein.«

»Habt ihr etwas unternommen?«

»Ich bin Farmer Boldwood begegnet«, berichtete Jacob Smallbury, »und habe mit ihm und zwei Männern den Mühlteich abgefischt, aber wir haben nichts gefunden.«

»Und der neue Schäfer ist beim ›Rehbock‹ gewesen, weil er gemeint hat, daß sie vielleicht dort sein könnte«, teilte Laban Tall mit. »Aber es hat sie niemand gesehen.«

»War nicht William Smallbury in Casterbridge?«

»Ja, Fräulein. Aber er ist noch nicht zurück. Er wollte um sechs hier sein.«

»Bis dahin fehlt noch eine Viertelstunde«, stellte Bathsheba mit einem Blick auf ihre Uhr fest. »Ich nehme an, er wird gleich kommen. Gut also –« Sie schaute in das Buch: »Joseph Poorgrass! Bist du hier?«

»Ja, Herr – Verzeihung, ja, Fräulein«, meldete sich der Angesprochene. »Ich bin der Poorgrass.«

»Und was bist du?«

»Nichts in meinen eigenen Augen. Die anderen finden – nun, ich will nichts sagen, obwohl's sich nicht verheimlichen lassen wird.«

»Was tust du auf der Farm?«

»Allerhand Fuhrwerkerei – und nach der Aussaat schieße ich auf die Krähen und Spatzen. Auch beim Schlachten helfe ich mit.«

»Wieviel bekommst du?«

»Neun Schilling und neun Pennies, Herr – will sagen Fräulein – und einen halben Penny drauf, wenn die Arbeit schwer war.«

»Stimmt. Hier hast du zehn Schilling dazu als ein kleines Geschenk zu meinem Einstand.«

Die Freigebigkeit, die sie vor aller Augen übte, ließ Bathsheba erröten, und Henery Fray, der näher zu ihr gerückt war, hob Brauen und Finger, um seiner Verwunderung Ausdruck zu geben.

»Wieviel schulde ich dir –: Den dort in der Ecke meine ich! Wie heißt du?«

»Matthew Moon, Fräulein«, antwortete ein bizarres Kleiderbündel ohne nennenswerten Inhalt, dessen Zehen beim Herankommen keine bestimmte Richtung hielten, sondern ein- und auswärts wiesen, wie es die schlenkernden Füße gerade trafen.

»Matthew Mark, hast du gesagt? Sprich deutlich – ich beiß dich nicht!« redete ihm die junge Gutsherrin freundlich zu.

»Matthew Moon, Fräulein«, berichtigte Henery Fray, der bis hinter ihren Stuhl vorgedrungen war.

»Matthew Moon«, murmelte Bathsheba, die hellen Augen auf das Buch gerichtet: »Zehn Schilling und zweieinhalb Pennies kriegst du nach dem, was hier steht.«

»Ja, Fräulein«, bestätigte Matthew, als raschle der Wind in dürren Blättern.

»Hier – und zehn Schilling dazu. Jetzt der nächste: Andrew Randle. Du bist neu, höre ich. Warum bist du von der Farm fort, wo du zuletzt warst?«

»B-b-b-b-b-bitte, Fräulein, b-b-b-b-b-bitte, Fräulein, bitte, F-f-f-f-räulein, bitte –«

»Er ist ein Stotterer, Fräulein«, erläuterte Henery Fray gedämpft. »Ein einziges Mal hat er normal geredet: Seine Seele, hat er dem Junker gesagt, gehöre noch immer ihm allein – und noch andere Unziemlichkeiten. Darum haben sie ihn an die Luft gesetzt. Fluchen kann er wie Ihr oder ich, Fräulein, aber ein normales Wort bringt er nicht heraus, und wenn's ihm ans Leben ginge.«

»Da – das ist für dich, Andrew Randle! Nimm dir ruhig ein paar Tage Zeit zum Danken. Temperance Miller – ah, da ist noch eine, Soberness – beides Frauen, vermute ich?«

»Ja, Fräulein. Hier sind wir, wenn's gestattet ist«, kam schrill die zweistimmige Antwort.

»Was habt ihr gearbeitet?«

»Die Dreschmaschine versorgt und Strohseile gedreht und die Hühner verjagt, wenn sie hinter der Saat herwaren, und mit dem Setzholz die Frühkartoffeln gelegt.«

»Aha. Gute Arbeiterinnen?« fragte sie leise Henery Fray.

»Oh, Fräulein, fragt mich nicht! Ordinäre Weiber – die zwei lassen keinen aus«, knurrte Henery.

»Setzt euch!«

»Wer, Fräulein?«

»Setzt euch!«

Joseph Poorgrass im Hintergrund krümmte sich, als Bathsheba so kurz angebunden sprach und Henery sich in eine Ecke verkroch; die Furcht vor dem, was in der Luft hing, dörrte ihm die Lippen.

»Der nächste: Laban Tall! Willst du weiter für mich arbeiten?«

»Für Euch wie für jeden, der mich anständig bezahlt, Fräulein«, erwiderte der Jungverheiratete.

»Klar – der Mensch muß von was leben!« stellte eine Frau im Hintergrund fest, die eben mit klappernden Pantinen hereingekommen war.

»Wer ist diese Frau?« fragte Bathsheba.

»Nach dem Gesetz die Seinige!« teilte jene großspurig mit. Die Dame bekannte sich zu fünfundzwanzig Jahren, sah aus wie dreißig, wurde für fünfunddreißig gehalten und war vierzig. Nie hatte sie, wie manche jungverheiratete Frauen, vor anderen Leuten zärtliche Gefühle für den Gatten gezeigt. Vielleicht hatte sie auch keine.

»O tatsächlich?« nahm Bathsheba zur Kenntnis. »Nun, Laban? Willst du bleiben?«

»Ja. Er bleibt!« bestimmte Labans bessere Hälfte mit schriller Stimme.

»Kann er nicht für sich selbst sprechen?«

»Nein, Gott behüte! Er tut einfach, was man ihm sagt. Ganz brav, aber ohne Hirn im Kopf«, antwortete die Gemahlin.

»Hahaha«, lachte der Gatte, verzweifelt bemüht, die Sache ins Komische zu kehren. Wie ein Kandidat im Wahlkampf: So schlecht konnte man ihn gar nicht behandeln, daß er seine gute Laune verlor.

Die restlichen Namen wurden auf ähnliche Weise aufgerufen.

»So, das dürfte alles sein«, sagte endlich Bathsheba. Sie klappte das Buch zu und schüttelte eine Locke aus der Stirn. »Ist William Smallbury schon zurück?«

»Nein, Fräulein.«

»Der neue Schäfer wird einen Gehilfen brauchen«, gab Henery Fray zu bedenken. Er versuchte sich wieder einzuschalten, indem er von der Seite her gegen Bathshebas Stuhl vorrückte.

»Ja, stimmt. Wer kommt dafür in Frage?«

»Der junge Cain Ball ist ein sehr braver Bursche«, sagte Henery. »Der Schäfer Oak wird wohl nichts dagegen haben, daß er keinen älteren kriegt?« Henery wandte sich mit entschuldigendem Lächeln zu dem Schäfer, der eben auf der Bildfläche erschienen war und jetzt mit verschränkten Armen an einem Türpfosten lehnte.

»Nein, das stört mich nicht«, bestätigte Gabriel.

»Wie ist dieser Cain zu so einem Namen gekommen?« wollte Bathsheba wissen.

»Ach, Ihr müßt das verstehen, Fräulein! Seine arme Mutter war keine besonders bibelfeste Frau und hat sich bei der Taufe geirrt. Sie hat geglaubt, es sei der Abel gewesen, der den Kain getötet hat, und darum hat sie den Jungen Cain genannt, obwohl sie den Abel gemeint hat. Der Pastor hat es richtiggestellt, aber es war schon zu spät – der Junge ist den Namen hier im Ort nie mehr losgeworden. Es ist sehr hart für ihn.«

»Das kann ich mir vorstellen.«

»Ja. Aber wir haben versucht, es ihm zu erleichtern, und rufen ihn ›Cainy‹. Die arme Witfrau! Fast das Herz aus dem Leib geweint hat sie sich deswegen! Sie ist von Eltern großgezogen worden, die rechte Heiden waren und sie nie in eine

Schule oder zur Kirche geschickt haben. Da sieht man, wie sich die Sünden der Eltern an den Kindern rächen!«

Mr. Frays Miene drückte den schicklichen Grad von Mitleid aus, wie es bei Personen angebracht ist, die nicht zur eigenen Verwandtschaft gehören.

»Gut also, Cainy Ball wird der Unterschäfer. Und du weißt, was deine Pflicht ist? Dich meine ich, Gabriel Oak!«

»Sehr wohl – vielen Dank, Miss Everdene«, erwiderte der Schäfer von der Türe her. »Ich werde mich erkundigen, wenn ich Zweifel haben sollte.« Gabriel war einigermaßen betroffen von der Kühle ihres Benehmens. Wer nichts davon wußte, wäre nie auf den Gedanken gekommen, daß Oak und die hübsche Frau, vor der er stand, einmal einander nicht fremd gewesen waren. Aber vielleicht war ihr Verhalten nur die natürliche Folge des sozialen Aufstiegs, der sie aus einer Bauernkate in ein großes Haus samt Ländereien versetzt hatte. In höheren Kreisen ist der Fall nicht ohne Beispiel. Wenn Zeus und seine Familie in den Schriften der späteren Dichter plötzlich aus ihrer engen Behausung auf dem Gipfel des Olymp in den weiten Himmel darüber erhoben werden, wird auch ihre Rede entsprechend arroganter und distanzierter.

Schritte wurden im Hausflur vernehmbar, deren kraftvoll gemessenes Auftreten im Gegensatz zu ihrem Tempo stand.

Alle: »Da kommt Billy Smallbury aus Casterbridge!«

»Und, was hast du herausgebracht?« fragte Bathsheba, als William in der Mitte der Halle ein Schnupftuch unter seinem Hut hervorzog und sich umständlich die Stirn wischte.

»Ich wäre schon zeitiger hiergewesen, Fräulein«, schnaufte er. »Aber das Wetter hat mich aufgehalten.« Er stampfte kräftig erst mit dem einen, dann mit dem anderen Fuß auf und lenkte die Blicke auf seine schneeverklumpten Stiefel.

»Aber jetzt bist du immerhin hier«, stellte Henery fest.

»Nun? Was ist mit Fanny?« fragte Bathsheba.

»Um es kurz zu machen, Fräulein: Sie ist mit den Soldaten davon«, entgegnete William.

»Nein! Doch nicht so ein anständiges Mädchen wie Fanny!«

»Ich werde Euch alles berichten: Wie ich in Casterbridge zur Kaserne gekommen bin, haben sie mir gesagt: ›Die Elferdragoner sind fort; wir haben jetzt hier eine neue Einheit.‹ Die Elfer sind letzte Woche nach Melchester und von dort weitergezogen. Der Marschbefehl ist ihnen wie ein Blitz aus heiterem

Himmel gekommen – das geschieht immer so –, und bevor die Elfer es richtig begriffen hatten, waren sie schon unterwegs. Nicht weit von hier sind sie vorbeimarschiert.«

Gabriel hatte interessiert zugehört. »Ich habe sie gesehen«, sagte er.

»Ja«, fuhr William fort. »Und wie sie durch die Straßen gezogen sind, haben sie ›Und mein Mädel bleibt zurück‹ gespielt, als ob sie eine Schlacht gewonnen hätten. Die große Trommel hat gedonnert, daß es den Leuten, die dabeigestanden sind, so recht ans Herz gegriffen hat, und bei den Schankwirten und den Weibern ist in der ganzen Stadt kein Auge trocken geblieben.«

»Aber sie sind doch nicht in einen Krieg gezogen?«

»Nein. Aber sie müssen irgendwohin nachrücken, wo andere waren, die vielleicht an die Front gegangen sind – und darum hängt das eine mit dem anderen zusammen. Fannys Verehrer war einer aus dem Regiment, habe ich mir deshalb gesagt, und sie ist ihm nach. Ja, Fräulein – das wär's . . .«

»Hast du herausgekriegt, wie er heißt?«

»Nein. Das hat mir niemand sagen können. Aber ich vermute, daß er etwas Höheres war als ein einfacher Rekrut.«

Gabriel, der darüber nichts Sicheres wußte, verhielt sich still.

»Wie dem auch sei, mehr werden wir heute wohl nicht erfahren«, sagte Bathsheba. »Aber einer von euch sollte zu Farmer Boldwood gehen und ihn davon verständigen.«

Darauf erhob sie sich. Ehe sie sich zurückzog, richtete sie jedoch an ihr Gesinde eine kurze Ansprache, die durch die Trauerkleidung einen nüchternen Akzent erhielt, den die Worte allein nicht vermittelt hätten:

»Ihr habt also jetzt eine Herrin an Stelle eines Herrn. Ich weiß noch nicht, ob ich so tüchtig oder begabt bin, daß ich eine Wirtschaft führen kann, aber ich werde mein Bestes tun, und wenn ihr mir gut dient, werde auch ich euch dienen. Keiner, der nicht aufrichtig dazu bereit ist – ich hoffe, daß niemand sich betroffen fühlen muß – soll glauben, daß ich, weil ich eine Frau bin, nicht den Unterschied zwischen Recht und Unrecht kenne.«

Alle: »Nein, Fräulein.«

Liddy: »Sehr gut gesagt!«

»Ich werde auf den Beinen sein, wenn ihr noch schlaft; ich werde auf dem Feld sein, bevor ihr aus dem Bett findet; und ich werde schon wieder ausgeruht sein, wenn ihr erst zur Arbeit kommt. Kurzum: Ihr werdet über mich staunen!«

Alle: »Ja, Fräulein.«

»Gute Nacht denn!«

Alle: »Gute Nacht, Fräulein.«

Nachdem Bathsheba solcherart ihren Willen kundgetan hatte, verließ sie den Tisch und rauschte aus der Halle. Ein paar Strohhalme, die sich in ihrem schwarzseidenen Kleid verfangen hatten, scharrten über den Boden. Liddy, im Bewußtsein des historischen Moments, schwebte in nicht ganz so strenger, nicht ganz so ernstzunehmender Würde hinterher und schloß die Tür.

Etwas Trostloseres als das Bild, das der Randbezirk einer Garnisonsstadt viele Meilen nördlich von Weatherbury zu späterer Stunde an diesem schneeigen Abend bot – sofern man etwas, das vor allem aus Dunkelheit besteht, überhaupt als Bild bezeichnen kann –, läßt sich nur schwer vorstellen.

Es war eine von jenen Nächten, in denen auch ein eingefleischter Optimist von Sorgen angefallen wird, ohne sie als wesensfremd zu empfinden; in denen die Liebe bei dafür anfälligen Leuten zu hilfloser Sehnsucht wird, Hoffnung zu Zweifel und Gewißheit zu Hoffnung zerfällt, auch die Erinnerung an versäumte Gelegenheiten keine Reue mehr auslöst und Erwartung kein Handeln bewirkt.

Der Schauplatz war ein öffentlicher Fußweg: links ein breiter Bach, dahinter eine hohe Mauer; rechts Flachland, halb Wiese und halb Sumpf, das weiter draußen in hügeliges Gelände überging.

Der Wechsel der Jahreszeiten ist in solcher Umgebung nicht so augenfällig wie in einem Wald, aber für einen guten Beobachter darum nicht weniger eindeutig wahrnehmbar. Der Unterschied liegt darin, daß sich der Wechsel auf eine Weise zeigt, die nicht so alltäglich und vertraut ist wie das Aufbrechen der Knospen oder das Fallen der Blätter. Viele Veränderungen gehen aber keineswegs so heimlich und so langsam vor sich, wie wir es angesichts der allgemeinen Apathie eines Moors oder Ödlands vermuten würden. Wenn hier der Winter kommt, tut er es in deutlich erkennbaren Etappen, die nacheinander etwa abzulesen sind am Verschwinden der Schlangen, an der Verwandlung des Farns, der Bildung von Tümpeln, dem Steigen der Nebel, der Bräunung durch den Frost, dem Verwesen der Pilze und schließlich dem Schnee, der alles zudeckt.

Dieser Tiefpunkt war nun erreicht, zum ersten Mal in jenem Winter waren alle Unebenheiten des Moors zu gesichtslosen Formen geworden, die an nichts erinnerten, nichts ausdrückten und nicht mehr verrieten, als daß sie etwas abgrenzten – der Bodensatz eines Himmels voll Schnee. Im Augenblick senkte sich aus diesem chaotischen Flockengebräu eine weitere Schicht über Weide und Moor, die darum nur noch mehr entblößt wirkten. Die weite Wölbung der Wolken lag seltsam tief, wie das Dach einer großen, dunklen Höhle, das allmählich einsinkt. Der unmittelbare Eindruck war, daß sich demnächst der Schnee des Himmels mit jenem auf der Erde, ohne eine Luftschicht dazwischen, zu einer homogenen Masse vereinigen würde.

Wenden wir aber nun unsere Aufmerksamkeit nach links, also zur Horizontalen des Bachs und zur Vertikalen der Mauer am anderen Ufer, beides im Dunkel: Aus diesen Elementen setzt sich zusammen, was das Auge nicht mehr auseinanderhält. Wenn es etwas Graueres als den Himmel gab, war es die Mauer, und wenn etwas noch trister war als die Mauer, konnte es nur der Bach darunter sein. Die schemenhafte Kontur des Gebäudes war da und dort von Schornsteinen unterbrochen und überhöht, und auf der Fläche zeichneten sich verschwommen die Gevierte von Fenstern ab, allerdings nur im oberen Teil – weiter unten, am Wasser, gab es in der glatten Mauer weder Löcher noch Vorsprünge.

Eine in ihrer Regelmäßigkeit verwirrende Folge von dumpfen Schlägen setzte sich nur mit Mühe gegen das Gestöber durch. Es war eine Uhr, die zehn schlug. Die Glocke, die im Freien hing, war spannendick mit Schnee überzogen und hatte ihre Stimme verloren.

Etwa zur selben Zeit ließ das Schneegestöber nach. Zehn Flocken statt vorher zwanzig, dann nur mehr eine, wo eben zehn gefallen waren. Nicht lange danach bewegte sich etwas am Ufer des Bachs.

Mit guten Augen hätte jemand auf dem farblosen Hintergrund ausnehmen können, daß es sich um etwas Kleines handelte. Mehr war nicht mit Sicherheit festzustellen, obwohl man auf einen Menschen schließen konnte.

Der Fleck bewegte sich langsam, aber ohne viel Mühe, denn der Schnee war zwar plötzlich gekommen, aber noch nicht tiefer als zwei Zoll. Und nun war auch etwas laut Gesprochenes zu verstehen:

»Eins. Zwei. Drei. Vier. Fünf.«

Nach jedem dieser Worte rückte die kleine Gestalt um etwa sechs Meter vor, und nun wurde auch klar, daß jemand die Fenster in der Mauer zählte. »Fünf« stand für das fünfte Fenster.

Hier hielt die Gestalt an und wurde noch kleiner. Sie bückte sich. Dann flog ein Klumpen Schnee in die Richtung des fünften Fensters. Er klatschte mehrere Meter davon gegen die Mauer. Der Wurf ließ an das Vorhaben eines Mannes denken, das eine Frau auszuführen versucht. Keinem Mann, der jemals in seiner Jugend auf einen Vogel, einen Hasen oder ein Eichhörnchen gezielt hat, wäre ein so unbeholfener Wurf zuzutrauen gewesen.

Wieder und wieder versuchte sie es, bis allmählich die Mauer von anhaftenden Schneepatzen gesprenkelt sein mußte. Zu guter Letzt traf ein Klumpen das fünfte Fenster.

Bei Tag hätte man gesehen, daß der Bach einer von jenen tiefen, glatten Wasserläufen war, deren Strömung in der Mitte wie an den Rändern gleich schnell dahinzieht und jeden Stau sofort durch einen kleinen Strudel korrigiert. Antwort gab nur das Gurgeln und Glucksen von einer dieser unsichtbaren Spiralen, dazu ein paar leise Laute, die man, je nach Stimmung, für Seufzen oder Kichern halten mochte und die vom Anprall des Wassers an geringfügige Hindernisse anderswo im Bachbett herrührten.

Wieder traf ein Wurf das Fenster.

Dann war ein Geräusch zu vernehmen, das darauf schließen ließ, daß das Fenster geöffnet wurde. Eine Stimme aus derselben Richtung folgte:

»Wer da?«

Es war eine Männerstimme, und sie klang nicht überrascht. Die hohe Mauer gehörte zu einer Kaserne, und da bei den Soldaten die Ehe nicht eben in hohem Ansehen steht, handelte es sich an diesem Abend vermutlich nicht um den ersten Versuch, über den Bach hinweg etwas mitzuteilen.

»Sergeant Troy?« stammelte der verschwommene Fleck im Schnee.

Diese Person glich so sehr einem bloßen Schatten am Boden und der andere Sprecher war so sehr ein Teil des Gebäudes, daß man den Eindruck haben konnte, die Mauer halte Zwiesprache mit dem Schnee.

»Ja«, tönte es mißtrauisch zurück. »Zu wem gehört Ihr?«

»Oh, Frank! Kennst du mich nicht?« rief der Schatten. »Ich bin Fanny Robin – deine Frau!«

Etwas schwang dabei mit, das nicht zu einer angetrauten Gattin paßte, und auch der Mann benahm sich nicht ganz so, wie man es von einem Ehegespons erwartet. Das Zwiegespräch ging weiter:

»Wie bist du hergekommen?«

»Ich habe gefragt, welches dein Fenster ist. Verzeih!«

»Ich habe heute abend nicht mir dir gerechnet. Ich habe nicht gedacht, daß du überhaupt kommen würdest. Es ist wie ein Wunder, daß du mich gefunden hast. Ich habe morgen Dienst.«

»Du hast doch gesagt, daß ich kommen soll.«

»Ich habe gesagt, daß du es versuchen könntest.«

»Ja, so habe ich's gemeint. Freust du dich, daß ich hier bin, Frank?«

»O ja – natürlich.«

»Kannst du – kannst du zu mir kommen?«

»Leider, meine liebe Fanny – nein. Es war schon Zapfen-streich, das Kasernentor ist zu, und ich habe keinen Urlaub. Bis morgen früh stecken wir alle hier drin wie in einem Gefängnis.«

»Dann werde ich dich bis morgen nicht sehen!« Enttäuschung klang aus der schwankenden Stimme.

»Wie bist du von Weatherbury hergekommen?«

»Ich bin zu Fuß gegangen – ein Stück Weg – und dann habe ich mich von den Fuhrwerken mitnehmen lassen.«

»So eine Überraschung!«

»Ja – auch für mich. Frank? Wann wird es sein?«

»Was?«

»Was du mir versprochen hast.«

»Habe ich dir etwas versprochen?«

»Oh, du weißt es genau! Sprich nicht so, es legt sich mir wie ein Stein aufs Herz. Du zwingst mich zu sagen, was doch von dir kommen sollte!«

»Trotzdem, sag's nur!«

»O – muß ich? Es ist –: Wann wird unsere Hochzeit sein, Frank?«

»Ach, das also! Nun ja ... Du wirst ein passendes Kleid brauchen.«

»Ich habe Geld. Werden wir es mit Aufgebot oder mit Lizenz machen?«

»Wohl mit Aufgebot.«

»Aber wir wohnen in zwei verschiedenen Pfarren.«

»Wirklich? Und was hat das zu bedeuten?«

»Ich bin in St. Mary wohnhaft, und das hier gehört nicht dazu. Das heißt, daß das Aufgebot in beiden Pfarren verkündet wer-den muß.«

»Ist das Vorschrift?«

»Ja. O Frank – hältst du mich für unverschämt? Bitte nicht, liebster Frank – bitte! Ich liebe dich ja so sehr! Und du hast immer wieder gesagt, daß du mich heiraten willst, und ich – ich – ich –«

»Jetzt heul doch nicht! Sei nicht kindisch! Wenn ich's dir gesagt habe, tu ich's auch.«

»Soll ich das Aufgebot in meiner Pfarre bestellen? Und wirst du es in der deinigen tun?«

»Ja.«

»Morgen?«

»Nicht morgen. Wir brauchen noch ein paar Tage, bis das Quartier bezogen ist.«

»Hast du die Genehmigung von den Offizieren?«

»Nein – noch nicht.«

»O – warum nicht? Bevor du aus Casterbridge fort bist, hast du mir gesagt, daß es nicht mehr lang dauern wird!«

»Ich habe zu fragen vergessen, darum. Ich habe nicht erwartet, daß du so plötzlich daherkommst.«

»Ja, natürlich nicht. Es war nicht recht von mir, daß ich dir Sorgen mache. Ich gehe schon. Wirst du mich morgen bei Mrs. Twills in der North Street besuchen? Ich mag nicht in die Kaserne kommen, da sind schlechte Frauen, und die denken dann, ich wäre auch so eine.«

»Da hast du recht. Ich komme zu dir, Liebste. Gute Nacht!«

»Gute Nacht, Frank – gute Nacht!«

Man hörte, wie das Fenster geschlossen wurde. Die kleine Gestalt bewegte sich fort. Als sie um die Ecke bog, drang gedämpfter Jubel durch die Mauer.

»Ho-ho-ho! Sergeant! Ho-ho-ho!« Jemand widersprach, aber das war nicht zu verstehen und ging in einem gedämpften Lachen unter, das sich kaum vom Gurgeln der kleinen Wasserwirbel unterscheiden ließ.

Erstmals öffentlich dokumentierte sich Bathshebas Entschluß, die Farm nicht mehr durch einen Stellvertreter, sondern mit eigener Hand zu führen, bei ihrem Auftritt auf dem Kornmarkt von Casterbridge am folgenden Markttag.

Der niedrige, aber geräumige Saal, von Balken und Säulen getragen und später mit dem Titel »Getreidebörse« geadelt, war gesteckt voll von erhitzten Männern, die sich in Paaren oder zu dritt miteinander unterhielten. Derjenige, der eben das Wort hatte, blickte dabei sein Gegenüber von der Seite her an und kniff zugleich ein Lid halb zu, um das Argument ins Ziel zu lenken. Die meisten von ihnen hatten einen Eschenstecken in der Hand, der ihnen teils als Spazierstock, teils dazu diente, Schweinen, Schafen und Nachbarn, die mit dem Rücken zu ihnen standen, sowie ganz allgemein im Zustand der Ruhe befindlichen Objekten, die im Verlauf ihrer Wanderungen dessen zu bedürfen schienen, einen Anstoß zu geben. Im Gespräch mußte der Stecken überdies zu vielen, sehr unterschiedlichen Zwecken herhalten: Er wurde von beiden Händen quer über den Rücken zum Bogen gespannt oder gegen den Boden gestemmt, daß er fast wie ein halber Reifen aussah; oder er wurde hastig unter den Arm geklemmt, worauf man das Mustersäckchen hervorholte, sich ein Häufchen Körner in die Hand leerte und sie nach kritischer Prüfung fallen ließ – ein wohlvertrauter Vorgang für ein halbes Dutzend schlauer Stadthühner, die sich wie immer eingeschlichen hatten und mit hochgereckten Hälsen und schiefgelegten Köpfen darauf warteten, daß sich ihre Hoffnungen erfüllten.

Zwischen den schwerfälligen Landwirten schwebte eine weibliche Gestalt, die einzige ihres Geschlechts, in dem Raum. Sie war adrett gekleidet, geradezu herausgeputzt, und bewegte sich unter den Männern wie eine Kutsche zwischen Lastfuhrwerken, ihre Stimme hörte sich an wie ein Liebesgedicht nach einer Predigt, und das Gefühl, das sie allseits vermittelte, glich einer kühlen Brise, die über glühende Öfen weht. Es hatte einiger Kraft – viel mehr, als sie zunächst geglaubt – bedurft, um sich an diesem Ort durchzusetzen, denn bei ihrem ersten Eintritt war alles schleppende Gespräch verstummt, fast alle Gesichter hatten sich ihr zugekehrt – bis auf jene, die sie bereits im Blickfeld hatten.

Nur zwei oder drei von den Farmern waren Bathsheba persönlich bekannt, und an diese wandte sie sich nun. Wenn sie aber die geschäftstüchtige Frau sein wollte, wie sie es sich vorgenommen hatte, mußte sie ihre Geschäfte mit allen machen, mit oder ohne Vorstellzeremonie, und sie entwickelte schließlich genug Selbstvertrauen, um ohne Hemmungen Männern, die sie nur vom Hörensagen kannte, Rede und Antwort zu stehen. Auch Bathsheba hatte ihre Mustersäckchen und eignete sich allmählich die professionelle Gestik an, mit der man die Körner in die hohle Hand leert und zur Beurteilung hochhebt, ganz wie in Casterbridge üblich.

Es war etwas an ihren tadellosen, weißen Zähnen und im Schwung ihrer roten Lippen, das einen, wenn sie leicht den Mund öffnete und etwas kampflustig ihr Gesicht zu einer Auseinandersetzung mit einem großen Mann aufwärts kehrte, vermuten ließ, daß dieses geschmeidige Stück Mensch über einiges – auch über den Mut zur Ausführung – verfügte und durchaus gefährlich werden konnte, wenn sie ihre weiblichen Reize einsetzen wollte. Aber ihre Augen waren von einer Sanftmut – immer derselben Sanftmut –, die sie verschwommen gemacht hätte, wenn sie nicht so dunkel gewesen wären; das milderte ihren Blick, der sonst vielleicht als scharf empfunden worden wäre.

Ungewöhnlich für eine voll erblühte und energische Frau: Immer gestattete sie es ihrem Gesprächspartner, zu Ende zu reden, bevor sie ihre Meinung vorbrachte. Wenn es um Preise ging, hielt sie, wie es für einen Händler nur natürlich ist, an dem ihren fest und drückte schließlich, wie das bei einer Frau nicht anders ausgehen kann, den des Partners. Aber ihre Härte hatte etwas Elastisches, so daß sie nicht stur wirkte, und auch in ihrem Feilschen war eine Naivität, die sie vor Geiz bewahrte.

Farmer, mit denen sie keine Geschäfte hatte (die weitaus überwiegende Mehrheit), fragten einander: »Wer ist sie?« Worauf die Antwort lautete –

»Farmer Everdenes Nichte. Hat Upper Weatherbury übernommen, den Verwalter gefeuert und besteht darauf, alles selber zu machen.«

Kopfschütteln des anderen.

»Ja«, fuhr dann der erste fort. »Schade, daß sie so eigenwillig ist. Aber wir hier sollten auf sie stolz sein – sie bringt etwas frischen Wind herein. So hübsch, wie sie ist, wird sie ohnedies bald einer wegschnappen.«

Es wäre unhöflich zu unterstellen, daß die Anziehung, die sie ausübte, fast in demselben Maß auf das Ungewohnte ihres Auftretens in solcher Eigenschaft zurückzuführen gewesen sei wie auf die Anmut ihres Gesichts und ihrer Bewegungen. Jedenfalls war das Interesse allgemein, und bei dem Debüt, das sie an diesem Samstag hatte, triumphierte zweifellos – wie immer sie als Farmerin bei Kauf und Verkauf abschnitt – Bathsheba als Frau. Tatsächlich empfand sie das so stark, daß sie einige Male instinktiv wie eine Königin unter diesen Göttern der Brache wandelte, wie die kleine Schwester eines kleinen Zeus, und die Abschlußpreise völlig vergaß.

Die zahlreichen Beweise für ihre Anziehungskraft traten durch eine auffällige Ausnahme nur noch deutlicher hervor. Anscheinend haben Frauen dafür besondere Augen, die vielleicht in ihren Rüschen sitzen. Ohne direkt hinzublicken, spürte Bathsheba, daß es in der Herde ein schwarzes Schaf gab.

Zunächst war sie verblüfft. Eine achtenswerte Minorität auf beiden Seiten wäre nur natürlich gewesen. Sie hätte sich auch damit abgefunden, wenn sie niemandem aufgefallen wäre – so etwas hatte es schon gegeben. Ebenso wäre sie nicht verwundert gewesen, wenn sie wirklich aller Augen – also einschließlich jener dieses Menschen – auf sich gezogen hätte – auch das war nicht neu. Aber die Singularität der Ausnahme war ihr ein Rätsel.

Wie der Widerspenstige aussah, wußte sie bald hinlänglich: Ein Herr von Stand, ein markantes Römerprofil, dessen Kanten in der Sonne wie Bronze leuchteten, aufrechte Haltung und gelassene Ruhe. Die Eigenschaft, die ihn besonders auszeichnete, war – Würde.

Offenbar hatte er vor geraumer Zeit jene Lebensmitte erreicht, nach der das Äußere eines Mannes während etwa eines Jahrdutzends von Natur aus unverändert bleibt – wie dies auch bei Frauen dank künstlicher Hilfsmittel der Fall ist. Er konnte fünfunddreißig bis fünfzig Jahre alt sein, er hätte eines wie das andere sein können, oder auch irgend etwas dazwischen.

Verheiratete Männer um die Vierzig sind in der Regel ohne weiteres und gern bereit, jedes weibliche Wesen von einigem Reiz, das ihnen über den Weg läuft, mit einem anerkennenden

Blick zu bedenken. Wahrscheinlich ist es das Bewußtsein einer gewissen Unverbindlichkeit, die sie in jedem Fall – wie Leute, die ›um die Ehre‹ Karten spielen – vor den schlimmsten Konsequenzen bewahrt, was ihnen derlei unbekömmliche Spekulationen erlaubt. Aber Bathsheba wußte mit Sicherheit, daß dieser Ungerührte nicht verheiratet war.

Sobald der Markt schloß, eilte sie zu Liddy, die neben dem gelben Wägelchen, in dem sie zur Stadt kutschiert waren, auf sie wartete. Das Pferd wurde angespannt, dann trabten sie los – auf dem Hintersitz Bathshebas Zucker, Tee und Stoffe in Päckchen, deren Farben, Formen und Umfang man auf eine nicht näher definierbare Weise ansah, daß sie nun dieser jungen Gutsherrin und nicht mehr dem Krämer oder Schnittwarenhändler gehörten.

»Ich hab's geschafft, Liddy! Künftig wird es mir auch nichts mehr ausmachen, denn jetzt werden sie sich doch an mich gewöhnt haben. Aber dieser Vormittag war schlimm wie eine Hochzeit: Alles glotzt!«

»So habe ich es mir vorgestellt«, entgegnete Liddy. »Von allen Leuten sind die Männer am ärgsten, wenn sie einen Menschen anschauen.«

»Aber einer war dabei, der sich zu gut war, seine Zeit auf mich zu verschwenden.« Die Mitteilung war so gehalten, daß Liddy auch nicht einen Augenblick lang glauben konnte, ihre Herrin fühle sich deshalb irgendwie gekränkt. »Ein sehr gut aussehender Mann«, fuhr Bathsheba fort. »Sehr gerade; um die Vierzig nach meiner Schätzung. Hast du eine Ahnung, wer das sein kann?«

Liddy hatte keine Ahnung.

»Fällt dir niemand ein?« bohrte Bathsheba, ein wenig enttäuscht.

»Ich bin überfragt. Aber wenn er von Euch so wenig Notiz genommen hat, ist es wohl egal. Viel wichtiger wäre es, wenn er Euch noch mehr beachtet hätte als die anderen.«

Bathsheba fand, daß es sich gerade umgekehrt verhielt. So rollten sie schweigend weiter. Ein niedriger Wagen, hinter einem Pferd von makelloser Zucht, fuhr noch schneller und überholte sie.

»Da! Das ist er!« rief Bathsheba.

Liddy blickte auf. »Der? Das ist Farmer Boldwood – natürlich. Der Mann, den Ihr letzthin nicht empfangen konntet.«

»Oh, Farmer Boldwood ...« wiederholte Bathsheba leise und schaute ihm nach. Der Farmer hatte nicht einmal den Kopf gewandt; den Blick auf den fernsten Punkt der Straße geheftet, war er so geistesabwesend und unberührt vorbeigefahren, als seien Bathsheba und alles, was sie zu bieten hatte, einfach Luft.

»Ein interessanter Mann – meinst du nicht?« bemerkte Bathsheba.

»O doch, sehr. Das wird jeder zugeben«, erwiderte Liddy.

»Ich frage mich, warum er so in sich gekehrt ist, als ob er mit seiner Umgebung gar nichts zu tun hätte.«

»Es heißt – aber Genaues weiß man nicht –, daß er einmal als junger und lebensfroher Mann bitter enttäuscht worden ist. Angeblich hat eine Frau ihn sitzenlassen.«

»Das heißt es immer – obwohl wir nur zu gut wissen, daß es kaum jemals die Frau ist, die einem Mann davonläuft. Die Männer sind es, die uns sitzenlassen. Wahrscheinlich ist er so zugeknöpft geboren.«

»Einfach so geboren ... Wahrscheinlich, Fräulein. Wahrscheinlich ist das alles.«

»Trotzdem ist es romantischer, wenn man sich vorstellt, daß jemand ihm das Herz gebrochen hat. Der Arme! Vielleicht hat man ihn wirklich schlecht behandelt.«

»Ganz gewiß! O ja, Fräulein, ganz gewiß! Ich spüre es, daß man ihn schlecht behandelt hat.«

»Allerdings neigen wir dazu, hinter anderen Leuten immer etwas Außergewöhnliches zu vermuten. Ich würde eher glauben, daß es ein wenig von beidem ist: Jemand hat ihm das Herz gebrochen – und von Natur aus ist er zugeknöpft.«

»Ach nein, Miss – beides zugleich kann ich mir nicht vorstellen.«

»Aber es ist noch das Wahrscheinlichste.«

»Doch, ja. Ich glaube auch, daß es das Wahrscheinlichste ist. Ganz bestimmt ist es das, was ihm fehlt.«

Dreizehnter Februar, Sonntagnachmittag auf der Farm. Mangels anderer Gesellschaft hatte Bathsheba nach dem Dinner Liddy aufgefordert, sich mit ihr zusammenzusetzen. Das modrige Gemäuer machte im Winter, bevor die Kerzen angesteckt und die Läden geschlossen waren, einen tristen Eindruck. Die Luft im Haus schien alt wie die Mauern; jede Ecke hinter den Möbeln hatte ihre Eigentemperatur, denn in diesen Räumen wurde erst später am Tag eingeheizt, und Bathshebas Klavier, das schon anderwärts nicht als neu gegolten hatte, sah auf den ausgetretenen Bodenbrettern besonders schief und hinfällig aus, bis endlich der Abend seine Schatten über die stumpferen Winkel legte und die Häßlichkeit verbarg. Liddys Geplauder plätscherte dahin wie ein munteres, wenn auch seichtes Bächlein; ihre Gegenwart förderte das Spiel der Gedanken, ohne dabei anzustrengen.

Auf dem Tisch lag eine alte, ledergebundene Quartbibel. Liddy schaute hin und sagte: »Habt Ihr schon einmal mit der Bibel und einem Schlüssel herauszufinden versucht, wen Ihr einmal heiraten werdet?«

»Sei nicht närrisch, Liddy. Das ist doch unmöglich.«

»Trotzdem ist was dran.«

»Unsinn!«

»Und schreckliches Herzklopfen kriegt man! Die einen glauben dran, die anderen nicht. Ich tu's.«

»Also gut, probieren wir's!« sagte Bathsheba, sprang mit jener Verachtung der eigenen Prinzipien auf, die man sich vor Untergebenen leisten kann, und war sofort ganz in Orakelstimmung. »Hol uns den Schlüssel von der Eingangstür!«

Liddy brachte ihn. »Ich wollte, wir hätten nicht Sonntag«, sagte sie. »Vielleicht ist es unrecht.«

»Was die Woche über recht ist, muß es auch am Sonntag sein«, erwiderte ihre Herrin mit einer Bestimmtheit, die keinen weiteren Einwand aufkommen ließ.

Das Buch wurde aufgeschlagen, und Bathsheba blätterte durch die vergilbten Seiten, vorüber an oft gelesenen, von ungeübten Fingern, die zur Hilfe der Augen den Zeilen entlanggeführt worden waren, bis zur Unkenntlichkeit geschwärzten Stellen. Dann fand sie den richtigen Vers im Buch Ruth und fühlte sich, als ihr Blick auf die erhabenen Worte fiel, erregt und zugleich beschämt. Besseres Wissen lehnte sich gegen die närrische Laune auf. Die Laune machte erröten, ließ aber nicht locker. Der Schlüssel wurde auf das Buch gelegt. Ein Rostfleck, genau an dieser Stelle und vom Druck eines eisernen Gegenstands geprägt, sprach dafür, daß das Buch nicht zum erstenmal für diesen Zweck herhalten mußte.

»Jetzt rühr dich nicht und sei still!« befahl Bathsheba.

Der Vers wurde noch einmal gelesen, das Buch umgedreht. Bathsheba errötete schuldbewußt.

»Mit wem habt Ihr es versucht?« wollte Liddy wissen.

»Das werde ich dir nicht verraten.«

»Habt Ihr bemerkt, wie sich Mr. Boldwood heute in der Kirche aufgeführt hat, Fräulein?« fuhr Liddy fort und lenkte damit Bathshebas Gedanken von der Richtung ab, die sie genommen hatten.

»Nein«, entgegnete Bathsheba unbekümmert.

»Sein Sitz ist genau gegenüber von uns.«

»Das weiß ich.«

»Und trotzdem habt Ihr nicht gesehen, wie er sich benommen hat!«

Liddys Gesicht verschloß sich, ihre Lippen schwiegen.

Diese Reaktion war unerwartet und irritierte dementsprechend. »Was hat er getan?« fragte Bathsheba unwillig.

»Kein einziges Mal während des ganzen Gottesdienstes hat er zu Euch hergeschaut!«

»Warum hätte er das tun sollen?«, fragte ihre Herrin weiter, nun sichtlich verärgert. »Ich habe ihn nicht dazu aufgefordert.«

»O nein. Aber alle anderen haben zu Euch herübergeschaut. Nur er nicht! Sehr seltsam! Das sieht ihm ähnlich; so reich und wohlgeboren, daß er sich um nichts und niemanden schert.«

Bathshebas Schweigen sollte ausdrücken, daß ihre Meinung in dieser Sache, wenn sie auch etwas dazu zu sagen gehabt hätte, zu kompliziert für Liddys Begriffsvermögen war.

»Himmel! Beinahe hätte ich die Valentinsgabe vergessen, die ich gestern besorgt habe!« rief sie endlich.

»Eine Valentinsgabe? Für wen, Fräulein?« fragte Liddy. »Für Farmer Boldwood?«

Von allen falschen Namen, die in Betracht kamen, schien Bathsheba dieser im Augenblick als Antwort noch treffender als der richtige.

»Nein. Nur für den kleinen Teddy Coggan. Ich habe ihm etwas versprochen, und das wird eine lustige Überraschung für ihn. Bring mir das Schreibzeug, Liddy – ich kann es ebensogut auch gleich jetzt abschicken.«

Bathsheba entnahm der Kassette ein prächtig koloriertes und gestanztes Billet, das sie am letzten Markttag in der besten Papierhandlung von Casterbridge erworben hatte. Im Zentrum war ein kleines Oval unbedruckt gelassen, in das der Absender eine zarte Botschaft einfügen sollte, die der besonderen Gelegenheit eher entspräche als alles, was der Drucker an Banalitäten zu liefern vermochte.

»Hier soll ich etwas hineinschreiben«, sagte Bathsheba. »Was?«

»Etwas von der Art«, entgegnete Liddy prompt:

> »Die Rose ist rot,
> Das Veilchen blau,
> Die Nelke ist süß,
> Und süß bist Du.«

»Ja, das ist gut. Paßt genau zu so einem pauspäckigen Knirps«, sagte Bathsheba. Sie fügte die Worte in zierlicher, aber leserlicher Schrift ein, steckte das Billet in einen Briefumschlag und tauchte die Feder ein, um die Adresse zu schreiben.

»Dem dummen alten Boldwood solltet Ihr es schicken, das wäre ein Spaß!« spann Liddy ihren Faden weiter. »Der würde sich wundern!« Sie hob die Augenbrauen und gab sich genußvoll dem Zwiespalt von Lust und Schauder hin, weil sie zugleich an die Qualitäten und die gesellschaftliche Position des betreffenden Herrn dachte.

Bathsheba hielt ein, um diesen Einfall genauer ins Auge zu fassen. Dieser Boldwood wurde ihr nachgerade lästig. Ein Erzkonservativer, der entgegen aller Vernunft und gesundem Menschenverstand ihr den Huldigungsblick, der ihn überhaupt nichts gekostet hätte, vorenthielt. Sein exzentrisches Benehmen konnte sie nicht kränken, aber es war doch irgendwie bedrückend, daß der würdigste, wichtigste Mann im Ort von ihr wegschaute und ein Mädchen wie Liddy darüber redete. Sie fand Liddys Einfall daher zunächst eher peinlich als reizvoll.

»Nein, das kommt nicht in Frage. Er würde den Witz gar nicht verstehen.«

»Er würde sich zu Tode ärgern«, sagte die beharrliche Liddy.

»Teddy hat sich die Gabe allerdings auch nicht verdient«, erwog ihre Herrin. »Manchmal benimmt er sich recht ungezogen.«

»Ja, das stimmt.«

»Werfen wir einen Schilling hoch, wie es die Männer tun«, schlug Bathsheba leichthin vor. »Kopf ist Boldwood, Adler ist Teddy. Aber nein – Geld hochwerfen dürfen wir an einem Sonntag nicht! Das hieße wirklich den Teufel versuchen.«

»Da, werft das Gesangbuch hoch! Offen ist Boldwood, zu ist Teddy. Oder nein, es ist wahrscheinlicher, daß es offen herunterkommt. Offen: Teddy – zu: Boldwood.«

Das Buch wirbelte hoch und fiel geschlossen zu Boden.

Bathsheba unterdrückte ein leichtes Gähnen, nahm die Feder und richtete, ohne viel mehr dabei zu denken, das Geschenk an Boldwood.

»Jetzt eine Kerze, Liddy! Welches Petschaft sollen wir nehmen? Hier hätte ich einen Einhornkopf – das sagt überhaupt nichts. Und das hier? Zwei Tauben? Nein. Es muß irgend etwas Originelles sein, nicht wahr? Hier ist eines mit einem Spruch – ich erinnere mich, daß es etwas Lustiges ist, aber ich kann's nicht lesen. Versuchen wir's einmal, und wenn er nicht paßt, nehmen wir einen anderen.«

Ein großes, rotes Siegel wurde aufgesetzt. Bathsheba beugte sich über den heißen Lack, um die Worte zu entziffern.

»Großartig!« rief sie und warf den Brief lachend auf den Tisch. »Das bringt sogar einen Pfarrer oder einen Buchhalter aus dem Häuschen.«

Liddy besah die Worte auf dem Siegel und las –

HEIRATE MICH

Am selben Abend noch wurde der Brief abgeschickt, in der Nacht auf dem Postamt von Casterbridge einsortiert und am Morgen darauf wieder nach Weatherbury zurückbefördert.

So beiläufig und gedankenlos geschah es. Bathsheba wußte einigermaßen, wie sich Liebe äußert; aber von dem, was Liebe bewirkt, hatte sie keine Ahnung.

Als der Valentinstag zur Neige ging und die Dämmerung einfiel, setzte sich Boldwood wie gewöhnlich vor einem lodernden Feuer aus gut gelagerten Scheiten zum Abendbrot. Die ausgebreiteten Schwingen des Adlers, der die Uhr auf dem Kaminsims krönte, trugen Bathshebas Brief. Immer wieder kehrte der Blick des Junggesellen dorthin zurück, bis das große rote Siegel wie ein Blutfleck auf seiner Netzhaut war; und während er aß und trank, las er im Geist die Worte, die er über diese Distanz nicht sehen konnte –

HEIRATE MICH

Mit der kecken Aufforderung verhielt es sich wie mit jenen kristallinen Substanzen, die an sich farblos sind, aber die Tönung ihrer Umgebung annehmen. Hier in Boldwoods Stube, wo es nichts Unseriöses gab und die ganze Woche hindurch eine Atmosphäre herrschte wie an einem Puritanersonntag, verrieten der Brief und der Spruch auf dem Siegel nichts mehr von ihrem leichtfertigen Ursprung: Sie waren von den anderen Dingen mit schicksalhafter Gewichtigkeit angesteckt.

Seit er am Morgen die Botschaft empfangen hatte, fühlte Boldwood, wie er sein Gleichgewicht verlor und allmählich eine verzehrende Sehnsucht in ihn einzog. Das Stück Papier war wie das erste Algenbüschel für Kolumbus, eine lächerliche Kleinigkeit, die etwas unendlich Bedeutsames ankündigte.

Der Brief mußte einen Absender haben, und dieser ein Motiv. Daß letzteres ganz belanglos war und nur eben gereicht hatte, diesen Brief in die Welt zu setzen, konnte Boldwood natürlich nicht wissen. Eine solche Möglichkeit zog er nicht einmal in Betracht. Zur Mystifikation gehört, daß der Mystifizierte erst gar nicht auf einen solchen Gedanken kommt, und daß es für das Ergebnis gleichgültig ist, ob ihr Verursacher sich dem Spiel des Zufalls überlassen oder aus einem inneren Impuls absichtlich gehandelt hat. Wer sich vom Ergebnis verwirren läßt, hat meistens keine Ahnung von dem gewaltigen Unterschied zwischen dem auslösenden Moment, das eine Folge von Ereignissen in Gang setzt, und der Mitwirkung, die eine bereits in Gang befindliche Ereignisfolge in eine bestimmte Bahn lenkt.

Als Boldwood sich zu Bett begab, klemmte er den Valentinsbrief in die Ecke des Spiegels. Auch wenn er ihm den Rücken
zukehrte, vergaß er nicht, daß der Brief dort steckte. Es war
das erste Mal in Boldwoods Leben, daß er so etwas erlebte.
Dieselbe Faszination, die ihn an einen wohlbedachten Beweg-
grund dafür glauben ließ, verhinderte auch, daß er den Brief
einfach als einen dummen Streich abtat. Wieder schaute er hin.
Der Zauber der Nacht ließ durch den Brief auch dessen unbekannten Absender gegenwärtig sein. Irgendwer – irgend eine
Frau – hatte ihre Feder über dieses Papier geführt, das seinen
Namen trug; ihre Augen hatten verfolgt, wie sich die Buchsta-
ben formten; in ihrem Geist war er – Boldwood – vor ihr
gestanden. Warum hatte sie sein Bild beschworen? Ihr Mund –
waren ihre Lippen rot oder bleich, voll oder schmal? – hatte
einen ganz bestimmten Ausdruck angenommen, während die
Feder weiterglitt. Die Mundwinkel mit ihrer stummen Sprache, was hatten sie gesagt?

Der schreibenden Frau, die sich mit dem geschriebenen Wort
verband, fehlten individuelle Züge. Sie war ein nebelhafter
Schemen – und durfte es wohl auch sein, wenn man bedachte,
daß das Original zur selben Zeit in gesundem Schlaf lag und
alle Liebe und Briefschreiberei vergessen hatte. Sowie Boldwood zu träumen begann, nahm sie jedoch Gestalt an und war
plötzlich mehr als Phantasie; und wenn er wieder aufwachte,
war da der Brief, der den Traum bestätigte.

Der Mond stand in dieser Nacht am Himmel, und sein Licht
war anders als sonst. Das Fenster ließ nur den Widerschein
herein, und wie der Widerschein von Schnee wirkte der blasse
Glanz in verkehrter Richtung, indem er von unten her einfiel
und die Decke auf eine unnatürliche Weise erhellte, Schatten in
Gegenden warf, wo sie nicht hingehörten, und Lichter aufsetzte, wo sonst Schatten lagen.

Im Vergleich zu der Tatsache seines Eintreffens hatte der
Inhalt des Briefs bis dahin Boldwood nur wenig beschäftigt.
Plötzlich kam ihm der Gedanke, daß der Umschlag vielleicht
mehr bergen könnte, als er ihm entnommen hatte. In dem
gespenstischen Licht sprang Boldwood aus dem Bett, zog das
lächerliche Billet heraus, schüttelte den Umschlag und tastete
sein Inneres ab. Nichts. Wie schon hundertmal am vorangegangenen Tag schaute Boldwood auf das braunrote Siegel.
»Heirate mich!« sagte er laut.

Danach faltete der hagestolze Landjunker den Brief wieder zusammen und steckte ihn in den Rahmen. Als er das tat, erblickte er sein Gesicht im Spiegel: geisterhaft, wie entkörpert. Er sah die zusammengepreßten Lippen, die weit geöffneten, leeren Augen, ärgerte sich über seine Erregbarkeit und ging zurück ins Bett.

Schließlich graute der Morgen. Als Boldwood aufstand und sich ankleidete, war der Himmel klar, aber noch nicht so hell wie an einem wolkigen Mittag. Boldwood stieg die Treppe hinunter und ging bis an das Gatter eines nach Osten gelegenen Feldes. Dort stützte er sich auf und schaute um sich.

Die Sonne kam langsam herauf, wie immer in dieser Jahreszeit, und der Himmel, veilchenfarben im Zenith, war im Norden bleigrau und trüb im Osten, wo über dem verschneiten Hang, der Schafweide von Upper Weatherbury, die eine bereits sichtbare Hälfte der Sonne auf dem Hügelkamm zu lagern schien und leuchtete, ohne zu strahlen, rot und flammenlos wie die Glut im Herd, wenn sie über weiße Steinfliesen fällt. Insgesamt erinnerte der Effekt an einen Sonnenuntergang, so wie ein kleines Kind an greises Alter denken läßt. Sonst gab es zwischen Feldern und Himmel kaum einen Farbunterschied, und man mußte schon sehr genau hinsehen, um zu erkennen, wo der Horizont verlief. Auch hier waren Licht und Schatten vertauscht; das grelle Licht, das zum Himmel gehört, hatte sich mit der Erde verbunden, während sich die Schatten der Erde in den Himmel verlagert hatten. Im Westen hing der verblassende Mond, jetzt stumpf und grünlichgelb wie ungeputztes Messing.

Boldwood stellte beiläufig fest, daß der Frost die Oberfläche des Schnees glashart vereist hatte. Im roten Licht von Osten glänzte sie wie polierter Marmor. An manchen Stellen des Hanges sträubten sich über der glatten, weißen Decke dürre, in Eis gefaßte Halme, schnörkelig und kraus wie altes venezianisches Glas. Den in den weichen Neuschnee eingeprägten Spuren der Vögel hatte der Frost zu einer kurzen Ewigkeit verholfen.

Gedämpftes Geräusch unterbrach seine Betrachtungen. Boldwood wandte sich zur Straße. Es war der Postkarren, ein absurdes Vehikel auf zwei Rädern, das kaum einen kräftigen Windstoß ausgehalten hätte. Boldwood nahm den Brief entgegen, den ihm der Kutscher entgegenhielt, und öffnete ihn in der

Erwartung einer nächsten anonymen Botschaft. Der Wahrscheinlichkeitsbegriff der Menschen ist meist nur ein Gefühl, daß sich etwas, das einmal geschehen ist, wiederholen wird.

»Ich glaube, er ist nicht für Euch«, sagte der Mann, der Boldwood zusah. »Name steht keiner drauf, aber er dürfte Eurem Schäfer gehören.«

Boldwood warf einen Blick auf die Adresse –

An den neuen Schäfer
Weatherbury-Farm
bei Casterbridge

»Ach – so ein Irrtum! Der ist nicht für mich – und auch nicht für meinen Schäfer. Er gehört Miss Everdenes Schäfer. Sagen Sie ihm, daß ich den Umschlag versehentlich geöffnet habe.«

In diesem Augenblick zeigte sich auf dem Hügelkamm eine Gestalt, vor dem glühenden Himmel wie der schwarze Docht in einer Kerzenflamme. Sie bewegte sich, eilte eifrig hin und her und trug dabei quadratische, von denselben Sonnenstrahlen durchbrochene Gebilde. Ein kleines Wesen auf vier Beinen lief hinterher. Der Hund George schaute Gabriel Oak zu, wie er Hürden versetzte.

Für Boldwood handelte es sich nun nicht mehr um einen beliebigen Brief an jemand anderen. Es war eine günstige Gelegenheit. Zielbewußte Absicht leuchte aus seinen Zügen, als er über das verschneite Feld losstapfte.

Zur gleichen Zeit kam Gabriel den Hügel herunter. Auch die Sonnenstrahlen stießen jetzt in diese Richtung vor und trafen das ferne Dach von Warrens Mälzerei, welcher der Schäfer offenbar zustrebte. Boldwood folgte in einigem Abstand.

Das scharlachrote bis orangegelbe Licht von draußen drang nicht bis in die Mälzerei, deren Inneres wie immer von einer ähnlich getönten Glut erhellt war, die der Ofen ausstrahlte.

Der Mälzer, der sich für ein paar Stunden in seinen Kleidern hingelegt hatte, saß jetzt vor einem dreibeinigen Tisch und frühstückte Brot und Speck nach der tellerlosen Methode: Eine Schnitte Brot auf den Tisch gelegt, den Speck auf das Brot, Senf auf den Speck gestrichen und eine Prise Salz darübergestreut, dann das Ganze senkrecht bis auf die Tischplatte mit dem Messer geteilt, worauf das abgetrennte Stück aufgespießt, hochgehoben und auf den Weg aller Nahrung gebracht wird.

Daß der Mälzer keine Zähne besaß, konnte offenbar die Mahlkraft der Kinnladen nicht beeinträchtigen. Er war schon so lange ohne Zähne ausgekommen, daß er die Zahnlosigkeit nicht mehr als Mangel empfand, eher die harten Gaumen als Gewinn betrachtete. In der Tat hatte es den Anschein, als nähere er sich dem Grab wie eine Hyperbel der Geraden – immer mehr davon abschwenkend, je näher er kam, bis es zweifelhaft war, ob er jemals hingelangen werde.

In der Aschengrube briet ein Haufen Kartoffeln, und daneben brodelte in einem irdenen Topf ein Gebräu aus verkohltem Brot, »Kaffee« genannt, beides für allfällige Besucher bestimmt, denn die Mälzerei war eine Art Klubhaus und eine Alternative zur Dorfschenke.

»Ein schöner Tag wird's, sag ich Euch – und dann in der Nacht geht's unter Null«, war von der Tür her, die sich eben geöffnet hatte, zu vernehmen. Henery Frays Silhouette bewegte sich zum Feuer hin. Auf halbem Weg stampfte er den Schnee von den Stiefeln. Der Auftritt hatte offensichtlich für den Mälzer nichts Abruptes, denn unter Nachbarn wurden Begrüßungszeremonien hier gern vernachlässigt, und da dies auch für ihn galt, beeilte er sich nicht mit der Antwort. Er spießte mit dem Messer nach einem Stück Käse.

Henery trug einen warmen, bis oben zugeknöpften Überrock aus mausgrauer Wolle, unter dem der weiße Saum des Kittels hervorstand. Wenn man sich einmal an diese Art der Gewandung gewöhnt hat, wirkt sie ganz natürlich und sogar dekorativ, abgesehen von ihrer Bequemlichkeit.

Matthew Moon, Joseph Poorgrass und die anderen Kärrner und Fuhrwerker folgten ihm auf dem Fuß. Große Laternen in ihren Händen ließen darauf schließen, daß sie eben aus dem Pferdestall kamen, wo sie schon seit vier Uhr morgens an der Arbeit gewesen waren.

»Und wie macht sie sich ohne Verwalter?« erkundigte sich der Mälzer.

Henery schüttelte den Kopf und zeigte ein bitteres Lächeln, bei dem sich die gesamte Stirnhaut zu einem faltigen Gebilde verknotete.

»Sie wird's noch bereuen, das ist sicher!« sagte er. »Benjy Pennyways mag ein Gauner und kein anständiger Verwalter gewesen sein – ein wahrer Judas von Betrüger. Aber sich einzubilden, daß sie es ganz allein schaffen kann ...!« Er wiegte mehrmals schweigend den Kopf. »Nie im Leben – nie!«

Alle Anwesenden verstanden dies als den Schlußsatz einer pessimistischen Argumentation, die während Henerys Kopfschütteln in seinem Kopf stattgefunden hatte. Etwas von dieser Hoffnungslosigkeit, das sich in Henerys Miene hielt, deutete an, daß er sofort wieder darauf zurückgreifen würde, wenn er weitersprechen sollte.

»Alles wird zum Teufel gehen«, warf Mark Clark ein. »Und wir auch! Damit die Herren ihren Sonntagsbraten kriegen!«

»Eigensinnig ist sie und will auf keinen guten Rat hören. Hochmut kommt vor dem Fall! Wenn ich nur daran denke, wird mir zum Heulen.«

»Ja, Henery, das hab ich schon gehört«, bestätigte Joseph Poorgrass mit Nachdruck und verzog das Gesicht zu einem jammervollen Grinsen.

»Ein jeder Mann könnte froh sein, wenn er soviel unter dem Hut hätte wie dieses Mädchen«, meinte Billy Smallbury, der eben eingetreten war und seinen einzigen Zahn bleckte. »Sie kann reden, daß es ein jeder versteht, und darum muß sie doch auch irgendwie wissen, was sie will. Begreift ihr, wie ich es meine?«

»Schon. Aber ohne Verwalter! Von Rechts wegen hätte ich es werden müssen«, maulte Henery, dem offenbar sein höheres Selbst auf Billy Smallburys Kittelfront erschien, und drückte Bedauern über seine brachliegenden Talente aus. »Wahrscheinlich kann es gar nicht anders sein. Schicksal! Was in der Bibel steht, sind leere Worte: Für gute Taten wirst du nicht belohnt, sondern ganz gemein um das geprellt, was dir gebührt.«

»Nein, nein – da stimme ich nicht zu!« widersprach Mark Clark. »In diesem Punkt ist Gott durchaus ein Kavalier.«

»Jedes Werk hat seinen Lohn, sozusagen«, bekräftigte Joseph Poorgrass.

Eine Pause trat ein. Henery überbrückte sie, indem er sich umwandte und die Laternen ausblies, die mit zunehmendem Tageslicht selbst in der Mälzerei mit ihrem einzigen Fensterchen nicht mehr nötig waren.

»Wozu braucht eine Farmerin ein Zimbel, Klafihr oder Pihanino – oder wie das Zeug sonst heißt?« fragte der Mälzer.

»Liddy behauptet, daß sie ein ganz neues hat.«

»Ein Klafihr?«

»Ja. Anscheinend sind die alten Sachen von ihrem Onkel nicht gut genug für sie. Alles hat sie neu angeschafft. Jetzt gibt es dort dicke Sessel für die Dicken und dünne Stühle für die Dünnen und große Wecker, fast so groß wie eine Standuhr, die oben auf dem Kamin stehen.«

»Und Bilder – fast ein jedes in einem teuren Rahmen!«

»Und lange Kanapees aus Roßhaar, mit Kissen aus Roßhaar an beiden Enden«, fügte Mr. Clark hinzu. »Für die Besoffenen. Dazu Spiegel, um sich davor zu spreizen. Und überall liegen sündhafte Bücher herum.«

Draußen stampfte jemand mit festem Tritt auf, öffnete spannenweit die Tür und rief hinein:

»Habt ihr Platz für ein paar neugeborene Lämmer?«

»Jederzeit, Schäfer«, antwortete die Runde.

Die Tür flog auf, daß sie gegen die Wand knallte und von dem Anprall in den Angeln zitterte. Mr. Oak erschien auf der Schwelle. Er hatte gegen den Schnee Heubüschel um die Knöchel gebunden, ein Ledergurt hielt um die Mitte den Kittel zusammen, und auch sonst bot er ein Urbild von Gesundheit und Lebenskraft. Vier Lämmer hingen ihm in unterschiedlichen Verrenkungen über die Schulter, und der Hund George, den Gabriel nun doch aus Norcombe geholt hatte, schritt würdevoll hinterdrein.

»Na, Schäfer Oak, wie steht's heuer mit den Lämmern?« erkundigte sich Joseph Poorgrass.

»Scheußliche Arbeit«, entgegnete Oak. »Seit zwei Wochen

werde ich zweimal täglich naß bis auf die Haut, erst Schnee und dann wieder Regen. Cainy und ich haben heute nacht kein Auge zugetan.«

»Viele Zwillinge, höre ich?«

»Viel zu viele. Sehr merkwürdig, wie das heuer mit den Lämmern zugeht. Bis an Mariä Verkündigung werden wir bestimmt nicht fertig.«

»Und letztes Jahr war an Sexagesima alles vorbei«, erinnerte sich Joseph.

»Bring die anderen herein, Cain«, befahl Gabriel. »Und dann lauf zurück zu den Schafen! Ich komme gleich nach.«

Cainy Ball – ein junger Bursche mit einer kleinen kreisrunden Öffnung als Mund im heiteren Gesicht – trat ein, lieferte zwei weitere Lämmer ab, und zog wieder los. Oak ließ die Lämmer aus ihrer unnatürlichen Höhe herabgleiten, wickelte sie in Heu und legte sie rund ums Feuer.

»Hier gibt es keine Lammhütte, wie ich sie in Norcombe hatte«, sagte Gabriel. »Und es ist so eine Plage, wenn man die Schwächeren in ein Haus bringen muß. Ohne Euch hier, Mälzer, wüßte ich wirklich nicht, was ich bei diesem Frostwetter tun sollte. Wie geht's Euch heute?«

»Kann mich nicht beschweren, Schäfer. Aber jünger werde ich auch nicht.«

»Ja – ich verstehe.«

»Setzt Euch, Schäfer Oak«, fuhr der alte Mälzer fort. »Hat Euch Norcombe gefallen, wie Ihr den Hund abgeholt habt? Ich würd' es gern einmal wieder sehen, aber kennen – weiß Gott, kennen würde ich dort keine Seele mehr.«

»Kaum. Es hat sich sehr verändert.«

»Stimmt es, daß man Dicky Hills Mostpresse abgetragen hat?«

»Oh, ja – schon vor Jahren. Und auch Dickys Hütte gleich darüber.«

»Was Ihr nicht sagt!«

»Ja. Und Tompkins' alten Apfelbaum, der jedesmal ganz allein zwei Oxhoft Most gebracht hat, den hat der Sturm umgelegt.«

»Umgelegt? Was Ihr nicht sagt! Ah! Unruhige Zeiten sind das, in denen wir leben – unruhige Zeiten!«

»Und könnt Ihr Euch noch an den alten Brunnen mitten im Dorf erinnern? An seiner Stelle haben sie jetzt eine Pumpe, ganz aus Eisen und mit einem großen Steintrog. Alles in einem.«

»So was! Wie sich die Welt verändert in einem Menschenleben ... Und hier ist es nicht anders! Erst vorhin haben sie darüber geredet, wie merkwürdig sich unser Fräulein benimmt.«

»So?« Oak wandte sich, plötzlich sehr erregt, zu den anderen. »Was habt ihr über sie gesagt?«

»Den älteren Herren ist sie zu stolz und zu eitel«, entgegnete Mark Clark. »Aber wenn Ihr mich fragt: Ein lockerer Zügel tut ihr nur gut. Möcht' wissen, wer ihr auf die Lippen schauen kann, ohne dran zu denken, wie's wär' –« Der Laut, den der galante Mark Clark mit seinen Lippen hervorbrachte, war unmißverständlich.

»Gib acht, was du sagst, Mark«, verwies ihn Gabriel streng. »So zweideutige Anspielungen will ich nicht mehr hören – nicht im Zusammenhang mit Miss Everdene! Verstanden?«

»Zu Befehl«, erwiderte Mr. Clark gutmütig. »Chancen hab' ich sowieso keine.«

»Ihr habt gegen sie gesprochen, nicht wahr?« Oak blickte finster auf Joseph Poorgrass.

»Nein, nein – kein einziges Wort. Es ist wahrhaftig ein Segen, daß sie nicht schlimmer ist. Mehr hab' ich nicht gesagt«, stammelte Joseph und wurde rot vor Angst. »Matthew hat nur behauptet –«

»Was habt Ihr behauptet, Matthew Moon?« fragte Oak.

»Ich? Ihr wißt doch, daß ich keiner Fliege etwas zuleide tun kann!« verteidigte sich Matthew Moon. Man sah ihm an, daß er sich gar nicht wohl fühlte.

»Irgend einer war es jedenfalls.« Gabriel, sonst der ruhigste und umgänglichste Mann der Welt, war plötzlich eitel Streitlust: »Seht ihr das?« Er setzte eine Faust, nicht viel kleiner als ein Pfundlaib, genau in die Mitte des Mälzertischchens und schlug auch noch zwei oder drei Mal kräftig auf die Platte, als ob er sicher gehen wollte, daß aller Augen zur Kenntnis nähmen, was eine Faust sei. »Alsdann, der erste, von dem mir zu Ohren kommt, daß er unserer Herrin etwas nachredet, der –« (hier hob er die Faust wie Thors Hammer und ließ sie auf den Tisch fallen) »– der wird das hier zu spüren kriegen – oder ich will schwarz werden wie ein Neger!«

Aller Mienen drückten aus, daß sie eine solche Möglichkeit

auch nicht einen Augenblick lang in Betracht zogen, sondern es sehr bedauerten, daß es überhaupt zu einem derartigen Mißverständnis gekommen war, und Mark Clark rief: »Recht so! Genau das wollte ich sagen!« Zugleich blickte der Hund George auf und knurrte, obwohl er die Drohung des Schäfers nur zum Teil verstanden hatte.

»Seid doch nicht so, Schäfer!« sagte Henery mit einer mißbilligenden Friedfertigkeit, die in der Christenheit ihresgleichen suchte. »Setzt Euch lieber hin!«

»Wir wissen schon, daß Ihr ein ganz außerordentlich tüchtiger und gebildeter Mann seid, Schäfer«, ließ sich Joseph Poorgrass hinter dem Bett des Mälzers, wo er in Deckung gegangen war, recht schüchtern vernehmen. »Schön muß das sein, wenn man so gebildet ist«, fügte er hinzu, wobei seine Gestik darauf schließen ließ, daß er nicht so sehr an körperliche Qualitäten als an etwas Geistiges dachte. »Ich wollte, wir wären's auch – nicht wahr, Nachbarn?«

»O ja – gewiß«, bestätigte Matthew Moon und zeigte mit einem verlegenen Lachen in Gabriels Richtung, daß auch er ihm durchaus wohlgesinnt war.

»Wer hat euch erzählt, daß ich gebildet bin?« fragte Oak.

»Das pfeifen doch die Spatzen vom Dach«, behauptete Matthew. »Es heißt, Ihr könnt die Zeit an den Sternen und an Sonne und Mond ablesen.«

»Ja, so ungefähr wohl«, gab Gabriel zu, der sich diesbezüglich nicht überschätzte.

»Und daß Ihr Sonnenuhren baut und den Leuten ihren Namen auf den Wagen malt wie in Kupfer gestochen, mit schönen Schnörkeln und langen Abstrichen. So gebildet sein ist schon was Feines, Schäfer! Bevor Ihr gekommen seid, hat Joseph Poorgrass die Schrift auf Farmer James Everdenes Wagen gemalt, und er war dabei nie sicher, in welche Richtung die ›J‹s‹ und die ›E‹s‹ schauen – nicht war, Joseph?« Joseph bestätigte durch ein Kopfschütteln, wie absolut unfähig er diesbezüglich war. »Und dann hast du sie immer verkehrtherum gemacht. So – nicht wahr, Joseph?« Matthew schrieb mit seinem Peitschenstiel in den staubigen Boden

SEMAJ

»Und wie hat der Farmer James dann geschimpft und dich einen Tölpel geheißen – was, Joseph? –, wenn er seinen Namen so umgestülpt gesehen hat!« fügte Matthew Moon emphatisch hinzu.

»Ja, das hat er«, bekannte Joseph verlegen. »Aber so furchtbar schlimm war es trotzdem nicht, denn die ›J's‹ und ›E's‹ sind eben vertrackte Teufelsdinger, bei denen man ständig vergißt, wo hinten und vorn ist. Und ich habe schon immer ein miserables Gedächtnis gehabt.«

»Ein arges Leiden bei einem Menschen, der auch sonst so viel Pech hat.«

»Gewiß. Aber ich bin dem Herrgott dankbar, daß es nicht noch schlimmer ist. Und von unserem Schäfer hier will ich nur sagen, daß es recht gewesen wäre, wenn das Fräulein ihn zum Verwalter gemacht hätte – mit allem Talent, was er dafür mitbringt!«

»Ich will zugeben, daß ich eigentlich damit gerechnet habe«, gestand Oak freimütig. »Und ich hätte es mir auch sehr gewünscht. Andererseits hat Miss Everdene durchaus ein gutes Recht, wenn's ihr so paßt und sie ihr eigener Verwalter sein will – und aus mir nicht mehr werden läßt als einen einfachen Schäfer.« Oak holte tief Atem und blickte traurig in die Aschengrube, offenbar in Gedanken verloren, die keinen Hoffnungsschimmer bargen.

Die freundliche Wärme des Feuers belebte nun allmählich die fast starren Lämmer, sie begannen zu blöken und rührten ihre Glieder. Erst jetzt dämmerte ihnen, daß sie geboren waren. Ihre Laute steigerten sich zu einem Chor von ›Bähs‹. Oak zog den Milchtopf vom Feuer weg, füllte daraus eine kleine Teekanne, die er aus der Kitteltasche holte, und zeigte den hilflosen Geschöpfen, die ihre Mütter nicht mehr wiedersehen sollten, wie man aus dem Schnabel trinkt – ein Kniff, den sie erstaunlich rasch begriffen.

»Und ist es wahr, daß sie Euch nicht einmal die Häute von den toten Lämmern läßt?« fragte Joseph Poorgrass, der die Maßnahmen Oaks mit entsprechend melancholischem Blick verfolgte.

»Ich kriege sie nicht.«

»Schlecht werdet Ihr behandelt, Schäfer«, befand Joseph in der Hoffnung, Oak nun doch so weit zu bringen, daß er in die Klagen einstimmte. »Ich meine fast, sie hat etwas gegen Euch – wahrhaftig!«

»O nein – bestimmt nicht«, beeilte sich Gabriel zu erwidern. Der Seufzer, der ihm entfuhr, hatte wohl kaum damit zu tun, daß man ihm die Lämmerhäute vorenthielt.

Zu einer Antwort darauf kam es nicht, weil sich ein Schatten über die Tür legte: Boldwood kam herein und gewährte jedem der Anwesenden ein freundlich-herablassendes Nicken.

»Ah, Oak! Ich habe mir gedacht, daß Sie hier sein werden«, sagte er. »Ich bin vor zehn Minuten dem Postwagen begegnet und habe einen Brief übernommen und geöffnet, ohne vorher die Adresse zu lesen. Ich vermute, er ist für Sie. Entschuldigen Sie bitte den Irrtum.«

»Keine Ursache, Mr. Boldwood – nicht die geringste Ursache«, versicherte Gabriel bereitwillig. Er stand mit niemandem in schriftlichem Verkehr, und ein Brief an ihn, den nicht das ganze Dorf lesen durfte, lag jenseits des Möglichen.

Oak trat beiseite und las, was eine ihm unbekannte Hand geschrieben hatte –

Verehrter Freund!
Ich weiß Euren Namen nicht, aber ich denke, diese wenigen Zeilen, mit denen ich Euch für Eure Liebenswürdigkeit an jenem Abend meiner überstürzten Abreise von Weatherbury danken möchte, werden Euch dennoch erreichen. Ich sende Euch auch das Geld, das ich Euch schulde, und bitte um Euer Verständnis dafür, daß ich es nicht als Geschenk auffasse. Es ist alles zu einem guten Ende gelangt, und ich kann Euch mit Freuden mitteilen, daß ich den jungen Mann, der sich seit einiger Zeit um mich beworben hat, demnächst heiraten werde. Es handelt sich um Sergeant Troy von den Elferdragonern, die jetzt hier in Garnison liegen. Sergeant Troy ist ein Mann von hohem Ehrgefühl und Anstand – nach seiner Herkunft sogar von Adel –, dem es bestimmt nicht recht wäre, wenn ich von Euch mehr als ein Darlehen angenommen hätte.

Ich möchte Euch sehr bitten, verehrter Freund, den Inhalt dieses Briefes fürs erste noch geheimzuhalten. Wir wollen Weatherbury in Bälde als Mann und Frau überraschen. Ich erröte, dies einem Mann mitzuteilen, den ich kaum kenne. Der Sergeant hat seine Jugend in Weatherbury verbracht.
Nochmals vielen Dank für Eure Hilfsbereitschaft und die besten Wünsche für Eure Zukunft –
Fanny Robin

»Habt Ihr ihn gelesen, Mr. Boldwood?« fragte Gabriel.
»Wenn nicht, solltet Ihr es tun. Ich weiß, daß Ihr Euch für
Fanny Robin interessiert.«

Boldwood las den Brief. Seine Miene war besorgt.

»Fanny – arme Fanny! Sie sollte nicht vergessen, daß das gute
Ende, dessen sie so sicher ist, noch aussteht – und vielleicht ein
schöner Traum bleibt. Wie ich sehe, hat sie ihre Adresse nicht
angegeben.«

»Was für ein Mensch ist dieser Sergeant Troy?« erkundigte
sich Gabriel.

»Hm«, brummte der Farmer. »Ich fürchte keiner, auf den
man in einem solchen Fall viel Hoffnung setzen darf – obwohl
er ein gescheiter Kerl ist, dem man alles zutrauen kann. Irgendwie romantisch umwittert ist er auch. Seine Mutter war eine
französische Hauslehrerin, die anscheinend dem früheren Lord
Severn nahestand. Sie heiratete einen armen Doktor, brachte
bald darauf ein Kind zur Welt, und solange sie auch Geld bekam, ging alles gut. Aber zum Unglück für den Jungen starben
seine Gönner. Er fand schließlich eine Stelle als Schreiber bei
einem Anwalt in Casterbridge, blieb dort einige Zeit und hätte
sich vermutlich zu einer guten Position hinaufgearbeitet, hätte
ihn nicht eine verrückte Laune zum Militär getrieben. Ich be-
zweifle sehr, daß Fanny uns jemals die Überraschung bereiten
wird, die sie ankündigt – so ein dummes, dummes Mädchen!«

Wieder sprang die Tür auf. Atemlos, den Mund aufgesperrt
wie eine Jahrmarkttrompete, der er trotz großen Energieauf-
wands und verzerrten Gesichts nur ein Keuchen entlockte,
stürzte Cainy Ball herein.

»Cain Ball!« rief Oak streng. »Warum rennst du so, daß dir
die Luft ausgeht? Wirst du das nie kapieren?«

»O – ich – nur ein Schnaufer – ist mir, bitte, in die falsche
Kehle geraten, Mister Oak – so daß ich husten muß – kch,
kch –«

»Und was willst du hier?«

»Ich bin so gelaufen, weil Ihr schnell kommen müßt«, stieß
der Jungschäfer, an den Türpfosten gestützt, hervor. »Noch
zwei Schafe haben Zwillinge geworfen – das ist der Grund,
Schäfer Oak.«

»Oh, zweimal Zwillinge!« rief Oak, sprang auf und vergaß
für den Augenblick die unglückliche Fanny. »Brav, daß du dich
so beeilt hast, Cain. Demnächst wirst du einen dicken Plum-

pudding spendiert kriegen. Aber gib mir erst noch den Teerpott, damit wir die hier markieren und dann nicht mehr an sie denken müssen.«

Oak zog aus seinen unergründlichen Taschen ein Brandeisen, tauchte es in den Topf und drückte auf das Hinterteil eines jeden Lämmchens die Initialen der Frau, von der er so gern träumte –: B. E., wonach für jedermann im Umkreis klargestellt war, daß diese Tiere niemand anderem gehörten als der Farmerin Bathsheba Everdene.

»So, Cainy, jetzt nimm deine zwei – und dann los! Auf Wiedersehen, Mr. Boldwood.« Der Schäfer hievte die sechzehn langen Beine und vier kleinen Körper hoch und empfahl sich in Richtung der nahegelegenen Lämmerhürde – ihre Körper waren jetzt glatt und in einer Verfassung, die das Beste erhoffen ließ, schon sehr weit entfernt von der Todesschwelle, an der sie sich vor einer halben Stunde befunden hatten.

Boldwood ging zunächst hinter Oak das Feld hinauf, überlegte es sich dann und kehrte um. Schließlich aber folgte er ihm doch wieder. Als er zu der Stelle kam, wo sich die Hürde befand, zog der Farmer seine Brieftasche hervor, klappte sie auf und hielt sie offen auf der flachen Hand. Bathshebas Brief lag darin.

»Ich wollte Sie etwas fragen, Oak«, sagte er mit gespieltem Gleichmut: »Haben Sie eine Ahnung, wer das geschrieben haben könnte?«

Oak warf einen Blick darauf und antwortete sofort, rot im Gesicht: »Miss Everdene!«

Oak war zunächst nur deshalb errötet, weil er ihren Namen auszusprechen hatte, aber dann überkam ihn eine seltsame, quälende Unruhe. Es konnte sich nur um einen anonymen Brief handeln, sonst wäre ja die Frage überflüssig gewesen.

Boldwood mißverstand Gabriels Betretenheit. Empfindsame Menschen neigen immer dazu, sich schuldig zu fühlen, statt den objektiven Gründen nachzugehen.

»Ich habe nichts Unrechtes gefragt«, verteidigte er sich, und der Ernst, mit dem er dies tat, wollte nicht recht zu einer Valentinsgabe passen. »Natürlich rechnet jeder damit, daß man ihm auf die Spur zu kommen versucht. Darin liegt ja – der Spaß.« Schwerlich könnte man sich, wenn »Spaß« soviel wie »Qual« bedeutete, ein verquälteres und verstörteres Gesicht vorstellen als das Boldwoods bei dieser Feststellung.

Er verließ Gabriel bald danach und ging heim zum Frühstück: Ein einsamer, reservierter Herr, den Scham und Reue peinigten, weil er mit diesem aufgeregten Fragen sein Inneres vor einem Fremden bloßgestellt hatte. Er legte den Brief wieder auf den Kaminsims und setzte sich, um die Lage, wie sie sich nach Gabriels Eröffnung darstellte, zu überdenken.

Es war am Morgen eines gewöhnlichen Wochentags in der schon erwähnten fernen Garnisonsstadt, als sich eine kleine Gemeinde, fast durchwegs Frauen und Mädchen, im dumpfigen Schiff einer Kirche, die Allen Heiligen geweiht war, am Ende eines Gebetsgottesdienstes von den Knien erhob. Sie wollten eben auseinandergehen, als forsche Schritte, die über die Schwelle und dann den Mittelgang heraufkamen, ihre Aufmerksamkeit auf sich zogen. Es war ein Klang, den man in einer Kirche nicht gewohnt ist: Das Klirren von Sporen. Alles schaute. Ein junger Kavallerist, in roter Uniform mit den drei Litzen eines Sergeanten am Ärmel, durchmaß das Langhaus. Sein betont festes Auftreten und das entschlossene Gesicht machten seine Verlegenheit nur noch fühlbarer. Als er zum Spießrutenlauf zwischen den Frauen antrat, röteten sich seine Wangen, aber er passierte unbeirrt die Kanzel und hielt erst vor den Altarstufen an. Dort stand er eine Weile, für sich allein.

Der Priester, der seinen Chorrock noch nicht abgelegt hatte, erblickte den Ankömmling und folgte ihm zum Speisgitter. Er flüsterte dem Soldaten etwas zu und winkte dem Mesner, der seinerseits einer älteren Frau, vermutlich seiner Gattin, etwas zuflüsterte, worauf auch sie sich zum Altar begab.

»Eine Hochzeit!« wisperten einige Frauen erregt. »Die warten wir noch ab!«

Fast alle setzten sich wieder.

Im Hintergrund ließ sich ein mechanisches Geräusch vernehmen, und ein paar Mädchen wandten den Kopf. Aus der inneren Westwand des Turms sprang ein Söllerchen vor, unter dessen Baldachin ein eisernes Männchen mit einer kleinen Glocke stand, welches von demselben Räderwerk bewegt wurde, das auch die große Turmuhr schlagen ließ. Zwischen dem Turm und der Kirche befand sich eine Trennwand mit einer Tür, die während des Gottesdienstes geschlossen war und diesen grotesken Automaten verbarg. Jetzt stand die Tür offen, so daß viele sehen und alle hören konnten, wie das Männchen herauskam, auf die Glocke schlug und wieder in seine Nische zurücktrat.

Halb zwölf.

»Wo ist die Braut?« flüsterte es unter den Zuschauern.

Der junge Sergeant stand so unnatürlich stramm wie die alten Säulen. Er schaute gegen Südost, gab keinen Laut von sich und rührte sich nicht.

Die Stille war wie zum Greifen, während die Minuten verstrichen, niemand erschien und auch niemand sich bewegte. Als abermals das Glockenmännchen aus seiner Nische rasselte, drei Viertel schlug und sich umständlich zurückzog, geschah das mit so schmerzender Plötzlichkeit, daß viele Gemeindemitglieder zusammenzuckten.

»Wo nur die Braut bleibt?« flüsterte wieder eine Stimme.

Leises Scharren der Füße und gekünsteltes Husten verrieten die Spannung. Dann unterdrücktes Prusten. Dennoch rührte sich der Soldat die ganze Zeit über nicht. Da stand er, die Kappe in der Hand und das Gesicht gegen Südost, aufrecht wie eine Säule.

Die Uhr tickte weiter. Die Nervosität der Frauen legte sich, das Kichern und Schwatzen nahm zu. Danach war es totenstill. Alles wartete, wie das nun enden sollte. Vielleicht ist schon manchen Lesern aufgefallen, wie außerordentlich es den Fluß der Zeit beschleunigt, wenn eine Uhr auch die Viertelstunden schlägt. Es war kaum zu glauben, daß das Glockenmännchen sich nicht in den Minuten verzählt hatte, denn schon wieder begann das Gerassel, die Figur erschien und schlug, abgehackt wie zuvor, die vier Viertel. War da nicht ein hinterhältiges Grinsen in den Zügen des unheimlichen Zwergs, ein boshaftes Triumphieren in seinen marionettenhaften Bewegungen? Die zwölf schweren Schläge der Turmuhr folgten, dumpf und fernher dröhnend. Die Frauen waren so beeindruckt, daß diesmal keine kicherte.

Der Priester glitt in die Sakristei, der Mesner verschwand. Der Sergeant hatte sich noch nicht umgewandt: Jede einzelne Frau in der Kirche wartete darauf, daß er sein Gesicht zeigte, und er schien es zu wissen. Endlich machte er kehrt, stellte sich mit schmalen Lippen der Neugier und marschierte entschlossen zum Ausgang hin. Zwei krumme, zahnlose Armenhäusler blickten einander an und lachten – sie meinten es nicht böse, aber an diesem Ort klang es seltsam gespenstisch.

Vor der Kirche war ein gepflasterter Platz, über den einige uralte, vornübergeneigte Holzhäuser ihre bizarren Schatten legten. Nachdem der junge Mann durch die Kirchentür getreten war, setzte er an, den Platz zu überqueren, stieß aber in der Mitte auf eine kleine Frau. Die Unruhe in ihrem Gesicht steigerte sich fast zu Entsetzen, als sie ihn erblickte.

»Na?« stieß er voll unterdrückter Wut hervor und durchbohrte sie mit seinem Blick.

»Oh, Frank! – ich habe mich geirrt! Ich habe geglaubt, daß die Kirche mit dem Turm die Allerheiligenkirche ist, und ich war genau um halb zwölf dort bei der Tür, wie du es mir gesagt hast. Ich habe bis Viertel vor zwölf gewartet, und dann habe ich erfahren, daß ich in der Allerseelenkirche bin! Aber ich bin nicht so sehr erschrocken, weil ich mir gedacht habe, daß es ja auch morgen sein kann –«

»Idiotin! Mich so an der Nase herumzuführen! Sag jetzt bitte nichts mehr!«

»Morgen also, Frank?« fragte sie verstört.

»Morgen!« Er lachte heiser auf. »Es wird eine Weile dauern, bis ich mich wieder auf so etwas einlasse, das kannst du mir glauben!«

»Aber so schlimm war es doch nicht, daß ich mich geirrt habe!« rief sie mit zitternder Stimme. »Wann soll es sein, liebster Frank?«

»Ja, wann? Das weiß Gott!« erwiderte er spöttisch, ließ sie stehen und ging rasch davon.

Am Samstag befand sich Boldwood wie gewöhnlich in der Markthalle von Casterbridge, als die Person, die ihn in seinen Träumen verfolgte, hereintrat und sichtbare Gestalt annahm. Adam erwachte aus seinem Schlaf, und – siehe! – da stand Eva. Der Farmer nahm sich ein Herz und blickte sie zum ersten Mal richtig an.

Materielle Ursachen und emotionelle Folgen lassen sich nicht in einer Gleichung darstellen. Ein absurd geringer Einsatz bewirkt manchmal geradezu monströse Wallungen des Gemüts. Bei Frauen, die einer plötzlichen Laune folgen, versagt anscheinend – sei es aus Gedankenlosigkeit oder aus einer tiefer sitzenden Mangel – ihre sonstige Intuition, und daher war es an diesem Tag Bathsheba beschieden, sich höchlichst zu verwundern.

Boldwood schaute sie an – ohne Hintergedanken, nicht abwägend oder willens zu verstehen, sondern mit dem leeren Blick etwa eines Schnitters, der zu einer vorbeifahrenden Eisenbahn aufsieht – wie etwas, das nicht zu seiner Welt gehörte und ihm unbegreiflich war. Frauen waren für Boldwood eher exotische Phänomene als die notwendige Ergänzung des Mannes gewesen – wie Kometen, die nach Form, Fortbewegung und Bestand so unberechenbar sind, daß er sich nicht verpflichtet gefühlt hatte, darüber nachzudenken, ob ihre Bahnen ähnlich abgezirkelt, unveränderlich und gesetzmäßig verlaufen wie seine eigenen oder absolut zufällig, wie sie zunächst vermuten lassen.

Er sah ihr schwarzes Haar, die ebenmäßigen Züge, das klare Profil, die Rundungen an Kinn und Halsansatz, nahm von der Seite her ihre Lider, Augen und Wimpern und die Krümmung des Ohrs wahr und erfaßte dann auch die übrige Gestalt und die Kleidung, bis hinunter zu den Schuhsohlen.

Boldwood fand sie schön, war aber nicht sicher, ob er recht hatte, denn es schien ganz unmöglich, daß dieses zur Liebe geschaffene Wesen, wenn es wirklich so begehrenswert war, nicht schon längst unter den Männern einen Sturm der Begeisterung entfesselt oder zumindest mehr als die zu verzeichnende Neugier ausgelöst hatte, die freilich nicht gering war. Mit bestem Willen hätte er sich nicht vorstellen können, daß dieses vollkommene Zusammenspiel von vielen unvollkommenen Einzelheiten durch Natur oder Kunst noch zu steigern gewesen wäre. Er spürte sein Herz schlagen. Boldwood, wie gesagt, war zwar vierzig Jahre alt, hatte aber noch nie einer Frau geradewegs und bewußt in die Augen geblickt; seine Sinne waren von ihnen nur tangential berührt worden.

War sie tatsächlich schön? Auch jetzt konnte er nicht entscheiden, ob seine Annahme zutraf. Verstohlen erkundigte er sich bei einem Nachbarn: »Gilt Miss Everdene als hübsch?«

»O ja! Erinnert Ihr Euch nicht an das Aufsehen, das sie bei ihrem Debüt hier erregt hat? Wirklich ein sehr hübsches Mädchen!«

Jeder Mann neigt dazu, positive Aussagen über die Attraktivität einer Frau, in die er verliebt ist, für wahr zu halten. Ein Wort aus Kindermund gilt ihm da so viel wie ein Fakultätsgutachten. Boldwood brauchte nicht mehr.

Und diese bezaubernde Frau hatte ihn wahrhaftig wissen lassen: HEIRATE MICH! Wie konnte sie nur auf so etwas verfallen sein? Boldwoods Blindheit für den Unterschied zwischen einem Eingehen auf das Spiel des Zufalls und einem bewußten Herbeiführen hielt sich die Waage mit Bathshebas Unvermögen, die großen Wirkungen kleiner Ursachen abzuschätzen.

Im Augenblick verhandelte sie mit einem feschen Jungfarmer. Wenn sein Gesicht ein Kontoblatt gewesen wäre, hätte sie mit ihm nicht kühler abrechnen können. Es war klar, daß so ein Mann für ihren Geschmack nichts zu bieten hatte. Trotzdem begann Boldwood vor Eifersucht bis in die Handflächen zu schwitzen. Sein erster Impuls war, sich zwischen die beiden zu drängen. Einen einzigen Vorwand dazu gab es: Er konnte sie um eine Probe von ihren Körnern bitten. Boldwood verwarf dies. Er brachte es nicht über sich, ein solches Ansinnen an sie zu richten: Mit Kauf und Verkauf hätte er das schöne Bild bemakelt. So etwas vertrug sich nicht mit dem Ideal, zu dem er sie erhoben hatte.

Inzwischen war es Bathsheba bewußt, daß es ihr endlich gelungen war, diese stolze Festung zu erschüttern. Sie wußte, daß seine Augen ihr überallhin folgten. Es war ein Sieg – und er hätte ihr nach so langem Warten noch süßer geschmeckt, wenn er sich ohne ihr Zutun ergeben hätte. So allerdings handelte es sich um die Folge irregeleiteter Vermutungen, und sie schätzte ihn nicht höher ein als eine Papierblume oder eine Wachsfrucht.

Solange ihre Gefühle nicht mitspielten, war Bathsheba eine Frau von gesundem Menschenverstand, und sie bereute daher aufrichtig, daß dieser Scherz, der sein Zustandekommen Liddy nicht weniger als ihr selbst verdankte und besser wohl unterblieben wäre, nun den Seelenfrieden eines Mannes störte, den sie zu sehr achtete, als daß sie sich über ihn hätte lustig machen wollen.

Nach diesem Tag war sie fest entschlossen, ihn bei nächster Gelegenheit um Verzeihung zu bitten. Das Mißliche daran war nur, daß er, wenn er sich von ihr verspottet fühlte, die Aufrichtigkeit einer solchen Bitte bezweifeln und sich noch mehr gekränkt fühlen würde, und daß er andererseits, wenn er ihr ernste Absichten unterstellte, darin einen zusätzlichen Beweis für ihre Unverfrorenheit sehen würde.

Boldwood war der Pächter von Little Weatherbury und in diesem entlegenen Viertel des Pfarrsprengels der einzige, der fast als Aristokrat gelten konnte. Wenn Durchreisende von Adel, für die ihre Stadt der Himmel war, sich zufällig hier einen Tag lang aufhalten mußten, das Geräusch leichter Wagenräder hörten und sich in der Hoffnung wiegten, jemandem aus besserer Gesellschaft, womöglich einem Lord oder zumindest einem Gutsherrn zu begegnen, war es nur Mr. Boldwood auf einer seiner Ausfahrten. Und hörten sie dann wieder das Räderrollen und lebten in ihrer Hoffnung auf, so war es nur Mr. Boldwood auf dem Weg nach Hause.

Dieses Haus stand abseits von der Landstraße, und der Stall, der für eine Farm die gleiche Bedeutung hat wie der Kamin für ein Zimmer, lag dahinter, halb verdeckt von Lorbeerbüschen. Jetzt war die obere Hälfte des blaugestrichenen Tors geöffnet, so daß man in den Ständen die Kruppen und Schweife von einem halben Dutzend warmer, wohlgenährter Pferde sehen konnte. Aus diesem Winkel stellten sich die Rotschimmel und Füchse als maurische Bögen dar, mit dem Schweif als schwarzem Strich in der Mitte. Dem Auge verborgen, das von draußen aus dem Licht hineinschaute, waren die Mäuler der Tiere vernehmbar damit beschäftigt, Wärme und Wohlgenährtheit durch reichlichen Nachschub von Hafer und Heu zu wahren. Wie ein ruheloser Schatten bewegte sich ein Füllen in einer Box am anderen Stallende, während das Mahlen all der Esser hin und wieder vom Knarren eines Halfters oder dem Stampfen eines Hufs unterbrochen wurde.

Farmer Boldwood selbst war es, der entlang den Hinterteilen der Pferde auf und ab schritt. Der Stall war für ihn ein Ort der Einkehr und des Einverständnisses mit Gottes Schöpfung. Wenn seine vierbeinigen Untertanen versorgt waren, konnte der Junggeselle ganze Abende lang dort wandern und denken, bis der Mondschein durch die Spinnweben der Fenster einfiel oder völlige Finsternis die Szene verhüllte.

Hier trat sein senkrecht-kantiges Wesen klarer hervor als im Getriebe der Markthalle. Bei seinem meditativen Wandern setzte er die Füße mit Zehen und Ferse zugleich auf, und sein gutgeschnittenes, gutgefärbtes Gesicht war so gesenkt, daß der schweigsame Mund und das wohlgerundete, dabei aber ziemlich auffallende und massige Kinn eben zu ahnen waren. Nur einige klare, wie Fäden querüber gezogene Linien unterbrachen die sonst glatte Fläche seiner breiten Stirn.

Boldwoods Biographie war nicht ungewöhnlich, ganz im Gegensatz zu seiner Natur. Vielleicht kam jene Ruhe, die einem beiläufigen Beobachter an seinem Äußeren und Gehaben mehr als alles andere auffiel und wie die Folge von Ermüdung wirkte, nur aus einem vollkommenen Gleichgewicht von gewaltigen widersprüchlichen Kräften – Positives und Negatives in perfekter Verteilung. Wurde die Balance gestört, verfiel Boldwood sofort in Extreme; überkam ihn ein Gefühl, so war er davon auch schon überwältigt. Gefühle, die ihn nicht bezwangen, traten erst gar nicht in Erscheinung. Sie gingen ihm entweder ans Leben oder an ihm vorbei.

Seine innere Struktur hatte nichts Leichtes und Lockeres, weder im Guten noch im Bösen. Zielbewußt im Großen und nachsichtig im Kleinen war er in allem von tiefem Ernst. Er sah nicht das Absurde an unserem närrischen Dasein und war daher in den Augen von Witzbolden, Spöttern und jenen, die alles komisch finden, kein sehr anregender Gesellschafter, kam aber recht gut mit Menschen aus, die den Ernst des Lebens und den Schmerz kannten. Wenn das Schicksal zur Komödie ausartete, fand er es nicht lustig, aber im Fall eines tragischen Ausgangs konnte man ihm auch keine Frivolität vorwerfen.

Bathsheba ließ sich nicht einmal träumen, daß dieses stille Dunkel, dem sie so leichtfertig ein Pflänzchen eingesetzt hatte, ein Treibhaus war, in dem es tropisch wucherte. Wenn sie Boldwoods Innenleben gekannt hätte, wäre ihre Tat unentschuldbar, der Makel auf ihrem Gewissen untilgbar gewesen. Sie hätte vor der Verantwortung, die sie nun für diesen Mann trug, schaudern müssen. Zunächst hatte sie das Glück – in der Folge ging es freilich zu Lasten ihrer inneren Ruhe –, daß sie noch nicht begriffen hatte, was für ein Mensch dieser Boldwood war. Niemand wußte das genau, denn es gab zwar verblaßte Flutmarken, die etwas Ungezähmtes in ihm ahnen ließen, aber man hatte ihn noch nicht erlebt, wenn er über die Ufer trat.

Farmer Boldwood kam an die Stalltür und blickte über die flachen Felder. Die Grenze der ersten Koppel bildete eine Hekke, und dahinter lag eine Wiese, die zu Bathshebas Farm gehörte.

Es war Frühlingsbeginn – die Zeit, in der die Schafe ins Gras hinaus und die Wiesen abfressen dürfen, ehe man sie bis zur Mahd abzäunt. Der Wind war, nachdem er mehrere Wochen von Osten geblasen hatte, auf Süd umgesprungen, und plötzlich war der Frühling da, fast ohne Ankündigung. Es war jene Phase, in der wir uns vorstellen können, wie die Naturgeister erwachen. In der Pflanzenwelt rührt es sich und schwillt, die Säfte steigen, und in der urtiefen Stille einsamer Gärten und wegloser Triften, wo nach dem harten Regiment des Frosts alles noch schwach und starr scheint, findet ein Drängen, Schieben, Stoßen und Ziehen statt, gegen das aller Kraftaufwand von Kränen und Winden in einer lauten Stadt nur Zwergenspiel ist.

Boldwood, der zu den fernen Wiesen hinüberschaute, erblickte drei Gestalten: Miss Everdene, Schäfer Oak und Cainy Ball.

Als Boldwoods Auge Bathsheba erfaßte, leuchtete es in ihm auf wie Mondschein, der auf einen Turm fällt. Der Körper zeigt als äußere Form der Seele an, ob ein Mensch in sich gekehrt oder kontaktfreudig, mitteilsam oder zurückhaltend ist. An Boldwoods früher so unerschütterlichem Äußeren hatte sich etwas verändert; sein Gesicht verriet, daß er zum ersten Mal seinen Panzer abgelegt hatte und sich völlig wehrlos fühlte. Wie eben eine starke Natur, wenn sie liebt.

Endlich rang er sich zu einem Entschluß durch. Er wollte hingehen und sie ganz einfach ansprechen.

Nicht umsonst hatte er durch so viele Jahre sein Herz so abgedichtet, daß kein Gefühl ein Ventil fand. Daß die Ursachen für eine Verliebtheit vor allem subjektive sein sollen, ist nicht neu, und Boldwood war ein lebender Beweis für die Richtigkeit dieser Hypothese. Er hatte keine Mutter zu verehren, keine Schwester zu verwöhnen, keine harmlose Beschäftigung für seine Sinne. Der Druck der Elemente, die zur großen Liebe zusammenschießen wollen, war zu stark geworden.

Er näherte sich dem Gatter der Wiese. Dort drüben war es, als ob die Erde singe, der Himmel stand voll Lerchen, und das leise Blöken der Herde mischte sich darein. Die Farmerin und ihr Schäfer waren dabei, ein Lamm zum »Nehmen« zu bewegen, wie es immer geschieht, wenn ein Mutterschaf das eigene

Junge verloren hat und ihm ein Zwilling von einem anderen Schaf· als Ersatz gegeben wird. Gabriel hatte das tote Lamm abgehäutet und band nach bewährtem Brauch die Haut über den Körper des lebenden Lamms, während Bathsheba ein kleines, aus vier Hürden gebildetes Gehege offenhielt, in das man das Schaf mit dem Ersatzlamm treibt und so lange dortläßt, bis die Alte sich an das Junge gewöhnt hat.

Als das Manöver gelungen war und Bathsheba aufblickte, sah sie den Farmer am Gatter stehen, unter einem Weidenbaum in voller Blüte. Gabriel, für den ihr Gesicht immer die ungewisse Glorie eines Apriltags hatte, registrierte auch den leisesten Stimmungswechsel und führte ihr heftiges Erröten auf einen äußeren Anlaß zurück. Er wandte sich um und erkannte Boldwood. Sofort verbanden sich für Gabriel diese Symptome mit dem Brief, den Boldwood ihm gezeigt hatte, und er verdächtigte Bathsheba irgendwelcher koketter Tändeleien, die sie damit eingeleitet und – er wußte nicht wie – auch weitergeführt hatte.

Farmer Boldwood las dem stummen Mienenspiel ab, daß sie sich seiner Anwesenheit bewußt waren, und in seiner neuen Empfindsamkeit wurde er von dieser Wahrnehmung wie geblendet. Er befand sich noch auf der Straße und hoffte, als er nun weiterging, er könnte so vor ihnen seine ursprüngliche Absicht, auf die Wiese zu kommen, verbergen. Ein geradezu niederschmetterndes Gefühlsgemisch aus Blödheit, Schüchternheit und Zweifel begleitete ihn. Vielleicht sprach etwas in Bathshebas Verhalten dafür, daß sie ihn zu sehen wünschte – vielleicht auch nicht. Er kannte sich bei Frauen nicht aus. Das Rätsel Weib bestand anscheinend aus bloßen Andeutungen, die sich verschieden interpretieren ließen. Jede Wendung, jeder Blick, jedes Wort und jede Nuance in der Betonung enthielt ein Geheimnis, das nichts mit dem geläufigen Sinn zu tun hatte und von Boldwood bisher noch nie bedacht worden war.

Bathsheba ließ sich nicht täuschen. Sie wußte genau, daß Farmer Boldwood weder in Geschäften unterwegs war noch einer müßigen Laune folgte, rechnete die Indizien zusammen und kam zu dem Schluß, daß sie selbst der Grund für sein Erscheinen sein mußte. Mit großer Sorge sah sie, welche Flammen da ein kleiner Funke angefacht hatte. Bathsheba war nicht darauf aus, unter die Haube zu kommen, und es war auch nicht ihre Art, absichtlich mit den Gefühlen der Männer zu spielen.

Wer sie beobachtet und mit einer wirklichen Koketten verglichen hätte, wäre überrascht gewesen, wie Bathsheba so ganz anders und zugleich dem, was man unter kokett versteht, so ähnlich sein konnte.

Sie schwor sich, nie wieder – sei es durch Blick oder Zeichen – die Ruhe dieses Mannes zu stören. Aber leider wird ein guter Vorsatz meist gefaßt, wenn das Übel schon zu weit fortgeschritten ist.

Ein nächstes Mal wollte Boldwood ihr einen formellen Besuch abstatten. Sie war nicht zu Hause. »Natürlich nicht«, brummte er. Er hatte an sie nur als Frau gedacht und vergessen, was eine Landwirtin alles zu tun hat – daß sie eine Farmerin von nicht geringerem Format war als er selbst und zu dieser Jahreszeit wahrscheinlich draußen zu finden. Sein Irrtum war wie die anderen Fehlschlüsse stimmungsbedingt und nur natürlich. Zwei Umstände vor allem bewirkten, daß er seine Liebe so idealisierte. Er sah Bathsheba zwar gelegentlich von fern, aber es fehlte an einer gesellschaftlichen Beziehung zu ihr – dem Blick vertraut, dem Wort fremd. Jene kleinen Besonderheiten, die einen Menschen zur Person machen, blieben ausgeklammert; das Detail, das so wesentlich alles Tun und Treiben bestimmt, trat nicht in sein Blickfeld, weil er mit dem Gegenstand seiner Liebe keinen Umgang pflog. Es kam ihm kaum in den Sinn, daß zu ihr auch der lästige Alltag eines Haushalts gehörte oder ihr Leben, wie bei allen Menschen, mit gewissen Banalitäten durchsetzt war, die man gern mit Schweigen übergeht. So wurde Bathsheba, während sie sich ganz lebendig innerhalb Boldwoods Gesichtskreis bewegte und ganz ähnliche Probleme hatte, in seiner Phantasie eine Art Apotheose zuteil.

Es war Ende Mai, als der Farmer beschloß, sich nicht länger von dummen Imponderabilien abhalten zu lassen. Inzwischen hatte er sich an die Liebe gewöhnt. Die Leidenschaft war ihm um so vertrauter, je mehr sie ihn quälte, und er fühlte sich der Situation gewachsen. Als er bei ihr zu Hause erfuhr, daß sie bei der Schafschwemme sei, machte er sich auf, sie dort zu suchen.

Die Schafschwemme, inmitten der Wiesen gelegen, war ein kreisrundes, mit Backstein ausgekleidetes Becken voll klarsten Wassers. Aus der Vogelschau hätte die blanke Fläche, in der sich der Himmel spiegelte, wie ein Zyklopenauge in einem grünen Gesicht ausgesehen. Das Gras um den Beckenrand bot zu dieser Jahreszeit einen Anblick, den man lang im Gedächtnis behielt. Man konnte es geradezu dabei beobachten, wie es die Feuchtigkeit aus dem fetten, feuchten Boden sog. Rund um diese ebene, feuchte Wiese lag Weideland in sanften Hügeln und Mulden, wo jetzt außer dem gelben Hahnenfuß nur die Margerite blühte. Geräuschlos wie ein Schatten glitt der Bach zwischendurch, und an seinen Ufern grünten Schilf und Riedgras als geschmeidiger Wall. Im Norden der Wiese standen Bäume mit jungen, weichen und saftigen Blättern, noch nicht ledrig und dunkel von Sommersonne und Dürre, sondern gelb mit einem Grünstich – oder grün mit einem Gelbstich. Aus den Tiefen des Laubwerks drang laut der Ruf von drei Kuckucksvögeln in die Stille.

Gedankenverloren schritt Boldwood den Hügel hinunter, den Blick auf seinen vom Blütenstaub der Butterblumen in subtilen Abstufungen bronzierten Stiefeln. Ein Zulauf des Bachs floß oben in das Becken und unten wieder ab. Schäfer Oak, Jan Coggan, Moon, Poorgrass, Cain Ball und einige mehr waren hier beisammen, alle klatschnaß bis auf die Haut, und Bathsheba stand in einem neuen Reitkleid – dem elegantesten, das sie je getragen – daneben und hatte die Zügel ihres Pferdes um den Arm geschlungen. Im Gras lagen Krüge mit Apfelwein. Die duldsamen Schafe wurden von Coggan und Matthew Moon, die unten am Einlaß standen, in das Becken geschoben. Die Tiere, die im Wasser schwammen, tauchte Gabriel, der am Rand stand, mit einer dafür bestimmten Art von Kruke unter und half ihnen weiter, wenn sich ihre Wolle vollsog und sie absanken. Sie wurden gegen die Strömung am oberen Beckenrand hinausgelassen, der Schmutz floß unten ab. Cainy Ball und Joseph, die das besorgten, waren womöglich noch nasser als die übrigen; sie erinnerten an Delphine unter einem Springbrunnen, aus jeder Falte und jedem Knick ihres Gewandes perlte ein Rinnsal.

Boldwood trat näher und wünschte Bathsheba mit solchem Nachdruck einen guten Morgen, daß sie nur vermuten konnte, er sei eigentlich der Schafe wegen zur Schwemme gekommen und habe gehofft, sie hier nicht anzutreffen; sogar Mißbilligung schien ihr aus seinem düsteren Blick zu sprechen. Bathsheba zog sich sofort zurück und ging etwa einen Steinwurf weit am Bach hinunter. Sie vernahm Schritte, die durch das Gras streiften, und spürte dabei die Liebe wie einen Duft, der sie überkam. Statt sich umzuwenden oder zu warten, watete sie durch das hohe Riedgras weiter, aber Boldwood war offenbar fest entschlossen und folgte ihr, bis sie die Schleife des Bachs hinter sich hatten. Hier sah sie niemand, obwohl das Plantschen und Geschrei der Wäscher zu ihnen herunter drangen.

»Miss Everdene!«

Sie erschauerte, drehte sich um und sagte: »Guten Morgen.«
Seine Stimme war so ganz anders, als sie erwartet hatte. Ruhig, leise und klar – Tiefes und Bedeutsames klang darin an, ließ aber seinen Inhalt nur ahnen. Schweigen entwickelt manchmal die bemerkenswerte Fähigkeit, sich als ein vom Körper losgelöstes Gefühlssubstrat darzustellen, und wirkt dann viel eindrucksvoller als alle Worte, so wie ein kurzer Satz oft mehr mitteilt als eine lange Rede. Der Anruf hatte alles enthalten, was Boldwood sagen wollte.

Wie das Bewußtsein sich weitet, wenn man plötzlich begreift, daß ein Räderrollen in Wahrheit der Widerhall eines Donnerschlags ist, so geschah es nun auch Bathsheba.

»Ich fühle – fast zu viel – um zu denken«, sagte Boldwood, einfach und feierlich zugleich. »Ich will ohne lange Einleitung mit Euch sprechen. Mein Leben ist nicht mehr mein Leben, seit ich Euch mit offenen Augen gesehen habe. Ich bin gekommen, weil ich Euch bitten möchte, meine Frau zu werden.«

Bathsheba bemühte sich, eine neutrale Miene zu wahren. Sie schloß die Lippen, die sie vorhin zu einem Spalt geöffnet hatte. Das war das Einzige, was in ihrem Gesicht vorging.

»Ich bin jetzt einundvierzig«, fuhr er fort. »Man hat mich vielleicht einen unbekehrbaren Hagestolz genannt – und das bin ich auch gewesen. Ich habe mich, als ich noch jünger war, nie als Ehemann gesehen und auch später keine diesbezüglichen Pläne gehabt. Aber wir alle ändern uns – und ich habe mich in diesem Punkt geändert, seit ich Euch gesehen habe. In letzter Zeit spüre ich immer deutlicher, daß mein augenblickliches Leben in jeder Hinsicht verfahren ist. Ich brauche Euch als meine Frau – mehr als alles andere.«

»Ich fürchte, Mr. Boldwood, daß ich bei aller Achtung vor Euch doch nicht das Gefühl habe – das mir ein Recht geben würde – Euren Antrag anzunehmen«, stammelte sie.

Indem sie so Würde gegen Würde stellte, öffnete sie Schleusen, die Boldwood bis dahin noch verschlossen gehalten hatte.

»Ohne Euch ist mir das Leben eine Last«, stieß er leise hervor. »Ich möchte – ich möchte Euch sagen dürfen – immer und immer wieder –, daß ich Euch liebe.«

Bathsheba antwortete nichts, und die Stute an ihrer Seite schien so beeindruckt, daß sie, statt weiter Gras zu zupfen, den Kopf hob.

»Ich darf hoffen, daß Euch genug an mir liegt, um Euch anzuhören, was ich zu sagen habe!«

Schon wollte Bathsheba fragen, was ihn zu dieser Annahme berechtigte, als sie sich erinnerte, daß es sich keineswegs um eine anmaßende Unterstellung von seiten Boldwoods handelte, sondern um ein plausibles Ergebnis ernsthaften Nachdenkens, das von der irreführenden Prämisse ihrer Valentinsgabe ausgegangen war.

»Ich wünschte, ich könnte Euch höfliche Komplimente machen«, fuhr der Farmer in etwas entspannterem Ton fort, »und meine ungeschlachten Empfindungen in eine ansprechende Form bringen. Aber ich habe weder das Talent noch die Geduld, so etwas zu lernen. Ich möchte Euch zur Frau – so leidenschaftlich, daß kein Platz für ein anderes Gefühl in mir ist. Dennoch hätte ich geschwiegen, wenn nicht Ihr mir Hoffnung gegeben hättet.«

»Die Valentinsgabe« sagte sie bei sich. »Oh, diese dumme Kleinigkeit!« Ihm jedoch blieb sie die Antwort schuldig.

»Wenn Ihr mich lieben könnt, Miss Everdene: Sagt es mir! Und wenn nicht – Sagt nicht nein!«

»Mr. Boldwood, es ist mir peinlich zu gestehen, daß ich überrascht bin und darum nicht weiß, was ich Euch mit geziemendem Anstand entgegnen soll – aber ich kann nur aussprechen, was ich fühle – ich meine, was ich dazu meine –, daß ich Euch leider nicht heiraten kann, so sehr ich Euch schätze. Ihr steht zu hoch über mir, Sir.«

»Aber, Miss Everdene!«

»Ich – ich habe nicht – ich weiß, ich hätte diesen Valentinsgruß nie abschicken dürfen – verzeiht mir, Sir – es war ein leichtfertiger Streich. Keine Frau, die auch nur ein wenig Selbstachtung besitzt, hätte so etwas tun dürfen. Wenn Ihr mir meine Gedankenlosigkeit vergeben wollt, verspreche ich Euch, daß ich nie –«

»Nein, nein, nein! Sagt nicht Gedankenlosigkeit! Laßt mich glauben, daß es mehr war – daß es eine Art prophetischer Instinkt war – wenigstens die Hoffnung, daß Ihr etwas für mich empfinden könntet. Ihr quält mich, wenn Ihr mir sagt, daß es aus Gedankenlosigkeit geschehen ist – nie habe ich an diese Möglichkeit gedacht, ich ertrage es nicht! Oh, was kann ich tun, um Euch für mich zu gewinnen?! Nichts – nur Euch fragen, ob Ihr für mich bereits gewonnen seid. Wenn es nicht stimmt, daß Ihr, ohne es zu wissen, mir so gehört, wie ich Euch gehöre, ist jedes Wort verloren.«

»Ich habe mich nicht in Euch verliebt, Mr. Boldwood – das muß ich offen aussprechen.« Zum ersten Mal erlaubte sie sich ein winziges Lächeln, und in den weißen Zähnen, zusammen mit dem dezidierten Schnitt der Lippen, deutete sich eine Gefühlskälte an, die sofort von der Wärme des Blicks widerlegt wurde.

»Aber ich will ja nur, daß Ihr Euch überlegt – mit etwas Güte und Nachsicht –, ob Ihr mich nicht als Euren Mann ertragen könntet. Ich fürchte, daß ich zu alt für Euch bin, aber Ihr dürft mir glauben, daß ich Euch besser umsorgen werde als mancher Euren Alters. Mit allem, was in meinen Kräften steht, werde ich Euch behüten und verwöhnen – das schwöre ich! Ihr werdet keine Sorgen kennen, Miss Everdene, auch keinen Ärger mit dem Haushalt, und alles haben, was Ihr begehrt. Um das Vieh wird sich ein Schweizer kümmern – ich kann mir das leisten. Nicht einmal aus dem Fenster schauen müßt Ihr, wenn sie das Heu einbringen, und Ihr braucht keinen Gedanken darauf zu verschwenden, wie das Wetter zur Erntezeit sein wird. Ich fahre am liebsten in meiner Chaise, weil das schon meine Eltern so getan haben, aber wenn Ihr sie nicht mögt, werde ich sie verkaufen und Euch einen eigenen Ponywagen anschaffen. Mir fehlen die Worte dafür, wieviel mehr als alles auf der Welt Ihr für mich seid – das weiß Gott allein – und was Ihr für mich bedeutet!«

Bathshebas Herz war jung, und das Mitleid mit diesem schwierigen Mann, der so einfach zu sprechen wußte, tat ihr weh.

»Sagt es nicht, bitte! Es ist schrecklich für mich, daß Ihr so für mich fühlt und ich keine Liebe zu Euch aufbringe. Und ich fürchte, man wird uns beide hier sehen, Mr. Boldwood. Lassen wir die Sache für heute auf sich beruhen? In meinem Kopf läuft alles durcheinander. Ich habe nicht damit gerechnet, daß Ihr eine solche Mitteilung zu machen habt. Oh, ich bin wirklich gemein, daß ich Euch so leiden lasse!« Sein Ausbruch ängstigte und erregte sie zugleich.

»Sagt Ihr mir wenigstens, daß Ihr mich nicht ganz zurückweist?«

»Ich kann es nicht. Ich kann nichts sagen.«

»Darf ich wieder darauf zurückkommen?«

»Ja.«

»Darf ich an Euch denken?«

»Ja. Ich glaube schon, daß Ihr an mich denken dürft.«

»Und darf ich hoffen, Euch für mich zu gewinnen?«

»Nein – hofft nicht! Gehen wir jetzt –«

»Ich werde morgen bei Euch vorsprechen.«

»Nein, bitte nicht. Laßt mir Zeit.«

»Gern. Soviel Ihr wollt«, sagte er ernst und dankbar. »Ich bin jetzt wieder glücklicher.«

»Nein – ich bitte Euch! Seid nicht glücklicher, wenn Euer Glück davon abhängt, daß ich Euch ja sage. Gleichmut, Mr. Boldwood! Ich muß es mir überlegen.«

»Ich werde warten.«

Sie wandte sich um. Boldwood senkte den Blick und stand so eine lange Weile wie einer, der nicht weiß, wo er ist. Dann kehrte die Wirklichkeit zu ihm zurück wie der Schmerz einer Wunde, den die Erregung des Augenblicks, in dem man sie empfing, nicht fühlen ließ, und auch er ging.

»So uneigennützig und gütig ist er!« dachte Bathsheba. »Was ich nur wünschen kann, will er mir geben.«

Aber Farmer Boldwood – ob von Natur aus gütig oder das Gegenteil – übte in diesem Fall keine Güte. Gerade die größten Geschenke aus reinster Liebe sollen vor allem den Schenker befriedigen. Mit Freigebigkeit hat das nichts zu tun.

Bathsheba, die für Boldwood keine Gegenliebe empfand, gelangte allmählich so weit, daß sie seinen Antrag emotionslos einzuschätzen vermochte. Rundum wären viele Frauen ihres Standes – und nicht wenige auch aus besseren Kreisen! – mit Freuden darauf eingegangen und hätten es stolz verkündet. Ob Herz oder Hirn – alles sprach dafür, daß sie, ein alleinstehendes Mädchen, heiraten sollte, vorzugsweise diesen seriösen, wohlhabenden und geachteten Mann. Sein Haus lag gleich nebenan, seine Verhältnisse waren gesichert, seine Qualitäten geradezu überwältigend. Hätte sie überhaupt den Wunsch verspürt, jemandes Frau zu sein, es wäre ihr kein vernünftiger Grund eingefallen, ihn abzuweisen, zumal sie gern an die Vernunft appellierte, um sich von ihren Launen zu befreien. Gegen Boldwood als Ehemann gab es nichts einzuwenden, sie schätzte ihn, er gefiel ihr – und doch mochte sie ihn nicht haben. Im allgemeinen dürfte es sich ja so verhalten, daß der Mann heiratet, weil er eine Frau besitzen will, und daß die Frau sich in Besitz nehmen läßt, weil sie heiraten will. Die Motive sind grundverschieden, nur die Methode ist für beide Teile dieselbe. Aber in unserem Fall fehlte das Motiv auf seiten der Frau. Dazu kam, daß es für Bathsheba eine neue Erfahrung war, ganz allein über Haus und Hof zu gebieten, und sich diese Neuheit noch nicht abgenützt hatte.

Was sie dennoch bedrückte, machte ihr Ehre, denn nur wenige hätten es ihr nachgefühlt. Jenseits der erwähnten Vernunftgründe, die sie gegen ihre Einwände vorbrachte, hatte sie das Gefühl, daß sie in diesem Spiel, dessen Anfang sie gemacht, anstandshalber auch die Folgen auf sich nehmen sollte. Und trotzdem sperrte sie sich dagegen. Im selben Atemzug sagte sie sich, daß es herzlos wäre, Boldwood nicht zu heiraten, und daß sie es nicht konnte, weil sie sich damit selbst verraten würde.

Bathsheba war eine impulsive Natur, doch unter dem Vorzeichen allgemeiner Besonnenheit, im Kopf eine Elisabeth, im

Herzen Maria Stuart. Oft gelang es ihr, sehr gewagte Dinge mit größter Diskretion zu unternehmen. Vieles, was sie dachte, war logisch unanfechtbar, nur blieb es auch beim Denken. Irrationale Einfälle kamen ihr selten, aber leider waren gerade sie es, die zu Taten gediehen.

Am Tag nach Boldwoods Liebeserklärung stieß Bathsheba auf Gabriel Oak, der unten im Garten seine Schere für die Schafschur schliff. Fast in allen Häusern rundherum ging dasselbe vor; das heisere Sirren der Schleifsteine stieg vom Dorf zum Himmel auf, als ob man die Waffen für einen Kriegszug rüstete. In den Stunden der Vorbereitung reichen Krieg und Frieden einander die Hände: Sicheln, Sensen, Scheren und Gartenmesser müssen genau so spitz und scharf sein wie Schwerter, Bajonette und Lanzen.

Cainy Ball bediente die Kurbel von Gabriels Schleifstein, und bei jeder Umdrehung ging sein Kopf in melancholischem Pendelschwung mit. Oak stand da wie Amor, der seine Pfeile spitzt; leicht vorgeneigt, das Gewicht seines Körpers auf die Schere verlagert, den Kopf zur Seite gelegt – die zusammengepreßten Lippen und die prüfend verengten Lider vollendeten den Eindruck.

Seine Dienstgeberin trat heran und schaute den beiden eine Weile zu. Dann sagte sie:

»Cain, geh auf die untere Wiese und hol mir die Fuchsstute. Ich werde den Schleifstein drehen. Ich habe mit dir zu reden, Gabriel.«

Cain entfernte sich, und Bathsheba übernahm die Kurbel. Gabriel hatte aufgeblickt, zuhöchst überrascht, unterdrückte aber nun alle Fragen und schaute wieder auf den Schleifstein. Bathsheba begann zu drehen, Gabriel widmete sich seiner Schere.

Das Auf und Ab beim Drehen eines Rads hat eine magisch benebelnde Wirkung auf den Geist. Die Gedanken verwirren sich, der Kopf wird schwer, der Schwerpunkt des Körpers scheint sich allmählich in einem Bleiklumpen zwischen Brauen und Scheitel zu konzentrieren. Schon nach zwei oder drei Dutzend Umdrehungen spürte Bathsheba die unangenehmen Symptome.

»Dreh du, Gabriel, und laß mich die Schere halten«, sagte sie. »Mir brummt der Kopf, und ich kann nicht reden.«

Gabriel begann also zu drehen, und Bathsheba fing an zu sprechen – ein wenig gehemmt, weil ihre Gedanken immer wieder vom Thema zu der Schere abgelenkt wurden, deren Schärfen einige Genauigkeit verlangte.

»Ich wollte dich fragen, ob die Leute gestern darüber geredet haben, daß ich mit Mr. Boldwood ins Ried gegangen bin.«

»Ja, schon«, antwortete Gabriel. »Ihr haltet die Schere nicht richtig, Miss – ich hab's gewußt, daß Ihr nicht wißt, wie's geht. So müßt Ihr sie halten.«

Er ließ den Kurbelgriff fahren und umschloß mit beiden Händen die ihren samt der Schere – wie wir es manchmal bei einem Kind tun, wenn wir ihm das Schreiben beibringen. »So schräg müßt Ihr die Schneide anlegen.«

Er brachte Hände und Schere in die entsprechende Stellung und hielt sie, während er sprach, auffällig lange.

»Das genügt jetzt«, stieß Bathsheba hervor. »Laß meine Hände los! Ich mag nicht, daß du sie hältst! Dreh die Kurbel –«

Gabriel gab ruhig ihre Hände frei, nahm wieder die Kurbel auf, und das Schleifen ging weiter.

»Hat man sich darüber gewundert?« fragte sie wieder.

»Gewundert ist nicht ganz das richtige Wort, Miss.«

»Was haben sie gesagt?«

»Daß man wahrscheinlich Farmer Boldwoods Namen und den Euren von der Kanzel hören wird, bevor das Jahr um ist.«

»Das habe ich ihnen angesehen! Aber es ist nichts dran – etwas Dümmeres hätte ihnen wirklich nicht einfallen können. Ich möchte, daß du es richtigstellst. Darum bin ich gekommen.«

Gabriels bekümmerter Blick drückte zunächst Zweifel aus, gleichzeitig aber auch Erleichterung.

»Sie müssen gehört haben, was zwischen uns gesprochen worden ist«, fuhr sie fort.

»Bathsheba!« rief Oak, ließ den Griff los und starrte sie verblüfft an.

»Du meinst: Miss Everdene«, berichtigte sie mit Würde.

»Ich meine, wenn Mr. Boldwood Euch tatsächlich einen Antrag gemacht hat, werde ich nicht herumerzählen, daß es nicht so war – nur um Euch einen Gefallen zu tun. Ich habe Euch schon mehr zu Gefallen getan, als für mich gut ist.«

Bathsheba betrachtete ihn verwirrt und mit großen Augen. Sie wußte nicht, ob sie ihn wegen seiner enttäuschten Liebe bemitleiden oder sich darüber ärgern sollte, daß er damit fertig geworden war – sein Ton ließ beides offen.

»Ich habe von dir nichts anderes wollen, als daß du sie wissen läßt, daß es nicht stimmt, daß ich ihn heiraten werde«, sagte sie leise, ihrer Sache schon etwas weniger sicher.

»Das kann ich, wenn Ihr so wünscht, Miss Everdene. Ich könnte Euch allerdings auch noch meine Meinung über Euer Benehmen sagen.«

»Mag sein. Aber mich interessiert deine Meinung nicht.«

»Das nehme ich an«, gab Gabriel bitter zu und drehte wieder den Schleifstein. Seine Worte stiegen und fielen im Takt der Kurbel, je nach Gabriels Position senkrecht zur Erde hinunter oder horizontal über den Garten hinweg, während sein Blick ein Blatt auf dem Boden festhielt.

Wenn Bathsheba rasch handeln mußte, geschah es impulsiv; durfte sie sich Zeit lassen, kam jedoch – was durchaus nicht die Regel ist – die Vernunft zum Zug. So viel Zeit wurde ihr allerdings selten gelassen. Der einzige Mensch in ihrer Umgebung, dessen Meinung über ihre Person und ihr Verhalten sie damals höher einschätzte als ihre eigene, war Gabriel Oak. Die rückhaltlose Ehrlichkeit seines Charakters verbürgte, daß sie in allen Dingen – selbst dann, wenn es ihre Liebe zu einem anderen Mann und diesbezügliche Heiratsabsichten betraf – auf die Objektivität seines Urteils vertrauen konnte. Sie mußte ihn nur danach fragen. Er war überzeugt, daß er bei ihr nicht die geringste Chance hatte, und sein Begriff von Ehre und Anstand verbot ihm, die eines anderen zu schmälern – wohl das Äußerste an stoischer Tugend, das ein Liebender aufbringen kann; ihrer zu ermangeln, ist sicher die läßlichste der Sünden. Da Bathsheba wußte, er würde ohne Hintergedanken antworten, so sehr es ihn schmerzen mußte, stellte sie nun die Frage. So weit geht der Egoismus bei manchen bezaubernden Frauen! Eine gewisse Entschuldigung für einen derartigen Mißbrauch der Anständigkeit eines Mannes war vielleicht der Umstand, daß niemand anderer in der Nähe war, dessen Meinung Gewicht gehabt hätte.

»Was also hältst du von meinem Benehmen?«

»Daß es einer klugen, liebenswerten und anziehenden Frau nicht würdig ist.«

Augenblicklich glühte Bathshebas Gesicht zornrot wie ein Sonnenuntergang. Aber es gelang ihr, eine Äußerung ihres Gefühls zu unterdrücken, und das Ausbleiben der Worte trug nur zur Deutlichkeit dessen bei, was aus ihren Zügen sprach.

Hierauf beging Gabriel einen Fehler.

»Ich weiß, es gehört sich nicht, daß ich Euch so schelte, und vielleicht mögt Ihr es nicht; aber ich dachte, es würde Euch guttun.«

Worauf sie sofort zurückgab:

»Im Gegenteil! Ich halte von dir so wenig, daß ich aus deinem Tadel nur das Lob höre, das einsichtigere Leute mir spenden würden.«

»Ich bin froh, daß es Euch nichts ausmacht, denn ich habe es ganz ehrlich und wohl überlegt gesagt.«

»Ich verstehe. Dein Pech, daß du zum Lachen reizt, wenn du es ernst meinst – so wie du manchmal etwas Vernünftiges herausbringst, wenn du einen Witz machen willst.«

Das war ein Tiefschlag, aber Bathsheba hatte offensichtlich die Nerven verloren, während Gabriel so ruhig war wie nie zuvor. Dann brach es aus ihr:

»Darf ich vielleicht fragen, weshalb du findest, daß ich mich unwürdig benehme? Weil nicht du es bist, den ich heiraten will?«

»O nein!« erwiderte Gabriel. »Ich habe es längst aufgegeben, daran zu denken.«

»Oder es dir zu wünschen, nehme ich an,« sagte sie, und es war klar, daß sie von ihm erwartete, er werde unverzüglich gegen diese Unterstellung protestieren.

Was immer Gabriel fühlen mochte, kühl wie ein Echo gab er zurück:

»Oder es mir zu wünschen.«

Bitterkeit, die man einer Frau bezeigt, ist ihr nur süß; auch Grobheit, die nicht beleidigt, hält sie aus, und Bathsheba wäre bereit gewesen, sich von einem empörten Gabriel für ihren Leichtsinn bestrafen zu lassen, wenn er zugleich beteuert hätte, daß er sie liebe. Das Wüten unerwiderter Leidenschaft läßt sich hinnehmen – es mag weh tun und kränken, aber noch in der Erniedrigung liegt Triumph, und der Streit entbehrt nicht einer gewissen Zärtlichkeit. So etwas hatte sie erwartet und nicht bekommen. Sich abkanzeln zu lassen, weil sie sich dem, der es tat, im frostigen Morgenlicht verlorener Illusionen zeigte, war unerträglich. Und er war noch nicht zu Ende. Mit erregterer Stimme fuhr er fort:

»Wenn Ihr schon nach meiner Meinung fragt: Ich finde, daß es einfach unverantwortlich war, wie Ihr Euch zum Zeitvertreib über einen Mann wie Mr. Boldwood lustig gemacht habt. Es schickt sich nicht für eine Frau, einen Mann, den sie nicht liebt, an der Nase herumzuführen. Und selbst vorausgesetzt, daß Ihr eine wahre Neigung zu ihm verspürt, hättet Ihr es ihm auf eine Weise zu verstehen geben können, die mehr aus dem Herzen spricht als ein dummer Valentinsbrief.«

Bathsheba legte die Schere hin.

»Ich gestatte niemandem – mein Privatleben zu kritisieren!« rief sie. »Und ich werde es auch nicht dulden! Nimm bitte zur Kenntnis, daß ab Ende dieser Woche hier kein Platz mehr für dich ist!«

Es mochte eine ihrer Besonderheiten sein – jedenfalls verhielt es sich so: Im Zustand heftiger Erregung gröberer Natur zitterte Bathshebas Unterlippe, bei gehobenerem Anlaß hingegen die Oberlippe. Diesmal war es die Unterlippe.

»Sehr wohl«, erwiderte Gabriel gelassen. Was ihn an sie fesselte, war nur ein zartes Band, keine unzerreißbare Kette, wenn es auch schmerzte, daß er es jetzt durchtrennen sollte. »Am liebsten würde ich gleich gehen«, fügte er hinzu.

»Dann geh in Gottes Namen gleich!« sagte sie. Ihre Augen sprühten Blitze, aber sein Blick wich ihnen aus. »Ich will dein Gesicht nicht mehr sehen!«

»Sehr wohl, Miss Everdene – wie Ihr wünscht.«

Er nahm seine Schere und entfernte sich in stiller Würde.

Etwa vierundzwanzig Stunden waren vergangen, seit Gabriel Oak zum letzten Mal die Schafe von Weatherbury gefüttert hatte, als am Sonntagnachmittag ein Rudel älterer Herren – Joseph Poorgrass, Matthew Moon, Fray und ein Halbdutzend mehr – auf das Haus zu rannte, wo die Herrin der Oberen Farm wohnte.

Sie stieß an der Tür mit ihnen zusammen und befand sich eben auf dem Weg zur Kirche. Ihre roten Lippen, zusammengepreßt im Bemühen, einen engen Handschuh überzuziehen, lösten sich sofort.

»Was ist denn los?« fragte sie.

»Sechzig!« keuchte Joseph Poorgrass.

»Siebzig!« behauptete Moon.

»Neunundfünfzig«, berichtete Susann Talls Mann.

» – von den Schafen sind ausgebrochen«, fuhr Fray fort.

»– und in einen Acker mit frischem Klee hinein«, ergänzte Tall.

»Mit frischem Klee!« wiederholte Moon.

»Klee!« echote Poorgrass.

»Und jetzt bläht es sie«, verkündete Henery Fray.

»So ist es«, bestätigte Joseph Poorgrass.

»Und alle werden sie krepieren, wenn ihnen keiner hilft«, prophezeite Tall.

Josephs Gesicht war von Sorge zerfurcht und verknotet. Frays Stirnfalten lagen kreuz und quer wie ein Gitter und drückten seine zwiefache Verzweiflung aus. Laban Talls Lippen waren schmal, seine Züge erstarrt. Matthews Kinn klappte herunter, während seine Augen rollten, wohin eben der stärkste Muskel zog.

»Ja«, berichtete Joseph, »da sitze ich zu Hause und suche in der Bibel nach den Ephesern und sage zu mir: ›Nichts als Korinther und Thessalonicher gibt's in dem verflixten Testament‹ – und da kommt Henery herein und sagt: ›Joseph, die Schafe bläht's‹ –«

Bei Bathsheba trat jener Zustand ein, in dem man laut denkt und noch lauter redet. Überdies hatte sie ihr von Oaks Moralpauke gestörtes Gleichgewicht noch kaum wiedergefunden.

»Genug! – Das reicht jetzt! – Idioten!« schrie sie, warf Sonnenschirm und Gebetbuch in den Flur und lief hinaus in die angegebene Richtung. »Erst zu mir kommen, statt hinzugehen und sie herauszutreiben! Ihr blöden Flachköpfe!«

So schwarz und funkelnd waren ihre Augen selten. Bathshebas Schönheit war von mehr dämonischer als engelhafter Art, nie wirkte sie anziehender, als wenn sie wütend war – und wenn der Effekt noch durch ein hochelegantes Samtkleid gesteigert wurde, das sie mit viel Sorgfalt vor dem Spiegel angelegt hatte.

Die alten Männer rannten in wirrem Haufen hinter ihr her zu dem Kleeacker, nur Joseph sank auf halbem Weg nieder, als welke ein Geschöpf dahin, das seine Welt nicht länger erträgt. Unter dem Ansporn, den Bathshebas Gegenwart auf sie ausübte, stürzten sie sich zielbewußt auf die Schafe. Die meisten der kranken Tiere hatten sich hingelegt, rührten sich nicht und mußten weggetragen werden, die übrigen trieb man auf das Nachbarfeld. Nach kurzer Zeit fielen hier weitere um und lagen so hilflos und schwach da wie die anderen.

Das Herz wollte ihr zerreißen, als Bathsheba sah, wie sich die besten Tiere ihrer schönsten Herde auf der Erde wälzten

> – vom Wind und üblen Nebel,
> den sie tranken, aufgeschwollen –.

Viele hatten Schaum vor den Mäulern und ihr Atem ging in kurzen Stößen, während der Körper bei allen beängstigend aufgetrieben war.

»Was soll ich tun, was soll ich nur tun?« rief Bathsheba verzweifelt. »Solche Unglückstiere! Immer haben sie irgend etwas! Nie vergeht ein Jahr, ohne daß sie irgendwo hineingeraten!«

»Da gibt's nur eines, was sie retten kann«, sagte Tall.

»Was? Sag schon?«

»Man muß ihnen mit einem Ding, das dafür da ist, in die Seite stechen.«

»Kannst du das? Kann ich es?«

»Nein, Fräulein. Wir nicht – und Ihr auch nicht. Das muß man an einer bestimmten Stelle machen. Wenn Ihr die nur um zwei Fingerbreit verfehlt, ersticht Ihr das Schaf, daß es tot ist. Nicht einmal jeder Schäfer kann das.«

»Dann müssen sie sterben«, sagte sie niedergeschlagen.

»Nur einer hier in der Gegend versteht sich darauf«, sagte

Joseph, der eben auch angekommen war. »Der könnte sie alle kurieren, wenn er da wäre.«

»Wer ist es? Holen wir ihn!«

»Schäfer Oak«, eröffnete Matthew. »Ja, der hat's im kleinen Finger!«

»Ja, der schon«, bestätigte Joseph Poorgrass.

»Stimmt, er ist der einzige«, pflichtete auch Laban Tall bei.

»Wie könnt ihr wagen, seinen Namen in meiner Gegenwart zu nennen!« rief sie zornig. »Ich habe euch eingeschärft, diesen Menschen nicht zu erwähnen, wenn ihr bei mir bleiben wollt! Ah!« Ihre Miene erhellte sich. »Farmer Boldwood wird es können!«

»Nein, Fräulein«, mußte Matthew sie enttäuschen. »Erst letzthin sind ihm zwei von seinen Mastschafen ins Kraut geraten und waren gerade so dran. Er hat einen Mann herüberreiten lassen, so schnell das Pferd laufen konnte, damit er Gabriel holt – und Gabriel ist hinüber und hat sie kuriert. Farmer Boldwood hat so ein Ding, mit dem es gemacht wird, eine kleine Röhre mit einem Schnepper innendrin. Nicht wahr, Joseph?«

»Ja – eine kleine Röhre«, echote Joseph. »Das ist es.«

»Ja – so ein Apparat ...« erinnerte sich Henery Fray mit orientalischer Verachtung für das Drängen der Zeit.

»Also los!« rief Bathsheba. »Steht nicht herum und quatscht! Holt sofort jemanden, der den Tieren helfen kann!«

Ratlos trollten sich die Männer, um jemanden zu holen, von dem sie keine Ahnung hatten, wer es sein sollte. Schon waren sie hinter dem Gatter verschwunden. Bathsheba stand allein bei den todkranken Schafen.

»Nie lasse ich ihn rufen – nie!« schwor sie.

Eines von den Schafen krümmte sich schauerlich, streckte sich und schnellte hoch in die Luft. Der Sprung war erstaunlich. Dann fiel es zurück und lag still da.

Bathsheba ging hin. Es war tot.

»Oh, was soll ich nur tun? Was soll ich tun?« jammerte sie wieder und rang die Hände. »Ich werde ihn nicht rufen! Nein, das nicht!«

Wenn ein Entschluß mit besonderem Nachdruck geäußert wird, ist das nicht immer der Moment, in dem er die meiste Wirkung hat. Oft wird die nachdrückliche Äußerung zur Krücke, die eine schwindende Überzeugung abstützen soll, die im Zenith ihrer Stärke keiner Worte bedurft hatte. Das Nein Bathshebas besagte eigentlich: Ich werde wohl müssen.

Sie folgte den Männern durch das Gatter und winkte einem von ihnen.

Laban reagierte auf das Signal.

»Wo steckt dieser Oak?«

»Drüben, auf der anderen Talseite – im Nest Cottage.«

»Dann nimm die Füchsin und reite hinüber und sag ihm, daß er sofort zurückkommen muß! Ich wünsche es!«

Tall eilte zur Koppel, saß auch schon auf Polly, der Füchsin, und sprengte ohne Sattel, nur mit einem Halfter als Zügel, den Hang hinunter.

Bathsheba und die anderen schauten ihm nach. Tall trabte auf dem Reitweg durch die Felder, die Sixteen Acres, Sheeplands, Middle Field, The Flats und Cappel's Piece hießen, schrumpfte fast zu einem Punkt, überquerte die Brücke und ritt danach hangauf an der gegenüberliegenden Talseite über Springmead und Whitepits. Das Häuschen, in das sich Gabriel vor seiner endgültigen Abreise zurückgezogen hatte, war der weiße Fleck dort am Hügel, vor den blauen Fichten. Bathsheba ging ruhelos auf und ab. Die Männer kamen auf das Feld und versuchten, die Qual der armen Tiere zu lindern, indem sie sie massierten. Aber es half nichts.

Bathsheba ging weiter hin und her. Man sah das Pferd den Hügel herunterkommen und die Felder in umgekehrter Reihenfolge durchmessen: Whitepits, Springmead, Cappel's Piece, The Flats, Middle Field, Sheeplands, Sixteen Acres. Bathsheba hoffte, daß Tall so geistesgegenwärtig gewesen war, Gabriel das Pferd zu geben und selbst zu Fuß hinterherzugehen. Der Reiter näherte sich. Es war Tall.

»So was Blödes!« schimpfte Bathsheba.

Von Gabriel war nichts zu sehen.

»Vielleicht ist er schon fort?« argwöhnte sie.

Tall kam in die Einfriedung und sprang ab. Sein Gesicht war düster, als habe er eine totale Niederlage zu melden.

»Nun?« fragte Bathsheba, die nicht glauben mochte, daß mündlicher Gestellungsbefehl seinen Adressaten nicht erreicht habe.

»Er sagt, Bittsteller dürfen nicht befehlen«, antwortete Laban.

»So?!« Die junge Gutsfrau riß die Augen weit auf und holte

Luft, um richtig loszulegen. Joseph Poorgrass ging hinter eine Hürde in Deckung.

»Er sagt, daß er erst kommt, wenn Ihr ihn höflich bittet, wie's sich gehört und wie man es von einer Frau, die etwas haben will, erwarten kann.«

»Oh, so kommt er mir! Was bildet er sich ein?! Wer bin ich, daß ich mich so behandeln lassen muß? Soll ich einen Menschen anbetteln, der als Bettler zu mir gekommen ist?«

Ein weiteres Schaf sprang hoch und fiel tot hin.

Die Männer blickten ernst vor sich hin, als wollten sie nicht sagen, was sie dachten.

Bathsheba wandte sich ab, Tränen in den Augen. Daß Stolz und Starrsinn sie in eine Klemme gebracht hatten, war nicht länger zu verhehlen. Sie schluchzte nun bitterlich. Alle sahen es, und sie tat nichts, um es zu verbergen.

»Ich würde deshalb nicht weinen, Miss«, meinte William Smallbury voll Mitgefühl. »Warum wollt Ihr ihn nicht etwas freundlicher bitten? Ich bin sicher, daß er dann kommen wird. Was das betrifft, ist der Gabriel ein Mann, auf den man sich verlassen kann.«

Bathsheba bezwang ihren Gram und wischte sich die Augen trocken. »Oh, es ist grausam und ungerecht – das ist es – das ist es!« murmelte sie. »Und er zwingt mich, gegen meinen Willen zu handeln – er zwingt mich! – Tall, komm mit mir!«

Nach diesem Zusammenbruch, bei dem die großbäuerliche Würde doch ein wenig gelitten hatte, ging sie ins Haus, gefolgt von Tall. Drinnen setzte sie sich hin und kritzelte – unterbrochen von kurzem, stoßweisem Schluchzen, in dem der Tränenausbruch verebbte wie die Dünung nach einem Sturm – eine kurze Botschaft. Wenn man die Eile berücksichtigte, in der sie geschrieben wurde, war der Ton durchaus höflich. Sie hielt das Papier prüfend auf Abstand und wollte es schon falten, fügte aber dann doch eine letzte Zeile hinzu –

Laß mich nicht im Stich, Gabriel!

Als sie hierauf den Brief wirklich in den Umschlag steckte, war ihr Gesicht leicht gerötet, und sie preßte die Lippen zusammen, als wollte sie die Gewissensentscheidung, ob ein solches Vorgehen gerechtfertigt sei, so lange aufschieben, bis es zu spät wäre. Doch der Brief wurde abgeschickt, wie er war, und Bathsheba wartete in ihrem Zimmer auf das Ergebnis.

Eine quälende Viertelstunde verging zwischen dem Aufbruch des Boten und dem Augenblick, als draußen wieder das Trappeln von Pferdehufen vernehmbar wurde. Diesmal schaute sie nicht, sondern stützte sich auf den alten Schreibtisch, an dem sie den Brief geschrieben hatte, und schloß die Augen, als wollte sie gleicherweise Furcht und Hoffnung von sich halten.

Die Voraussetzungen waren immerhin nicht ungünstig. Gabriel zürnte nicht. Er hatte einfach neutral reagiert, obwohl sie ihn zuerst so hochmütig herbefohlen hatte. Bei etwas weniger Anziehungskraft hätten derartige Allüren alles verdorben, in etwas gemäßigterer Form ließen sie sich allerdings bei einer so schönen Frau wohl entschuldigen.

Sie ging hinaus, als sie das Pferd hörte. Zwischen ihr und dem Himmel ritt jemand zu dem Feld hinüber, wo die Schafe waren. Nun wandte er den Kopf: Gabriel sah sie an. Es war eine jener Situationen, in denen die Augen einer Frau das Gegenteil dessen sprechen, was ihr Mund redet. Bathsheba blickte ihm nach und sagte:

»Oh, Gabriel! Wie hast du mir so weh tun können?«

Mehr als einen solchen sanften Vorwurf hätte er an Stelle des Danks dafür, daß er nun doch gekommen war, auch nicht hinnehmen können.

Gabriel brummte etwas Unverständliches und beeilte sich. Bathsheba sah ihm an, welcher Satz in ihrem Brief ihn umgestimmt hatte.

Gabriel befand sich schon bei den Schafen. Er hatte seinen Mantel abgeworfen, die Hemdsärmel hochgekrempelt und aus seiner Tasche das rettende Instrument gezogen. Es handelte sich um ein kurzes Röhrchen oder Trochar, durch das eine Klinge geführt wird, und die Geschicklichkeit, mit der es Gabriel handhabte, hätte einem Chirurgen Ehre gemacht. Er strich mit der Hand über die linke Flanke des Schafs, bestimmte die richtige Stelle und durchstach mit dem Skalpell, das in dem Röhrchen steckte, die Haut und den Pansen; dann zog er die Klinge zurück, ließ aber das Röhrchen an seinem Platz. Das Gas fauchte mit solchem Druck heraus, daß es an der Öffnung eine Kerze ausgeblasen hätte.

Es heißt, daß zunächst schon das Nachlassen eines Schmerzes als angenehm empfunden wird, und an den Gesichtern der armen Geschöpfe war dies nun abzulesen. In neunundvierzig Fällen hatte die Operation Erfolg. Die angesichts des fortgeschrittenen Zustands, in dem sich manche Tiere bereits befanden, gebotene Eile führte dazu, daß Gabriel in einem – nur einem einzigen – Fall seine Absicht verfehlte, danebenstach und dem kranken Schaf eine Verletzung zufügte, die es sofort tötete. Vier waren gestorben, drei erholten sich ohne Operation. Insgesamt waren siebenundfünfzig Schafe in den so gefährlichen Klee geraten.

Als der von seiner Liebe gelenkte Mann das Werk getan hatte, trat Bathsheba heran und sah ihm in die Augen.

»Willst du bei mir bleiben?« fragte sie. Sie lächelte ihn bittend an und nahm sich erst gar nicht die Mühe, die Lippen wieder zu schließen, weil sogleich ein nächstes Lächeln fällig sein sollte.

»Ich bleibe«, sagte Gabriel.

Worauf sie abermals lächelte.

Daß ein Mensch aus dem Blickfeld entschwindet und in Vergessenheit gerät, liegt ebenso oft daran, daß er eine positive Stimmung nicht richtig nützt, wie an einem Mangel an Optimismus, wenn er ihn am nötigsten hätte. Erst vor kurzem hatte Gabriel sich zum ersten Mal seit dem Schicksalsschlag, der ihn getroffen, wieder zu einer beachtlichen inneren Unabhängigkeit durchgerungen und entsprechende Energie im Handeln bewiesen, also Bedingungen hergestellt, die ohne die Gunst der Verhältnisse freilich so wirkungslos bleiben wie die Gunst der Verhältnisse ohne sie, und sie hätten ihm bestimmt Auftrieb gegeben, wenn eine solche Konstellation eingetreten wäre. Aber das heillose Kleben an Bathsheba stahl ihm zuviel an kostbarer Zeit. Die Flutwelle des Frühlings ging über ihn hin, und er wurde nicht flott; schon drohte die Ebbe, von der nichts zu erwarten war.

Es war der erste Junitag, und die Schursaison war auf dem Höhepunkt. Das ganze Land, auch noch die kargste Weide, strotzte und leuchtete. Alles Grün war frisch, jede Pore aufgetan, jeder Stengel prall von drängenden Säften. Gott war zum Greifen nahe, der Teufel zur Stadt abgezogen. Seidige Kätzchen von den Spätblühern, Farnsprossen wie Bischofsstäbe, breitköpfiges Moschuskraut, der seltsame Aronsstab (ein schlagflüssiger Heiliger in einer Grotte aus Malachit), schneeiges Schaumkraut, die Schuppenwurz (fast wie Menschenfleisch), das Hexenkraut und die schwarzblütige Schachblume zählten in dieser Zeit des Sprießens zu den selteneren Gewächsen, die man in und um Weatherbury finden konnte; im animalischen Bereich hingegen fanden sich die verwandelten Gestalten von Mr. Jan Coggan, dem Meisterscherer, dann die des zweiten und des dritten Scherers, die ihren Beruf als Wandergewerbe ausübten und unbenannt bleiben können. Hinzu kamen Henery Fray als vierter, Susan Talls Mann als fünfter und Joseph Poorgrass als sechster Scherer; dazu noch der junge Cain Ball als Hilfsscherer und Gabriel Oak als Anführer und Aufseher. Was sie am Leib trugen, war nicht weiter erwähnenswert – es schien eine passable Mitte zwischen der Bekleidung von Brahmanen und Parias zu halten. Die kantigen Züge und überhaupt eine gewisse Starre der Gesichtsmuskulatur ließen erkennen, daß hier ernste Arbeit getan wurde.

Sie arbeiteten in der großen Scheuer, die aus gegebenem Anlaß als Schurtenne bezeichnet wurde. Die Scheuer glich im Grundriß einer Kirche mit Querschiffen und konnte sich auch ihrem Alter nach mit der benachbarten Kirche messen. Niemand wußte mehr, ob die Scheuer früher einmal zu einem klösterlichen Komplex gehört hatte; Spuren von solchen Gebäuden gab es keine. Die gewaltigen Tore an den Seiten, die selbst hoch mit Garben beladene Wagen durchließen, waren von spitz zulaufenden Bögen aus roh behauenem Stein gerahmt, und ihre Schlichtheit strahlte eine Würde aus, wie man sie bei Bauwerken, die mehr Zierat tragen, nicht findet. Der düstere, schorfige Dachstuhl aus Kastanienholz, geschäftet und verstrebt in mächtigen Querbalken, Bögen und Diagonalen, war mit viel mehr Aufwand an Material gestaltet und daher auch edler in den Linien als gut neun Zehntel unserer modernen Kirchen. Entlang jeder Seitenwand lief eine Reihe von Strebepfeilern, die ihre Schatten in die Zwischenräume legten, die unterbrochen waren von lanzettförmigen Öffnungen, deren Proportionen exakt den Wunsch nach Harmonie mit den Erfordernissen der Belüftung vereinigten. Im Gegensatz zu einer Kirche oder einer Burg, die ihr nach Alter und Stil verwandt waren, ließ sich von der Scheuer behaupten, daß sie nach wie vor denselben Zwecken diente, die seinerzeit ihren Bau bestimmt hatten. Anders und jenen beiden typischen Zeugen mittelalterlicher Vergangenheit überlegen, stand die alter Scheuer für Rituale, an denen die Zeit spurlos vorübergangen war. Hier wenigstens gab es zwischen dem Geist, aus dem sie errichtet worden war, und dem Bewußtsein eines Betrachters aus unseren Tagen keinen Widerspruch. Wenn man vor diesem von den Jahrhunderten zurechtgeschliffenen Bauwerk stand, es in seinem derzeitigen Gebrauch beobachtete und dabei mit der Genugtuung, die aus der allseitigen Funktionalität und Kontinuität floß, seine Geschichte bedachte, empfand man fast etwas wie Dankbarkeit und mehr noch wie Stolz angesichts der Beständigkeit der Idee, aus der es entstanden war. Die Tatsache, daß es sich nach vierhundert Jahren weder als Fehlplanung erwiesen noch durch seine Bestimmung Gegner gemacht oder irgendeine Reaktion hervorgerufen hatte, die es zerstört hätte, gab diesem schlichten, grauen Zeugnis einstigen Strebens etwas Beharrendes, ja Großartiges, das bei seinen geistlichen und kriegerischen Zeitgenossen durch allzu eifriges Spekulieren leicht gemindert wird. Hier fanden sich Mittelalter und Moderne ausnahmsweise in demselben Punkt. Die schmalen Spitzbogenfenster, die verwitterten Gewölberippen und Kehlungen, die Ausrichtung der Achsen, das im Dunkel verdämmernde Balkenwerk – all das hatte weder mit überholter Befestigungstechnik noch mit einer ausgelaugten Religion zu tun. Das tägliche Brot ist nach wie vor ein Thema für die Wissenschaft, Gegenstand des Glaubens und Bedürfnis.

An diesem ersten Junitag waren die großen Seitentore weit der Sonne geöffnet, um möglichst viel Licht dorthin einzulassen, wo die Schur vor sich ging, nämlich auf dem Dreschboden in der Mitte, gefügt aus dicken Eichenbohlen, altersschwarz und seit vielen Generationen von den Flegeln poliert, so daß er spiegelglatt war und seidig glänzte wie das Parkett in den Prunkräumen eines elisabethanischen Herrenhauses. Hier knieten die Scherer. Die Sonnenstrahlen fielen schräg auf ihre gebleichten Hemden, die gebräunten Arme und die scharfgeschliffenen Scheren, die in tausendfachen Reflexen blitzten, daß es einen Menschen mit empfindlichen Augen geblendet hätte. Jeder hatte ein keuchendes Schaf unter sich liegen, dessen Atem, als die Furcht in Entsetzen umschlug, immer schneller ging, bis es zitterte wie das sommerheiße Land draußen.

In diesem Bild, das die Gegenwart in einen vierhundertjährigen Rahmen faßte, kam kein Kontrast zwischen Gestern und Heute auf. Im Vergleich mit dem städtischen Leben kannte Weatherbury keinen Wandel. Was für die Städter abgetane Vergangenheit ist, bleibt für das Landvolk ein Hier-und-Jetzt. Was in London vor zwanzig oder dreißig, in Paris vor zehn oder fünf Jahren geschah, ist lange her; in Weatherbury umschloß die Gegenwart gleich drei oder vier Dutzend Jahre, und erst ein Jahrhundert hinterließ Spuren, grub eine Falte ins Antlitz oder veränderte den Farbton. Fünf Jahrzehnte hatten den Schnitt der Gamaschen, die Stickerei auf den Kitteln kaum merklich beeinflußt. Zehn Generationen hatten nicht genügt, um eine einzige Redewendung abzunützen. In diesen Winkeln von Wessex ist das, was für den schnellebigen Fremden aus grauer Vorzeit stammt, nicht älter als alt, das Alte ist noch immer neu, die Gegenwart schon die Zukunft.

So war die Scheuer für die Scherer etwas Wohlvertrautes, Scherer und Scheuer fügten sich ohne Bruch.

Die geräumigen Ausläufer des Gebäudes, die dem Schiff und

dem Chor einer Kirche entsprachen, hatte man mit Hürden abgeschränkt und die Schafe in diesen zwei Gevierten zusammengetrieben. In einer Ecke gab es einen Verschlag, wo ständig drei oder vier Schafe für die Scherer bereitgehalten wurden, damit keine Zeit verloren ging. Im Hintergrund, von bräunlichen Schatten laviert, hielten sich die drei Frauen – Maryann Money, Temperance und Soberness Miller –, hoben die Vliese auf und drehten Wollstränge zu Zöpfen, mit denen sie die Vliese bündelten. Unauffällig machte sich dabei auch der alte Mälzer nützlich, wie er es nach dem Mälzen, das von Oktober bis April ging, auf den Farmen im Umkreis zu tun pflegte.

Über all dem stand Bathsheba und hatte ein Auge auf die Männer, daß sie nicht unbedacht ein Tier verletzten, aber auch kurz genug schoren. Gabriel, der unter ihrem wachen Blick wie eine Motte herumschwirrte, schor nicht ausschließlich: Die Hälfte seiner Zeit verging damit, die anderen zu betreuen und die Schafe für sie auszuwählen. Im Augenblick war er dabei, einen Becher mit mildem Schnaps, der aus einem Fäßchen in der Ecke kam, weiterzureichen und Brot und Käse aufzuschneiden.

Bathsheba hatte hier genauer hingesehen, da gemahnt und dort einen von den jüngeren Arbeitern abgekanzelt, weil er das Schaf, das er zuletzt geschoren, zur Herde entlassen hatte, ohne ihm neuerlich die Initialen aufzuprägen, und nun kam sie zu Gabriel, der gerade den Imbiß beiseitestellte, um ein verängstigtes Schaf zu seiner Schurstelle zu befördern und mit einem geschickten Schwung auf den Rücken zu legen. Er kappte die Fransen am Kopf und legte Nacken und Hals bloß, während seine Herrin ihn ruhig beobachtete.

»Es kränkt sich so, daß es rot wird«, murmelte Bathsheba, während sie die rosige Welle beobachtete, die nun aufwallte und Hals und Schultern des Schafs übergoß, soweit sie von der klappernden Schere freigelegt worden waren: Ein Erröten, um dessen zarten Ton manche Salonlöwin das Schaf beneiden konnte, und das in seiner Promptheit jeder Frau Ehre gemacht hätte.

Der arme Gabriel genoß das Gefühl, sie über sich stehen zu haben und ihren kritischen Blick auf seiner flinken Schere zu spüren, die bei jedem Schnitt ins Fleisch zu schneiden drohte und es doch nie tat. Wie Güldenstern auf Hamlets diesbezügliche Frage hätte Oak antworten können, daß er glücklich, weil nicht überglücklich sei. Er hatte gar nicht den Wunsch, mit ihr zu reden. Es genügte, daß er mit dieser strahlenden Frau zu einer in sich geschlossenen, vom Rest der Welt geschiedenen Einheit verbunden war.

Das Reden blieb daher ihr überlassen. Gesprächigkeit sagt oft nichts – wie hier im Fall Bathshebas; Schweigen ist oft sehr vielsagend – Gabriel lieferte den Beweis. Erfüllt von dieser diffusen, temperierten Seligkeit arbeitete er weiter, indem er das Schaf auf die andere Seite schwang, seinen Kopf mit dem Knie verdeckte und Streifen um Streifen die Schere um die Wamme, dann über Flanken und Rücken führte, um schließlich beim Schwanz zu enden.

»Saubere Arbeit – und eine gute Zeit!« stellte Bathsheba fest, indem sie nach dem letzten Scherenschnippen auf ihre Uhr blickte.

»Wie lange, Miss?« fragte Gabriel und wischte sich die Stirn.

»Dreiundzwanzig und eine halbe Minute, seit du beim ersten Büschel angesetzt hast. Ich habe noch nie gesehen, wie es einer unter einer halben Stunde schafft.«

Das saubere, schlanke Tier stieg aus der Wolle – wer dächte da nicht an die Schaumgeburt der Aphrodite? – und sah verblüfft und schüchtern auf seine abgetane Hülle, die wolkenweich als ein Ganzes auf dem Boden lag, sichtbar nur das Innere, nie vorher dem Licht Ausgesetzte, das weiß wie Schnee und ohne den geringsten Makel war.

»Cain Ball!«

»Ja, Mister Oak. Hier bin ich.«

Nun läuft Cainy mit dem Teertopf heran. »B. E.« wird der nackten Haut aufgeprägt, und schon springt das gute Ding aufatmend davon, über die Schranke zur Herde der Abgepelzten draußen. Dann erscheint Maryann, sammelt die losen Wollbüschel auf, rollt sie zusammen mit dem Vlies ein und trägt dreieinhalb Pfund davon, unverfälschte Wärme für Unbekannte in der Ferne, die sie im Winter schätzen werden, aber doch nie das wunderbare Gefühl kennenlernen, wie es die frische, reine Wolle hier vermittelt, wie Sahne der Magermilch allem Wollzeug überlegen, bevor sie ihre lebendige Geschmeidigkeit verliert, spröd, trocken und ausgewaschen wird.

Aber das schnöde Schicksal sorgte dafür, daß Gabriels Glück an diesem Morgen nicht ungetrübt blieb. Die Böcke, die Altschafe und die Tiere, die schon zwei Schuren hinter sich hatten, waren bereits durch, und die Männer machten sich nun an die jüngeren, die zum zweiten oder gar zum ersten Mal geschoren wurden, als Oaks Hoffnung, Bathseba werde neben ihm stehenbleiben und noch einmal die Zeit nehmen, jäh und schmerzlich zunichte wurde. Im entlegensten Winkel der Scheuer stand plötzlich Farmer Boldwood. Niemand hatte ihn eintreten sehen, aber da war er. Boldwood war immer von einer Aura eigener, höherer Lebensart umgeben, die jeder spürte, der ihm nahekam. Das schon durch Bathsebas Gegenwart ein wenig gehemmte Schwatzen verstummte jetzt vollends.

Er kam herüber zu Bathseba, die ihn ohne jede Befangenheit begrüßte, und sprach leise auf sie ein. Auch sie dämpfte instinktiv ihre Stimme, ahmte schließlich sogar seinen Tonfall nach. Sie hatte durchaus nicht die Absicht, irgend eine geheimnisvolle Beziehung zu ihm anzudeuten, aber die Anziehungskraft, die eine starken Natur auf Frauen in diesem leicht beeindruckbaren Alter hat, äußert sich nicht nur in der Wortwahl, wie es die tägliche Erfahrung lehrt. Wenn der Einfluß sehr mächtig ist, beeinflußt das auch Modulation und Tonart.

Gabriel konnte nicht hören, was sie redeten. Sein innerer Abstand bewirkte, daß er sich auch äußerlich fernhielt, aber seine Anteilnahme ließ sich nicht unterdrücken. Als Ergebnis des Zwiegesprächs reichte der galante Farmer ihr die Hand, um Bathseba über den Scherbord hinaus in das helle Junilicht zu geleiten. Dort standen sie bei den schon geschorenen Schafen und redeten weiter. Über die Schafe? Offensichtlich nicht. Gabriels nicht abwegige Theorie war, daß jemand, der in Ruhe über etwas spricht, das sich in seinem Blickfeld befindet, seine Augen darauf fixiert hält. Bathseba jedoch betrachtete einen lächerlichen Strohhalm, der auf der Erde lag, und diese Beschränkung ließ nicht so sehr auf eine Fachsimpelei unter Schafzüchtern als auf mädchenhafte Verlegenheit schließen. Die Farbe ihrer Wangen wechselte, indem das Blut in einem Schwanken wie zwischen Ebbe und Flut aus ihnen wich und wieder hochstieg.

Sie verließ Boldwoods Seite, und er schritt fast eine Viertelstunde lang allein auf und ab. Dann erschien sie wieder in ihrem neuen myrtengrünen Reitkleid, das sich um ihre Taille schmiegte wie die Schale einer Frucht. Der junge Bob Coggan führte ihre Stute herbei, während Boldwood sein Pferd von dem Baum, wo er es abgestellt hatte, losband.

Oak vermochte den Blick nicht von ihnen zu wenden und weil er, während er Bathsheba beobachtete, mit seiner Arbeit fortfuhr, verletzte er das Schaf in der Lende. Bathsheba schaute sofort hin und sah das Blut.

»O Gabriel!« rief sie vorwurfsvoll. »Ausgerechnet du, der so streng mit den anderen ist! Schau, was du angerichtet hast!«

Für einen Außenseiter wäre das eine milde Rüge gewesen, Oak jedoch wußte, daß Bathsheba der Zusammenhang klar war, daß sie die Ursache für die Verletzung des Schafs war, weil sie den, der die Schere führte, an einer viel empfindlicheren Stelle verletzt hatte. Der Schmerz, den er empfand, wurde durch das Bewußtsein der Distanz, die ihn von ihr und Boldwood trennte, alles andere als gelindert. Dennoch gelang es ihm, sich an seinen mannhaften Vorsatz zu halten, daß er sie nicht mehr mit den Augen eines Verliebten sehen wollte, und er konnte seine Gefühle verbergen.

»Flasche!« befahl er ganz routinemäßig. Cainy Ball rannte herbei, die Wunde wurde ausgewaschen, und die Schur ging weiter.

Boldwood half Bathsheba in den Sattel. Ehe sie abritten, wandte sie sich noch einmal so peinigend gnädig an Oak.

»Ich gehe jetzt mit Mr. Boldwood und schaue mir seine Leicesters an. Du vertrittst mich hier in der Scheuer, Gabriel, und schaust darauf, daß jeder tut, was er zu tun hat.«

Sie wendeten die Pferde und trabten los.

Alle, die Boldwood kannten, beobachteten seine starke Neigung für Bathsheba mit großem Interesse. Nachdem er ihnen so viele Jahre hindurch als Beleg dafür gedient hatte, wie zuträglich das Dasein eines Junggesellen ist, bewirkte sein Fall nun eine Ernüchterung, die an John Longs Tod an der Schwindsucht erinnerte, von eben der er beweisen wollte, daß sie keine tödliche Krankheit sei.

»Da kommt eine Hochzeit auf uns zu«, stellte Temperance Miller fest. Sie schaute den beiden nach, bis sie außer Sicht waren.

»Würde ich auch meinen«, stimmte ihr Coggan zu, ohne von der Arbeit aufzublicken.

»Nun, so bleibt doch die Kirche im Dorf«, meinte Laban Tall und legte sein Schaf auf die andere Seite.

Henery Fray sagte und blickte dabei verächtlich um sich: »Ich verstehe nicht, wozu ein Mädchen einen Mann braucht, wenn sie ihr eigenes Haus und genug Grips hat, sich auch allein durchzuschlagen. Damit nimmt sie nur einer anderen den Platz weg. Aber wenigstens machen die beiden nicht gleich vier Menschen unglücklich.«

Bathsheba mit ihrer ausgeprägten Individualität forderte unweigerlich die Kritik von Leuten wie Henery Fray heraus. Ihr auffälligster Fehler war, daß sie ihr Mißfallen zu deutlich kundtat und in ihrem Lob zuviel Zurückhaltung übte. Bekanntlich gibt nicht das absorbierte, sondern das reflektierte Licht den Körpern die Farben, die wir an ihnen sehen; genau so wird das Charakteristische an einem Menschen durch seine Abneigungen bestimmt, während seine Zuneigungen übersehen werden, als gehörten sie gar nicht zu ihm.

Etwas versöhnlicher fuhr Henery fort: »Einmal habe ich es ihr ordentlich ins Gesicht gesagt, soweit sich das ein alter Krauter bei so einem vorlauten Ding leisten kann. Ihr wißt ja, wie ich bin und was passiert, wenn mir was über die Hutschnur geht und ich loslege.«

»Ja, das wissen wir, Henery.«

»Da habe ich also zu ihr gesagt: ›Miss Everdene, es gibt gewisse Aufgaben – und es gibt auch Männer, die das Zeug dazu hätten und es gern tun würden. Was sie davon abhält, ist nur der Haß‹ – nein, nicht der Haß; Haß habe nicht gesagt – ›was sie abhält, ist nur die Tücke des anderen Geschlechts.‹ Womit ich die Frauen gemeint habe. Gut gegeben, was?«

»Allerhand.«

»Ja. Und ich hätte es mir um mein Leben und die ewige Seligkeit nicht verbissen. So bin ich, wenn ich erst einmal in Fahrt bin!«

»Ein aufrechter Mann! Stolz wie der Satan!«

»Begreift ihr, worauf ich hinauswollte? Es ist mir darum gegangen, daß sie keinen Verwalter haben will, aber ich habe es so gedreht, daß sie das nicht gleich mitkriegt, damit ich mich noch deutlicher ausdrücken kann. Das ist meine Diplomatie . . . Aber sie soll nur heiraten, wen sie will. Und vielleicht ist es schon höchste Zeit! Ich würde meinen, Farmer Boldwood hat sie geküßt – damals im Schilf, wie wir die Schafe gewaschen haben.«

»Du lügst!« sagte Gabriel.

»Woher wollt Ihr das wissen, Nachbar Oak?« fragte Henery sanft.

»Weil sie mir erzählt hat, was dort geschehen ist«, erwiderte Oak. Daß er diesbezüglich nicht wie die anderen Scherer war, bereitete ihm eine pharisäische Genugtuung.

»Es ist Euer gutes Recht, daran zu glauben«, gestand Henery widerwillig zu. »Euer gutes Recht! Aber vielleicht sehe ich die Dinge aus etwas größerem Abstand deutlicher. Ob einer das Zeug zum Verwalter hat, macht nicht viel Unterschied – ein Unterschied bleibt's doch. Aber das soll nicht meine Sorge sein. Hört gut zu, Nachbarn! Ich will's so einfach sagen, als ich kann, aber mancher wird's trotzdem nicht leicht verstehen.«

»Was ist es, Henery?«

»Alt und überflüssig bin ich, Freunde – wo der Wind mich hinweht. Ein bißchen verschroben wohl auch. Trotzdem habe ich so meine Ideen. Und was für Ideen! Ich könnt's, wenn es darauf ankommt, auch mit gewissen Schäfern aufnehmen. Aber wozu? Nein . . .«

»Alt willst du sein?« raunzte der Mälzer dazwischen. »Du bist überhaupt nicht alt. Du hast ja noch deine halben Zähne! Was ist das für ein Alter, wenn einer noch seine eigenen Zähne hat? Du bist noch in den Windeln gesteckt, da war ich schon verheiratet! Mit deinen Sechzig darfst du dich hier nicht dick machen, solang es andere gibt, die ihre Achtzig weit hinter sich haben! Matte Sache!«

Es war in Weatherbury üblich, kleinere Differenzen sofort abzubrechen, wenn es galt, den Mälzer zu beschwichtigen.

»Ja, matte Sache!« bestätigte Jan Coggan. »Uns allen ist klar, was für ein großartiger alter Herr du bist, Mälzer. Da gibt's keinen, der was dagegen sagen könnte.«

»Nicht einen einzigen«, versicherte auch Joseph Poorgrass. »Es ist selten, daß man einen so alten Menschen wie dich sieht, Mälzer, und wir alle bewundern, wie gut du dich hälst.«

»Ja. Und wie ich noch jung und im Saft war, hat es auch nicht wenige gegeben, die mich zu schätzen gewußt haben.«

»Ganz bestimt, Mälzer – ganz bestimmt.«

Der knorrige Greis war besänftigt, und anscheinend hatte auch Henery Fray, was er wollte. Damit die Unterhaltung so friedlich weiterlief, meldete sich jetzt Maryann zu Wort, die mit ihrem braunen Gesicht und dem Tuch aus rostrotem Grobzeug aussah, als sei sie einem alten Gemälde – etwa einem Poussin – entstiegen.

»Kennt einer von euch vielleicht einen Lahmen, Tauben oder

sonst Angeschlagenen, der für mich in Frage käme? Mit einem, der keinen Schaden hat, kann ich in meinem Alter nicht mehr rechnen. Aber wenn ihr so einen wißt, wär' das für mich mehr als der knusprigste Sonntagsbraten.«

Coggan lieferte eine passende Antwort. Oak fuhr mit seiner Arbeit fort, ohne mehr zu sagen. Eine ungute Stimmung war aufgekommen und störte ihn in seinem Frieden. Bathsheba hatte angedeutet, daß sie ihn über seine Genossen setzen und zu dem Verwalter machen wollte, den die Farm dringend brauchte. Ihm war die Farm in diesem Zusammenhang gleichgültig. Er hatte sich den Posten im Hinblick auf Bathsheba erhofft – die Frau, die er liebte und die keinem anderen Mann angehörte. Jetzt kam es ihm vor, als habe er sie immer nur durch einen Nebel, nur in undeutlichen Konturen gesehen. Und die Strafpredigt, die er ihr gehalten, war wohl das Verkehrteste überhaupt gewesen. Nicht Boldwood hatte sie an der Nase herumgeführt, sondern ihn, Oak, selbst, indem sie so tat, als hätte sie mit einem anderen ihr Spiel getrieben. Innerlich war er wie seine weniger betroffenen und ungebildeteren Kollegen überzeugt, daß Miss Everdene noch am selben Tag Boldwood ihr Jawort geben werde. Gabriel war damals schon der instinktiven Abneigung eines jeden Christenknaben gegen das Bibellesen entwachsen, blätterte sogar oft in der Heiligen Schrift und sagte nun bei sich: »Ich habe gefunden, daß das Weib bitterer als der Tod sei; sie ist ein Fangstrick der Jäger, ihr Herz eine Falle, und ihre Hände sind Bande.« Das rutschte aber nur so aus ihm heraus – Staub, den der Sturm aufwirbelt. An seiner Liebe zu Bathsheba änderte es nichts.

»Für uns Arbeitsleute wird's heute abend ein tolles Fest geben«, sah Cainy Ball voraus und gab damit seinen Gedanken eine andere Richtung. »Heute früh hab' ich gesehen, wie sie einen riesengroßen Preßsack im Melkkübel angemacht haben: Fettbrocken so dick wie Euer Daumen, Mister Oak! Sowas von Fettbrocken hab' ich noch nie gesehen, so dick und so schön anzuschauen – bis jetzt waren sie nie größer als Bohnen. Und auf dem Dreifuß ist ein mächtiger, schwarzer Topf gestanden. Was drin war, weiß ich nicht . . .«

»Und zwei Fässer voll Äpfel für Apfelkuchen!« fügte Maryann hinzu.

»Nun – ich hoffe, daß ich auch dabei meinen Mann stehen werde«, meinte Joseph Poorgrass und schmatzte genüßlich im voraus. »O ja! Speis und Trank ist ein fröhlich Ding, es gibt den Schwachen neue Kraft, wenn man so sagen darf. Das Evangelium des Leibes, ohne das wir sozusagen zugrundegehen täten.«

Für den Festschmaus hatte man auf dem Rasen beim Haus eine lange Tafel aufgebaut, deren eines Ende etwa einen halben Meter weit durch das breite Fenster in den Salon hineinreichte. Miss Everdene saß dort drinnen an der Spitze der Tafel. So präsidierte sie, ohne sich unter die Männer zu begeben.

Bathsheba war an diesem Abend seltsam erregt, die roten Wangen und Lippen hoben sich leuchtend gegen ihre schwarzen Locken ab. Sie schien jemanden zu erwarten, und der Stuhl am anderen Ende der Tafel blieb auf ihre Anordnung hin unbesetzt, bis das Mahl begonnen hatte. Dann erst bat sie Gabriel, den Platz dort und die damit verbundenen Gastgeberpflichten zu übernehmen, was er sehr bereitwillig tat.

In diesem Augenblick trat Mr. Boldwood durch das Gartentor und ging quer über den Rasen zu Bathsheba. Er entschuldigte sich für sein Zuspätkommen – sein Erscheinen war offenbar eingeplant gewesen.

»Gabriel«, sagte sie. »Würdest du bitte noch einmal übersiedeln und Mr. Boldwood deinen Stuhl überlassen?«

Oak stand schweigend auf und begab sich auf seinen ursprünglichen Platz zurück.

Der Gutsherr trug sich farbenfreudig, mit neuem Rock und weißer Weste, nicht zu verwechseln mit seinen üblichen, nüchtern-grauen Anzügen. Auch innerlich war er sehr aufgeräumt und als Folge davon ungewohnt gesprächig. Dasselbe galt, da er nun angelangt war, auch für Bathsheba, obwohl die ungebetene Anwesenheit von Pennyways – jenes Verwalters, den sie wegen Diebstahls entlassen hatte – vorübergehend ihr seelisches Gleichgewicht störte.

Nach dem Mahl begann Coggan vor sich hinzusingen, ohne Bedacht auf Zuhörer:

> Mein Lieb hab ich verloren: Was schert es mich?
> Mein Lieb hab ich verloren: Was schert es mich?
> Bald find ich eine Neue,
> Bessere und treue:
> Mein Lieb hab ich verloren: Was schert es mich?

Sein Liedchen wurde von den Umsitzenden mit Wohlwollen aufgenommen. Die Einlage gehörte zu jenen vertrauten

Kunstgenüssen, die – wie das Werk eines bekannten Autors, für das nicht erst in der Zeitung geworben werden muß – keinen Applaus brauchen.

»Und jetzt seid Ihr an der Reihe, Master Poorgrass!« sagte Coggan.

»Ich habe schon zuviel getrunken«, erwiderte Joseph bescheiden. »Ich bin nicht in Form.«

»Unsinn! Du wirst doch nicht so undankbar sein wollen, Joseph!« verwies ihn Coggan, und seine Stimme klang gekränkt. »Unser Fräulein schaut auch her auf dich, als ob sie sagen wollte: So sing schon, Joseph Poorgrass!«

»Ja, da hast du recht ... Also, wenn es sein muß ... Aber schaut mir aufs Gesicht, ob mir das Blut nicht so hochkommt, daß ich mich verrate –«

»Nein, deine Farbe ist ganz normal«, beruhigte ihn Coggan.

»Ich versuche immer, daß ich nicht rot werde, wenn eine schöne Frau auf mich schaut«, meinte Joseph zweifelnd. »Aber wie's einem angeboren ist, so trifft's einen ...«

»Bitte, Joseph! Dein Lied!« ließ sich Bathsheba vom Fenster her vernehmen.

»Wahrhaftig, Fräulein«, gab er nach. »Ich weiß nicht, was ich sagen soll ... Es wären nur ein paar armselige Strophen, die ich mir ausgedacht habe.«

»Hört, hört!« rief die Runde.

Dadurch ermutigt begann Poorgrass ein nicht eben durchkomponiertes, aber gutgemeintes und sehr gefühlvolles Lied, dessen Melodie aus einem Grundton und einem zweiten Ton bestand, auf dem hauptsächlich der Akzent lag.

Der Erfolg war so groß, daß er sich nach ein paar mißglückten Anläufen in ein nächstes Lied stürzte:

> Gesä-et ha-be ich –
> Gesä-et ha-be ich –
> Gesät die Saat der Liebe
> Wohl zu der Frühlingszeit,
> Im A-pril, Mai und Junimond,
> Wenn all die Vöglein singen.

»Gut macht er das«, fand Coggan. »Das mit den singenden Vöglein war sehr stark.«

»Ja. Und die ›Saat der Liebe‹ – das war auch sehr hübsch gesagt und sehr gut gebracht. Obwohl es bei der ›Liebe‹ teuflisch scharf noch oben geht für einen Mann, bei dem die Stimme kippt. Noch eine Strophe, Master Poorgrass!«

Dem kleinen Bob Coggan widerfuhr jedoch bei dieser Darbietung eines jener Mißgeschicke, wie sie Kindern bei besonders ernsten Anlässen zu passieren pflegen. Indem er versuchte, sein Lachen zu unterdrücken, hatte er von dem Tischtuch in seinen Mund gestopft, soviel er nur fassen konnte, aber die so gewaltsam zurückgestaute Heiterkeit brach sich alsbald Bahn durch die Nase. Joseph bemerkte es, lief rot an vor Ärger und hörte zu singen auf. Coggan verabreichte Bob eine Ohrfeige.

»Weiter, Joseph – weiter! Mach dir nichts aus dem Fratzen«, sagte Coggan: »Das geht einem so recht ins Blut! Komm schon – die nächste Zeile! Ich stütze dich bei den hohen Tönen ab, wenn dir die Luft ausgeht:

> Und der Weide Zweige rauschen,
> Und der Weide Zweige flüstern.

Aber der Sänger war nicht mehr umzustimmen. Bob Coggan wurde heimgeschickt, weil er sich so schlecht benommen hatte, und Jacob Smallbury stellte den Frieden wieder her, indem er zu einer langatmigen, komplizierten Ballade ansetzte.

Es war noch die leuchtende Zeit des Abendrots, obwohl sich am Boden bereits die Nacht heranstahl und die hellen Strahlen von Westen her über die Erde strichen, ohne sie inniger zu berühren oder die Schattenzonen aufzuhellen. Die Sonne war, in einem letzten Bemühen vor dem Abschied, auf die andere Seite des Baums gekrochen und fing nun zu sinken an. Die Scherer tauchten bis an die Gürtel in bräunliches Zwielicht, während ihre Köpfe und Schultern, mit einem Gelbton von eigentümlicher Leuchtkraft belegt, noch den Tag genossen.

Nun ging die Sonne in ockerfarbenem Nebel unter; sie aber saßen weiter beisammen, unterhielten sich und wurden heiter wie die olympischen Götter. Bathsheba thronte noch immer in ihrem Fenster und vertrieb sich die Zeit mit einer Strickarbeit, von der sie hin und wieder aufschaute, um die verblassende Szene draußen zu betrachten. Das träge Zwielicht breitete sich aus und hüllte sie völlig ein, bevor die ersten Anzeichen eines Aufbruchs zu bemerken waren.

Gabriel fiel plötzlich auf, daß Farmer Boldwood nicht mehr an seinem Platz am unteren Ende der Tafel saß. Wann er verschwunden war, wußte Oak nicht, aber anscheinend hatte er sich in die Dämmerung, die sie umgab, zurückgezogen. Während Gabriel dies überlegte, kam Liddy mit Kerzen in den hinteren Teil des Zimmers, vor dessen Fenster die Scherer saßen, und die munteren, frischen Flammen warfen ihren Schein über den Tisch und die Männer bis in die grünen Schatten im Hintergrund. Bathshebas Gestalt, immer noch in derselben Stellung, war nun wieder deutlich zwischen ihnen und dem Licht zu sehen, das auch Boldwood zeigte, der in das Zimmer getreten war und neben Bathsheba saß.

Dann kam die Frage, auf die der ganze Abend hingesteuert war. Wollte Miss Everdene ihren Gästen, bevor sie nach Hause gingen, das Lied vorsingen, das sie immer so schön sang, ›Am Ufer von Allan Water‹?

Nach einem Augenblick des Zögerns erklärte sich Bathsheba dazu bereit und winkte Gabriel herbei, der sich beeilte, in ihre ersehnte Nähe zu gelangen.

»Hast du die Flöte mitgebracht?« flüsterte sie.

»Ja, Miss.«

»Dann begleite mich.«

Nun stand sie im Geviert des Fensters, den Männern zugewandt, hinter sich die Kerzen, Gabriel dicht vor der Brüstung zu ihrer Rechten. Boldwood war drinnen an ihre Linke getreten. Ihre Stimme war sanft und anfangs etwas unsicher, erhob sich aber bald und wurde klar und fest. Die folgenden Ereignisse bewirkten, daß mehr als einer der hier Versammelten sich noch nach Monaten, ja nach Jahren an eine der Strophen erinnerte:

> ›Gib deine Hand mir‹, bat er,
> der Leutenant, und sie
> war am Ufer von Allan Water
> so glücklich wie noch nie.

Zum Sopran von Gabriels Flöte trug Boldwood mit seiner tiefen Stimme den Baß bei, hielt sich aber dabei so zurück, als sollte ja kein gewöhnliches Duett zustandekommen; sein Singen bildete eher eine Art Schattenzone, die Bathshebas Lied plastisch hervortreten ließ. Die Scherer lehnten aneinander, wie es schon zu Urzeiten bei einem Mahl gewesen sein mag, und waren wie verzaubert und so still, daß man beinahe hörte, wie Bathsheba zwischen den Takten Luft holte. Erst als das Lied zu Ende war und die letzte Note in unaussprechlicher Süße verklang, hob sich jenes diffuse Beifallsgeräusch, das der schönste Applaus ist.

Natürlich konnte Gabriel nicht umhin zu beobachten, wie sich der Farmer zu der Sängerin verhielt. An seinem Benehmen war dennoch nichts Außergewöhnliches. Boldwoods Blick richtete sich auf Bathsheba, wenn alle anderen anderswohin schauten; er kehrte sich ab, sobald sie zu ihr sahen; bedankten sie sich oder fanden lobende Worte, so schwieg er; paßten sie nicht auf, so flüsterte auch er seinen Dank. Der tiefere Sinn verbarg sich in dem, was zwischen Handlungen lag, von denen keine für sich allein etwas zu bedeuten hatte – und die natürliche Eifersucht, die keinem Verliebten erspart wird, sorgte dafür, daß Oak diese Symptome nicht unterschätzte.

Dann wünschte Bathsheba ihnen eine gute Nacht und zog sich vom Fenster in den inneren Bereich des Zimmers zurück. Boldwood schloß hinter ihr die Läden. Oak ging unter den stillen, duftenden Bäumen heimwärts. Auch die Scherer standen auf, als die Bewegung, die Bathsheba mit ihrem Lied verursacht hatte, verebbt war.

»Ehre, wem Ehre gebührt«, stellte Coggan fest, als Pennyways die Bank zurückschob, um sich vorbeizudrücken: »Dieser Mann hier verdient es!« Dabei sah er den ehrenwerten Dieb an, als handle es sich um das Meisterwerk eines weltberühmten Künstlers.

»Nie hätt' ich es geglaubt, aber da haben wir den Beweis!« rülpste Joseph Poorgrass. »Die Becher, das gute Besteck und die leeren Flaschen – alles da! Niemand hat etwas eingesteckt!«

»Soviel Lob verdiene ich wirklich nicht«, knurrte Pennyways.

»Immerhin kann ich ihm eines bestätigen«, fügte Coggan hinzu. »Wenn er sich einmal zu einer wahrhaft edlen Tat entschlossen hat, wie ich es ihm heute abend vor dem Hinsetzen angesehen habe, dann führt er sie meistens auch aus. Jawohl, Nachbar, ich stelle mit Genugtuung fest, daß er diesmal nichts, aber auch schon gar nichts gestohlen hat!«

»Ja, das ist anständig von dir, Pennyways«, sagte auch Joseph, »und wir alle sind dir sehr verpflichtet.« Die übrige Gesellschaft teilte einmütig diese Ansicht.

Als man nun aufbrach und vom Salon nur ein schmaler Streifen Licht durch die Läden zu sehen war, spielte sich drinnen eine bewegte Szene ab.

Miss Everdene und Boldwood waren allein. Angesichts des Ernstes der Lage hatten Bathshebas Wangen viel von ihrer gesunden Glut verloren, aber in ihren Augen blitzte Freude über einen Triumph – obschon es ein Triumph war, mit dem sie eher in Gedanken gespielt als ihn herbeigesehnt hatte.

Sie stand hinter einem niedrigen Sessel, aus dem sie sich eben erhoben hatte, und er kniete auf dem Sitz, über die Rückenlehne zu ihr vorgebeugt, und hielt ihre beiden Hände in den seinen. Sein ganzer Körper wurde von dem geschüttelt, was Keats so sinnig als überselige Seligkeit bezeichnet. Der Widersinn, daß die Liebe einem Mann, der in Bathshebas Augen vor allem aus Würde bestanden hatte, so unerwartet eben diese Würde rauben konnte, tat ihr so weh, daß es den Genuß, sich derart angebetet zu sehen, sehr dämpfte.

»Ich werde versuchen, Euch zu lieben«, sagte sie mit zitternder Stimme, gar nicht so selbstbewußt wie sonst. »Und wenn ich hoffen darf, Euch eine gute Gattin zu sein, bin ich bereit, Euch zu heiraten. Dennoch, Mr. Boldwood, ist es keine Schande für eine Frau, vor einer so wichtigen Entscheidung zu zögern, und ich mag Euch darum heute noch kein feierliches Versprechen geben. Ich möchte Euch bitten, noch ein paar Wochen zu warten, bis ich klarer sehe, wie es um mich steht.«

»Aber Ihr habt allen Grund anzunehmen, daß Ihr dann –«

»Ich habe allen Grund zu hoffen, daß ich nach den fünf oder sechs Wochen, zwischen dem heutigen Abend und der Ernte, wenn Ihr von Eurer Reise zurückkehrt, Euch sagen kann, daß ich Eure Frau werden will«, sagte sie fest. »Aber denkt daran, noch habe ich nichts versprochen!«

»Es genügt mir – ich will nicht mehr. Ich kann auf dieses teure Wort warten. Gute Nacht für heute, Miss Everdene.«

»Gute Nacht«, sagte sie freundlich, fast sanft, und Boldwood zog sich mit einem verklärten Lächeln zurück.

Bathsheba kannte ihn jetzt besser, er hatte ihr rückhaltslos sein Herz ausgeschüttet, so daß er schließlich fast an einen prächtigen Vogel erinnerte, dem die Federn, denen er seine Pracht verdankt hatte, ausgerupft worden waren. Sie war erschüttert ob ihrer anfänglichen Kühnheit und bemühte sich, ihren Fehler gutzumachen, ohne zu überlegen, ob die Strafe, die sie sich auferlegen wollte, dem Vergehen angemessen wäre. Es war schrecklich, daß sie so etwas ausgelöst hatte, aber es war auch ein wenig ängstliche Freude dabei. Wunderbarer Leichtsinn, der zuweilen selbst ein schüchternes Mädchen Geschmack am Furchterregenden finden läßt, wenn nur ein bißchen Triumph für es dabei ist!

Zu den vielfältigen Pflichten, die Bathsheba sich mit dem Verzicht auf einen Verwalter freiwillig auferlegt hatte, gehörte insbesondere auch, daß sie vor dem Zubettgehen noch eine Runde machte und nachschaute, ob für die Nacht alles in Ordnung und sicher war. Gabriel, der Bathshebas Interessen so eifrig wie nur irgendein bestellter Aufseher wahrnahm, war ihr dabei fast jedesmal vorausgegangen, aber sie hatte von dieser Fürsorge kaum etwas bemerkt, das wenige überdies ohne Dank hingenommen. Die Frauen werden nie müde zu bejammern, wie wankelmütig der Mann in seiner Liebe ist, über seine Treue aber sehen sie einfach hinweg.

Weil man sich auf Kontrollgängen nach Möglichkeit unsichtbar macht, trug Bathsheba gewöhnlich eine abgeblendete Laterne mit sich und ließ, wie ein städtischer Polizist, nur hin und wieder einen Lichtstrahl in Winkel und Ecken fallen. Ihre Unbesorgtheit hatte vielleicht weniger mit Mut zu tun als mit dem Unvermögen, sich eine Gefahr vorzustellen. Ein Pferd, das nicht genug Stroh bekommen hatte, ein paar Hühner, die noch draußen herumliefen, eine unverschlossene Tür – das war schon das Schlimmste, was sie einkalkulierte.

Auch an diesem Abend sah sie wie immer nach den Wirtschaftsgebäuden und ging dann hinüber zur Koppel. Die einzigen Geräusche, die hier die Stille störten, waren das stete Mahlen vieler Mäuler und das starke Atmen unsichtbarer Nüstern, ausklingend in Schnarchen und Geschnaufe wie bei Orgelbälgen, die langsam getreten werden. Dann fing das Mahlen wieder an, und die Vorstellungskraft mochte dem Auge helfen, ein paar rosig-weiße, eingebuchtete Nüstern zu unterscheiden, feuchtkalt und für einen, der es nicht gewohnt ist, nicht eben angenehm zu greifen; wobei die Mäuler darunter, soweit die Zungen reichten, ein besonderes Faible für alles Lose an Bathshebas Kleidern hatten. Sah man noch genauer hin, so ließen sich eine braune Stirn und zwei blanke, nicht unfreundliche Augen und über allem ein Paar Hörner ahnen, weißlich und geschwungen wie zwei schmale Mondsicheln, während ein gelegentliches »Muh« jeden Zweifel behob, daß es sich bei diesen Erscheinungen um Daisy, Weißfuß, Jolly-O, Mädi, Bläß, Twinkle usw. usw. handelte – eine ansehnliche Kuhherde, auch sie Eigentum von Miss Bathsheba Everdene.

Der Weg, der sie zum Haus zurückführte, lief durch eine Aufforstung, wo man vor einigen Jahren Fichten ausgepflanzt hatte, um die Farm gegen den Nordwind abzuschirmen. In diesem Dickicht war es auch an einem wolkenlosen Mittag düster, nächtlich finster am Abend und um Mitternacht pechschwarz wie die neunte der ägyptischen Plagen. Der Ort ließ sich mit einem weitläufigen, niedrigen und natürlich gewachsenen Saal vergleichen; Säulen aus lebendigem Holz trugen das fiedrige Dach, während ein weicher und dunkler Teppich aus dürren Nadeln und schimmeligen Zapfen, da und dort mit Grasbüscheln durchsetzt, den Estrich bildete.

Diese Strecke war jedesmal ein unheimlicher Engpaß auf Bathshebas nächtlichem Gang, obwohl beim Aufbruch die unbestimmte Angst, die sie hier empfand, nie so greifbar war, daß sie deshalb einen Begleiter genommen hätte. Als sie nun durch das Wäldchen glitt, unsichtbar wie die Zeit selbst, meinte sie vom anderen Ende des Pfades her Schritte zu vernehmen. Sogleich setzten ihre Füße so geräuschlos auf, als fielen Schneeflocken. Der Pfad war, wie sie sich erinnerte, ein öffentlicher Fußweg, und vermutlich handelte es sich um jemanden aus dem Dorf, der nach Hause ging – aber es war ihr nicht eben angenehm, daß diese Begegnung ausgerechnet am finstersten Punkt ihres Wegs stattfinden mußte, wenn auch schon dicht vor ihrer Haustür.

Das Geräusch kam näher, und eben schien der Unbekannte sie zu passieren, als irgend etwas an Bathshebas Rock zupfte und ihn festhielt. Die Plötzlichkeit, mit der dies geschah, brachte Bathsheba beinahe aus dem Gleichgewicht, und im Bemühen, sich zu fangen, stieß sie an etwas Warmes aus Tuch mit Knöpfen.

»Hoppla!« sagte eine männliche Stimme über ihrem Kopf. »Hab' ich dir wehgetan, Junge?«

»Nein«, erwiderte Bathsheba und versuchte, sich zu befreien.

»Mir scheint, wir haben uns ineinander verhängt.«

»Ja.«

»Seid Ihr eine Frau?«

»Ja.«

»Eine richtige Dame, würde ich sagen.«

»Das tut nichts zur Sache.«

»Ich bin ein Mann.«

»Oh!«

Bathsheba zerrte wieder an ihrem Rock, aber es half nichts.

»Ist das nicht eine Blendlaterne, was Ihr da habt?« fragte der Mann.

»Ja.«

»Wenn Ihr gestattet, werde ich uns Licht geben und Euch erlösen.«

Eine Hand nahm die Laterne, die Blende wurde geöffnet, das Licht strömte aus seinem Käfig, und Bathsheba erfaßte verblüfft die Situation, in der sie sich befand.

Funkelndes Messing und Scharlach, das war der Mann, in den sie sich verhakt hatte. Ein Soldat!

Als er so plötzlich aus der Dunkelheit hervortrat, war das wie ein Trompetenstoß. Düsternis, bis dahin der unangefochtene *genius loci,* war wie nie gewesen, nicht so sehr durch den Laternenschein als durch das, worauf er fiel. Der Kontrast zu der sinistren, entsprechend gewandeten Figur, mit der Bathsheba gerechnet hatte, wirkte auf sie, als habe man sie in eine Zauberwelt versetzt.

Gleich war auch klar, daß sich ein Sporn des Kriegers in der Paspel verheddert hatte, die Bathshebas Rock schmückte. Er fing ihren Blick auf.

»Ich werde Euch gleich befreien, Miss«, versprach er, nun ganz Kavalier.

»Ach nein – danke. Ich kann das selbst«, entgegnete sie rasch und bückte sich.

Die Befreiung war gar nicht so einfach. Die Zacken des Sporns hatten sich so in die Fäden der Paspel verbissen, daß es seine Zeit brauchte, um die beiden auseinanderzubringen.

Auch er bückte sich also, und die Laterne, die zwischen ihnen auf der Erde stand, warf aus dem geöffneten Sektor ihren Schein wie ein dicker Glühwurm über die Fichtennadeln und die langen, taufeuchten Gräser, bestrahlte auch darüber die Gesichter und verteilte die Schatten des Manns und der Frau über einen guten Teil des Hains, alle schattigen Konturen verzerrend und über die Stämme verstreuend, bis sie vom Dunkel aufgesogen wurden.

Er hielt ihren Blick fest, als sie ihn für eine Sekunde auf ihn richtete. Bathsheba schlug die Augen nieder; daß er sie so direkt ansah, war zu viel für sie. Immerhin hatte sie bemerkt, daß er jung und schlank war und am Ärmel drei Litzen trug.

Bathsheba zerrte wieder an ihrem Rock.

»Ihr seid meine Gefangene, Miss, damit müßt Ihr Euch abfinden«, stellte der Soldat trocken fest. »Wenn Ihr es wirklich so eilig habt, muß ich Euer Kleid zerschneiden.«

»Ja – bitte!« rief sie hilflos.

»Aber wir könnten es vermeiden, wenn Ihr Euch einen Augenblick geduldet.« Er wand einen Faden von dem Sporenzakken. Sie zog ihre Hand zurück, aber er – sei es zufällig oder mit Bedacht – berührte sie. Bathsheba war verstört, ohne recht zu wissen, warum.

Er bemühte sich weiter, aber ein Erfolg war nicht abzusehen. Sie sah ihn wieder an.

»Ihr seid sehr schön. Ich danke Euch, daß Ihr es mir gezeigt habt«, sagte der junge Sergeant ohne Umschweife.

Sie errötete vor Verlegenheit. »Es war nicht meine Absicht«, erwiderte sie steif und mit aller Würde – was nicht eben viel war –, die sie in ihrer Fesselung aufbrachte.

»Ich wünschte – es wäre mir lieber –, Ihr wärt nie hier vorbeigekommen und ich hätte Euch nie gesehen!« Wiederum zerrte sie, und die Falten ihres Kleides gaben nach wie eine zurückweichende Phalanx von kleinen Soldaten.

»Ich verdiene die Rüge, die Ihr mir erteilt. Aber woher kommt es, daß ein so anziehendes und wohlgesittetes Mädchen ein derartiges Vorurteil gegen das Geschlecht ihres Vaters hat?«

»Geht jetzt, bitte!«

»Wie denn, Schönste? Soll ich Euch hinter mir herziehen? Seht selbst! So ein Gefilz ist mir noch nicht untergekommen.«

»Oh, Ihr seid wirklich gemein! Ihr habt es nur noch ärger gemacht, um mich hierzuhalten – das habt Ihr!«

»Nein – das kann ich nicht glauben«, verteidigte sich der Soldat, ein fröhliches Blitzen in den Augen.

»Und ich sage, daß es so ist!« rief sie wütend. »Ich will, daß Ihr das Zeug löst! Laßt mich heran!«

»Bitte, Miss – mein Herz ist nicht aus Stein.« Er fügte einen Seufzer von solcher Künstlichkeit hinzu, daß er eben noch als Seufzer gelten konnte. »Ich bin für alles Schöne dankbar, auch wenn es mir hingeworfen wird wie ein Knochen für einen Hund. Der selige Augenblick geht nur zu rasch vorüber.«

Sie hatte darauf nur eisiges Schweigen.

Bathsheba überlegte, ob sie sich durch einen plötzlichen Ausbruch befreien könnte – auf die Gefahr hin, dabei ihren Rock zu opfern. Der Gedanke war zu arg. Das Kleid war das Prunkstück ihrer Garderobe; sie hatte es angezogen, um bei dem Festessen einen besonders würdigen Eindruck zu machen – kein anderes stand ihr so gut. Welche Frau in Bathshebas Situation, von Natur aus nicht ängstlich und mit ihrem Gesinde in Rufweite, hätte einen so hohen Preis gezahlt, nur um einem schmucken Soldaten zu entkommen?

»Alles zu seiner Zeit. Gleich ist es soweit, scheint mir«, sagte ihr neuer Freund gelassen.

»Dieses Gefummel ist aufreizend, und – und –«

»Nicht so grausam!«

»– es beleidigt mich!«

»Ich will mir damit nur eine Gelegenheit verschaffen, mich bei einer so bezaubernden Frau zu entschuldigen, was ich hiermit untertänigst tue«, erwiderte er mit einer tiefen Verbeugung.

Bathsheba wußte nicht, was sie darauf antworten sollte.

»Im Lauf der Jahre habe ich schon viele Frauen gesehen«, fuhr der junge Mann mit leiserer Stimme und eindringlicher als bisher fort, wobei er ihren gesenkten Kopf kritisch betrachtete, »aber noch nie bin ich einer Frau begegnet, die so schön war wie Ihr. Denkt darüber, wie Ihr wollt – seid meinetwegen gekränkt: mir ist es egal.«

»Wer seid Ihr denn, daß Ihr es Euch leisten könnt, die Meinung eines anderen Menschen zu verachten?«

»Kein Fremder. Ich bin Sergeant Troy und hier zu Hause – So! Jetzt ist es endlich aufgegangen, seht! Eure schlanken Finger waren doch geschickter als die meinen. Ich wollte, der Knoten wäre ein unlösbares Band gewesen.«

Das wurde ja immer schlimmer! Sie richtete sich auf, er desgleichen. Ihr Problem war nun, wie sie mit Anstand von ihm fortkommen sollte. Sie rückte von ihm ab, bis sie, Laterne in der Hand, die Röte seines Rocks nicht mehr sah.

»Nun denn, Schönste, lebt wohl!« sagte er.

Sie entgegnete darauf nichts, sondern kehrte sich, als sie an die zwanzig oder dreißig Schritt von ihm entfernt war, ab und lief ins Haus.

Liddy war eben zu Bett gegangen. Als Bathsheba zu ihrem Zimmer hinaufstieg, drückte sie Liddys Tür einen Spalt weit auf.

»Liddy?« fragte sie, noch außer Atem. »Gibt es bei uns im Dorf einen Soldaten – einen Sergeant Dingsda – der wie etwas Besseres als ein Sergeant und auch sonst gut aussieht – roter Rock mit blauen Aufschlägen?«

»Nein, Miss – ich wüßte nicht ... Aber es könnte Sergeant Troy auf Urlaub sein, obwohl ich ihn nicht gesehen habe. Einmal, als sein Regiment in Casterbridge war, ist er so herübergekommen.«

»Ja, das war der Name! Hat er einen Schnurrbart – keine Koteletten und auch nichts am Kinn?«

»Ja.«

»Was für ein Mensch ist er?«

»Oh, Miss! Ich schäme mich, es zu sagen: Ein loser Vogel! Aber ich weiß auch, daß er einer ist, der rasch und gut zupackt. Leicht hätte er ein Vermögen machen können wie ein Junker – so ein aufgeweckter, junger Fant! Dem Namen nach war sein Vater ein Doktor, immerhin. Aber sein natürlicher Vater war ein Graf!«

»Und das ist um einiges mehr! Allerhand! Ist das wahr?«

»Ja. Und er hat auch eine gute Erziehung. Jahrelang ist er in Casterbridge aufs Gymnasium gegangen und hat dort alle Sprachen gelernt, die es gibt. Es heißt, daß er sogar Chinesisch schreiben kann, aber schwören will ich nicht darauf – das weiß ich nur so vom Hörensagen. Dann aber hat er alles vertan, was ihm das Schicksal in den Schoß geworfen hat, und ist zu den Soldaten gegangen. Sogar dort ist er aber gleich ein Sergeant geworden, ohne sich irgendwie anzustrengen. Ah! Es ist schon ein Glück, wenn einer hochgeborene Eltern hat! Das blaue Blut schlägt immer durch, auch bei denen, die sonst nicht viel haben. Und er ist tatsächlich wieder hier?«

»Es scheint so. Gute Nacht, Liddy.«

Kann man von einem lebensfrohen Mädchen erwarten, daß es einem Mann nachhaltig böse ist? Unter Umständen finden sich Mädchen wie Bathsheba auch mit einem sehr unkonventionellen Benehmen ab. So zum Beispiel, wenn sie auf Komplimente aus sind – und das sind sie oft; wenn sie den Wunsch haben, die Überlegenheit des Mannes zu spüren – auch das kommt vor; und wenn sie reinen Wein eingeschenkt haben wollen – das geschieht schon selten. Eben jetzt befand sich bei Bathsheba das erste dieser Bedürfnisse in zunehmender Phase, mit einem Einschlag von Nummer Zwei. Dazu kam, sei es durch Zufall oder Teufelswerk, daß es sich hier um einen attraktiven Fremdling handelte, der offenbar bessere Tage gesehen hatte und so auf jeden Fall interessant gewesen wäre.

All das ergab, daß sie nicht recht wußte, ob er sie nun beleidigt hatte oder nicht.

»So etwas Verrücktes!« rief sie zuletzt, als sie allein in ihrem Zimmer stand. »Und wie dumm ich mich benommen habe! Vor einem Mann davonzulaufen, der nichts als höflich und nett war!« Woraus erhellt, daß sie seine unverblümte Bewunderung für ihre Person nun also doch nicht anstößig fand.

Es war von seiten Boldwoods ein fatales Versäumnis gewesen, daß er ihr nie gesagt hatte, wie schön sie war.

Exzentrische Neigungen und ein sprunghaftes Wesen machten Sergeant Troy zu etwas Außergewöhnlichem.

Er war ein Mensch, für den Erinnerungen nur Ballast und Vorahnungen überflüssige Hemmnisse darstellten. Seine Gefühle, Gedanken und Interessen beschränkten sich ausschließlich auf Objekte im unmittelbaren Gesichtsfeld, verwundbar war er nur in der Gegenwart. Sein Verhältnis zur Zeit erschöpfte sich in flüchtigen Rück- und Vorblicken. Jene Projektionen des Bewußtseins, in denen alles Vergangene sich verklärt und alles Künftige zu Vorsicht mahnt, waren Troy fremd. Vergangenheit war für ihn gestern – morgen war die Zukunft; darüber hinaus gab es für ihn nichts.

In gewisser Hinsicht hätte man ihn, wie er war, als einen von den glücklichsten Menschen betrachten können. Läßt sich doch mit einigem Grund vertreten, daß ein gutes Gedächtnis nicht so sehr eine Gottesgabe als ein Leiden ist, und daß die einzig lustvolle Form des Erwartens – ein absolutes Vertrauen in die Zukunft – praktisch unmöglich ist, während es als Hoffnung und in Sekundärerscheinungen wie Geduld, Ungeduld, Vorsatz oder Neugier ständig zwischen Lust und Pein schwankt.

Sergeant Troy, der von der Kunst des Wartens überhaupt nichts verstand, wurde nie enttäuscht. Vielleicht wogen manche Verluste an Positivem, die damit einhergingen – eine gewisse Verarmung im Bereich von höherem Geschmack und Genuß – den negativen Gewinn auf. Aber die teilweise Einbuße solcher Fähigkeiten wird von dem, der sie verliert, nie als Verlust eingestuft; in diesem Belang läßt sich moralisch-ästhetische Armut nicht mit materieller Armut vergleichen, denn diejenigen, die an ersterer leiden, spüren es nicht, während denen, die sie spüren, damit auch schon bald abgeholfen ist. Was man nie gehabt hat, kann man nicht verlieren: Was Troy nie gekannt hatte, fehlte ihm nicht. Da er jedoch sehr bewußt genoß, was nüchterne Naturen versäumten, machte er, dem in Wahrheit etwas fehlte, den Eindruck überlegener Reserven.

Im Umgang mit Männern war Troy halbwegs ehrlich, aber Frauen belog er ohne jede Hemmung. Bei dieser moralischen Einstellung gelingt es mühelos, sich auf Anhieb in munterer Gesellschaft beliebt zu machen; daß die so erworbene Gunst unter Umständen bald wieder dahin ist, bezieht sich ja nur auf die Zukunft.

Nie überschritt er bei seinen Kavaliersdelikten die Grenze zum Abstoßenden, und wenn seine Sitten auch kaum Beifall fanden, so war die Kritik doch oft von einem Lächeln gemildert. Deshalb redete er auch gern vom Edelmut anderer, nicht so sehr zur Erbauung der Zuhörer, als um sich selbst als verfluchten Kerl herauszustellen.

Troy war voll rastloser Aktivität, aber seine Aktivitäten waren eher unbewußt als zielgerichtet; da sie nie von einem klar umrissenen Standpunkt ausgingen oder eine bestimmte Linie hielten, erfaßten sie jedes Objekt, das ihnen in den Weg geriet. So kam es etwa, daß Troy sich zwar manchmal in Worten zu den höchsten Idealen aufschwang, sein Handeln dann aber, weil er den anfänglichen Schwung nicht steuern konnte, nicht einmal den Durchschnitt hielt. Er hatte einen raschen Verstand und bemerkenswerte Willenskraft, weil er aber beides nicht zu koordinieren vermochte, verzettelte sich sein Verstand, während er auf einen Anstoß durch den Willen wartete, in Banalitäten, und die Energie, die sich nicht nach dem Verstand richtete, verpuffte in sinnloser Betriebsamkeit.

Für einen Angehörigen des Bürgertums war er ziemlich gebildet, für einen Soldaten sogar in erstaunlichem Maß. Er sprach flüssig, ohne Stocken, und konnte sich dabei auf verschiedenen Ebenen bewegen, also beispielsweise von Liebe reden und ans Essen denken; einen Mann besuchen, um dessen Frau zu sehen; sich zum Zahlen drängen, wenn er Geld borgen wollte.

Was für erstaunliche Wirkung ein Kompliment auf eine Frau haben kann, ist so geläufig, daß viele Leute mit solcher Selbstverständlichkeit davon ausgehen, wie sie etwa ein Sprichwort gebrauchen oder feststellen, daß sie Christen oder sonst etwas sind, ohne die enormen Konsequenzen zu bedenken, die sich aus einer solchen Behauptung ergeben. Noch viel weniger handelt man in diesem Sinn. Wie alle Binsenwahrheiten, bei denen es erst einer Katastrophe bedarf, um sich ihr Gewicht bewußt zu machen, wird auch diese meistens verdrängt. Wird sie einigermaßen wohlbedacht geäußert, so scheint sich damit die Unterstellung zu verbinden, daß ein Kompliment, um zu wirken, auch glaubwürdig sein muß. Er gereicht den Männern zur Ehre, daß wenige von ihnen diese Frage experimentell klären, und vielleicht ist es für sie ein Glück, wenn sie nie in die Lage geraten, daß sich die Antwort von selbst ergibt. Dennoch ist es eine durch viele ungewollte und schmerzliche Erfahrungen bestätigte Tatsache, daß ein Flatteur, der einer Frau mit einigem Geschick und windigstem Süßholzgeraspel schöntut, eine solche Macht über sie gewinnen kann, daß sie völlig wehrlos ist. Es gibt Männer, die sich dazu bekennen, diese Kunst experimentell erlernt zu haben, und ihre Experimente bedenkenlos weitertreiben – mit entsetzlichen Folgen. So einer war Sergeant Troy.

Man wußte von ihm, daß er einmal beiläufig bemerkt hatte, Frauen müsse man entweder mit Komplimenten oder mit Flüchen traktieren; ein Drittes sei ausgeschlossen. »Wer sie nur mit Anstand behandeln will«, habe er gesagt, »ist schon verloren.«

Der Ankunft dieses Philosophen in Weatherbury folgte unmittelbar sein öffentliches Auftreten. Ein oder zwei Wochen nach der Schafschur begab sich Bathsheba, die sich durch Boldwoods Abwesenheit unsagbar erleichtert fühlte, zu den Futterwiesen und sah über die Hecke hinweg den Leuten bei der Heumahd zu. Sie teilten sich in zwei etwa gleich starke Gruppen, in sich verdrehte und fließend bewegte Figuren, hie die Männer und da die Frauen, letztere mit Spitzhüten, von denen ihnen Tücher über die Schultern wallten. Coggan und Mark Clark mähten weiter drüben, wobei Mark zu den Schwüngen der Sense eine Melodie summte, deren Rhythmus sich Jan anzupassen versuchte. Auf der vorderen Wiese luden sie schon das Heu auf, die Frauen mit ihren Rechen sammelten es in Streifen und Haufen, die Männer packten es mit Gabeln auf den Wagen.

Hinter dem Wagen tauchte etwas Helles, Scharlachrotes auf und lud mit, ohne auf die übrigen zu achten. Es war der galante Sergeant, der zum Vergnügen bei der Heuernte half; und es ließ sich nicht leugnen, daß er durch sein freiwilliges Mitwirken zu dieser arbeitsreichen Zeit der Gutsherrin einen echten Lehensdienst leistete.

Als sie nun auf die Wiese kam und Troy sie sah, rammte er seine Gabel in die Erde, nahm seine Gerte und kam zu ihr herüber. Bathsheba errötete – halb ärgerlich, halb verlegen – und richtete Blick und Schritt schnurgeradeaus.

»Ah, Miss Everdene!« grüßte der Sergeant und berührte sein winziges Käppchen. »Nie hatte ich vermutet, daß Sie es waren, mit der ich mich spät nachts unterhalten habe. Andererseits – wenn ich es mir überlegt hätte – die ›Weizenkönigin‹ (die Wahrheit kommt auch in der Nacht an den Tag, und erst gestern habe ich gehört, daß man Euch in Casterbridge diesen Namen gibt) – die ›Weizenkönigin‹, sage ich, konnte gar nicht anders aussehen. Ich bin jetzt gekommen, um Euch untertänigst um Vergebung zu bitten, daß ich mich als ein Fremder im Ausdruck meiner Gefühle zu weit hinreißen ließ. Obwohl ich hier eigentlich nicht fremd bin: Ich bin Sergeant Troy, wie ich Ihnen bereits sagte, und ich habe Eurem Onkel ungezählte Male auf diesem Acker geholfen, als ich noch ein junger Bursche war. Dasselbe habe ich heute für Euch getan.«

»Ich nehme an, daß ich Euch dafür danken muß, Sergeant Troy«, entgegnete die Weizenkönigin unverbindlich.

Der Sergeant blickte gekränkt. »Ihr müßt überhaupt nicht, Miss Everdene«, versicherte er. »Was bringt Euch darauf?«

»Ich bin froh, daß Ihr mich dessen enthebt.«

»Und warum? – Wenn ich das fragen darf, ohne Euch zu verletzen.«

»Weil ich nicht besonders Lust habe, Euch für etwas zu danken.«

»Ich fürchte, ich habe da mit meinen dummen Worten einen Schaden angerichtet, den mein Herz nie beheben wird. Eine schlimme Zeit, in der wir leben! Daß ein Mann büßen muß, weil er einer Frau aufrichtig sagt, daß sie schön ist! Mehr war es nicht, das müßt Ihr zugeben; und weniger – das muß ich gestehen – hätte ich nicht sagen können.«

»Wenn ich die Wahl zwischen Geld und schönen Worten hätte, ließe ich es mich sogar etwas kosten, sie nicht zu hören.«

»Wahrhaftig? Ihr lenkt ab, scheint mir.«

»Nein. Ich will damit ausdrücken, daß ich auf Eure Gesellschaft gern verzichten würde.«

»Und ich möchte mich lieber von Euch schelten lassen als eine andere küssen! Darum bleibe ich.«

Bathsheba war völlig sprachlos. Und trotzdem hatte sie das

Gefühl, daß er sich mit der Hilfe, die er geleistet, eine scharfe Antwort nicht verdient hatte.

»Nun«, fuhr Troy fort, »ich nehme an, daß selbst Grobheit eine Art Lob sein kann, und ich gebe mich damit zufrieden. Dennoch handelt Ihr vielleicht ungerecht. Ein schlichter Mann, der die Kunst der Verstellung nie gelernt hat und frei heraus sagt, was er denkt, wird von Euch abgefertigt, als hätte er weiß Gott was verbrochen.«

»Ganz und gar nicht«, widersprach sie und wandte sich ab. »Von fremden Männern lasse ich mir keine Frechheiten bieten – auch wenn sie als Kompliment beabsichtigt wären.«

»Oh! Also ist es nicht die Tatsache, sondern die Form, die Euch nicht behagt«, meinte er ungerührt. »Immerhin bleibt mir die traurige Gewißheit, daß ich mit meinen Worten, so sehr sie Euch mißfallen, unbestreitbar die Wahrheit gesagt habe. Wollt Ihr tatsächlich, daß ich Euch anschaue und daraufhin vor aller Welt behaupte, daß Ihr eine ganz durchschnittliche Frau seid – nur um Euch die Neugier der Leute zu ersparen, wenn sie in Eure Nähe drängen? Das schaffe ich nicht. Nie könnte ich derart lächerliche Lügen über eine Frau verbreiten, nur um sie in ihrer übertriebenen Bescheidenheit zu bestärken.«

»Sagt, was Ihr wollt! Ich glaube Euch kein Wort!« rief Bathsheba und konnte angesichts der Schlauheit des Sergeanten doch ein Lachen nicht unterdrücken. »Ihr habt eine ungewöhnliche Phantasie, Sergeant Troy! Warum konntet Ihr in jener Nacht nicht einfach an mir vorbeigehen, ohne etwas zu sagen? – Nichts anderes wollte ich Euch vorwerfen.«

»Weil ich es nicht wollte. Das halbe Vergnügen kommt daher, daß man es ohne Verzug in Worten ausdrückt, wie ich es getan habe. Ich hätte mich nicht anders benommen, wenn Ihr das Gegenteil gewesen wärt, alt und häßlich: Auch da hätte ich mich nicht zurückgehalten.«

»Seit wann leidet Ihr unter so heftigen Gefühlen?«

»Oh – seit ich alt genug bin, um ein hübsches Mädchen von einer alten Schrulle zu unterscheiden.«

»Ich hoffe nur, daß Euer Unterscheidungsvermögen sich nicht nur auf das Äußere bezieht.«

»Von Moral oder Religion will ich nicht reden – weder von meiner eigenen noch von der anderer Leute. Obwohl ich selbst vielleicht einen ganz passablen Christen abgegeben hätte, wenn ich nicht Euch schöne Frauen anbeten müßte.«

Bathsheba rückte von ihm ab, um das Schmunzeln, das sie sich nicht verbeißen konnte, für sich zu behalten. Troy folgte ihr. Er spielte mit seinem Stöckchen.

»Aber – Miss Everdene – vergebt Ihr mir nun?«

»Kaum.«

»Warum?«

»Das Zeug, das Ihr zusammenredet –«

»Ich habe behauptet, daß Ihr schön seid, und dazu stehe ich, Ihr seid es! Wenn Ihr nicht die Schönste seid, die mir jemals unter die Augen gekommen ist, soll mich auf der Stelle der Schlag treffen! Auf mein –«

»Nein – seid still! Ich will Euch nicht zuhören! Ihr seid so taktlos –«

»Ich behaupte noch einmal, daß Ihr eine bezaubernde Frau seid. Zu dieser Feststellung bedarf es nicht viel, oder? Daß es sich so verhält, sieht ja ein jeder. Vielleicht gefällt es Euch nicht, Miss Everdene, daß ich meine Meinung so rundheraus sage, und vielleicht bedeutet sie Euch auch zu wenig, um Euch zu überzeugen, aber ehrlich ist sie. Und warum sollte sie da unentschuldbar sein?«

»Weil es – weil es nicht stimmt«, murmelte sie züchtig.

»Pfui! Bin ich, weil ich gegen das dritte Gebot handle, darum schlechter als Ihr, die Ihr gegen das neunte sündigt?«

»Ich kann nicht so recht glauben, daß ich bezaubernd sein soll«, wich sie aus.

»Ihr könnt es nicht? In diesem Fall erlaube ich mir, mit allem Respekt festzustellen, daß nur Eure Bescheidenheit daran schuld ist, Miss Everdene! Aber ich will doch annehmen, daß Ihr sowieso von allen Seiten hört, was niemand übersehen kann? Ihr solltet den Leuten vertrauen!«

»Sie sagen es nicht so deutlich.«

»O doch – das müssen sie!«

»Nicht mir ins Gesicht, wie Ihr es tut«, verstrickte sie sich weiter in ein Gespräch, das nach ihrer Ansicht nie hätte stattfinden dürfen.

»Aber Ihr wißt doch, daß sie so denken?«

»Nein – das heißt, ich habe Liddy sagen gehört, daß sie es tun, aber –« Sie verstummte.

Bathsheba hatte kapituliert. Das war es, was die schlichte Antwort besagte, trotz ihrer Einschränkung. Sie hatte kapituliert, ohne sich dessen bewußt zu sein. Nie hatte ein kleiner, unvollendeter Satz präziser ausgedrückt, was gemeint war. Der leichtsinnige Sergeant lachte innerlich – und wahrscheinlich grinste auch der Teufel höchstselbst aus irgendeiner Höllenritze, denn in diesem Augenblick änderte ein ganzes Menschenleben seine Richtung. Miene und Tonfall Bathsebas ließen keinen Zweifel daran, daß das Samenkorn, das die Grundfesten ihrer Existenz sprengen sollte, in der Bresche bereits Wurzel geschlagen hatte. Alles Weitere war nur eine Frage der Zeit und der natürlichen Entwicklung.

»Da kommt also die Wahrheit heraus!« rief der Soldat. »Mir darf man nicht erzählen, daß eine junge Dame nichts davon merkt, wenn die Bewunderer sie umschwirren. Ah, Miss Everdene, Ihr seid – verzeiht meine Offenheit – Ihr seid eine öffentliche Gefahr!«

»Wie das?« fragte sie mit großen Augen.

»Nein, es ist nicht zu leugnen! Wer heut ersäuft, wird morgen nicht gehängt (eine alte Bauernregel, die einen nicht viel weiterbringt, aber für einen rauhen Krieger reicht), und darum will ich freiheraus sagen, was ich denke, ohne zu überlegen, ob es Euch gefällt, und ohne die Hoffnung oder den Wunsch, bei Euch Gnade zu finden. Wie die Welt eingerichtet ist, könnt Ihr mit Euren Reizen leicht mehr Schaden stiften als Gutes tun.« Der Sergeant faßte über die Wiese hinweg den abstrakten Kernsatz ins Auge. »Vermutlich gibt es im Durchschnitt für jede normale Frau einen Mann, der sich in sie verliebt; sie heiratet ihn – und er ist zufrieden und führt ein nützliches Leben. Eine Frau wie Ihr dagegen wird von hundert Männern begehrt – mit Euren Blicken behext Ihr sie im Dutzend, so daß sie Euch nie vergessen können –, aber heiraten könnt Ihr nur einen. Etwa zwanzig von den übrigen werden versuchen, ihre unglückliche Liebe im Alkohol zu vergessen; weitere zwanzig werden ihre Zeit irgendwie sinnlos totschlagen, ohne etwas für die Menschheit zu leisten, weil sie neben ihrer Liebe zu Euch keine anderen Ambitionen kennen; wieder zwanzig – zu denen möglicherweise ich armer Hund gehöre – werden Euch immer noch nachlaufen, Euch wenigstens von fern sehen wollen und allerhand Verzweifeltes unternehmen. Wir Männer sind so beständig in unserer Narrheit! Der Rest mag sehen, wie er mit mehr oder weniger Erfolg über seine Leidenschaft hinwegkommt. Aber alle diese neunundneunzig Männer werden leiden – und nicht nur sie! Mit ihnen werden die neunundneunzig Frauen leiden, die sie vielleicht geheiratet haben ... Das war's, was ich mit meiner Feststellung, daß eine so bezaubernde Frau wie Ihr den Menschen kein Glück bringt, sagen wollte.«

Das hübsche Gesicht des Sergeanten war während dieses Exkurses so streng und ernst, als rede John Knox seiner lebenslustigen Königin ins Gewissen.

Als Bathsheba darauf nichts erwiderte, fragte er: »Lest Ihr Französisch?«

»Nein. Ich habe damit angefangen, aber als ich zu den Verben kam, starb mein Vater«, antwortete sie schlicht.

»Ich tue es – wenn ich Gelegenheit dazu finde, was in letzter Zeit nicht häufig war. Meine Mutter war aus Paris. Es gibt da ein Sprichwort: Qui aime bien châtie bien – Wer gut liebt, straft auch gut. Versteht Ihr?«

»Ah!« stieß sie hervor, und diesmal war sogar ein leichtes Zittern in ihrer sonst so kühlen Mädchenstimme. »Wenn Ihr nur halb so charmant kämpft, wie Ihr redet, muß ein Stich von Euch das reinste Vergnügen sein!« Gleich darauf erfaßte die arme Bathsheba, was für eine Blöße sie sich mit diesem Geständnis gegeben hatte, und bei dem Versuch, sie eiligst zu decken, machte sie es noch schlimmer: »Meint aber nicht etwa, daß es für mich ein Vergnügen wäre, Euch zuzuhören.«

»Ich weiß – ich weiß es nur zu gut«, seufzte Troy mit einem Gesicht, das vor eitel Treuherzigkeit strahlte, sich aber gleich darauf verdüsterte: »Wenn ein Dutzend anderer Männer bereitsteht, um Euch schöne Worte zu geben und zu bewundern, wie Ihr es verdient – ohne Euch zu warnen, wie Ihr es nötig hättet –, so ist es ganz natürlich, daß Euch meine hausbackene Mischung aus Lob und Tadel nicht besonders schmeckt. Ich bin vielleicht ein Narr, aber nicht so eingebildet, daß ich mir so etwas einbilden würde.«

»Ich denke doch! Ihr seid recht eingebildet!« fand Bathsheba und schaute an ihm vorbei auf einen Schilfhalm, an dem sie zupfte. Diese Belagerungstechnik, die der Soldat anwandte, ließ sie nachgerade die Nerven verlieren; sie durchschaute ihn zwar einigermaßen, aber so viel Elan war überwältigend.

»Vor keinem anderen Menschen würde ich es zugeben – auch bei Euch fällt es mir nicht leicht. Aber es mag sein, daß bei dem, was ich in jener Nacht eitel unterstellte, ein wenig Einbildung mitgespielt hat. Ich wußte, daß wahrscheinlich alle bewundernden Worte, die ich für Euch fand, nur ausdrückten, was Ihr schon zu oft hören mußtet, um daraus noch Vergnügen zu ziehen, aber ich hoffte doch, daß Eure angeborene Liebenswürdigkeit Euch hindern würde, über meinen Fürwitz streng zu urteilen – was Ihr hierauf tatet – und schlecht von mir zu denken – und mich heute, da ich mich redlich mühte, Euer Heu unter Dach zu bringen, zu verletzen.«

»Nun, denkt nicht mehr daran. Vielleicht ist es wahr, daß Ihr mich mit Eurer Offenheit nicht kränken wolltet – ich will es sogar glauben«, gestand ihm die listige Bathsheba zu, ganz auf ernst spielend. »Und ich danke Euch sehr für Eure Hilfe. Nur – nur laßt Euch nicht einfallen, noch einmal so zu mir zu sprechen. Oder auch anders, solange ich Euch nicht dazu auffordere.«

»Oh, Miss Bathsheba! Das ist zu hart!«

»Nein, das ist es nicht. Warum sollte es zu hart sein?«

»Weil Ihr mich nie auffordern werdet. So lange bin ich nämlich gar nicht hier. Ich kehre schon bald wieder zum öden Drill zurück. Vielleicht wird unser Regiment bald ausrücken? Und Ihr nehmt mir diesen einzigen Trost meines grauen Alltags! Aber vielleicht ist Großmut bei Frauen kein besonders ausgeprägtes Merkmal.«

»Wann reist Ihr ab?« fragte sie, nicht uninteressiert.

»In einem Monat.«

»Aber was gibt es Euch, wenn Ihr mit mir redet?«

»Das fragt Ihr noch, Miss Everdene, obwohl Ihr wißt, warum ich mich so schlecht benommen habe?«

»Wenn Euch so ein Unsinn derart viel bedeutet, soll es mir recht sein«, sagte sie, unsicher und zweifelnd. »Aber kann ein Wort von mir Euch wirklich etwas bedeuten? Ihr tut nur so – ich glaube, Ihr tut nur so.«

»Das ist ungerecht – aber ich will mich nicht wiederholen. Ich bin ja so glücklich, einen solchen Beweis Eurer Freundschaft zu empfangen, da will ich an dem Ton nichts aussetzen. Es bedeutet mir tatsächlich etwas, Miss! Findet es meinetwegen lächerlich, wenn ein Mann sich nur ein Wort wünscht – nur einen freundlichen Gruß! Vielleicht ist es lächerlich – ich weiß es nicht. Aber Ihr seid nie ein Mann gewesen, der zu einer Frau – zu Euch! – aufschaut!«

»Na, na.«

»Darum wißt Ihr auch nicht, was das für eine Erfahrung ist. Der Himmel behüte Euch davor!«

»Unsinn, Schmeichler! Wie ist es? Das würde ich gern hören.«

»Um es mit einem Satz zu sagen: Man ist plötzlich unfähig, woandershin zu schauen, zu hören und zu denken als in eine einzige Richtung – und auch das nur unter Qualen.«

»Ah, Sergeant, das glaube ich Euch nicht!« Sie schüttelte den Kopf. »Ihr nehmt den Mund zu voll.«

»Nein, bei meiner Soldatenehre!«

»Aber warum ist das so? Nicht daß es mir wirklich wichtig wäre –«

»Weil Ihr so bezaubernd seid – und ich so bezaubert bin.«

»Aussehen tut Ihr nicht danach.«

»Ich bin es!«

»Aber Ihr habt mich doch nur einmal in der Nacht gesehen!«

»Das ändert nichts daran. Der Blitz zündet im Augenblick. Ich habe Euch damals geliebt – wie ich Euch heute liebe!«

Bathsheba besah ihn interessiert, bei den Füßen beginnend, soweit ihr Blick sich wagte, also nicht ganz bis auf Augenhöhe.

»Ihr liebt mich nicht wirklich«, sagte sie schämig. »So plötzliche Gefühle gibt es nicht. Ich will Euch nicht länger zuhören – Du liebe Güte! Wie spät mag es sein? – Ich gehe – ich habe hier schon zuviel Zeit vertan.«

Der Sergeant schaute auf seine Uhr und teilte ihr das Ergebnis mit. »Habt Ihr denn keine Uhr, Miss?« fragte er dann.

»Ich muß mir erst eine neue besorgen.«

»Nein! Die bekommt Ihr geschenkt! Geschenkt, Miss Everdene – geschenkt!«

Bevor sie begriffen hatte, was der junge Mann beabsichtigte, lag eine schwere, goldene Uhr in ihrer Hand.

»Für meine Verhältnisse ein ungewöhnlich gutes Stück«, stellte er ruhig fest. »Und sie hat auch ihre Geschichte. Drückt hinten auf die Feder!«

Sie tat es.

»Was seht Ihr?«

»Ein Wappen und etwas Geschriebenes.«

»Eine Krone mit fünf Perlen und darunter ›Cedit amor rebus‹ – ›Liebe paßt sich an‹: Das ist das Motto der Grafen von Severn. Die Uhr gehörte dem vorigen Grafen, der sie dem Mann meiner Mutter gab, einem Arzt, der sie bis zu meiner Volljährigkeit tragen und dann an mich weitergeben sollte, mein einziges Erbteil. Diese Uhr zeigte den Tageslauf eines Königs an – das

Hofzeremoniell, Reisen mit fürstlicher Suite, der Schlaf eines großen Herrn haben sich nach ihr gerichtet. Jetzt ist sie Euer!«

»Aber – Sergeant Troy! Das kann ich nicht annehmen – nein!« rief sie, verwirrt und staunend. »Eine goldene Uhr! Was fällt Euch ein? Macht mir doch nichts vor!«

Sie hielt ihm die Uhr hin, aber der Sergeant wich zurück. Bathsheba lief ihm nach.

»Behaltet sie – bitte, Miss Everdene! Behaltet sie!« verlangte der Mann so rascher Entschlüsse. »Die Tatsache, daß sie nun Euch gehört, macht sie mir nur zehnmal mehr wert. Für mich ist etwas Ordinäres gut genug, und das erhebende Bewußtsein, an wessen Herz meine alte Uhr schlägt – nein, schweigen wir davon ... Sie liegt in einer Hand, die ihrer würdiger ist.«

»Aber ich kann sie doch nicht einfach nehmen!« protestierte sie. Der Zwiespalt ihrer Gefühle war total. »Wie könnt Ihr nur? Ich meine – wenn es Euch wirklich ernst ist. Wie könnt Ihr mir die Uhr Eures Vaters schenken – und noch dazu eine so kostbare? Wirklich, das geht zu weit, Sergeant Troy!«

»Nichts gegen meinen toten Vater – aber alles und mehr für meine Liebe zu Euch! Das gibt mir ein Recht, so zu handeln«, entgegnete der Sergeant in voller Übereinstimmung mit seiner Natur. Das war kein Theater mehr. Mit den scherzhaften Komplimenten auf Miss Everdenes in sich ruhende Schönheit hatte es nun, da sie aufgestört war, ein Ende; ganz so ernst, wie Bathsheba meinte, war es nicht, ging aber wohl doch tiefer, als er selbst vermutete.

In Bathsheba brodelte es von verwirrten Gefühlen. »Ist es möglich?« rief sie, erst halb überzeugt. »Oh, wie ist es möglich, daß Ihr so plötzlich etwas für mich empfindet? Ihr kennt mich doch kaum! Vielleicht bin ich gar nicht so – so schön, wie ich Euch vorkomme. Bitte, nehmt sie zurück! Bitte! Ich kann und will sie nicht haben. So wahnwitzig dürft Ihr nicht sein. Ich habe Euch nie auch nur einen Gefallen erwiesen – warum wollt Ihr mich so beschenken?«

Es verschlug ihm die launige Antwort, die ihm schon auf der Zunge lag. Bestürzt sah er sie an. Wie sie da vor ihm stand, außer sich, sprühend vor Erregung und ohne Falsch, war sie so strahlend schön wie alles, was er dahergeredet hatte. Er war ganz erschrocken über die Kühnheit, mit der er solche Worte in den Mund genommen hatte. »Ja, warum?« sagte er mechanisch, ohne die Augen von ihr zu wenden.

»Und meine Leute sehen zu, wie Ihr mir über die Wiese nachlauft! Was sollen sie davon denken? Oh, es ist schrecklich!« fuhr sie fort, ohne zu ahnen, welche Wandlung sie bewirkte.

»Zunächst habe ich nicht wirklich gewollt, daß Ihr sie behaltet«, stieß er hervor. »Weil sie doch der einzige Beweis für meine adelige Herkunft ist. Aber, bei meiner Seele! Jetzt möchte ich, daß Ihr sie nehmt. Das ist kein Scherz! Macht mir die Freude und tragt sie um meinetwillen. Aber Ihr seid zu schön, als daß Ihr ein Herz wie andere Frauen hättet.«

»Nein, nein, sagt das nicht! Mein Zögern hat Gründe, die ich Euch nicht erklären kann.«

»Dann laßt es sein – laßt es sein!« Er nahm endlich die Uhr. »Ich muß jetzt gehen. Und Ihr werdet in diesen wenigen Wochen, die ich hier bin, mit mir sprechen?«

»Oh, gewiß. Das heißt: Ich weiß es nicht. Oh, was mußtet Ihr kommen und mir meine Ruhe rauben!«

»Vielleicht habe ich mich in meiner eigenen Schlinge gefangen. So etwas wäre nicht zum ersten Mal passiert. Darf ich wenigstens bei der Feldarbeit helfen?«

»Ja, ich meine schon – wenn Euch das Spaß macht.«

»Miss Everdene, ich danke Euch!«

»Nein, nein.«

»Lebt wohl!«

Der Sergeant legte die Hand an das schräge Käppchen, salutierte und kehrte zu der fernen Gruppe der Heuarbeiter zurück.

Es war Bathsheba unmöglich, jetzt ihren Leuten gegenüberzutreten. Ihr Herz flatterte wie ein erschreckter Vogel; erhitzt und den Tränen nahe ging sie nach Hause. »Oh, was habe ich getan?« murmelte sie. »Was hat es zu bedeuten? Ich wollte, ich wüßte, was daran wahr ist.«

Die Bienen von Weatherbury schwärmten in diesem Jahr spät. Es war gegen Ende Juni, am Tag nach dem Gespräch mit Troy auf der Wiese. Bathsheba stand im Garten, beobachtete einen Schwarm im Flug und versuchte zu erraten, wo er sich niederlassen würde. Nicht nur besonders spät daran waren die Bienen, auch aufgeregter als sonst waren sie. Es gab Jahre, da setzten sich die Schwärme durchwegs im niedrigsten Gezweig an – etwa an einem Johannisbeerstrauch oder an den Spalieräpfeln; im nächsten Jahr wieder suchten sie sich ebenso einmütig die höchsten Wipfel aus und spotteten aller Verfolger, solange diese nicht mit Leitern und Stangen anrückten.

Das taten sie auch jetzt. Bathsheba schattete mit einer Hand die Augen ab und sah zu, wie das Gewimmel hinauf in die unergründliche Bläue stieg, bis es endlich an einem der krummen Mostapfelbäume hängen blieb. Das Weitere erinnerte an Beschreibungen, wie angeblich vor Äonen die Welt entstanden ist: Der Schwarm war als dünner Schleier himmelwärts gezogen, nun verdichtete sich ein nebelhafter Kern, der an einen Ast heranschwebte, dabei immer dichter wurde und schließlich einen festen, im Gegenlicht schwarzen Klumpen bildete.

Da alles Gesinde dabei war, das Heu einzubringen – sogar Liddy hatte das Haus verlassen, um mit Hand anzulegen – entschloß sich Bathsheba, den Schwarm womöglich selbst einzufangen. Sie hatte den Korb mit Kräutern und Honig aufbereitet, holte nun Leiter, Besen und Kruke, wappnete sich mit einer stichfesten Rüstung aus Lederhandschuhen, Strohhut und weitem Gazeschleier – einst grün, inzwischen aber schnupftabakfarben gebleicht – und kletterte etwa ein Dutzend Sprossen hoch.

Auf einmal hörte sie, keine zehn Meter weit weg, eine Stimme, die allmählich eine merkwürdige Macht über sie gewann:

»Miss Everdene, laßt mich Euch helfen! So etwas dürft Ihr nicht allein angehen!«

Troy stand dort, die Hand an der Gartentür.

Bathsheba warf Besen, Kruke und den leeren Korb von sich, raffte hastig und verlegen den Rock um die Knöchel und rutschte, so gut es ihr gelang, die Leiter hinunter. Als sie am Boden anlangte, war auch Troy schon dort und bückte sich nach dem Korb.

»Mein Glück, daß ich ausgerechnet jetzt gekommen bin!« rief der Sergeant.

Sie brauchte eine Weile, bis sie zu Worten fand. »Wahrhaftig! Und Ihr wollt sie mir wirklich hineinschütteln?« Für jemanden, der nicht auf den Mund gefallen war, klang es ein wenig kleinlaut, aber ein schüchternes Mädchen hätte wohl dazu einigen Mutes bedurft.

»Ob ich es will?« erwiderte Troy. »Natürlich. Wie blühend Ihr heute ausseht!« Er ließ sein Stöckchen fallen und setzte den Fuß auf die Leiter.

»Aber Ihr müßt Schleier und Handschuhe nehmen, sonst werdet Ihr greulich zerstochen.«

»Ach ja, Schleier und Handschuhe . . . Könnt Ihr mir zeigen, wie man sie anlegt?«

»Und den Hut mit der breiten Krempe müßt Ihr auch aufsetzen, denn Eure Kappe hat keinen Schirm, um den Schleier abzuhalten – da würden sie Euch ans Gesicht gelangen.«

»Ja, selbstverständlich auch den Hut mit der breiten Krempe.«

So fügte es die Laune des Schicksals, daß sie ihren Hut – samt Schleier und allem übrigen – abnahm und er ihn aufgesetzt bekam. Die Kappe warf er über einen Stachelbeerbusch. Dann mußte der Schleier unten um den Kragen zugebunden werden. Auch die Handschuhe streifte Troy über.

Der Anblick, den er in diesem Aufzug bot, war so absurd, daß sie trotz ihrer Verlegenheit nicht anders als hell herauslachen konnte. So brach wieder ein Teil der Barriere, mit der sie ihn auf Distanz gehalten hatte, in sich zusammen.

Bathsheba sah von unten her zu, wie er sich bemühte, durch Schütteln und mit Hilfe des Besens die Bienen von dem Baum zu lösen. Mit der zweiten Hand hielt er den Korb für sie auf. Daß seine Aufmerksamkeit von dem Unternehmen voll beansprucht war, nützte sie, um sich unbeobachtet ein bißchen zurechtzuzupfen. Dann kam er die Leiter herab, den Korb, dem eine Bienenwolke nachzog, auf Armlänge von sich gestreckt.

»Sapperment!!« bemerkte er durch den Schleier hindurch. »So ein Korb geht einem an den Bizeps! Lieber exerziere ich eine Woche lang mit dem Säbel.« Als die Aktion gelungen war, trat er zu ihr hin. »Habt Ihr jetzt die Güte, mich wieder aufzuknüpfen und herauszulassen? Ich ersticke fast in diesem Seidenkäfig.«

»Ich habe so etwas noch nie gesehen«, sagte sie, weil sie nicht zeigen wollte, wie peinlich es ihr war, die Schnur, die um seinen Nacken lag, zu lösen.

»Was?«

»Das mit dem Säbel.«

»Ah! Und Ihr würdet es gern?«

Bathsheba zögerte. Sie hatte von Leuten aus Weatherbury, die zufällig in Casterbridge bei der Kaserne gewesen waren, Wunderbares über dieses seltsame, glanzvolle Ritual vernommen. Knaben und Männer, die durch eine Ritze oder über die Mauer gespäht hatten, wußten zu berichten, daß es das Aufregendste überhaupt war, was da auf dem Kasernenhof vor sich ging. Das Messingzeug und die Waffen – da, dort, überall – ein Blitzen und Sprühen wie Feuerwerk, aber nach genauen Regeln. Der Wunsch war stärker, als sie ihm zugestehen wollte.

»Ja. Ich würde es gern einmal sehen.«

»Das sollt Ihr. Ich werde Euch das ganze Programm vorführen.«

»Nein! Wie?«

»Laßt mich überlegen –«

»Aber nicht mit einem Spazierstock! Es muß ein richtiger Säbel sein.«

»Ja, ich weiß – und ich habe keinen hier. Aber bis heute abend könnte ich mir einen Säbel beschaffen. Vorausgesetzt, daß Ihr –«

Er neigte sich zu Bathsheba und flüsterte ihr ins Ohr.

»Nein!« verwahrte sie sich errötend. »Besten Dank – aber das könnte ich auf keinen Fall.«

»Aber warum nicht? Niemand wird es erfahren.«

Sie schüttelte den Kopf, aber ihr Widerstand ließ schon nach. »Wenn ich es tun soll, muß ich Liddy mitbringen. Das darf ich doch?«

Troy blickte in unbestimmte Fernen. »Ich sehe nicht ein, warum Ihr sie mitbringen wollt«, sagte er kühl.

Ein unbewußtes, aber zustimmendes Aufblitzen in Bathshebas Augen verriet, daß es nicht nur der sachliche Einwand war, der auch sie Liddys Anwesenheit bei dieser Vorführung als überflüssig empfinden ließ. Noch als sie davon sprach, hatte sie es schon gespürt.

»Gut, ich werde Liddy nicht mitbringen – und kommen. Aber lange bleibe ich nicht«, fügte sie hinzu. »Wirklich nicht lange.«

»Es wird keine fünf Minuten dauern«, versicherte Troy.

Der Hügel, vor dem Bathshebas Haus lag, ging nach einer Meile in Brachland über, zu dieser Jahreszeit durchsetzt mit hohem Dickicht von Farnkraut, saftig und dünnhäutig vom jüngsten Wachstumsschub und leuchtend in allen Abstufungen von klarem, makellosem Grün.

Um acht Uhr an diesem Hochsommerabend, während der schillernde Sonnenball im Westen noch die Spitzen des Farns mit langen, goldenen Strahlen streifte, war dort das leise Rascheln eines Kleides zu vernehmen, und mittendrin erschien Bathsheba, bis zu den Schultern hinauf von den weichen, fiedrigen Wedeln umschmeichelt. Sie hielt an, drehte sich um, ging zurück über den Hügel und halbwegs bis zu ihrer Haustüre, um einen Abschiedsblick zu dem Ort zu werfen, den sie mit dem Entschluß, dort keinesfalls länger zu verweilen, soeben verlassen hatte.

Sie sah einen Tupfen künstliches Rot, der sich um den Einschnitt des Hügels bewegte und auf der anderen Seite verschwand.

Eine Minute – zwei Minuten wartete sie und stellte sich vor, wie enttäuscht Troy nun war, weil sie ihr Versprechen nicht gehalten hatte. Dann lief sie abermals das Feld hinan, stieg über den Rain und schlug dieselbe Richtung ein, aus der sie gekommen war. Sie zitterte nun, da sie die Tollkühnheit des Unternehmens bedachte; ihr Atem ging keuchend, in raschen Stössen, und ein seltsames Leuchten lag in ihren Augen. So gelangte sie an den Rand einer Mulde, mitten im Farn. Dort unten stand Troy und sah zu ihr hinauf.

»Ich habe Euch im Farn rascheln gehört«, sagte er, kam Bathsheba entgegen und reichte ihr die Hand, um ihr den Hang hinunter zu helfen.

Die Mulde war eine schüsselartige, von der Natur geformte Vertiefung, oben etwa zehn Meter im Durchmesser und so flach, daß ihre Köpfe in der Sonne waren. Wenn man im Mittelpunkt stand, traf der Himmel auf einen kreisrunden Horizont aus Farnkraut, das rundherum fast bis zum Grund hinabwuchs und dann plötzlich aufhörte. Die Fläche, die dieser grüne Gürtel einfaßte, war mit einem dicken, seidigen Teppich aus Moos und Gras bedeckt, so weich, daß der Fuß darin bis zum halben Knöchel einsank.

»Nun denn«, sagte Troy und zog den Säbel. Als er ihn ins Sonnenlicht hob, blitzte der Stahl zum Gruß, als sei er lebendig. »Zunächst einmal gibt es vier rechte und vier linke Hiebe, vier rechte und vier linke Stiche. Für meinen Geschmack sind die Hiebe und Stiche bei der Infanterie interessanter, aber es ist weniger Schwung darin; sie haben insgesamt sieben Hiebe und drei Stiche. Das nur zur Einleitung. Ja – und jetzt also der erste Hieb: Als ob ein Sämann sein Korn ausstreuen würde – so.« Bathsheba sah etwas wie einen verkehrten Regenbogen in der Luft, dann hielt Troys Arm wieder still. »Zweiter Hieb: Wie beim Heckenstutzen. Drei: Wie mit einer Sense. Vier: Wie mit einem Dreschflegel. So – Und dann dasselbe links. Bei den Stichen geht es so: Eins, zwei, drei, vier rechts. Eins, zwei, drei, vier links.« Er wiederholte sie. »Noch einmal?« fragte er. »Eins, zwei –«

Sie unterbrach ihn hastig. »Nein, danke. Ich habe nichts gegen die Zweier und die Vierer, aber die Einer und Dreier sind zum Fürchten.«

»Gut. Ich will Euch die Einer und Dreier ersparen. Dann kommen Hiebe, Stiche und Paraden in Kombination.« Troy führte sie entsprechend vor. »Dann das Nachsetzen – so.« Er ging das Programm noch einmal durch. »Das sind die üblichen Positionen. Bei der Infanterie haben sie dann noch zwei ganz teuflische Aufhiebe, für die wir zu rücksichtsvoll sind. So geht das: Drei, vier –«

»Mörderisch!«

»Die geben einem den Rest. Und jetzt werde ich es ein bißchen dramatischer anlegen und Euch ein wenig freie Arbeit zeigen – da kommen die Hiebe und Stiche, Kavallerie und Infanterie, blitzschnell und wie gehagelt, mit gerade soviel System, daß der Instinkt gelenkt, aber nicht behindert wird. Ihr seid dabei mein Gegner wie in einem richtigen Nahkampf, nur daß ich Euch jeweils um Haaresbreite verfehlen werde – oder auch um eine Spur mehr. Aber Ihr dürft Euch ja nicht rühren!«

»Ich werde mich hüten«, versprach sie tapfer.

Er wies etwa einen Meter vor sich.

Bathsheba in ihrer Abenteuerlust begann an dieser völlig neuartigen Form der Unterhaltung Geschmack zu finden. Sie stellte sich hin, wie Troy es ihr wies, ihm gegenüber.

»Erst will ich feststellen, ob Ihr genug Mut aufbringt, daß ich tun kann, was ich vorhabe. Ich werde Euch eine Probe geben.«

Als Einleitung zog er den Säbel in einem Zweier durch – und gleich darauf sah sie, wie die Klinge aufblitzte und gegen ihre linke Seite vorstieß, knapp über der Hüfte – und schon war sie rechts drüben, erschien zwischen ihren Rippen, als wäre sie quer durch sie hindurchgefahren. Das nächste, was ihr zu Bewußtsein kam, war derselbe Säbel, ganz sauber und ohne einen Tropfen Blut, senkrecht (im sogenannten Präsentiergriff) in Troys Hand. Als wie ein überspringender Funke.

»Oh!« rief sie erschrocken und griff sich an die Seite. »Habt Ihr mich durchgestochen? Nein – doch nicht! Was habt Ihr getan?«

»Ich habe Euch nicht berührt«, sagte Troy ruhig. »Das war nur ein kleiner Trick. Ich habe den Säbel hinter Euch herumgeführt. Jetzt habt Ihr keine Angst mehr, nicht wahr? Wenn Ihr Angst habt, muß ich aufhören. Ich verspreche Euch, daß ich Euch nicht nur nicht verletze – ich werde Euch nicht einmal berühren.«

»Ich glaube, ich habe keine Angst. Seid Ihr ganz sicher, daß Ihr mich nicht verletzt?«

»Ganz sicher.«

»Ist die Klinge sehr scharf?«

»Nein – aber Ihr müßt stillstehen wie ein Stück Holz. Jetzt!«

Im Nu verwandelte sich vor Bathshebas Augen die Atmosphäre: Oben, rundum und vorn, abgetrennt von Himmel und Erde durch Strahlen, sprühend aus Troys Klinge, die in ihrem wunderbaren Spiel das Licht der niedrigen Sonne einfing und zugleich überall und nirgends zu sein schien. Dieses funkelnde Wirbeln war von einem Fauchen, fast einem Pfeifen begleitet, das gleichfalls von allen Seiten her auf sie eindrang. Bathsheba war wie in eine Kuppel aus Licht und scharfem Zischen eingeschlossen, die an einen Himmel von Meteoren denken ließ – einen hautnahen Himmel.

Noch nie, seit der Säbel zur Armeewaffe geworden war, hatte ihn jemand geschickter zu führen gewußt als Sergeant Troy, und noch nie war er selbst so in der rechten Exerzierstimmung gewesen wie hier im Abendsonnenschein, im Farn, mit Bathsheba. Mit gebührendem Respekt vor der Präzision seiner Hiebe wäre festzustellen, daß die Klinge, hätte sie in der Luft, die sie durchschnitt, etwas Bleibendes gelassen, mit dem von ihr unberührten Raum beinahe eine Art Gußmodel Bathshebas herausgearbeitet hätte.

Durch die schillernden Kaskaden dieser *aurora militaris* vermochte sie das Rot von Troys rechtem Arm zu sehen, das wie ein Scharlachnebel den Raum füllte, in dem er agierte, wie eine schwirrende Harfensaite – und dahinter Troy selbst, meist mit dem Gesicht zu ihr, manchmal auch halb abgewandt, wenn er einen Kehrschlag führte, immer aber mit den Augen auf ihr, ihre Maße und ihre Form genau im Blick, die Lippen fest zusammengepreßt vor Anstrengung. Dann wurden seine Bewegungen langsamer, so daß sie ihnen im einzelnen folgen konnte. Das Zischen des Säbels verstummte – und nun war es ganz zu Ende.

»Die eine Locke dort außen ist nicht ganz, wo sie hingehört«, bemerkte er, ehe sie sich noch bewegt oder etwas gesagt hatte. »Moment! Ich werde es für Euch tun –«

Ein silbriger Bogen spannte sich zu ihrer Rechten: Der Säbel war niedergefahren. Die Locke fiel.

»Gut gehalten!« lobte Troy. »Ihr habt auch nicht mit einer Wimper gezuckt! Für eine Frau ist das allerhand!«

»Es war nur, weil ich so etwas nicht erwartet habe. Oh, jetzt habt Ihr meine Frisur zerstört!«

»Nur einmal noch!«

»Nein – nein! Ich habe Angst vor Euch – wirklich!« rief sie.

»Ich werde Euch nicht berühren – nicht einmal Euer Haar. Ich werde nur die Raupe töten, die dort auf Euch sitzt. Jetzt, ruhig!«

Eine Raupe, die anscheinend aus dem Farn hochgekrochen war, hatte sich vorn auf Bathshebas Mieder niedergelassen. Sie sah, wie die Säbelspitze auf ihre Brust zustieß, sie zu durchbohren drohte. Bathsheba schloß die Augen, ganz davon überzeugt, daß er sie nun doch getötet hatte. Als sie sich aber nicht anders als zuvor fühlte, öffnete sie die Lider wieder.

»Da ist sie, seht!« sagte der Sergeant und hielt ihr die Klinge hin.

Die Raupe krümmte sich aufgespießt an der Säbelspitze.

»Oh, das ist Zauberei!« rief Bathsheba verblüfft.

»O nein, nur Übung. Ich bin nur gegen die Stelle an Eurem Busen ausgefallen, wo die Raupe saß – und statt Euch zu durchstoßen, habe ich die Klinge ein tausendstel Zoll vor Eurem Körper angehalten.«

»Aber wie konntet Ihr mir eine Locke mit einem Säbel abschlagen, der nicht geschliffen ist?«

»Nicht geschliffen? Der Säbel ist scharf wie ein Rasiermesser. Schaut her!«

Er berührte seine Handfläche mit der Schneide, hob sie ab und zeigte Bathsheba ein dünnes Hautfetzchen, das daran hing.

»Aber Ihr habt mir doch vorher gesagt, daß er stumpf ist und mich nicht schneiden kann!«

»Das habe ich nur gesagt, damit Ihr ruhig steht und Euch nicht in Gefahr bringt. Wenn ich Euch nicht angeschwindelt hätte, wäre das Risiko, Euch zu verletzen, zu groß gewesen.«

Sie schauderte. »So bin ich knapp am Tod vorbeigegangen, ohne es zu ahnen!«

»Genau genommen wärt Ihr um ein Haar zweihundertfünfundneunzig Mal bei lebendigem Leib zerstückt worden.«

»Oh, Ihr seid abscheulich! Abscheulich!«

»Dennoch wart Ihr vollkommen sicher. Meine Klinge irrt nie.«

Worauf Troy den Säbel in die Scheide stieß.

Bathsheba, von einer Vielfalt widersprüchlicher Gefühle überwältigt, ließ sich benommen auf einem Heidekrautpolster nieder.

»Ich muß Euch jetzt verlassen«, sagte Troy sanft. »Erlaubt mir, dies zu nehmen und als Andenken an Euch zu bewahren.«

Sie sah, wie er sich bückte und aus dem Gras die Locke pflückte, die er aus ihrem reichen Haar geschnitten. Er wickelte sie sich um einen Finger, knöpfte seine Jacke auf und steckte die Locke behutsam ein. Bathsheba war zu schwach, um sich dagegen zu wehren oder es ihm zu verbieten. Sie kam sich vor wie ein Mensch, dem ein frischer Wind ins Gesicht bläst – aber so stark, daß es ihr den Atem nahm. Er war ihr einfach überlegen.

Er trat zu ihr. »Ich muß gehen«, sagte er und kam noch näher. Eine Minute später sah sie eine scharlachrote Gestalt im Farndickicht verschwinden, flüchtig wie ein Blitz oder ein Fakkelzeichen.

Die eine Minute hatte genügt, daß der Puls ihr das Blut ins Gesicht trieb. Wie ein Brennen spürte sie es bis zu den Zehen hinunter und ließ ihre Gefühle in einem Maß aufwallen, daß kein Raum für einen Gedanken blieb. Es hatte sie getroffen wie jenen Fels, aus dem Moses Wasser schlug. Nun brach sie in Tränen aus. Ihr war, als hätte sie eine schwere Sünde begangen.

Der Grund war, daß Troys Mund sich behutsam zu dem ihren geneigt hatte. Er hatte sie geküßt.

Nun sehen wir endlich, wie das Irrationale die vielen und wechselnden Facetten von Bathsheba Everdenes Charakter durchsetzt. Ihrem eigentlichen Wesen war es eher fremd, aber als Gift, das Amors Pfeil getränkt, drang es allmählich überallhin und beeinflußte ihre ganze innere Struktur. Zu klug, um sich völlig vom weiblichen Instinkt leiten zu lassen, war Bathsheba doch zu sehr Frau, um ihre Klugheit immer zum Vorteil anzuwenden. Wohl nichts an einer Frau verblüfft ihr klügeres Ich so sehr wie die merkwürdige Fähigkeit, an Lob zu glauben, das sie als falsch durchschaut – ausgenommen die Fähigkeit, Kritik als berechtigt anzuerkennen und sie trotzdem zu bezweifeln.

Bathsheba war in Troy auf eine Weise verliebt, wie es nur bei Frauen von großem Selbstvertrauen vorkommt, wenn sie dieses verlieren. Wenn eine starke Frau unbedacht auf ihre Stärke verzichtet, ist sie schlimmer daran als eine, die nie etwas wie Stärke besaß, auf die sie hätte verzichten können. Eine Ursache für solches Versagen ist das Unbekannte des Zustands. Sie hat nie gelernt, aus einer derartigen Situation noch das Beste herauszuholen. Eine Schwäche, die neu ist, macht doppelt schwach.

Bathsheba war sich des Trugs, der hier wirkte, nicht bewußt. Obwohl sie als Frau in gewissem Sinn die Welt mit klarem Blick erfaßte, war diese mit ihrer geschlossenen, ländlichen Gesellschaft doch eine Welt im Tageslicht, durch die sich Rinderherden an Stelle von Menschenmassen bewegten und statt geschäftigen Lärms der Wind blies; wo eine stille Hasenfamilie hinter dem Zaun lebt, man mit jedermann im Dorf vertraut ist und berechnendes Handeln auf die Markttage beschränkt. Den manipulierten Geschmack der braven Leuten, die mit der Mode gehen, kannte sie nur von ungefähr, den programmierten Egoismus der Verderbten überhaupt nicht. Hätte sie ihre Gedanken, die sich am weitesten in diese Richtung vorwagten, in Worte gefaßt (was sie nie tat), so wäre dabei nur herausgekommen, daß es ihr angenehmer war, sich von Gefühlen als von ihrem Verstand leiten zu lassen. Ihre Liebe war ganz wie die Liebe eines Kindes, heiß wie der Sommer und doch frisch wie im März. Ihre Schuld bestand darin, daß sie keinen Versuch unternahm, ihre Gefühle zu kontrollieren, indem sie sich ernstlich und ohne Ausflüchte fragte, wohin denn das alles führen sollte. Anderen Menschen vermochte sie den steilen Dornenweg zu weisen, für sich selbst bezog sie daraus nichts.

Und dazu kam, daß Troys Mängel innerer Natur waren, dem Blick einer Frau verborgen, während er seine Vorzüge durchaus an der Oberfläche trug – ganz im Gegensatz zu dem biederen Oak, dessen Schwächen selbst ein Blinder sah, wogegen seine Stärken wie Goldadern in einem Berg steckten.

Der Unterschied zwischen Liebe und Achtung drückte sich sehr deutlich in Bathshebas Verhalten aus. Sie hatte zu Liddy ganz freimütig über ihr Interesse an Boldwood gesprochen, was sie über Troy zu sagen gehabt hätte, behielt sie jedoch in ihrem Herzen.

Gabriel sah ihre Verblendung und sorgte sich um sie vom frühen Morgen, wenn er aufs Feld ging, bis zu seiner Heimkehr am Abend – und dann oft noch bis spät in die Nacht hinein. Vorher hatte es ihn gegrämt, daß nicht er es war, den sie liebte, aber nun war es ihm die größere Sorge, daß sie zu Schaden kommen könnte. Es handelte sich hier um einen jener Fälle, in denen beim Zusammentreffen zweier Schmerzen der größere den geringeren überlagert.

Fürwahr eine edle Liebe, die nicht einmal davor zurückschreckt, den Kampf gegen die Irrtümer des geliebten Wesens aufzunehmen und dessen Herz gegen sich zu kehren! Oak entschloß sich, mit seiner Herrin zu reden. Er wollte sich in seiner Argumentation darauf berufen, daß sie sich unfair gegen den abwesenden Farmer Boldwood benahm.

Eine Gelegenheit ergab sich an einem Abend, als Bathsheba einen kurzen Spaziergang unternahm, der sie auf einem Fußpfad durch die angrenzenden Weizenfelder führte. Es dämmerte, als Oak, der in der Nähe seine Arbeit getan hatte, denselben Weg einschlug und ihr, die wieder heimwärts ging, begegnete. Sie sah, wie er fand, recht nachdenklich drein.

Das Korn stand jetzt hoch, und der Pfad war schmal wie eine kleine Schlucht zwischen den dichten Halmen zu beiden Seiten. Zwei Menschen konnten nicht aneinander vorüber, ohne die Frucht zu schädigen, und so trat Oak beiseite, um Bathsheba passieren zu lassen.

»Ah, du bist es, Gabriel?« sagte sie. »Auch spazieren?«

»Ich wollte Euch entgegengehen, weil es schon recht spät

ist«, erwiderte Oak, drehte sich um und folgte ihr auf dem Fuß, als sie recht eilig an ihm vorbeigerauscht war.

»Danke – ich bin nicht besonders furchtsam.«

»Nein. Aber es treiben sich finstere Gestalten herum.«

»Mir ist nie eine über den Weg gelaufen.«

Der schlaue Oak hatte über die finsteren Gestalten auf den galanten Sergeanten hinlenken wollen, verwarf aber diesen Plan, als ihm plötzlich vorkam, daß das doch ein recht plumper, allzu direkter Einstieg wäre. Er versuchte es also andersherum.

»Und weil der Mann verreist ist, der Euch sonst bestimmt entgegengegangen wäre – ich meine den Farmer Boldwood –, habe ich mir halt gedacht, daß ich es tue.«

»Ach so – ja.« Sie ging weiter, ohne den Kopf zu wenden, und viele Schritte lang war von ihr nichts zu hören als das Rascheln ihres Kleids, dessen Saum an den schweren Ähren streifte. Dann kam sie, einigermaßen spitz, auf Gabriels Bemerkung zurück:

»Ich verstehe nicht recht, was du mit der Behauptung, daß Mr. Boldwood mir bestimmt entgegengegangen wäre, sagen wolltest.«

»Weil Ihr ihn, wie es heißt, wahrscheinlich heiraten werdet, darum, Miss. Verzeiht, daß ich so offen rede.«

»Es ist nicht wahr, was die Leute sagen«, entgegnete sie rasch. »Es ist überhaupt nicht wahrscheinlich, daß Mr. Boldwood und ich heiraten.«

Nun hielt Gabriel, der den rechten Augenblick gekommen fand, mit seiner Meinung nicht länger zurück: »Immerhin, Miss Everdene – abgesehen von allem, was die Leute sagen –, wenn er Euch nicht den Hof macht, dann habe ich nie einen Mann gesehen, der um eine Frau wirbt.«

An diesem Punkt hätte Bathsheba sich vermutlich rundweg dieses Thema verbeten und damit das Gespräch abgebrochen, wenn sie nicht im Bewußtsein, wie schwach ihre Position war, diese durch Einwände und Argumente zu stützen versucht hätte.

»Weil du schon davon angefangen hast«, begann sie mit starkem Nachdruck, »bin ich froh über diese Gelegenheit, einen sehr ärgerlichen und offenbar sehr verbreiteten Irrtum richtigzustellen. Ich habe Mr. Boldwood nichts versprochen, was mich binden würde. Ich habe ihn nie geliebt. Ich achte ihn, und er hat mich um meine Hand gebeten, aber ich habe ihm keine definitive Antwort gegeben. Das werde ich tun, sobald er wieder hier ist: Und sie wird sein, daß für mich eine Ehe mit ihm nicht in Frage kommt.«

»Wie sich die Menschen irren.«

»Ja, das tun sie.«

»Erst haben sie gesagt, daß Ihr mit ihm kokettiert, und Ihr habt ihnen ziemlich eindeutig zu verstehen gegeben, daß dem nicht so ist; dann hat es geheißen, daß Ihr es also ernst meint – und nun legt Ihr es auf einen Beweis an –«

»Daß ich mit ihm nur kokettiere?«

»Nun – ich hoffe noch, daß die Leute doch recht haben.«

»Sie haben recht, aber in einem anderen Sinn. Ich kokettiere nicht mit ihm, weil ich auch sonst nichts mit ihm zu schaffen habe!«

Zu seinem Pech kam Oak nun doch – und mit den falschen Vorzeichen – auf Boldwoods Rivalen zu sprechen.

»Ich wollte«, seufzte er, »Ihr wärt dem jungen Sergeant Troy nie begegnet.«

Bathsheba schlug ein etwas hektisches Tempo an. »Warum?« fragte sie.

»Er ist für Euch nicht gut genug.«

»Hat jemand dir aufgetragen, mir das mitzuteilen?«

»Nein, keine Seele.«

»Dann würde ich meinen, daß wir Sergeant Troy hier nicht weiter hereinziehen müssen«, entgegnete sie trotzig. »Dennoch möchte ich feststellen, daß Sergeant Troy ein gebildeter Mann ist, dessen sich keine Frau zu schämen braucht. Er ist von bester Herkunft.«

»Daß er nach seiner Erziehung und Herkunft mehr ist als ein gewöhnlicher Soldat, ist kein Beleg für seine Qualitäten. Es zeigt nur, daß er auf die schiefe Bahn geraten ist.«

»Ich sehe wirklich nicht, wie das mit unserem Thema zusammenhängt. Mr. Troy ist alles andere als auf die schiefe Bahn geraten, und sein Stand ist ein Beleg für seine Qualitäten!«

»Ich halte ihn für einen völlig gewissenlosen Menschen. Und ich kann nicht anders, Miss, als Euch inständig bitten, Euch nicht mit ihm einzulassen! Hört auf mich – nur dieses einzige Mal! Ich will nicht behaupten, daß er ganz so schlecht ist, wie ich vermutet habe – wollte Gott, daß er es nicht ist! Wenn wir aber nicht genau wissen, wie es um ihn steht – wäre es nicht besser – nur für Euer Wohl – davon auszugehen, daß er vielleicht ein schlechter Mensch sein könnte? Traut ihm nicht, Fräulein, ich bitte Euch, traut ihm nicht zu sehr!«

»Und warum, bitte?«

»Ich habe sonst nichts gegen Soldaten, aber dieser eine gefällt mir nicht«, bekannte er mutig. »Möglicherweise haben seine Talente ihn auf den falschen Weg gelockt, aber was unter Nachbarn ein Scherz ist, könnte eine Frau ins Verderben bringen. Warum wendet Ihr Euch nicht, wenn er Euch wieder anzusprechen versucht, nach einem kurzen Gruß ab und schlagt, wenn Ihr ihn kommen seht, die andere Richtung ein? Tut so, als ob Ihr seine Witze nicht verstündet, und lacht nicht über sie – und nennt ihn vor Leuten, die Eure Worte weitertratschen, ›diesen merkwürdigen Menschen‹ oder ›diesen Sergeant Dingsda‹ – ›einen jungen Mann aus gutem Haus, der vor die Hunde gegangen ist‹. Begegnet ihm nicht unhöflich, aber seid auf freundliche Weise so unverbindlich, daß Ihr ihn loswerdet.«

Bathsheba begann zu flattern wie ein Vogel hinter einer Fensterscheibe.

»Ich habe dir gesagt – und ich sage es noch einmal: Es steht dir nicht zu, über ihn zu reden! Ich habe keine Ahnung, was das hier soll«, rief sie verzweifelt. »Ich weiß nur, d-d-daß er ein durchaus verantwortungsbewußter Mensch ist – manchmal von einer Unverblümtheit, die bereits grob ist – und daß er jedem ins Gesicht sagt, was er von ihm hält.«

»Oh.«

»Er ist so gut wie irgend einer hier im Dorf! Und er nimmt es auch mit seiner Sonntagspflicht sehr genau – ja, das tut er!«

»Ich fürchte, es hat ihn noch keiner in der Kirche gesehen. Ich jedenfalls nicht.«

»Das kommt daher«, belehrte sie Gabriel eifrig, »daß er ohne Aufsehen bei der alten Turmtür hineingeht, wenn der Gottesdienst anfängt, und sich hinten auf dem Chor hinsetzt. So hat er es mir gesagt.«

Dieser überwältigende Beweis für Troys Qualitäten wirkte auf Gabriel, als hätte eine verrückte Uhr dreizehn geschlagen. Nicht nur, daß er kein Wort glaubte, was diesen letzten Punkt betraf, auch alle vorangegangenen Versicherungen Bathshebas wurden dadurch in Zweifel gezogen.

Es schmerzte Oak, wie rückhaltlos Bathsheba sich ihm anvertraute. Sein Herz war voll, als er mit fester Stimme zur Erwiderung ansetzte – aber die offensichtliche Mühe, so fest zu bleiben, verdarb dabei den Eindruck.

»Ihr wißt, Fräulein, daß ich Euch liebe und immer lieben werde. Ich erwähne das nur, um Euch begreiflich zu machen, daß ich Euch zumindest nichts Böses will – alles andere hat hier nichts zu besagen. Ich habe in dem Spiel um Gut und Geld verloren, und ich bin kein solcher Narr, daß ich mir als Habenichts, während Ihr so hoch über mich gelangt seid, noch eine Chance bei Euch geben wollte. Nur eines, liebes Fräulein Bathsheba, bitte ich Euch zu bedenken: Um nicht vor Euren Leuten an Achtung zu verlieren, aber auch aus großherziger Rücksicht auf einen unbescholtenen Mann, der Euch so von Herzen liebt wie ich, solltet Ihr in Eurem Verhalten gegenüber diesem Soldaten mehr Zurückhaltung üben.«

»Nein! Nein! Nein!« preßte sie heraus, als ob sie erstickte.

»Ihr bedeutet mir mehr als mein eigener Vorteil, mehr als mein Leben«, fuhr er fort. »Bitte, hört mir zu! Ich bin sechs Jahre älter als Ihr, und Mr. Blodwood ist zehn Jahre älter als ich – überlegt doch, ich bitte Euch, bevor es zu spät ist, wie gut Ihr in seiner Hand aufgehoben wärt!«

Daß Oak seine eigene Liebe hineinbrachte, besänftigte bis zu einem gewissen Grad Bathshebas Ärger über seine Anmaßung; aber sie konnte ihm nicht wirklich vergeben, daß er den Wunsch, sie zu besitzen, so zurückstellte und nur ihr Bestes wollte, ganz abgesehen davon, wie verächtlich er über Troy sprach.

»Ich möchte, daß Ihr verschwindet«, sagte sie, und das Zittern ihrer Stimme deutete eine Blässe an, die sich in ihrem Gesicht nicht zeigte. »Auf diesem Hof ist kein Platz für Euch. Ich brauche Euch nicht – bitte geht!«

»Unsinn«, erwiderte Oak ruhig. »Jetzt spielt Ihr mir schon zum zweiten Mal vor, daß Ihr mich entlaßt. Was soll das?«

»Ich spiele etwas vor? Ihr werdet gehen, Herr – ich lasse mich nicht von Euch schulmeistern! Ich bin es, die hier zu bestimmen hat!«

»Gehen soll ich also ... Und was wird die nächste Dummheit sein, die ich mir von Euch anhören darf? Wollt Ihr mich wirklich wie irgendeinen Dahergelaufenen behandeln, da Ihr doch wißt, daß meine Stellung vor gar nicht langer Zeit so gut war wie die Eure? Und Ihr wißt auch, der Betrieb hier gerät so aus den Fugen, wenn ich gehe, daß Ihr Euch lange nicht fangen würdet! Es sei denn, Ihr versprecht mir, daß Ihr einen fähigen Mann als Verwalter oder Gutsdirektor oder sonstwas nehmt. Wenn Ihr mir das versprecht, verschwinde ich auf der Stelle!«

»Ich nehme keinen Verwalter. Ich bleibe meine eigene Verwalterin«, beharrte sie.

»Gut. In diesem Fall solltet Ihr mir dankbar sein, daß auch ich bleibe. Wie soll es denn mit der Farm weitergehen, wenn nur eine Frau da ist, um nach dem Rechten zu sehen? Ich will Euch damit nicht das Gefühl geben, daß Ihr mir etwas schuldet – das will ich nicht. Was ich tue, tue ich. Manchmal habe ich mir gesagt, daß ich heilfroh sein müßte, von hier loszukommen. Bildet Euch nur nicht ein, daß ich zufrieden bin, hier ein Niemand zu sein! Trotzdem möchte ich nicht mitansehen, wie Ihr zugrunde geht ... Es fällt mir nicht leicht, Euch alles so offen zu sagen, aber – bei meiner Seele! – Ihr mit Eurer aufreizenden Art bringt einen Mann dazu, daß er Sachen sagt, von denen er sich sonst nichts träumen ließe! Ich gebe zu, daß ich mich in etwas einmische, was mich nichts angeht. Aber Ihr wißt zu gut, wie mir ist – und wer die Frau ist, die ich nur zu sehr liebe, in die ich zu vernarrt bin, als daß ich zu ihr höflich sein könnte.«

Es ist durchaus wahrscheinlich, daß seine grimmige Treue, die aus der Art, wie er sprach, noch besser herauszuhören war als aus seinen Worten, ihr unbewußt ein wenig Respekt einflößte. Jedenfalls murmelte sie etwas, dem sich entnehmen ließ, daß er bleiben möge, wenn ihm danach sei. »Läßt du mich jetzt allein?« bat sie dann deutlicher. »Das ist kein Befehl – nur die Bitte einer Frau. Ich nehme nicht an, daß du Rüpel genug bist, sie mir abzuschlagen.«

»Selbstverständlich, Miss Everdene«, erwiderte Gabriel weich. Er wunderte sich, daß sie diese Bitte ausgerechnet jetzt vorbrachte, da doch die Auseinandersetzung vorbei war. Außerdem befanden sie sich auf einem völlig kahlen Hügel, fern jeder menschlichen Behausung, und die Stunde war bereits sehr vorgerückt. Er blieb stehen und ließ sie so weit voran, bis er nur mehr ihre Silhouette gegen den Himmel sah.

Ihr dringender Wunsch, ihn loszuwerden, fand aber nun eine beunruhigende Erklärung. Scheinbar aus dem Boden wuchs neben Bathsheba eine Gestalt hoch. Ihre Umrisse erlaubten keinen Zweifel, daß es sich um Troy handelte. Oak wollte nicht einmal zufällig Zeuge ihres Gesprächs werden, er wandte sich sofort ab und ging zurück, bis gut zweihundert Meter zwischen ihm und dem Liebespaar lagen.

Gabriel ging über den Kirchhof nach Hause. Als er am Turm vorbeikam, fiel ihm ein, was Bathsheba über die tugendhaften Bräuche des Sergeanten erzählt hatte, der jeweils zu Beginn des Gottesdienstes unbemerkt die Kirche betrete. Gabriel vermutete, daß die in diesem Zusammenhang erwähnte kleine Chortüre überhaupt nie benützt wurde, aber er stieg nun doch die Außentreppe hoch, die zu ihr führte, und sah sie sich näher an. Der blasse Glanz im Nordwesten genügte, um ihm zu zeigen, daß eine Efeuschlinge weiter als fußlang von der Mauer her über die Tür gewachsen war und deren Holz an den Stein band. Daß zumindest seit Troys Rückkehr niemand die Türe geöffnet hatte, war offensichtlich.

Eine halbe Stunde darauf betrat Bathsheba ihr Haus. Als das Licht der Kerzen auf ihre Wangen fiel, flammten diese von einer Erregung, die nun fast schon ein Dauerzustand war. Die Worte, mit denen sich Troy, der mit ihr bis zur Haustüre gekommen war, verabschiedet hatte, klangen ihr noch in den Ohren. Er hatte ihr für zwei Tage, die er, wie er behauptete, in Bath bei Freunden verbringen mußte, Lebewohl gewünscht. Und er hatte sie zum zweiten Mal geküßt.

Um Bathsheba gerecht zu werden, muß hier ein Umstand vorweggenommen werden, der erst viel später ans Licht kam. Daß Troy so zeitgerecht am Wegrand auftauchte, war zwischen den beiden nicht so konkret abgesprochen gewesen. Er hatte es vorgeschlagen – sie es sich verbeten; und nur im Hinblick auf die Möglichkeit, daß er doch erscheinen werde, hatte sie Oak fortgeschickt, weil sie vor einem Zusammentreffen der beiden in diesem Augenblick Angst hatte.

Nun sank sie, verwirrt und beunruhigt von dieser hektischen Entwicklung, in einen Fauteuil, sprang dann jedoch wieder in plötzlichem Entschluß auf und holte von einem Beistelltisch das Schreibzeug.

Drei Minuten, ohne abzusetzen oder ein Wort zu ändern, brauchte sie für den Brief an Boldwood, gerichtet an seine Adresse dort bei Casterbridge. Freundlich, aber bestimmt teilte sie ihm mit, daß sie sich mit der Frage, die er an sie gerichtet hatte, in der ihr großzügig gewährten Bedenkzeit gründlich auseinandergesetzt habe und zu dem Schluß gekommen sei, daß sie ihn nicht heiraten könne. Sie hatte Oak gegenüber angedeutet, daß sie bis nach Boldwoods Rückkehr mit einer endgültigen Antwort warten wolle, nun aber fand sie, daß sie nicht länger warten durfte.

Absenden konnte sie den Brief erst am folgenden Tag. Trotzdem wollte sie ihn, um ihr Gewissen zu beschwichtigen und zugleich den Dingen ihren Lauf zu lassen, loswerden. Sie stand daher auf, um den Brief einer von ihren Frauen, die vielleicht in der Küche war, zu geben.

In der Diele blieb sie stehen. In der Küche wurde geredet – und zwar über Bathsheba und Troy.

»Wenn er sie heiratet, gibt sie die Farm auf.«

»Ein süßes Leben, aber außer Höhen wird es vielleicht auch seine Tiefen haben – das sage ich euch.«

»Na, ich würde mir halb so einen Mann wünschen.«

Bathsheba war zu vernünftig, als daß es sie ernstlich getroffen hätte, was ihr Gesinde über sie sprach, aber als Frau redete sie selbst zu gern mit, als daß sie das Gesagte den natürlichen Tod der Dinge, die niemand ernst nimmt, hätte sterben lassen. So platzte sie also hinein.

»Über wen redet ihr da?« fragte sie.

Eine Pause entstand, bevor jemand antwortete. Schließlich bekannte Liddy offen: »Wir haben uns ein bißchen über Euch unterhalten, Miss.«

»Das habe ich geahnt! Maryann, Liddy, Temperance – ich verbiete euch, so etwas auch nur zu denken! Ihr wißt, daß mir an Mr. Troy nichts liegt – mir nicht! Alle wissen, daß ich ihn nicht ausstehen kann. Ja«, wiederholte das querköpfige Mädchen, »ich kann ihn nicht ausstehen!«

»Natürlich, das wissen wir«, entgegnete Liddy. »Wir alle können ihn nicht ausstehen.«

»Ich auch nicht«, schloß sich Maryann an.

»Maryann – du verlogenes Weibsbild! Wie kannst du so etwas behaupten?!« erregte sich Bathsheba. »Erst heute morgen hast du mir von ihm vorgeschwärmt! Das weißt du so gut wie ich!«

»Ja, Miss, aber Ihr habt es auch getan. Jetzt ist er ein dahergelaufener Nichtsnutz, und da habt Ihr ganz recht, wenn Ihr ihn nicht ausstehen könnt.«

»Er ist kein dahergelaufener Nichtsnutz! Wie kommst du dazu, so etwas vor mir zu behaupten?! Ich habe kein Recht, auf ihn hinunterzusehen – auch ihr nicht! Niemand hat ein Recht! Aber ich bin eine dumme Gans! Was geht es mich an, wie er ist? Ihr wißt, daß er mir egal ist. Er ist mir egal. Es ist nicht meine Sache, für seinen guten Ruf einzutreten. Aber das sage ich euch: Wer ein Wort gegen ihn sagt, wird sofort entlassen!«

Sie schleuderte den Brief auf den Tisch und lief, das Herz übervoll und Tränen in den Augen, in den Salon zurück; Liddy ihr nach.

»O Miss!« rief die sanfte Liddy und blickte mitfühlend auf Bathsheba. »Es tut mir so leid, daß wir Euch mißverstanden haben! Ich dachte, daß Euch etwas an ihm liegt; aber jetzt sehe ich, daß er Euch egal ist.«

»Mach die Türe zu, Liddy.«

Liddy schloß die Türe. »Die Leute reden immer solche Dummheiten, Miss«, fuhr sie fort. »In Zukunft werde ich ihnen einfach sagen: Wie könnte eine Dame wie Miss Everdene ihn lieben? Das werde ich ihnen ins Gesicht hinein sagen.«

»Oh, Liddy, was bist du für ein Einfaltspinsel!« brach es aus Bathsheba hervor. »Kannst du's nicht erraten? Siehst du es nicht? Bist du nicht auch eine Frau?«

Liddys klare Augen wurden rund vor Staunen.

»Du mußt wirklich blind sein, Liddy«, seufzte Bathsheba, die sich nun ohne jede Hemmung ihrem Schmerz hingab. »Ich liebe ihn so sehr, daß ich nicht weiß, wo mir der Kopf steht! Ich bin unglücklich und verzweifelt! Hab keine Angst vor mir – obwohl ich vielleicht so weit bin, daß ein unschuldiges Mädchen vor mir Angst haben kann. Komm her – näher!« Sie legte ihre Arme um Liddys Nacken. »Ich muß es einem Menschen anvertrauen, sonst frißt es mich noch auf! Kennst du mich noch nicht gut genug, um diese elende Karikatur, die ich bin, zu durchschauen? Oh Gott, wie habe ich doch gelogen! Der Himmel und meine Liebe seien mir gnädig. Weißt du denn nicht, wie leicht einer verliebten Frau jede Lüge fällt, wenn es um ihre Liebe geht? Geh – geh hinaus! Ich möchte allein sein.«

Liddy ging zur Türe.

»Komm her, Liddy. Schwöre mir, daß er kein Windbeutel ist – daß alles Gerede über ihn erlogen ist!«

»Aber, Miss, wie kann ich sagen, daß er nicht so ist, wenn –«

»Taktloses Ding! Wie kannst du so grausam sein und nachplappern, was sie reden? Gefühllos bist du ... Aber ich werde dafür sorgen, daß weder du noch sonstwer im Dorf – und auch nicht in der Stadt – die Stirn hat –!« In langen Schritten eilte sie von der Türe zum Kamin und wieder zurück.

»Nein, Miss, ich nicht – ich weiß, daß es nicht wahr ist!« rief die von Bathshebas ungewohnter Heftigkeit erschreckte Liddy.

»Ich glaube, du stimmst mir nur zu, weil du mir einen Gefallen tun willst. Aber, Liddy, so schlecht, wie man sagt, kann er doch nicht sein! Hörst du?«

»Ja, Miss. Ja.«

»Und du glaubst es nicht?«

»Ich weiß nicht, was ich sagen soll, Miss«, erwiderte Liddy und brach in Tränen aus. »Wenn ich Nein sage, glaubt Ihr mir nicht, und wenn ich Ja sage, geht Ihr auf mich los!«

»Sag, daß du es nicht glaubst, sag es!«

»Ich glaube nicht, daß er so schlecht ist, wie man sagt.«

»Überhaupt nicht schlecht ist er ... Oh, ich armes Geschöpf! Wie schwach bin ich doch!« klagte sie, aber nun so entspannt und geistesabwesend, als hätte sie Liddy vergessen. »Am liebsten wäre mir, ich hätte ihn nie gesehen! Nichts als Elend haben wir Frauen von der Liebe ... Nie werde ich Gott verzeihen, daß er mich als Frau geschaffen hat! Schon jetzt muß ich teuer dafür zahlen, daß ich ein hübsches Gesicht herumtragen darf.« Sie wurde munterer und schaute plötzlich auf Liddy: »Gib acht auf dich, Liddy Smallbury! Wenn du ein einziges Wort von dem weitersagst, was du hier von mir hinter verschlossener Türe gehört hast, werde ich dir nie mehr trauen, dich nie mehr leiden können, dich keine Stunde länger um mich dulden – keine Stunde länger!«

»Ich habe nicht die Absicht, etwas weiterzusagen«, entgegnete Liddy mit bescheidener weiblicher Würde, »aber ich will auch nicht bei Euch bleiben. Ich werde gehen, wenn Ihr erlaubt, sobald die Ernte vorbei ist – oder noch diese Woche – oder jetzt gleich ... Ich sehe nicht ein, daß ich mich wegen nichts so beschimpfen lassen soll!« schloß die Kleine mit großer Geste.

»Nein, nein, Liddy, du mußt bei mir bleiben!« wechselte Bathsheba in launenhafter Inkonsequenz von herrischem Gebaren zu demütigem Flehen über. »Nimm keinen Anstoß an dem Zustand, in dem ich bin. Du bist für mich keine Dienerin, du bist eine Freundin! O Gott, o Gott! – Ich weiß nicht, was ich tue, seit mir das wie ein Stein auf dem Herzen liegt! Was soll ich nur machen? Ich fürchte, ich werde vom Regen in die Traufe geraten. Manchmal packt mich die Angst, daß ich noch im Armenhaus enden werde. Freunde habe ich keine, weiß Gott!«

»Ich stoße mich an nichts, und ich werde Euch auch nicht verlassen«, schluchzte Liddy, drückte ihre Lippen impulsiv auf Bathshebas Mund und küßte sie.

Darauf küßte Bathsheba Liddy, und alles war wieder in Ordnung.

»Ich weine nicht oft, Liddy, nicht wahr? Aber du hast mir das Wasser in die Augen getrieben«, sagte Bathsheba, durch die

Tränen lächelnd. »Bemühe dich doch und glaub daran, daß er ein guter Mensch ist. Willst du das versuchen, Liddy?«

»Gern, Miss.«

»Auf seine sprunghafte Art ist er ein Mensch, der sich treu ist. Das ist besser als umgekehrt, wie es andere sind, wie ich leider veranlagt bin. Aber du mußt mir versprechen, daß du nichts verrätst, Liddy! Und du darfst niemandem erzählen, daß ich seinetwegen geweint habe, denn das wäre für mich schrecklich und würde ihm, dem armen Kerl, auch nicht helfen.«

»Nicht für mein Leben würde ich ein Sterbenswort verraten, Fräulein, solange ich meine fünf Sinne beisammen habe! Und ich werde immer für Euch da sein«, erwiderte Liddy feierlich, wobei ihr abermals ein paar Tränen in die Augen stiegen – nicht so sehr aus innerer Notwendigkeit als im Hinblick auf ihre Rolle in der Szene, wie das bei Frauen anscheinend üblich ist. »Gott hat es so gefügt, daß wir einander gut sein müssen, meint Ihr nicht auch?«

»Gewiß.«

»Und, bitte, Fräulein – seid nicht so heftig mit mir! Ihr seid dann auf einmal wild wie eine Löwin, und ich habe Angst vor Euch! Wenn Ihr so in Fahrt seid, könnt Ihr es mit jedem Mann aufnehmen!«

»Ach geh! Wirklich?« lachte Bathsheba, obwohl dieses amazonenhafte Bild sie doch ein wenig beunruhigte. »Ich hoffe, daß ich nicht allzu unweiblich bin.«

»Oh, kein Mannweib! Aber so durch und durch eine Frau, daß es manchmal auf dasselbe herauskommt. Ach, Miss!« Liddy holte zu einem tieftraurigen Seufzer aus. »Ich wollte, ich hätte die Hälfte von dem, was Ihr zuviel habt! In diesen stürmischen Zeiten ist das für ein armes Mädchen schon ein starker Rückhalt.«

Mit dem Hintergedanken, einem Zusammentreffen mit Boldwood auszuweichen, falls er zu einer persönlichen Antwort auf
den Brief zurückkehren sollte, machte sich Bathsheba zu einer
Verabredung auf, die sie ein paar Stunden zuvor mit Liddy
getroffen hatte. Als Zeichen der Versöhnung hatte Bathsheba
dem Mädchen eine Woche Urlaub für einen Besuch bei seiner
Schwester gewährt, die mit einem aufstrebenden Gatter- und
Krippenmacher verheiratet war und in einem zauberhaft laby-
rinthischen Haselwäldchen nicht weit hinter Yalbury wohnte.
Man hatte vereinbart, daß Miss Everdene ihnen die Ehre eines
mehrtägigen Aufenthalts erweisen würde, um gewisse erfinde-
rische Verbesserungen zu besichtigen, die dieser Holz- und
Waldmann bei seinen Erzeugnissen anwandte.

Sie beauftragte Gabriel und Maryann, abends nachzusehen,
daß alles sicher verwahrt sei, und ging aus dem Haus, als eben
ein willkommenes Gewitter abgezogen war, das die Luft ge-
säubert und die Landschaft oberflächlich hübsch aufgefrischt
hatte, obwohl darunter alles so trocken war wie zuvor. Die
Höhenzüge und Täler atmeten eine Frische, als sei die Erde
neugeboren, und auch die Vögel freuten sich und besangen das
schöne Bild. Vor Bathsheba, zwischen den Wolken, strahlte es
aus Einschlüssen grellen Lichts, welche sich in der Umgebung
einer verborgenen Sonne zeigten, die gegen den fernsten Nordwesten eines Himmels sank, wie es ihn so nur im Hochsommer
gibt.

Sie war schon fast zwei Meilen gegangen, schaute zu, wie der
Tag sich neigte, und dachte darüber nach, wie doch die Stunden der Tat ohne Aufhebens in solche der Besinnung überge-
hen, um ihrerseits der Zeit des Gebets und des Schlafs zu weichen, als sie ausgerechnet den Mann, dem auszuweichen sie so
bemüht war, über den Hügel von Yalbury kommen sah. Boldwood bewegte sich nicht mit der für ihn charakteristischen
Gemessenheit, nicht mit jener gezügelten Energie, die den Eindruck gab, als wäge er zwei Gedanken gegeneinander ab. Er
wirkte müde, wie betäubt.

Zum ersten Mal hatte Boldwood sich mit dem weiblichen
Privileg zu jähem Umschwenken auseinanderzusetzen, das
auch dann gilt, wenn ein anderer Mensch dabei unter die Räder

kommt. Seine Hoffnungen hatten darin gegründet, daß Bath-sheba ein willensstarkes, klarsichtiges Geschöpf sei, um vieles konsequenter als andere Mädchen. Er war davon ausgegangen, daß diese Tugenden sie um des Beharrens willen auf einem gradlinigen Kurs halten und in seine Arme führen würden, wenn auch ihre Phantasie ihn nicht mit den Regenbogenfarben einer unkritischen Liebe verklärte. Diese Unterstellung kam ihm nun in den Sinn wie ein zerstücktes Bild in den Scherben eines Spiegels. Die Erkenntnis war ebenso schmerzlich wie überraschend.

Er schaute im Gehen vor sich auf den Boden und nahm Bathsheba erst wahr, als sie keinen Steinwurf weit von ihm entfernt war. Erst das Klipp-Klapp ihrer Absätze ließ ihn auf-blicken, und seinem veränderten Aussehen konnte sie die Tiefe und Stärke der Gefühle ablesen, die nun, nach ihrem Brief, wie gelähmt waren.

»Oh – Ihr seid es, Mr. Boldwood?« stammelte sie. Ihre Wangen glühten schuldbewußt.

Menschen, denen die Macht des stummen Vorwurfs gegeben ist, finden sie möglicherweise wirksamer als Worte. Das Auge kann Inhalte übermitteln, die nicht über die Lippen wollen, deren Blässe mehr sagt, als ein Ohr aufzunehmen vermag. Größe und zugleich Qual extremer Gefühlslagen machen aus, daß sie über das Gehör nicht erreichbar sind. Auf Boldwoods Blick gab es keine Antwort.

Er sah, daß sie sich um ein Winziges abwandte, und sagte: »Habt Ihr Angst vor mir?«

»Warum fragt Ihr so?« entgegnete Bathsheba.

»Ich hatte den Eindruck«, sagte er. »Und das berührt mich so seltsam, da es doch allem widerspricht, was ich für Euch emp-finde.«

Sie faßte sich, blickte ihn ruhig an und wartete.

»Ihr wißt, was für ein Gefühl das ist«, fuhr Boldwood fort. Er wählte seine Worte wohlbedacht: »Stark wie der Tod. Ein eiliger Brief, der sich darüber hinwegsetzt, kann es nicht be-rühren.«

»Ich wollte, Ihr würdet nicht so stark für mich empfinden«, sagte sie leise. »Es ist sehr großmütig von Euch, und mehr als ich verdiene, aber ich kann es eben jetzt nicht hören.«

»Hören? Was meint Ihr denn, das ich zu sagen hätte? Ihr werdet nicht die Meine, und das genügt vollauf. Euer Brief ließ an Deutlichkeit nichts zu wünschen übrig. Ich habe nichts zu sagen – ich nicht.«

Bathsheba war unfähig zu irgendeinem Entschluß, der sie aus dieser schrecklich peinlichen Situation befreit hätte. Verwirrt sagte sie: »Guten Abend«, und wollte weitergehen. Boldwood trat schwerfällig auf sie zu.

»Bathsheba – Liebste –, ist das dein letztes Wort?«

»Ja.«

»O Bathsheba! Hab doch Mitleid mit mir!« brach es aus ihm hervor. »Um Christi willen, ja – so elend, so bettelarm bin ich geworden, daß ich eine Frau um Mitleid anflehe! Immerhin bist du diese Frau – die Frau bist du . . .«

Bathsheba hatte sich einigermaßen in der Gewalt, aber es war kaum zu hören, was ihr instinktiv über die Lippen kam: »Sehr hoch schätzt Ihr uns Frauen nicht ein.« Das war nur geflüstert, denn ihr weibliches Talent für solche Schnippigkeiten kam nicht gegen etwas unsäglich Trauriges und nicht weniger Beunruhigendes auf, das dieses Bild eines Mannes, den seine Leidenschaft so völlig aus den Angeln gehoben hatte, ihr vermittelte.

»Mir hat es den Verstand geraubt – ich bin verrückt«, sagte er. »Ich bin ein Schwächling, wenn ich hier bettle; aber ich bettle Euch an. Ich wollte, Ihr könntet sehen, wie sehr ich Euch verehre, aber das ist nicht möglich. Nur aus menschlichem Erbarmen mit einem Einsamen: Werft mich jetzt nicht fort!«

»Wie könnte ich Euch fortwerfen? Ich habe Euch nie als meinen Besitz beansprucht.« Durchdrungen von ihrer Überzeugung, daß sie ihn nie geliebt hatte, vergaß sie für einen Augenblick jene unbedachte Anwandlung, damals im Februar.

»Aber es hat eine Zeit gegeben, da habt Ihr Euch mir zugewandt, bevor ich an Euch dachte! Ich mache Euch daraus keinen Vorwurf, denn selbst jetzt finde ich, daß die unwissende, kalte Finsternis, in der ich weitergelebt hätte, wäre ich nicht durch jenen Brief – einen Valentinsgruß nennt Ihr ihn – auf Euch hingelenkt worden, schlimmer wäre als das Wissen um Euch, obwohl es mich nun so unglücklich macht. Dennoch hat es eine Zeit gegeben, da ich nichts von Euch ahnte, mich nicht um Euch kümmerte, und Ihr es wart, die mich aus mir herausgelockt hat. Wenn Ihr jetzt behaupten wollt, daß Ihr mir keine Hoffnungen gemacht habt, muß ich Euch widersprechen.«

»Was Ihr Hoffnungmachen nennt, war ein kindischer Scherz.

213

Ich habe ihn bitter bereut – ja, bitter! – und Tränen darüber geweint. Wollt Ihr mich immer wieder daran erinnern?«

»Ich meine das nicht als Anklage. Es schmerzt mich. Ihr beharrt darauf, daß es nur ein Scherz gewesen sei, was ich für Ernst gehalten habe – und nun bete ich, daß das, was Ihr jetzt im Ernst gesagt haben wollt, nur ein Scherz ist. Unsere Wünsche treffen sich am falschen Ort. Ich wollte, Euer Empfinden wäre dem meinen ähnlicher – oder das meine dem Euren! Ah, wenn ich vorausgesehen hätte, welche Qual mir der kleine Scherz bereiten würde – wie hätte ich Euch verflucht! Ich habe es zu spät begriffen und liebe Euch zu sehr, um Euch Böses zu wollen. Aber dieses Geschwätz hat keinen Sinn . . . Bathsheba, Ihr seid die erste Frau überhaupt, bei der ich an Liebe gedacht habe, und die Tatsache, daß ich Euch fast schon für mich gewonnen hatte, läßt mich diesen Verlust so schwer ertragen. Wie nahe wart Ihr, meinen Antrag anzunehmen! Aber ich will nicht weiterreden, um Euch mit meinen Leiden das Herz schwerzumachen. Meine Qual wird nicht geringer, wenn ich auch Euch quäle.«

»Ich habe Mitleid mit Euch – wirklich! Oh, aufrichtiges Mitleid!« sagte sie ernst.

»Nein, strengt Euch nicht an. Eure Liebe, Bathsheba, ist etwas so wunderbar Großes im Vergleich zu Eurem Mitleid, daß es mir nicht viel ausmacht, nach der Liebe auch auf das Mitleid zu verzichten, und mein Schmerz wird durch Mitleid nicht fühlbar geringer. Oh, Liebste – wie gute Worte habt Ihr damals im Schilf bei der Schafschwemme für mich gefunden – dann auch in der Scheuer bei der Schur – und jenes teuerste, letzte Mal an dem Abend in Eurem Haus! Wo sind sie hin? Was ist mit Eurer Vermutung, daß Ihr mich noch lieben lernen könnt, geschehen? Wo ist Eure Überzeugung geblieben, daß ich Euch mit der Zeit viel bedeuten würde? Habt Ihr es ganz vergessen? Wirklich?«

Sie bezwang ihre Erregung, sah ihm ruhig und offen ins Gesicht und antwortete mit leiser, aber fester Stimme: »Mr. Boldwood, ich habe Euch nichts versprochen! Ihr habt mir das größte Kompliment gemacht, das ein Mann einer Frau machen kann. Ihr habt mir gesagt, daß Ihr mich liebt. Hättet Ihr von mir wollen, daß ich völlig unbewegt bleibe? Um nicht als ein taktloser Trampel dazustehen, mußte ich doch zeigen, daß es mich nicht kaltließ. Und dennoch war, was es mir gab, auf den

Tag beschränkt – den rechten Tag dafür. Wie sollte ich ahnen, daß etwas, das bei allen anderen Männern als Zeitvertreib gilt, für Euch tödlicher Ernst ist? Seid bitte vernünftig – und freundlicher in Euren Gedanken an mich!«

»Ich will mit Euch nicht streiten – nein, das will ich nicht. Immerhin steht eines fest: Ihr wart fast schon mein und jetzt habt Ihr Euch mir entzogen. Meine Welt ist nicht mehr dieselbe – und Ihr, das dürft Ihr nicht vergessen, habt das bewirkt. Als Ihr einst für mich wie nicht vorhanden wart, war ich zufrieden. Wie verschieden ist diese Leere nun von dem damaligen Zustand! Wollte Gott, Ihr hättet mich nie gerufen, nur um mich jetzt fallen zu lassen!«

Bathsheba war nicht feig, aber sie spürte doch deutlich, daß sie hier von Natur aus die Schwächere war. Sie wehrte sich verzweifelt gegen die Frau in ihr, die sich nicht abhalten ließ, der durchaus unerwünschten Erregung nachzuheizen. Sie hatte versucht, dem dadurch auszuweichen, daß sie sich auf die Bäume, den Himmel oder sonst etwas in ihrem Blickfeld konzentrierte, während seine Vorwürfe auf sie niedergingen, aber solche Tricks konnten ihr jetzt nicht helfen.

»Ich habe Euch nicht gerufen – das habe ich wirklich nicht!« widersprach sie mit allem Mut, den sie aufbrachte. »Seid doch nicht so wütend! Ich kann es ertragen, wenn Ihr mir sagt, daß ich im Unrecht bin, solange Ihr es mir freundlich sagt. Bitte, Sir, könnt Ihr mir nicht vergeben und diese Geschichte etwas leichter nehmen?«

»Leichter nehmen! Ihr haltet einen Mann zum Narren, daß es ihm fast das Herz zerreißt, und wollt von ihm, daß er heiter bleibt? Wenn ich verloren habe – kann ich mich so benehmen, als hätte ich gewonnen? Himmel, Ihr seid offenbar völlig herzlos! Hätte ich geahnt, was für einen furchtbar bitteren Kern diese Süße hat, ich hätte einen Bogen um Euch gemacht, Euch nie auch nur angeschaut und mich taub gestellt! Aber was sage ich Euch das alles, wenn Ihr Euch nicht darum schert?«

Sie verteidigte sich stumm und schwächlich gegen seine Anwürfe, indem sie verzweifelt den Kopf schüttelte, als ob sie die Worte abschütteln wollte, die von den Lippen dieses zitternden Athleten mit dem bronzenen Römerprofil, der die schwerste Stunde seines Lebens durchmachte, auf sie einstürzten.

»Liebste! Einzige! Sogar jetzt schwanke ich, ob ich dich einfach aufgeben oder mich demütig um dich weiter mühen soll.

Vergiß das Nein, das du gesagt hast, und laß es wie vorher sein! Sag doch, Bathsheba, daß dieser Abschiedsbrief nur ein Scherz war – bitte, sag es!«

»Es wäre nicht wahr und würde uns beide schmerzen. Ihr überschätzt mein Liebesvermögen. Ich besitze nicht halb die Herzenswärme, die Ihr in mir vermutet. Eine unbeschützte Kindheit in einer kalten Welt hat mich hart werden lassen.«

Er erwiderte sofort und noch heftiger: »Das mag dazu beigetragen haben. Aber, Miss Everdene, es genügt mir nicht als Erklärung! Ihr seid nicht so kalt, wie Ihr mich glauben machen wollt! Nein, nein! Nicht Mangel an Gefühlen ist die Ursache, weshalb Ihr mich nicht liebt. Natürlich hättet Ihr gern, daß ich das denke – und verbergt mir, daß Euer Herz genau so entbrannt ist wie das meine! Liebe habt Ihr genug, nur daß sie ein anderes Objekt gefunden hat. Ich weiß auch, wer es ist!«

Das rasche Pochen ihres Herzens dröhnte ihr plötzlich in den Ohren, ihr Puls raste. Nun war Troy an der Reihe. Also wußte Boldwood, was geschehen war. Und schon fiel auch Troys Name.

»Warum hat Troy sich an mein Teuerstes heranmachen müssen?« fragte er grimmig. »Warum hat er sich Euch aufgedrängt, obwohl ich ihm nie etwas Böses wollte? Ehe er Euch den Kopf verdrehte, wart Ihr geneigt, mich anzunehmen, und Eure Antwort bei meinem nächsten Besuch wäre ein Ja geworden! Könnt Ihr das leugnen? Ich frage Euch: Könnt Ihr das leugnen?«

Sie zögerte mit der Antwort, war aber zu ehrlich, um sie ihm zu verweigern. »Ich kann es nicht«, flüsterte sie.

»Ich weiß, daß Ihr es nicht könnt! Er aber hat sich meine Abwesenheit zunutze gemacht, um mich zu bestehlen! Warum hat er Euch nicht vorher für sich gewonnen, als es niemandem ein Leid angetan hätte? – als niemand etwas zu tratschen gehabt hätte? Jetzt lachen mich die Leute aus – das ganze Land und der Himmel selbst lachen über mich, bis ich rot werde vor Scham über meine Narrheit! Ich habe die Achtung der Menschen verloren, meinen guten Namen, meinen Ruf – auf immer verloren! Geht nur und heiratet den Burschen – geht nur!«

»Oh, Sir – Mr. Boldwood!«

»Nichts hält Euch auf! Ich habe keinen Anspruch mehr auf Euch. Ich kann nichts Gescheiteres tun, als mich allein irgendwohin zu verkriechen – und zu beten. Ich habe eine Frau geliebt. Jetzt schäme ich mich dafür! Nach meinem Tod wird es heißen: Liebeskrank ist er gewesen, der arme Kerl. Großer Gott! Wäre ich doch heimlich betrogen worden, so daß der Schimpf nicht bekannt geworden und meine Ehre davon nicht berührt wäre! Aber es hilft nichts. Alles ist aus – und die Frau habe ich auch nicht ... Schande über ihn!«

Sein irrer Zorn entsetzte sie dermaßen, daß sie vorsichtig zurückwich. »Ich bin nur ein Mädchen«, sagte sie. »Sprecht nicht so zu mir!«

»Die ganze Zeit über wußtet Ihr – und wie gut Ihr es wußtet!–, daß Eure Laune mein Unglück bedeutet. Geblendet von Messing und rotem Tuch! Oh, Bathsheba – dumm darf eine Frau nicht sein!«

Sie ging sofort hoch. »Ihr geht zu weit, mein Herr!« verwies sie ihn heftig. »Alle hacken sie auf mir herum – alle! Es gehört sich nicht für einen Mann, eine Frau so zu attackieren! Ich habe keinen Menschen auf dieser Welt, der für mich eintritt, und niemand hat Nachsicht mit mir – aber wenn ihr auch zu Tausenden kommt, um mich zu verhöhnen und Gemeinheiten über mich zu verbreiten: Ich lasse mich nicht unterkriegen!«

»Ihr werdet doch bestimmt mit ihm über mich reden ... Sagt ihm nur ›Boldwood wäre für mich in den Tod gegangen‹. Ja – und Ihr seid ihm erlegen, obwohl Euch klar gewesen sein mußte, daß er nicht der Mann für Euch ist. Er hat Euch geküßt – Euch in Besitz genommen. Hört Ihr? Er hat Euch geküßt! Leugnet das!«

Ein Mann, der außer sich ist, wirkt selbst auf eine sehr erregte Frau einschüchternd, und obwohl Boldwood in seinem Zorn fast wie ein männliches Gegenstück Bathshebas war, zitterten nun ihre Lippen. »Laßt mich, Sir!« keuchte sie. »Laßt mich! Ich habe mit Euch nichts zu schaffen. Laßt mich gehen!«

»Leugnet, daß er Euch geküßt hat!«

»Ich leugne nichts.«

»Ha! – dann ist es wahr!« ächzte der Farmer.

»Er hat es getan«, sagte sie langsam und trotzig, ungeachtet ihrer Angst. »Ich schäme mich nicht, die Wahrheit zu bekennen!«

»Verflucht – dreimal verflucht soll er sein!« flüsterte Boldwood, vor Wut kaum zu Worten fähig. »Während ich dir eine Welt zu Füßen gelegt hätte, nur um deine Hand zu berühren, läßt du einen Schurken, der nichts bei dir zu suchen hatte, ohne alle Umstände herein und – dich küssen! . . . Ah, das wird er noch bereuen! In Qualen wird er an den Schmerz denken, den er einem anderen zugefügt! Dann mag er klagen, betteln, fluchen und winseln – wie jetzt ich!«

»Nicht! Tut das nicht! Verwünscht ihn nicht!« schrie sie flehend auf. »Nur das nicht! Oh, Sir, seid gnädig mit ihm, denn ich liebe ihn so sehr!«

Boldwood befand sich nun an dem Siedepunkt, wo sich die Begriffe auflösen, Grenzen und Inhalte völlig verschwinden. Die heraufziehende Nacht schien sich in seinen Augen zu verdichten. Er hörte gar nicht mehr, was sie sagte.

»Ich werde ihn Mores lehren – bei meiner Seele, das werde ich! Soldat oder nicht: Diesen unzeitigen Rotzbuben, der mir das Einzige, an dem mir etwas lag, so frech gestohlen hat, prügle ich windelweich! Auspeitschen werde ich ihn – und wenn ich einer gegen hundert stünde!« Seine Stimme wurde auf einmal unnatürlich leise: »Bathsheba, du Süße, du verlorene Kokette – verzeih mir! Ich beschimpfe dich, ich drohe dir und benehme mich wie ein Rüpel, obwohl doch er der einzig Schuldige ist. Er hat mir dein Herz gestohlen mit seinen glatten Lügen . . . Ein Glück für ihn, daß er wieder bei seiner Truppe droben im Norden und nicht hier ist! Hoffentlich kommt er nicht eben jetzt zurück! Gott verhüte, daß er mir vor die Augen kommt, denn einer solchen Versuchung könnte ich leicht erliegen! Oh, Bathsheba, laß ihn nicht her – laß ihn nicht in meine Nähe!«

Sekundenlang stand Boldwood so still, als hätte er mit diesen leidenschaftlichen Worten auch seine Seele völlig verausgabt. Er wandte das Gesicht ab und trat von ihr fort. Bald darauf verschwand seine Gestalt im Zwielicht, und seine Schritte gingen im Blätterzischeln der Bäume unter.

Bathsheba, die während dieser Schlußphase wie versteinert dagestanden hatte, schlug die Hände vors Gesicht und bemühte sich verzweifelt, die Szene, die nun zu Ende war, zu begreifen. Ein solches Aufwallen fiebriger Gefühle bei einem ruhigen Menschen wie Boldwood war unverständlich, entsetzlich. Statt ein zur Selbstbeherrschung erzogener Mann war er – wie sie ihn eben erlebt hatte.

Ein Umstand, von dem zunächst nur sie allein wußte, machte die Drohungen des Farmers sehr beängstigend. Ihr Geliebter sollte schon an einem der allernächsten Tage nach Weatherbury zurückkehren. Troy war nicht wieder in seine Kaserne eingerückt, wie Boldwood und andere vermuteten, sondern hatte nur irgendeinen Bekannten in Bath aufgesucht, und danach blieb ihm noch immer eine Woche oder mehr von seinem Urlaub.

Sie war verzweifelt sicher, daß es, wenn er jetzt bei ihr auftauchen und mit Boldwood zusammentreffen würde, zu einer wilden Auseinandersetzung käme, und sie hielt vor Angst den Atem an, wenn sie daran dachte, daß Troy dabei etwas zustoßen könnte. Es bedurfte nur eines winzigen Funkens, um die Wut und Eifersucht des Farmers auflodern zu lassen; er würde sich genauso vergessen wie gerade eben. Troy in seiner munteren Nonchalance würde vielleicht aggressiv werden, vielleicht verstieg er sich zu Hohn – und dann war abzusehen, daß Boldwood in seinem Zorn sich rächen wollte.

Bathsheba war eine Frau, die aus einer fast krankhaften Scheu, als überspannt zu gelten, nur zu gut die Tiefe ihrer starken Gefühle vor der Welt verbergen konnte. Jetzt aber hatte sie keine Hemmungen. So aufgewühlt war sie, daß sie, statt ihren Weg fortzusetzen, auf dem Weg hin und her eilte, Schläge in die Luft austeilte, die Hände gegen die Schläfen preßte und hilflos vor sich hinschluchzte. Dann setzte sie sich auf einen Steinhaufen am Wegrand und dachte nach. Lange blieb sie so. Über dem dunklen Saum der Erde stiegen Klippen und Vorgebirge von kupferroten Wolken auf und zogen eine Grenze gegen die grüne, glasige Weite des westlichen Himmels. Dann tränkte purpurner Glanz die Wolken, und die Welt, die nie zur Ruhe kommt, ließ Bathsheba sich gegen Osten wenden, um ihr ein ganz anderes Bild zu zeigen: Matte, pulsende Sterne. Sie starrte in das stille Kreisen inmitten der Schatten des Raumes, aber erfaßte nichts davon. Mit ihren Gedanken und Sorgen war sie weit fort – bei Troy.

Im Dorf Weatherbury war es still wie auf dem Friedhof, und die Lebenden lagen fast so entrückt wie die Toten. Die Kirchturmuhr schlug elf. Die Atmosphäre war dermaßen bar anderer Geräusche, daß das Schnurren des Uhrwerks unmittelbar vor dem Schlagen und auch das Klicken danach deutlich zu vernehmen waren. Die Töne pflanzten sich mit der üblichen mechanischen Sturheit alles Seelenlosen fort, brachen sich an Mauern und prallten von ihnen ab, schwangen sich in Wellen zu den vereinzelten Wolken hoch und verströmten während der Pausen in unerforschten Räumen.

Bathshebas altersgraues Haus wurde in dieser Nacht nur von Maryann gehütet, denn Liddy war, wie gesagt, bei ihrer Schwester, zu der auch Bathsheba unterwegs war. Ein paar Minuten nach elf wälzte sich Maryann auf die andere Seite, ohne zu ahnen, was sie in ihrem Schlaf gestört hatte. Es ging in einen Traum ein, aus dem sie dann mit dem unangenehmen Gefühl, daß irgend etwas geschehen war, erwachte. Sie verließ ihr Bett und schaute aus dem Fenster. In der Koppel, die an das Haus anschloß, konnte sie im ungewissen Grau eben noch eine Gestalt ausnehmen, die sich dem Pferd, das dort graste, näherte. Die Gestalt faßte das Pferd an der Mähne und führte es in eine Ecke des Gevierts. Dort sah Maryann etwas, das sich schließlich als ein Wagen erwies, denn nach einigen weiteren Minuten, die das Anschirren benötigte, hörte sie, wie das Pferd die Straße hinuntertrabte und zugleich das Rollen von leichten Rädern.

Nur zwei Arten menschlicher Wesen konnten die Koppel so schattenhaft leise wie dieser Unbekannte betreten haben. Entweder war es eine Frau gewesen oder ein Zigeuner. Eine Frau durfte man im Hinblick auf die Stunde ausschließen, also konnte der Besucher nur ein Dieb gewesen sein, der wahrscheinlich gewußt hatte, daß das Haus in dieser Nacht relativ unbeschützt war, und sie deshalb für sein verwegenes Unterfangen gewählt hatte. Abgesehen davon – und das steigerte den Verdacht zur Gewißheit – hielten sich Zigeuner in Weatherbury Bottom auf.

Maryann hatte in Gegenwart des Einbrechers nicht gewagt, um Hilfe zu rufen, aber nun, nach seinem Verschwinden, wurde sie wieder mutig. Sie schlüpfte eilig in ihre Kleider, stampfte die klapprige Stiege hinunter, lief zum nächsten Haus, wo die Coggans wohnten, und schlug dort Alarm. Coggan rief Gabriel, der abermals, wie am Anfang, bei ihm eingemietet war, und sie gingen zusammen zu der Koppel. Das Pferd war fort, soviel stand fest.

»Horcht!« sagte Gabriel.

Sie lauschten. In der Stille war deutlich das Geräusch eines trabenden Pferdes zu vernehmen, das sich die Straße hinauf gegen Longpuddle zu bewegte – genau hinter dem Zigeunerlager von Weatherbury Bottom.

»Das ist unsere Dainty. Den Schritt kenne ich!« stellte Jan fest.

»O weh! Da wird sich das Fräulein aber ärgern und uns alles mögliche heißen, wenn sie zurückkommt!« stöhnte Maryann. »Warum passiert so was nicht, wenn sie hier ist und niemandem einen Vorwurf machen kann?«

»Wir müssen ihm nach!« sagte Gabriel entschlossen. »Ich bin es, der Miss Everdene für uns verantwortlich ist. Ja, wir müssen ihm folgen.«

»Aber wie?« wandte Coggan ein. »Für so ein Geschäft sind alle unsere Pferde zu schwer, abgesehen von der kleinen Poppet – und was soll die mit uns beiden? Die zwei dort hinter der Hecke sollten wir haben, dann würde es anders aussehen.«

»Welche Zwei?«

»Mr. Boldwoods Tidy und Moll.«

»Dann wartet auf mich«, sagte Gabriel und lief hügelab zu Farmer Boldwoods Hof.

»Farmer Boldwood ist nicht zu Hause«, bemerkte Maryann.

»Um so besser«, meinte Coggan. »Ich weiß schon, worauf er aus ist.«

Nach knappen fünf Minuten erschien Oak wieder, noch immer im selben Tempo, zwei Halfter in der Hand.

»Wo hast du sie her?« fragte Coggan, wandte sich um und sprang, ohne auf die Antwort zu warten, über die Hecke.

»Unter der Traufe. Ich weiß, wo sie hängen«, sagte Gabriel und folgte ihm. »Kannst du ohne Sattel reiten, Coggan? Nach den Sätteln können wir nicht erst suchen.«

»Wie ein Indianer!« versicherte Coggan.

»Maryann, geh zurück ins Bett!« rief Gabriel über die Hecke nach hinten.

Als sie Boldwoods Wiese hinunterrannten, steckten sie die

Halfter weg, und die Pferde, welche die Männer mit leeren Händen kommen sahen, ließen sich gutwillig an den Mähnen fassen. Geschickt wurden ihnen die Halfter übergestreift – da weder Trensen noch Zügel verfügbar waren, improvisierten Oak und Coggan, indem sie beiden Tieren die Stricke durch das Maul führten und auf der anderen Seite zu einer Schlinge verknüpften. Oak sprang auf, Coggan benützte die Böschung als Staffel, dann ritten sie zum Gatter und galoppierten in die Richtung los, die Bathshebas Pferd und sein Entführer eingeschlagen hatten. An wessen Wagen das Pferd geschirrt worden war, blieb zunächst offen.

Weatherbury Bottom erreichten sie nach drei oder vier Minuten. Sie spähten in das schattige Grün neben der Straße. Die Zigeuner waren fort.

»Diese Schurken!« sagte Gabriel. »Wohin sind sie wohl abgezogen?«

»Der Nase nach geradeaus, das ist so klar wie Tinte«, meinte Jan.

»Gut. Unsere Pferde sind schneller. Die holen wir bestimmt ein!« sagte Oak. »Also los, was das Zeug hält.«

Von dem Wagen und seinem Lenker war nun nichts mehr zu hören. Hinter Weatherbury wurde die Straße weicher und lehmiger, und der jüngste Regenguß hatte ihre Oberfläche in einen knetbaren, aber nicht schlammigen Zustand versetzt. Sie kamen an einen Kreuzweg. Coggan hielt an und ließ sich von Moll hinuntergleiten.

»Was gibt's?« fragte Gabriel.

»Wenn wir sie nicht hören können, müssen wir ihren Spuren folgen«, sagte Jan und stöberte in seinen Taschen. Er strich ein Zündholz an und hielt es über die Erde. Es hatte hier stärker geregnet, so daß alle Pferde- und Wagenspuren, die das Gewitter vorgefunden hatte, verwaschen und eingeebnet waren; wie in Augen spiegelte sich die Flamme in den Lachen, die sich gebildet hatten. Nur von vier Hufen waren die Abdrücke frisch, die Rinnen eines einzigen Räderpaares waren leer, nicht wie die anderen zu kleinen Wasserläufen geworden. Aus den Hufspuren ließ sich auch die Gangart ablesen: Je zwei in regelmäßigen Abständen, etwa einen Meter auseinander, der rechte und der linke Huf eines jeden Paars genau gegeneinander versetzt.

»Scharfer Galopp geradeaus!« rief Jan. »Kein Wunder, daß

wir nichts von ihm hören. Und das Pferd ist angeschirrt; schau dir das Wagengeleis an! Ja, das muß unsere Stute sein.«

»Woher weißt du das?«

»Jimmy Harris hat sie erst letzte Woche beschlagen, und seine Eisen finde ich unter tausend heraus.«

»Die anderen Zigeuner müssen schon vorher aufgebrochen sein – oder sie sind nicht auf diesem Weg«, meinte Oak. »Mehr Spuren hast du nicht gesehen?«

»Nein.« Eine lange, mühsame Strecke ritten sie schweigend dahin. Coggan hatte eine alte, billige Repetieruhr, das Vermächtnis irgendeines weitblickenden Onkels, die nun eins schlug. Er stieg abermals ab und prüfte wieder die Spuren.

»Jetzt ist es ein schneller Trab«, sagte er und warf das Zündholz fort. »Einen Zweiräder beutelt es da ganz schön durch. Aber sie waren ja von vornherein zu schnell. Kriegen werden wir sie trotzdem ...«

Wieder sputeten sie sich und gelangten in das Tal von Blackmore. Coggans Uhr schlug zwei. Als sie nun nach den Hufspuren sahen, ergaben diese, hätte man eine Verbindungslinie gezogen, ein Zickzackband, wie Lampen entlang einer Straße.

»Ich weiß schon, Trab«, stellte Gabriel fest.

»Ein langsamer Trab«, bestätigte Coggan befriedigt. »Jetzt haben wir ihn bald.«

Sie trieben die Tiere über weitere zwei oder drei Meilen zur Eile an. »Ah! Warte –«, sagte Jan. »Laß mich sehen, wie er diese Steigung genommen hat – das wird uns helfen.« Wieder strich er an den Gamaschen ein Zündholz an und untersuchte den Sachverhalt.

»Hurra! Jetzt geht sie nur mehr im Schritt: Wird ihr gut tun ... Wetten, daß wir ihn nach zwei Meilen haben!«

Nach drei Meilen horchten sie. Nichts als das Gurgeln von Wasser am Wehr eines Mühlteichs, eine sinistre Einladung für Selbstmörder ... In einer Kehre stieg Gabriel ab. Die Spuren waren nun der einzige Anhalt für sie, und man mußte genau aufpassen, um sie nicht mit anderen zu verwechseln, die sich erst vor kurzem eingeprägt hatten.

»Was soll das jetzt?« fragte Gabriel. »Aber ich kann mir's schon denken –« Er blickte auf Coggan, als dieser mit seinem Zündholz den Grund in der Kehre ableuchtete. Bei Coggan und den schnaufenden Pferden machten sich nun schon Anzeichen von Ermüdung bemerkbar. Diesmal hatten jeweils nur drei Abdrücke die normale Hufeisenform, jeder vierte war eine Kerbe.

Coggan legte den Kopf zurück und pfiff durch die Zähne.

»Sie lahmt«, sagte Oak.

»Ja. Dainty lahmt. Am Vorderfuß bei der Deichsel«, bestätigte Coggan. Er sagte es langsam, den Blick noch immer auf der Spur.

»Also weiter«, sagte Gabriel und stieg auf seinen schweißnassen Gaul.

Obwohl der Weg größtenteils nicht schlechter war als irgendeine unserer Landstraßen, handelte es sich eigentlich nur um eine Nebenstraße. Die letzte Kehre nun brachte sie auf die Überlandstraße, die nach Bath führt. Coggan wurde munter.

»Jetzt kriegen wir ihn!« rief er.

»Wo?«

»An der Maut von Sherton. Der Mauteinnehmer dort ist der verschlafenste Kerl zwischen hier und London – Dan Randall heißt er. Ich kenne ihn schon seit Jahren, damals war er an der Maut von Casterbridge. Die lahme Dainty und die Schranke – die Sache ist schon gelaufen.«

Sie bewegten sich nun mit äußerster Vorsicht weiter. Kein Wort fiel zwischen ihnen, bis sie, gegen einen Hintergrund von schattigem Grün, fünf weiße Balken sahen, die knapp vor ihnen den Weg sperrten.

»Psst! – Da vorn ist er schon!« flüsterte Gabriel.

»Lenk aufs Gras hinüber!« sagte Coggan.

Die weißen Balken waren in der Mitte von etwas Dunklem verdeckt, und nun wurde die Stille dieser einsamen Stunde von einem Ruf, der aus dieser Richtung kam, jäh gebrochen.

»He-o-he! Maut!«

Anscheinend war dem schon ein erster Ruf vorangegangen, den die beiden nicht gehört hatten, denn als sie jetzt dichter heranritten, öffnete sich die Türe des Mauthauses, und der Mauteinnehmer trat heraus, halb angekleidet und mit einer Kerze in der Hand. Ihr Licht erfaßte die ganze Gruppe.

»Laßt die Schranke zu!« schrie Gabriel. »Er hat das Pferd gestohlen!«

»Wer?« fragte der Mauteinnehmer.

Gabriel blickte auf die Gestalt, die auf dem Kutschbock saß – und sah eine Frau: Bathsheba, seine Herrin!

Sie hatte, als sie seine Stimme vernahm, ihr Gesicht abgekehrt. Aber inzwischen hatte Coggan sie erkannt.

»Himmel – unser Fräulein! Der Schlag soll mich treffen!« staunte er.

In der Tat war es Bathsheba, und nun war ihr auch schon gelungen, was sie so gut beherrschte, wenn es nicht eben um Liebe ging: Sie verbarg ihre Überraschung hinter gespielter Kühle.

»Nun, Gabriel«, sagte sie ruhig. »Wo wollt ihr hin?«

»Wir dachten –«, begann Gabriel.

»Ich muß nach Bath«, nützte sie Gabriels Unsicherheit. »In einer wichtigen Sache. Ich habe meinen Besuch bei Liddy abbrechen und sofort losfahren müssen. Warum reitet ihr hinter mir her?«

»Wir glaubten, daß jemand das Pferd gestohlen hat.«

»Absurd! Ist dir nicht eingefallen, daß ich mir den Wagen und das Pferd genommen haben könnte? Ich habe zehn Minuten lang bei Maryann ans Fenster getrommelt, aber sie ist nicht aufgewacht – und ins Haus habe ich auch nicht können. Zum Glück habe ich den Schlüssel zum Wagenschuppen gefunden und sonst niemanden stören müssen. Habt ihr euch nicht gedacht, daß ich es bin?«

»Weshalb hätten wir das sollen, Fräulein?«

»Auch möglich. Aber – ihr sitzt doch nicht etwa auf Farmer Boldwoods Pferden!? Gütiger Himmel! Was habt ihr getan – mich derart zu kompromittieren!? Kann eine Frau sich nicht einen Schritt weit vor die Haustür wagen, ohne daß man sie wie einen Dieb verfolgt?«

»Aber wie sollten wir es wissen, wenn Ihr keine Nachricht für uns hinterlassen habt?« verteidigte sich Coggan. »Im allgemeinen kutschieren Damen nicht zu dieser Tageszeit herum, Fräulein!«

»Ich habe euch eine Nachricht hinterlassen. Ihr hättet sie am Morgen vorgefunden. Ich habe mit Kreide auf die Schuppentür geschrieben, daß ich mir das Pferd und den Wagen geholt habe und fortgefahren bin; daß es mir nicht gelungen ist, jemanden zu wecken, und daß ich bald wieder zurück sein werde.«

»Aber Ihr müßt auch begreifen, Fräulein, daß wir das nicht im Finsteren sehen konnten.«

»Zugegeben«, sagte sie. So sehr sie sich zunächst ärgerte, war sie doch zu vernünftig, die beiden noch länger oder ernstlich zu schelten. Solche Ergebenheit war schätzenswert und nicht alltäglich. Die Anerkennung, die sie ihr zollte, klang freilich recht bemüht: »Ich bin euch wirklich sehr dankbar. Trotzdem wäre mir lieber, ihr hättet nicht ausgerechnet Mr. Boldwoods Pferde genommen.«

»Dainty lahmt«, sagte Coggan. »Könnt Ihr weiterfahren?«

»Das war nur ein verklemmter Stein im Eisen. Ich bin abgestiegen und habe ihn herausgeholt. Danke, ich komme schon durch. Wenn es hell wird, bin ich in Bath. Kehrt jetzt bitte um.«

Die Kerze des Mauteinnehmers spiegelte sich in ihren wachen, klaren Augen, als sie nun den Kopf wandte und die Schranke passierte. Bald darauf verschwand sie im Schattengewölbe der sommerlich dichtbelaubten Bäume. Coggan und Gabriel wendeten ihre Pferde und ritten den Weg zurück, den sie gekommen waren, umfächelt von der samtigen Luft der Juninacht.

»Sehr seltsam, was ihr da eingefallen ist«, fand Coggan neugierig. »Nicht wahr, Oak?«

»Ja«, bestätigte Oak lakonisch.

»Noch vor Sonnenaufgang will sie in Bath sein!«

»Vielleicht wird es gescheiter sein, wenn wir für uns behalten, was wir in dieser Nacht erlebt haben?«

»Ganz meine Meinung.«

»Gut. Gegen drei können wir zu Hause sein, ohne daß jemand im Dorf etwas merkt.«

Was dort an jenem Straßenrand nach der Begegnung mit Boldwood durch Bathshebas Kopf gegangen war, hatte sie schließlich zu der Überzeugung gebracht, daß es in dieser verzweifelten Situation nur zwei Möglichkeiten gab. Entweder mußte sie Troy von Weatherbury solange fernhalten, bis Boldwoods Zorn verraucht war – oder sie mußte auf Oaks beschwörende Bitten und Boldwoods Anschuldigungen hören und sich von Troy ein für allemal trennen.

O weh! Würde sie es über sich bringen, ihre junge Liebe zu verleugnen – ihn dazu bringen, daß er auf sie verzichtete – weil sie seiner überdrüssig war, nicht mehr mit ihm reden wollte und keinen anderen Wunsch hatte, als daß er – ihr zuliebe – bis zum Ende seines Urlaubs in Bath blieb, um sie und Weatherbury nie mehr zu sehen?

Es war ein tristes Zukunftsbild, aber eine Weile blickte sie ihm gefaßt entgegen – wobei sie sich freilich nach Mädchenart gestattete, dem glücklichen Leben nachzutrauern, das sie erwartet hätte, wenn Troy Boldwood und der Weg der Liebe auch jener der Pflicht gewesen wäre, und sie quälte sich, indem sie sich ausmalte, wie Troy, nachdem er sie vergessen haben würde, in den Armen einer anderen Frau landete. So weit durchschaute sie Troy, daß sie ihn und seine Neigungen richtig einschätzte. Aber leider ließ der Gedanke, daß seine Liebe vielleicht nicht sehr dauerhaft wäre, sie ihn darum nicht weniger lieben – im Gegenteil, es wurde nur noch schlimmer.

Sie sprang auf. Sie mußte ihn sehen – sofort! Ja, Aug in Auge mußte sie ihn anflehen, ihr in diesem Dilemma beizustehen! Eine Botschaft, die Troy von Weatherbury abhalten könnte, würde ihn nicht erreichen, sofern er überhaupt bereit wäre, auf sie zu hören.

Übersah Bathsheba in völliger Blindheit, daß die Arme eines Geliebten nicht eben die beste Stütze sind, wenn es darum geht, sich von ihm zu trennen? Oder war sie so raffiniert und erpicht auf ihr Vergnügen, daß sie diese Methode wählte, weil sie ihn so zugleich loswerden und wenigstens einmal noch mit ihm zusammensein konnte?

Es war jetzt dunkel, wohl gegen zehn. Um ihren Plan in die Tat umzusetzen, gab es nur einen Weg: Sie mußte den Besuch bei Liddy in Yalbury streichen, nach Weatherbury zur Farm zurückgehen, das Pferd vor das Gig spannen und sofort nach Bath fahren. Zunächst schien es ihr unmöglich. Bestimmt war eine solche Reise selbst für ein starkes Pferd eine Gewalttour – und dabei unterschätzte sie noch bei weitem die Entfernung. Für eine Frau war das mehr als waghalsig, noch dazu in der Nacht und ganz allein!

Aber konnte sie einfach zu Liddy gehen und den Dingen ihren Lauf lassen? Nein, nein – das kam nicht in Frage! In Bathsheba brodelte es vor Energie, die Stimme der Vernunft bat vergebens um Gehör. Sie wandte sich um und ging zurück nach Weatherbury.

Sie nahm sich Zeit, denn sie wollte das Dorf erst erreichen, wenn die Bauern schon zu Bett waren. Vor allem aber wollte sie vor Boldwood sicher sein. Sie stellte sich vor, daß sie die Nacht durch nach Bath fahren und dort Sergeant Troy sehen könnte, bevor er sich auf den Weg zu ihr machte; wollte ihm Adieu sagen, dann dem Pferd eine ausgiebige Rast gönnen (und sich selbst, dachte sie, Zeit zum Ausweinen) und am nächsten Tag die Rückreise antreten. Auf diese Weise konnte sie, wenn sie Dainty den ganzen Tag über in leichtem Trab hielt, abends bei Liddy in Yalbury eintreffen und mit ihr, wann immer sie wollten, nach Weatherbury heimkehren. So würde niemand erfahren, daß sie in Bath gewesen war.

So weit Bathshebas Plan. Weil sie mit den örtlichen Gegebenheiten noch nicht genügend vertraut war, verrechnete sie sich allerdings, was die Länge der Reise betraf, um mehr als die Hälfte. Trotzdem hielt sie an ihrer Absicht fest. Wie sie die erste Etappe bezwang, haben wir eben erfahren.

Eine Woche verging ohne Nachricht von Bathsheba oder irgendeine Erklärung für ihre nächtliche Eskapade.

Dann traf ein kurzer Brief für Maryann ein, in dem es hieß, daß das Geschäft, dessentwegen ihre Herrin sich nach Bath begeben hatte, sie noch dort festhalte; sie hoffe aber, im Verlauf der nächsten Woche heimzukehren.

Die nächste Woche verging. Die Haferernte begann, und alle Männer waren auf den Feldern. Die Luft flimmerte, die Mittagsschatten waren kurz, der Himmel blau und wolkenlos. Im Haus war nur das Surren der dicken Fliegen zu hören, draußen aber wurden die Sensen gewetzt, und die Flechten der Haferähren rauschten, wenn die bernsteingelben Halme bei jedem Sensenschwung in schweren Garben niedersanken. Feuchtflüssiges gab es außer dem Most in den Flaschen und Krügen der Männer nur in Form von Schweiß, der über Stirn und Wangen strömte. Sonst war alles staubtrocken.

Eben wollten sie sich zu einer kurzen Rast zur Hecke in den freundlichen Schatten eines Baumes zurückziehen, als Coggan jemanden in einen blauen, mit Messingknöpfen besetzten Rock quer über das Feld heranlaufen sah.

»Wer ist jetzt das?« fragte Coggan.

»Hoffentlich nichts Schlimmes von unserem Fräulein«, meinte Maryann, die mit einigen Frauen, wie es auf diesem Hof üblich war, die Garben bündelte. »Heute morgen im Haus ist mir etwas passiert, was nichts Gutes bedeutet: Ich will die Tür aufschließen, da fällt mir der Schlüssel auf den Steinboden und bricht in zwei Teile! Ein zerbrochener Schlüssel ist ein sehr schlechtes Zeichen. Ich wollte, das Fräulein wäre bei uns.«

»Cain Ball ist es«, sagte Gabriel, der bis dahin seine Sichel geschärft hatte.

Oak war nicht verpflichtet, beim Getreide zu helfen. Weil aber der Erntemonat für die Bauern immer eine kritische Zeit ist und es sich um Bathshebas Korn handelte, legte er mit Hand an.

»Er hat seinen Sonntagsanzug an«, stellte Matthew Moon fest. »Er ist schon seit ein paar Tagen von zu Hause fort, weil er ein Geschwür am Finger hat. Wenn ich schon nicht arbeiten kann, hat er gesagt, mach' ich mir einen Urlaub.«

»Eine gute Zeit dafür – die allerbeste Zeit«, fand Joseph Poorgrass und streckte sich. Wie manche von seinen Kollegen nützte er an einem solchen Tag jeden noch so geringen Anlaß für eine Arbeitspause, und die Ankunft von Cain Ball – an einem Werktag im Sonntagsstaat – gehörte schon zum Triftigsten. »Wie ich mit einem kranken Fuß gelegen bin, habe ich ›Pilgrim's Progress‹ gelesen – und Mark Clark hat mit einem Fingergeschwür das Viererschnapsen gelernt.«

»Ja – und mein Vater hat sich während der Brautzeit den Arm ausgekugelt, um meine Mutter zu besuchen«, steigerte Jan Coggan das Thema zum Äußersten, wischte sich mit dem Hemdsärmel das Gesicht und rückte den Hut in den Nacken.

Inzwischen war Cain schon so nahe, daß man das große Schinkenbrot in seiner einen Hand erkannte, von dem er im Laufen abbiß, während die andere mit einer Bandage umwickelt war. Als er die Erntearbeiter erreichte, wölbte sich sein Mund glockenförmig vor, und er fing heftig zu husten an.

»Schäm dich, Cain!« verwies ihn Gabriel streng. »Wie oft muß ich dir noch sagen, daß du mit vollem Mund nicht so schnell laufen sollst? Einmal wirst du noch ersticken, Cain Ball!«

»Hock-hock-hock«, erwiderte Cain. »Ein Krümel ist mir in die falsche Kehle geraten – hock-hock ... Sonst nichts, Mister Oak! Ich habe einen Ausflug nach Bath gemacht, weil ich ein Geschwür am Daumen habe – ja. Und da habe ich gesehen – ahock-hock!«

Kaum hatte Cain etwas von Bath erwähnt, als alle ihre Sicheln und Gabeln fallen ließen und sich rund um ihn drängten. Bedauerlicherweise wurden Cains erzählerische Gaben durch den verirrten Krümel nicht eben gefördert, und als weiteres Hemmnis überkam ihn ein Niesen, das ihm seine dicke Uhr aus der Westentasche trieb. Sie schwang wie ein Pendel an dem jungen Mann.

»Ja«, setzte er wieder an und ließ mit seinen Gedanken auch den Blick nach Bath zurückschweifen. »Endlich hab' ich die Welt gesehen – ja – und unser Fräulein auch – ahock-hockhock.«

»Dummer Kerl!« schimpfte Gabriel. »Immer muß dir etwas in die Kehle kommen, so daß du das Wichtigste nicht herausbringst!«

»Ahock! So! Bitte, Mister Oak – jetzt hab' ich eine Mücke verschluckt – die hat mir den Husten wieder heraufgebracht.«

»Natürlich. Weil du Nichtsnutz den Mund ständig offenhast!«

»Eine Mücke im Hals ist was Scheußliches«, verteidigte ihn Matthew Moon. »Armer Junge!«

»Also: du hast in Bath gesehen –« soufflierte ihm Gabriel.

»Unser Fräulein hab' ich gesehen«, fuhr der Junge fort. »Und einen Soldaten, mit dem ist sie gegangen, immer näher und näher aneinander, und zuletzt haben sie sich eingehenkt wie ein richtiges Liebespaar – hock-hock! Wie ein richtiges – hock – Liebespaar!« An diesem Punkt seiner Erzählung ging ihm die Luft aus, und zugleich verlor er den Faden. Er äugte hin und her über das Feld, als ob er dort den Anschluß finden könnte. »Ja – unser Fräulein ist mit einem Soldaten – ahohock!«

»Hol dich der Teufel!« wünschte Oak.

»Das ist nur so meine Natur, Mister Oak – seid mir nicht böse«, bat Cain Ball und blickte mit wässernden Augen vorwurfsvoll auf Oak.

»Er soll den Most hier trinken«, sagte Jan Coggan. »Das wird seinen Hals durchputzen.« Er nahm einen Krug auf, zog den Stöpsel heraus und hob den Spund an Cains Lippen. Joseph Poorgrass hingegen malte sich einstweilen aus, was nun geschehen sollte, wenn Cain Ball erstickte und die Geschichte seiner Abenteuer in Bath mit ins Grab nähme.

»Also ich für meine Person – ich sag' immer: ›Wie's Gott gefällt‹, bevor ich etwas angehe«, belehrte Joseph ihn bescheiden. »Das würde ich auch dir raten, Cain Ball. Es ist ein guter Schutz, und vielleicht hilft es dir, daß du nicht eines Tages erstickst.«

Mr. Coggan geizte nicht, als er dem leidenden Cain etwas in die runde Öffnung seines Mundes goß: Zur Hälfte rann der Most an der Seite des Kruges ab, und von der anderen Hälfte, die Cains Lippen erreichte, rann wiederum die Hälfte außen am Hals hinunter, während die Hälfte dessen, was drinnenblieb, ihm in die falsche Kehle geriet und unter Prusten und Niesen als Mostnebel, der sekundenlang als kleine Wolke in der sonnigen Luft hing, über die Schnitter versprüht wurde.

»Wie ein Elephant! Und hält sich nicht einmal die Hand vor!« schimpfte Coggan und setzte den Krug ab.

»Der Most ist mir in die Nase gestiegen!« plärrte Cain, als er wieder zu Worten kam. »In den Kragen ist er mir hinein, und mein weher Finger ist auch ganz naß – und meine schönen Knöpfe und der gute Anzug!«

»Der arme Junge ist wahrhaftig vom Pech verfolgt«, fand Matthew Moon. »Aber er hat auch was Spannendes zu erzählen! Klopft ihm auf den Rücken, Schäfer!«

»Das ist bei mir so«, jammerte Cain. »Mutter sagt, daß ich schon immer ganz außer mich geraten bin, wenn mich etwas aufgeregt hat.«

»Recht hat sie – ganz recht«, bestätigte Joseph Poorgrass. »Die Balls haben es schon immer mit den Nerven gehabt. Ich weiß noch, wie sein Großvater – ein sehr feinsinniger und bescheidener Mann, beinahe wie ein Studierter – wegen jedem Schmarren rot geworden ist fast wie ich selber – nicht daß ich es bei mir als einen Fehler ansehen würde.«

»Gewiß nicht, Master Poorgrass«, pflichtete ihm Coggan bei. »In Eurem Fall ist es eine seltene Tugend.«

»He-he! Ich möchte nicht, daß es in alle Welt posaunt wird«, lispelte Poorgrass verschämt. »Es gibt eben manches, was einem angeboren ist – das stimmt schon. Trotzdem wär's mir lieber, wenn's nicht jeder merken täte. Kann schon sein, daß etwas Höheres in mir ist, und daß Gott mich vielleicht reich gesegnet hat – weil ihm, wie ich geboren worden bin, doch alles möglich war ... Unter den Scheffel, Joseph! Unter den Scheffel! Ein merkwürdiger Drang ist das, Nachbarn, wenn man sich immer verstecken möchte. Es ist nichts, was viel Lob verdient. Andererseits gibt's die Bergpredigt mit den Seligpreisungen, wo auch die Schwachen und die Sanftmütigen vorkommen ...«

»Cainys Großvater war ein sehr gescheiter Mann«, erinnerte sich Matthew Moon. »Eine Apfelsorte hat er erfunden, die heute noch ›Frühball‹ nach ihm heißt. Du weißt doch, Jan? Ein Quarrenden, der auf einen Tom Putt gepfropft wird, und obendrauf noch ein Frührot. Es stimmt, daß er in einem Wirtshaus zusammen mit einer Frau gelebt hat, und daß es dabei nicht ganz mit rechten Dingen zugegangen ist – aber das zeigt halt, daß er wirklich ein kluger Kopf war.«

»Nun denn«, drängte Gabriel ungeduldig. »Was hast du gesehen, Cain?«

»Unser Fräulein hab' ich gesehen, wie sie in so eine Art Garten gegangen ist, wo es Stühle gegeben hat und Sträucher und Blumen: Arm in Arm mit einem Soldaten«, fuhr Cain mit fester Stimme fort, wobei ihm vage bewußt war, daß seine Worte, was Gabriels Gefühle betraf, eine sehr starke Wirkung hatten. »Und mir kommt vor, der Soldat ist der Sergeant Troy gewesen. Länger als eine halbe Stunde sind sie dort gesessen und haben sehr wichtige Dinge geredet, und einmal hat sie sich fast das Herz aus dem Leib geweint. Wie sie dann weitergegangen sind, haben ihre Augen geglänzt, und sie war weiß wie eine Lilie – und sie haben sich so freundlich angeschaut, wie das zwischen einem Mann und einer Frau nur möglich ist.«

Gabriels Gesicht wirkte schmaler. »Und was sonst hast du gesehen?«

»Oh, alles Mögliche!«

»Weiß wie eine Lilie? Bist du sicher, daß sie es war?«

»Ja.«

»Und sonst?«

»Große Glasfenster vor den Kaufläden – und am Himmel dicke Wolken voll Regen. Und alte Bäume rundum im Land.«

»Dummkopf! Was noch willst du uns weismachen?« fuhr ihn Coggan an.

»Laß ihn in Frieden«, schaltete sich Joseph Poorgrass ein. »Der Junge will sagen, daß es im Königreich Bath oben und unten nicht viel anders ausschaut als bei uns. Es dient der Erbauung, von fremden Städten zu hören, und in diesem Sinn sollten wir aufnehmen, was er uns berichtet.«

»Und für die Leute in Bath«, fuhr Cain fort, »ist das Feuer im Ofen nur ein Schmuck, denn das Wasser kommt dort schon kochend aus der Erde!«

»Das ist die reine Wahrheit«, bezeugte Matthew Moon. »Genau dasselbe habe ich auch von anderen Reisenden gehört.«

»Und sie trinken auch nichts anderes«, erzählte Cain. »Und wenn man sieht, wie sie es hinunterschlucken, schmeckt es ihnen.«

»Uns kommt es vielleicht barbarisch vor«, meinte Matthew Moon, »aber ich kann mir vorstellen, daß die Leute dort gar nichts dabei finden.«

»Und zum Essen kommt's auch so aus der Erde wie zum Trinken?« erkundigte sich Coggan mit einem Augenzwinkern.

»Nein – das ist ein teures Pflaster dort! Mit fester Nahrung hat Gott sie nicht so versorgt, und das war ein Nachteil, der mir sehr zu schaffen gemacht hat!«

»Auf jeden Fall ein merkwürdiger Ort«, resümierte Moon.

»Und bestimmt sind es auch merkwürdige Menschen, die dort leben.«

»Du hast behauptet, daß Miss Everdene und der Soldat zusammen spazierengegangen sind?« sagte Gabriel, der sich wieder zu der Gruppe gesellte.

»Ja. Und angehabt hat sie ein goldenes Seidenkleid mit schwarzen Spitzen – das hätte, wenn's darauf angekommen wäre, auch von allein gestanden, ohne das Fräulein drin. Wie ein Engel hat sie ausgesehen, und ihre Haare waren wunderschön gebürstet. Mit der Sonne auf ihrem hellen Kleid und seinem roten Rock: Wie ein gemaltes Bild war das! Die ganze Straße lang hab' ich ihnen nachgeschaut.«

»Und was weiter?« murmelte Gabriel.

»Dann bin ich zum Schuster gegangen und hab' mir die Schuhe nageln lassen – und dann zum Zuckerbäcker Riggs; dort hab' ich mir für einen Penny was vom besten Altbackenen geben lassen, das schon schimmelig war, aber nur ein bißchen. Und während ich das gegessen hab', bin ich weitergegangen und hab' eine Uhr gesehen mit einem Zifferblatt so groß wie ein Tortenblech –«

»Aber das hat nichts mit unserem Fräulein zu tun!«

»Ich komme schon noch zu ihr, wenn Ihr mich laßt, Mister Oak«, verteidigte sich Cainy. »Wenn Ihr mich aufregt, fange ich vielleicht wieder an zu husten – und dann kann ich Euch überhaupt nichts erzählen.«

»Ja – laßt es ihm auf seine Weise erzählen«, sagte Coggan.

Gabriel verdrehte die Augen, faßte sich aber in Geduld, und Cainy fuhr fort –:

»Riesengroße Häuser hat es da gegeben – und mehr Leute auf einem Fleck als beim Vereinsausflug zu Pfingsten! Auch prächtige Kirchen und Kapellen hab' ich mir angeschaut. Und wie dort der Pfarrer gebetet hat! Niedergekniet ist er und hat beide Hände aufgehoben, so daß die heiligen Goldringe, die er sich mit seinen Gebeten verdient hat, an den Fingern gefunkelt und die Leute in den Augen geblendet haben. Ah, dort möchte ich gern leben!«

»Unser armer Pastor Thirdly kann sich solche Ringe nicht leisten«, bemerkte Matthew Moon nachdenklich, »obwohl es keinen gottgefälligeren Mann gibt als ihn. Ich glaube nicht, daß er auch nur einen einzigen hat, auch nicht einen ganz billigen aus Zinn oder Kupfer. Dabei würde es ihm sehr gut stehen – so an einem dunklen Nachmittag, wenn er oben auf der Kanzel steht und die Kerzen ihn anleuchten ... Aber er kriegt so was sein Lebtag nicht, der Arme. Wie ungleich doch die Güter verteilt sind!«

»Vielleicht ist er nicht dafür gebaut«, meinte Gabriel grimmig. »Gut, damit reicht's jetzt ... erzähl' weiter, Cainy – hopp!«

»O – und bei den Pfarrern ist es jetzt Mode, daß sie Schnauzer und lange Bärte tragen«, fuhr der Weitgereiste fort. »Akkurat wie Moses und Aron sehen sie aus, so daß sich die Leute in der Kirche wie das Volk Israel vorkommen.«

»Ein durchaus richtiges Gefühl – durchaus«, fand Joseph Poorgrass.

»Und überhaupt gibt es jetzt zwei Religionen, eine Hochkirche und eine reformierte Kirche. Jeder, was ihr gebührt, hab' ich mir gedacht und bin am Vormittag in die Hochkirche gegangen und am Nachmittag in die reformierte Kirche.«

»Ein braver Junge!« lobte Joseph Poorgrass.

»Ja – und in der Hochkirche singen sie, wenn sie beten, und kommen in allen Farben daher wie ein Regenbogen, und in der reformierten Kirche predigen sie und sind nur in Schwarz und Weiß. Und dann – dann hab' ich Miss Everdene nicht mehr gesehen.«

»Warum sagst du das nicht gleich!« rief Oak enttäuscht.

»Na«, meinte Matthew Moon. »Wenn sie sich mit diesem Menschen eingelassen hat, wird sie sich bald von der Traufe in den Regen zurückwünschen.«

»So eingelassen hat sie sich nicht mit ihm«, widersprach Gabriel gereizt.

»Dafür ist sie zu klug«, vermutete Coggan. »Unser Fräulein hat zuviel Grips unter ihren prächtigen Locken für so was Verrücktes.«

»Allerdings ist er nicht irgendein ungehobelter Bauernlakkel«, zweifelte Matthew. »Er hat eine gute Erziehung. Es war nur sein Temperament, was ihn zu den Soldaten gebracht hat – und den Mädchen gefällt euer Tunichtgut.«

»Gut, Cain Ball«, sagte Gabriel nervös. »Kannst du einen feierlichen Eid darauf schwören, daß die junge Frau, die du gesehen hast, wirklich unser Fräulein war?«

»Cain Ball, du bist kein Kind mehr«, wandte sich Joseph mit der unter solchen Umständen angebrachten Grabesstimme an ihn. »Du weißt, was ein Eid ist! Es ist ein fürchterlicher Schwur, den du sprichst und besiegelst mit dem Stein, den die Bauleute verworfen haben, und der zum Eckstein geworden ist. Auf wen der Stein fällt, warnt uns der Evangelist Matthäus, den wird er zermalmen. Kannst du also vor uns allen, die hier versammelt sind, deine Worte so beschwören, wie es der Schäfer von dir verlangt?«

»Nein, Mister Oak, bitte!« rief Cainy. Er schauderte ob der ehrfurchtgebietenden Größe des Ansinnens, und sein Blick irrte von einem zum anderen. »Ich sage gern, daß es wahr ist – aber ich möchte nicht sagen, daß mich der Teufel holen soll, wenn Ihr das meint . . .«

»Cain, Cain, was fällt dir ein!?« verwies ihn Joseph streng. »Du sollst einen heiligen Eid schwören – und fluchst wie Simei, der Sohn Geras? Pfui, junger Mann!«

»Nein, das hab' ich nicht! Du möchtest nur, daß ich meine Seele verkaufe, Joseph Poorgrass – das ist es!« rief Cain und fing zu weinen an. »Ich habe nur sagen wollen, daß es die ganz normale Wahrheit gewesen ist, was ich von Miss Everdene und Sergeant Troy erzählt habe, aber in der schrecklichen Gotthelfemir-Wahrheit, die du daraus machen willst, war es vielleicht jemand anderer.«

»So werden wir nie draufkommen«, stellte Gabriel fest und wandte sich seiner Arbeit zu.

»Cain Ball, du wirst es noch weit bringen!« seufzte Joseph Poorgrass.

Dann blitzten wieder die Sicheln im Schwung, und die damit verbundenen Geräusche setzten ein. Gabriel spielte nicht eben den Fröhlichen, aber er zeigte auch nicht, daß er verstimmt gewesen wäre. Dennoch hatte Coggan ziemlich klar erfaßt, wie es um ihn stand, und als die beiden sich zusammen in einem abgelegenen Winkel befanden, sagte er:

»Nimm's dir nicht so zu Herzen, Gabriel! Du kriegst sie nicht. Was schert es dich, wer sonst sie kriegt?«

»Genau das sage ich mir selber«, versicherte Gabriel.

Am selben Abend stützte sich Gabriel auf Coggans Gartentor und hielt Umschau, bevor er sich zur Ruhe begab.

Ein Ding auf Rädern kroch gemächlich den grünen Straßenrain entlang. Zwei weibliche Stimmen drangen von dort herauf, ganz normal, keineswegs gedämpft, und Oak wußte sofort, daß es sich um Bathsheba und Liddy handelte.

Der Wagen kam auf Gabriels Höhe und fuhr vorüber. Es war Miss Everdenes Gig, und auf der Bank saßen Liddy und ihre Herrin. Liddy fragte sie über Bath aus, und Bathsheba antwortete ihr unaufmerksam und beiläufig. Sie und ihr Pferd wirkten erschöpft.

Die Erleichterung, sie wohlbehalten hier wiederzusehen, überwältigte alles, was ihn vielleicht sonst bewegt hätte, und Oak konnte nicht anders, als sich diesem beseligenden Gefühl hinzugeben. Alles Bedrückende, was man gehört hatte, war vergessen.

So verweilte Gabriel, bis sich Ost und West am Himmel nicht mehr unterschieden und auf den dämmerigen Kuppen die scheuen Hasen mutig wurden und herumsprangen. Noch etwa eine halbe Stunde stand Gabriel dort, als eine dunkle Gestalt langsam vorbeiging und ihm »Gute Nacht, Gabriel« wünschte.

Es war Boldwood. »Gute Nacht, Sir«, dankte Gabriel.

Auch Boldwood verschwand die Straße hinauf, und bald danach ging Oak ins Haus und zu Bett.

Farmer Boldwood jedoch ging weiter bis zu Miss Everdenes Hof. Er kam zum Wohntrakt, näherte sich der Eingangstür und sah Licht im Salon. Der Vorhang war nicht zugezogen, und Bathsheba befand sich in dem Raum. Sie kehrte Boldwood den Rücken zu und sah irgendwelche Papiere oder Briefe durch. Er trat zur Tür, klopfte und wartete, jeden Muskel gespannt und mit hämmernden Schläfen.

Seit er Bathsheba auf der Straße nach Yalbury begegnet war, hatte Boldwood seinen Garten nicht verlassen. In einsamer Meditation hatte er über das Wesen der Frau gebrütet, wobei er die Eigenheiten der einzigen, der er sich jemals genähert, als charakteristisch dem ganzen Geschlecht zuschrieb. Allmählich hatte ihn eine mildere Stimmung überkommen, die nun auch die Ursache für seinen heutigen Abendspaziergang war. Er schämte sich doch ein wenig seines heftigen Benehmens und war sofort gekommen, um sich zu entschuldigen und Bathsheba um Verzeihung zu bitten, als er vernommen hatte, daß Bathsheba zurückgekehrt sei – nur von einem Besuch bei Liddy, wie er annahm, von Bathshebas Eskapade nach Bath wußte er nichts.

Er fragte nach Miss Everdene. Liddy reagierte seltsam, aber er merkte es nicht. Sie ging hinein, ließ ihn an der Türe stehen, und nun, während sie fort war, wurde in dem Zimmer, wo sich Bathsheba befand, der Vorhang zugezogen. Boldwood schloß daraus nichts Gutes. Liddy kam zurück.

»Mein Fräulein kann Euch nicht empfangen, Sir«, bestellte sie.

Der Farmer kehrte sofort um. Man hatte ihm nicht verziehen – das war der Stand der Dinge. Er hatte sie, die ihm süße Qual bedeutete, in dem Raum sitzen sehen, den er erst vor kurzem in diesem Sommer als privilegierter Gast mit ihr geteilt hatte. Jetzt hatte sie ihm den Einlaß verweigert.

Boldwood hatte es nicht eilig. Es war gegen zehn, als er, nicht ohne Hintergedanken, den tiefer gelegenen Teil Weatherburys durchquerte und hörte, wie der Lohnfrächter, der mit seinem Wagen die Verbindung mit einer Stadt im Norden herstellte, in das Dorf fuhr und vor seinem Haus anhielt. Die Lampe auf dem Verdeck beschien eine Gestalt in Scharlach und Gold, die als erste ausstieg.

»Ah!« sagte Boldwood zu sich. »Er will wieder zu ihr!«

Troy begab sich in das Haus des Frächters, wo er schon während seines letzten Aufenthalts gewohnt hatte. Boldwood faßte einen plötzlichen Entschluß. Er lief nach Hause, war nach zehn Minuten wieder zurück und schickte sich an, bei dem Frächter anzuklopfen und Troy zu verlangen. Als er sich jedoch der Türe näherte, wurde diese aufgestoßen. Jemand trat heraus und wünschte den Leuten drinnen eine Gute Nacht. Es war Troys Stimme. So unmittelbar nach seiner Ankunft war das einigermaßen merkwürdig. Trotzdem eilte Boldwood auf ihn zu. Troy trug etwas in der Hand, das wie eine Reisetasche aussah – dieselbe Tasche, die er bei sich gehabt hatte, als er ankam. Es sah aus, als ob er noch in derselben Nacht wieder abreisen wollte.

Troy schlug die Richtung zum Hügel ein und schritt schneller aus. Boldwood trat ihm entgegen.

»Sergeant Troy?«

»Ja. Ich bin Sergeant Troy.«

»Eben eingetroffen, wenn ich nicht irre.«

»Ich komme aus Bath.«

»Ich bin William Boldwood.«

»Sieh da!«

Der Ton dieser beiden Worte genügte vollauf, um Boldwood zur Sache kommen zu lassen.

»Ich habe mit Euch zu reden«, sagte er.

»Worüber?«

»Über die Dame, die dort drüben wohnt – und über eine Frau, an der Ihr Euch vergangen habt.«

»Eure Anmaßung setzt mich in Erstaunen«, entgegnete Troy und ging weiter.

»Paßt auf«, sagte Boldwood und vertrat ihm den Weg. »Seid meinetwegen erstaunt oder auch nicht, reden werdet Ihr mit mir!«

Troy hörte die finstere Entschlossenheit in Boldwoods Stimme, warf einen Blick auf seine muskulöse Figur, einen zweiten auf den dicken Knüttel in seiner Hand und bedachte, daß es schon nach zehn war. Es schien angebracht, Boldwood höflich zu begegnen.

»Gut also – es wird mir ein Vergnügen sein«, sagte Troy und stellte die Tasche ab. »Aber sprecht leiser, damit man uns nicht bis zu den Häusern dort hören kann.«

»Nun denn – ich weiß eine ganze Menge über Euch – auch von Eurer Beziehung zu Fanny Robin. Abgesehen von Gabriel Oak bin ich vermutlich der einzige hier im Dorf, der davon weiß. Ihr solltet sie heiraten.«

»Wahrscheinlich. Ehrlich gesagt, ich würde es gern tun. Aber ich kann nicht.«

»Warum?«

Troy wollte etwas Vorschnelles darauf erwidern, hielt sich aber zurück und sagte: »Ich bin zu arm.« Sein Tonfall war plötzlich ein anderer. Vorher hatte ein »Na, wenn schon« mitgeklungen, jetzt war es die Stimme eines gewieften Pokerspielers.

Boldwoods gegenwärtige Urteilsfähigkeit war auf solche Nuancen nicht eingestellt. »Ich will ganz offen sein«, fuhr er fort. »Und ich will erst gar nicht nach Recht oder Unrecht fragen oder Ehre und Schande einer Frau gegeneinander abwägen – auch nicht meine Meinung über Euer Verhalten äußern. Ich will mit Euch ein Geschäft machen.«

»Ich verstehe«, sagte Troy. »Wollen wir uns hinsetzen?«

Ein alter Baumstamm lag unter der Hecke gleich gegenüber. Sie setzten sich.

»Ich war mit Miss Everdene verlobt«, begann Boldwood. »Aber dann seid Ihr gekommen, und –«

»Nicht verlobt«, wandte Troy ein.

»So gut wie verlobt.«

»Vielleicht hätte sie sich mit Euch verlobt, wenn ich nicht gekommen wäre.«

»Nicht ›vielleicht‹!«

»Also bloß im Konjunktiv.«

»Wenn Ihr nicht gekommen wärt, hätte sie mir nun schon mit Sicherheit – jawohl, mit Sicherheit! – ihr Jawort gegeben! Wenn Ihr sie nie gesehen hättet, wärt Ihr vielleicht mit Fanny verheiratet. Andererseits ist der Standesunterschied zwischen Miss Everdene und Euch zu groß, als daß aus diesem Getändel jemals eine Ehe werden könnte. Ich will daher von Euch nur, daß Ihr Miss Everdene nicht länger belästigt. Heiratet Fanny! Ich werde dafür sorgen, daß Ihr es nicht zu bereuen habt.«

»Wie das?«

»Ich werde Euch Geld geben, auch sie mit einer Mitgift ausstatten und dafür sorgen, daß ihr beide in Zukunft keine Not leiden müßt. In nüchternen Worten: Bathsheba spielt mit Euch nur; Ihr seid, wie gesagt, zu arm für sie. Vergeudet daher Eure Zeit nicht, indem Ihr zu hoch hinauswollt, statt Euch in eine bescheidene und rechtmäßige Verbindung zu finden, die Ihr morgen schon eingehen könnt. Nehmt also Eure Reisetasche, kehrt um, schüttelt noch heute nacht den Staub Weatherburys von Euren Füßen – und nehmt fünfzig Pfund mit Euch! Wenn Ihr mir sagt, wo Fanny sich aufhält, soll sie weitere fünfzig Pfund bekommen, um die Hochzeit vorzubereiten, und an ihrem Hochzeitstag zahle ich ihr fünfhundert Pfund aus.«

Wie Boldwood dieses Angebot vorbrachte, verriet nur zu deutlich die Schwäche seiner Position, seine Absichten und seine Strategie. Sein Verhalten erinnerte kaum noch an den zielbewußten, würdevollen Boldwood, wie man ihn gekannt hatte; noch vor wenigen Monaten hätte er solche Winkelzüge als kindischen Unfug verurteilt. Ein Liebender verfügt wohl über beachtliche Energien, die einem, dessen Herz frei ist, fehlen; dafür hat der Ungebundene einen weiteren Blickwinkel. Wer viel auf eines setzt, sieht auch weniger, und so wird zwar die Sensibilität durch Liebe gesteigert, das Entscheidungsvermögen jedoch gemindert. Boldwood bot dafür ein besonders krasses Beispiel: Er wußte weder, wie es um Fanny Robin bestellt war oder wo sie sich aufhielt, noch konnte er Troys Position einschätzen. Dennoch waren dies seine Worte.

»Ich liebe Fanny über alles«, entgegnete Troy, »und wenn, wie Ihr sagt, Miss Everdene für mich unerreichbar ist, kann ich nichts Besseres tun, als Euer Geld nehmen und Fanny heiraten. Aber sie ist nur eine Dienstmagd.«

»Wenn schon! Geht Ihr auf meinen Vorschlag ein?«

»Ja.«

»Ah!« seufzte Boldwood erleichtert. »Aber warum, Troy – warum habt Ihr Euch hier eingemischt und mein Lebensglück gefährdet, wenn Ihr Fanny über alles liebt?«

»Ich liebe sie jetzt über alles«, sagte Troy. »Aber Bathsh – Miss Everdene hat mich bezaubert und Fanny für eine Weile verdrängt. Jetzt ist es vorbei.«

»Wie kann es so schnell vorbei sein? Und warum seid Ihr wiedergekommen?«

»Dafür gibt es gewichtige Gründe. Fünfzig Pfund auf die Hand, sagt Ihr?«

»Ja. Hier, fünfzig Sovereigns.« Boldwood hielt Troy ein kleines Päckchen hin.

»Ihr seid mit allem gerüstet – als ob Ihr damit gerechnet hättet, daß ich das Geld nehme«, sagte Troy und nahm das Päckchen.

»Ich dachte mir, Ihr würdet es vielleicht nehmen.«

»Aber Ihr habt nur mein Wort dafür, daß ich mich an den Handel halte, während ich immerhin fünfzig Pfund habe.«

»Auch daran habe ich gedacht und mir überlegt, daß ich mich, wenn schon nicht auf Eure Anständigkeit, so doch auf Eure – nun, nennen wir es Klugheit – verlassen kann: Daß Ihr nicht fünfhundert Pfund, die Euch darüber hinaus sicher sind, verlieren und Euch dazu noch einen Mann zum Feind machen wollt, der bereit ist, Euch ein sehr nützlicher Freund zu sein.«

»Halt! Hört!« flüsterte Troy.

Dicht über ihnen auf der Straße war ein leichter Schritt zu vernehmen.

»Bei allen –! Das ist sie!« zischte Troy. »Ich muß hin und sie sehen!«

»Sie? Wen?«

»Bathsheba.«

»Bathsheba? So spät und allein?« wunderte sich Boldwood und erhob sich. »Warum müßt Ihr sie sehen?«

»Sie hat mich heute abend erwartet – und jetzt muß ich mit ihr sprechen und mich von ihr, wie es Euer Wunsch ist, verabschieden.«

»Ich sehe keinen Grund, weshalb Ihr mit ihr sprechen müßt.«

»Schaden kann es nichts – und sie würde bestimmt nach mir suchen, wenn ich es nicht täte. Ihr werdet alles hören, was ich zu ihr sage. Es wird Euch bei Euren Bemühungen zugute kommen, wenn ich fort bin.«

»Ihr spottet!«

»O nein. Und bedenkt, wenn sie nicht weiß, was aus mir geworden ist, wird sie mich nicht so rasch vergessen, als wenn ich ihr unverblümt sage, daß ich gekommen bin, um mich von ihr zu trennen.«

»Und Ihr sagt sonst nichts? – Ich werde jedes Wort hören?«

»Jedes Wort. Setzt Euch hin, haltet mir die Tasche und gebt acht, was Ihr hören werdet.«

Der leichte Schritt kam näher, manchmal verhaltend, als ob sie, die dort ging, lauschte. Troy pfiff einen melodischen, flötenleichten Doppelton.

»Weit ist das gediehen!« murmelte Boldwood nervös.

»Ihr habt versprochen, daß Ihr still seid!« erinnerte ihn Troy.

»Ich verspreche es noch einmal.«

Troy trat vor.

»Frank! Liebster! Bist du es?« Es war Bathshebas Stimme.

»O Gott!« ächzte Boldwood.

»Ja«, sagte Troy.

»Wie spät du kommst«, fuhr sie zärtlich fort. »Bist du mit dem Frächter gekommen? Ich habe den Wagen gehört, wie er ins Dorf gefahren ist, aber das ist schon eine gute Weile her, so daß ich fast nicht mehr damit gerechnet habe, daß du noch kommst, Frank.«

»Es war ausgemacht, daß ich komme«, entgegnete Frank. »Du hast es doch gewußt, nicht wahr?«

»Ich habe es vermutet«, erwiderte sie scherzend. »Und so ein Glück, Frank! Kein Mensch im Haus – nur ich! Ich habe alle fortgeschickt, damit keine Menschenseele etwas erfährt, wenn du die Dame deines Herzens besuchst. Liddy wollte zu ihrem Großvater, um ihm von ihrem Urlaub zu erzählen, und ich habe ihr gesagt, daß sie bis morgen bleiben kann – wenn du schon wieder fort bist.«

»Großartig«, meinte Troy. »Aber – du meine Güte! – da sollte ich wohl erst noch meine Tasche mit den Hausschuhen und meinem Waschbeutel holen. Lauf inzwischen nach Hause – und in zehn Minuten bin ich ganz bestimmt bei dir!«

»Ja.« Sie wandte sich wieder hügelan.

In Boldwoods zusammengepreßten Lippen zuckte es während dieses Zwiegesprächs; sein Gesicht war naß von kaltem Schweiß. Nun lief er zu Troy hin, der sich ihm zuwandte und die Tasche nahm.

»Soll ich ihr sagen, daß ich gekommen bin, weil ich sie nicht heiraten kann und von ihr Abschied nehmen muß?« fragte der Soldat spöttisch.

»Nein, nein – wartet einen Augenblick! Ich muß – ich muß Euch noch etwas sagen«, flüsterte Boldwood heiser.

»Ihr seht, in was für einer Klemme ich stecke«, sagte Troy. »Vielleicht bin ich ein schlechter Mensch – das Opfer meiner Triebe – und kann nicht widerstehen, etwas zu tun, was ich besser bleiben ließe. Aber ich kann nicht beide heiraten. Und ich habe zwei gute Gründe, Fanny zu nehmen. Erstens ist sie mir ja doch lieber, und zweitens wird diese Lösung durch Euch für mich auch profitabel.«

An diesem Punkt warf sich Boldwood auf Troy und packte ihn an der Gurgel. Troy spürte, wie Boldwoods Hände langsam zudrückten. Der Angrif war völlig unerwartet gekommen.

»Moment!« keuchte Troy. »Vergeht Euch nicht gegen die Frau, die Ihr liebt!«

»Was meint Ihr damit?« fragte der Farmer.

»Gebt mir ein wenig Luft!« bat Troy.

»Bei Gott«, sagte Boldwood und lockerte seinen Griff. »Am liebsten würde ich Euch umbringen!«

»Und sie ins Unglück stürzen.«

»Sie retten!«

»Wie wäre sie jetzt noch zu retten, wenn ich sie nicht heirate?«

Boldwood stöhnte. Widerwillig ließ er den Soldaten los und

schleuderte ihn gegen die Hecke. »Satan! Du willst mich nur quälen!«

Wie ein Ball prallte Troy von der Hecke ab und schickte sich an, nun seinerseits auf den Farmer loszugehen, hielt sich aber dann doch zurück und sagte leichthin:

»Es wäre unpassend, meine Muskelkräfte mit den Euren zu messen. Das ist eine zu primitive Methode, Meinungsverschiedenheiten auszutragen. Weil ich ganz allgemein zu dieser Überzeugung gelangt bin, werde ich demnächst meinen Abschied von der Armee nehmen. Aber es wäre doch nun, da Ihr gesehen habt, wie es um Bathsheba steht, gewiß ein Fehler, mich umzubringen?«

»Es wäre ein Fehler, Euch umzubringen«, wiederholte Boldwood mechanisch und senkte den Kopf.

»Gescheiter wäre es, wenn Ihr Euch umbringt.«

»Viel gescheiter.«

»Ich freue mich, daß Ihr das einseht.«

»Nehmt sie zur Frau, Troy, und schert Euch nicht mehr um das, was ich von Euch wollte! Die Alternative ist gräßlich, aber nehmt Bathsheba! Ich verzichte auf sie! Sie muß Euch wirklich sehr lieben, um sich derart mit Leib und Seele preiszugeben. Ein schwaches, blindes Weib – das bist du, Bathsheba!«

»Aber was geschieht mit Fanny?«

»Bathsheba ist eine wohlhabende Frau, Troy«, drang Boldwood weiter in ihn. »Sie wird auch eine gute Gattin sein. Und sie ist es wahrlich wert, daß Ihr mit der Hochzeit nicht zögert!«

»Aber sie hat einen starken Willen – um nicht zu sagen einen Dickschädel – und ich werde nur ihr Sklave sein. Fanny Robin wäre Wachs in meinen Händen!«

»Troy«, beschwor ihn Boldwood, »ich werde für Euch tun, was Ihr wollt. Verlaßt sie nicht, bitte! Verlaßt sie nicht!«

»Wen? Die arme Fanny?«

»Nein, Bathsheba Everdene! Liebt sie allein! Seid zärtlich zu ihr! Wie soll ich Euch klarmachen, daß es nur zu Eurem Vorteil ist, wenn Ihr sie sofort an Euch bindet?!«

»Ich habe keine Lust, sie noch mehr an mich zu binden.«

Boldwoods Arm zuckte wie im Krampf gegen Troy, aber er unterdrückte den Instinkt, und sein Körper krümmte sich wie im Schmerz.

»Ich werde in Kürze meinen Abschied kaufen«, fuhr Troy fort, »und dann –«

»Aber ich möchte, daß die Hochzeit so bald als möglich stattfindet! Es wird für euch beide besser sein – ihr liebt einander, und ich will euch helfen!«

»Wie?«

»Statt für Fanny werde ich die fünfhundert Pfund für Bathsheba aussetzen, damit Ihr sie sofort heiraten könnt. Aber nein – sie wird es von mir nicht annehmen ... Ich werde Euch das Geld am Hochzeitstag auszahlen.«

Angesichts dieser totalen Selbstaufgabe Boldwoods war Troy sekundenlang sprachlos. Dann fragte er beiläufig: »Und kann ich schon jetzt etwas haben?«

»Ja, wenn Ihr wollt. Viel mehr habe ich allerdings nicht bei mir. Ich habe so etwas nicht abgesehen. Aber Ihr könnt alles haben.«

Einem Schlafwandler ähnlicher als einem vollsinnigen Mann, zog Boldwood den großen Leinenbeutel hervor, der ihm als Börse diente, und stellte fest, was er enthielt.

»Hier habe ich noch einundzwanzig Pfund«, sagte er. »Zwei Scheine und einen Sovereign. Aber bevor ich gehe, brauche ich von Euch eine Bestätigung.«

»Gebt mir das Geld, und dann gehen wir einfach zu ihr und vereinbaren schriftlich, was Ihr wollt, damit ich gebunden bin. Aber sie darf von diesem Geschäft nichts erfahren!«

»Auf keinen Fall!« stimmte Boldwood ihm eifrig zu. »Da ist das Geld, und wenn Ihr jetzt mit mir kommt, setzen wir einen Vertrag über den Rest und die Bedingungen auf.«

»Aber zuerst gehen wir zu ihr?«

»Warum? Bleibt heute nacht bei mir, und morgen begleite ich Euch zum Suffragan wegen der Heiratserlaubnis.«

»Aber wir müssen mit ihr sprechen – es ihr wenigstens mitteilen.«

»Gut denn, gehen wir!«

Sie stiegen den Hügel hinan zu Bathshebas Haus. Als sie vor der Tür standen, sagte Troy: »Wartet einen Moment!« Er drückte die Tür auf und schlüpfte hinein, ließ aber einen Spalt offen.

Boldwood wartete. Nach zwei Minuten erschien ein Licht im Korridor, bei dessen Schein er sah, daß Troy die Kette vorgelegt hatte. Und nun kam auch Troy, mit einem Leuchter in der Hand.

»Haltet Ihr mich für einen Einbrecher?« fragte Boldwood verächtlich.

»Nein. Es ist nur so meine Art, alles entsprechend abzusichern. Wollt Ihr erst noch das hier lesen? Ich halte Euch das Licht.«

Troy reichte Boldwood eine zusammengefaltete Zeitung durch den Spalt und hob ihm die Kerze hin. »Diesen Absatz hier«, sagte er und wies mit dem Finger auf eine Zeile.

Boldwood beugte sich darüber und las:

EHESCHLIESSUNGEN

Am 17. d. M. zu Sankt Ambros, Bath, durch HH. G. Mincing, B. A.: Francis Troy, einziger Sohn des Dr. Edward Troy aus Weatherbury (verst.) und Sergeant im 11. Dragoner-Garderegiment, mit Bathsheba, einziger Tochter des Mr. John Everdene aus Casterbridge (verst.).

»Nicht wahr, Boldwood, das heißt Euren Wünschen zuvorkommen!« höhnte Troy und lachte glucksend.

Die Zeitung entfiel Boldwoods Hand.

»Fünfzig Pfund, um Fanny zu heiraten«, fuhr Troy fort. »Dazu einundzwanzig Pfund, um nicht Fanny, sondern Bathsheba zu heiraten. Endergebnis: Bereits Bathshebas Gatte! Ihr habt Euch, Boldwood, so lächerlich gemacht, wie es jedem passiert, der sich zwischen einen Mann und seine Frau drängt. Ein Wort noch: Ich bin vielleicht ein schlechter Mensch, aber kein solcher Schurke, daß ich aus der Ehe oder dem Unglück einer Frau ein Geschäft machen würde. Fanny hat mich schon vor langem verlassen – ich weiß nicht, wo sie ist. Ich habe überall nach ihr gesucht. Davon abgesehen: Ihr behauptet, Bathsheba zu lieben – und glaubt dennoch beim geringsten Anlaß, daß sie ihre Ehre vertan hat. So eine Liebe lasse ich mir nachwerfen! Und jetzt, nach dieser Lehre, nehmt Euer Geld zurück!«

»Das werde ich nicht!« zischte Boldwood.

»Ich jedenfalls habe keinen Bedarf dafür«, sagte Troy verächtlich. Er wickelte das Münzenpäckchen in die Banknoten und warf es Boldwood vor die Füße.

Boldwood drohte ihm mit geballter Faust. »Gemeiner Hund! Du dreckiger Satansbraten! Aber ich werde es dir heimzahlen! Warte nur, das wirst du noch bereuen!«

Wieder das Gelächter. Dann schloß Troy die Tür und legte den Riegel vor.

Die ganze Nacht hindurch irrte Boldwoods düstere Gestalt

über die Hügel und Triften von Weatherbury, wie einer von den klagenden Schatten am traurigen Gestade des Acheron.

Es war sehr früh am nächsten Morgen – taufrisch und sonnig. Wirr stiegen die Anfangstakte der vielen Vogellieder in die reine Luft, und das blasse Himmelsblau war da und dort mit spinnwebzarten Wolken unterlegt, die jedoch das Tageslicht keineswegs dämpften. Alle Farben waren gelb getönt, die Schatten dünn und lang. Die Schlingpflanzen an dem alten Gutshof waren mit Säumen von Tautropfen besetzt, und jeder Tropfen wirkte auf das, was dahinter lag, wie ein winziges, aber starkes Vergrößerungsglas.

Die Turmuhr hatte noch nicht fünf geschlagen, als Gabriel Oak und Coggan am Dorfkreuz vorbei zu den Feldern gingen. Das Haus ihrer Herrin war noch kaum in Sicht, als Gabriel zu sehen meinte, wie der Flügel eines Fensters im ersten Stock aufgestoßen wurde. Ein Holunder, der sich gerade mit seinen schwarzen Beerenbüschel schmückte, verdeckte zunächst teilweise die zwei Männer, und sie blieben stehen, bevor sie aus seinem Schatten traten.

Ein hübscher Mann beugte sich über das Lattenwerk. Er schaute ostwärts, dann gegen Westen – wie einer, der am Morgen eine erste Umschau hält. Es war Sergeant Troy. Er hatte seine rote Jacke lose übergehängt und gab sich so ungezwungen wie ein Soldat, der nicht im Dienst ist.

Coggan blickte ruhig zu dem Fenster hinüber. Er sprach als erster.

»Sie hat ihn geheiratet«, stellte er fest.

Gabriel hatte Troy bereits gesehen, kehrte nun dem Haus den Rücken und sagte nichts.

»Ich hab' mir schon gedacht, daß das eines Tages herauskommt«, fuhr Coggan fort. »Gestern, gleich nach dem Dunkelwerden – du warst irgendwo draußen –, habe ich gehört, wie ein Wagen am Haus vorbeigefahren ist.« Er warf einen Blick auf Gabriel. »Gütiger Heiland, Oak! Du bist ja ganz weiß im Gesicht – schaust aus wie der Tod!«

»Tatsächlich?« erwiderte Oak mit einem schwachen Lächeln.

»Lehn dich an das Gatter. Ich warte ein Weilchen.«

»Ja, gut. Gut.«

So standen sie eine Zeit lang an dem Gatter, und Gabriel starrte geistesabwesend zu Boden. Sein Geist eilte voraus in die

Zukunft und erschaute, wie sich im langsamen Fluß der Jahre die Reue, die solchem übereilten Tun folgen würde, zu Bildern verdichtete. Daß sie verheiratet waren, hatte er ohne weiteres geschlossen. Aber warum unter so geheimnisvollen Umständen? Es war durchgesickert, daß Bathsheba die Entfernung unterschätzt und ihre Fahrt sich übel angelassen hatte – das Pferd war zusammengebrochen, und sie hatte mehr als zwei Tage dafür gebraucht. Es war nicht ihre Art, etwas heimlich zu tun. Bei allen ihren Fehlern war sie die Offenheit selbst. War sie in eine Falle gegangen? Nicht nur, daß diese Verbindung ihn mehr schmerzte, als Worte ausdrücken konnten: sie verblüffte ihn auch, obgleich er schon seit einer Woche geargwöhnt hatte, daß dies das Resultat der Begegnung sein könnte, die sie fern von daheim mit Troy zusammengeführt hatte. Ihre unauffällige Heimkehr an Liddys Seite hatte Gabriels Befürchtungen zunächst einigermaßen zerstreut. Wie eine ganz langsame Bewegung, die für das Auge ein Stillstand ist, sich dennoch in ihrem Wesen grundlegend von einem Stillstand unterscheidet, so war sein Hoffen, so verzweifelt er wirkte, noch alles andere als Verzweiflung gewesen.

Nach ein paar Minuten gingen sie weiter zum Haus hin. Der Sergeant schaute noch immer aus dem Fenster.

»'n Morgen, Kumpels!« rief er munter, als die beiden näher kamen.

Coggan erwiderte den Gruß. »Willst du ihm nicht auch antworten?« sagte er zu Gabriel. »Ich hab' ihm einen Guten Morgen gewünscht ... Du brauchst ja nicht ernst meinen, was du sagst, aber das hält den Burschen bei Manieren.«

Auch Gabriel fand schließlich, daß er ihr, die er liebte, seine Liebe nicht besser als durch eine gute Miene zum bösen Spiel beweisen konnte.

»Guten Morgen, Sergeant Troy«, grüßte er. Es klang abscheulich.

»Eine triste Bruchbude«, bemerkte Troy lächelnd.

»Vielleicht haben sie gar nicht geheiratet?« erwog Coggan. »Vielleicht ist sie gar nicht hier?«

Gabriel schüttelte den Kopf. Der Soldat wandte sich leicht gegen Osten, und die Sonne entflammte seinen scharlachroten Rock zu goldener Glut.

»Aber es ist ein hübsches altes Haus«, meinte Gabriel.

»Ja – mag schon sein. Trotzdem fühle ich mich hier wie

neuer Wein in einem alten Schlauch. Ich finde, man sollte rundum Schiebefenster einsetzen und die alte Täfelung ein wenig auffrischen. Oder das eichene Zeug überhaupt hinauswerfen und die Wände tapezieren.«

»Das wäre ein Jammer!«

»Finde ich nicht. Einmal habe ich einen Philosophen sagen gehört, daß die alten Architekten, zu deren Zeit die Kunst noch etwas Lebendiges war, ohne viel Respekt vor ihren Vorgängern alles eingerissen und umgebaut haben, wie sie es für angebracht hielten. Warum sollten wir das nicht auch tun? ›Schaffen und Bewahren verträgt sich nicht‹, hat er gesagt, ›und eine Million von Denkmalschützern kann keinen neuen Stil erfinden‹. Genau meine Ansicht! Ich möchte dieses Haus modernisieren, so daß wir, solange es uns vergönnt ist, Freude daran haben.«

Der Krieger drehte sich um und überblickte das Innere des Raums, um sich in seinen Verbesserungsideen zu bestärken. Gabriel und Coggan schickten sich zum Weitergehen an.

»Oh, Coggan«, sagte Troy, als ob ihm etwas eingefallen wäre, »weißt du vielleicht, ob es in Mr. Boldwoods Familie vorgekommen ist, daß jemand geistesgestört war?«

Jan dachte kurz nach.

»Ich habe einmal gehört, daß ein Onkel von ihm nicht ganz richtig im Kopf war – aber ich weiß nicht, ob was Wahres dran ist.«

»Ist nicht so wichtig«, sagte Troy leichthin. »Irgendwann in dieser Woche werde ich zu euch aufs Feld kommen, aber vorerst habe ich noch einiges zu erledigen. Einen Guten Tag denn! Versteht sich, daß wir Freunde bleiben wie bisher. Trotzdem, niemand wird behaupten können, daß es dem Sergeant Troy zu Kopf gestiegen ist, aber was sein muß, muß sein – nehmt die halbe Krone hier und trinkt eins auf mein Wohl!«

Troy warf das Geldstück geschickt über den Vorgarten und den Zaun hin zu Gabriel, der es im Fallen herunterschlug, während sein Gesicht sich vor Ärger rötete. Coggan blinzelte, sprang vor und fing die Münze im Rückprall von der Straße.

»Kannst sie haben, Coggan«, sagte Gabriel verächtlich, beinahe heftig. »Ich brauche keine milden Gaben von ihm.«

»Zeig's nicht zu offen«, gab ihm Coggan zu bedenken. »Wenn er mit ihr verheiratet ist, wird er sich seinen Abschied kaufen und hier unser Herr sein. Da ist es gescheiter, wenn du nach außen höflich zu ihm bist. Innerlich kannst du ihn ja zum Teufel wünschen.«

»Ja – vielleicht ist es das Beste, wenn ich still bin. Aber das ist auch schon das Äußerste. Um den Bart gehe ich ihm nicht, und wenn ich dem Herrn schöntun muß, nur um meine Stelle zu behalten, ist für mich hier kein Platz.«

Ein Reiter, den sie schon von weitem gesehen hatten, tauchte nun vor ihnen auf.

»Da ist Mr. Boldwood«, sagte Oak. »Ich möchte wissen, was Troy mit seiner Frage wollte.«

Coggan und Oak grüßten den Farmer ehrerbietig und verhielten ihren Schritt für den Fall, daß er etwas von ihnen wollte. Aber er sagte nichts, und so traten sie zur Seite und ließen ihn vorbei.

Die einzigen Spuren des schrecklichen Kampfes, den Boldwood in dieser Nacht mit sich geführt und auch jetzt noch nicht ausgefochten hatte, zeigten sich in der Blässe seiner edlen Züge, dem Hervortreten der Adern auf der Stirn und an den Schläfen und in den schärferen Linien um seinen Mund. Das Pferd trug ihn fort, und in jedem Schritt des Tieres schien sich verbissene Verzweiflung auszudrücken. Als er sah, wie Boldwood litt, vergaß Gabriel für einen Augenblick seinen eigenen Schmerz. Die breitschultrige Gestalt aufrecht im Sattel, den Blick geradeaus, den Hut flach und fest auf dem Kopf – bis der Hügel die kantige Silhouette allmählich einsog. Wer den Mann und seine Vorgeschichte kannte, hätte einen Zusammenbruch eher erwartet als diese steinerne Ruhe. Ergreifend trat hier der Gegensatz von Innen und Außen zutage, und wie es Momente gibt, in denen ein Lachen schrecklicher ist als Tränen, so war das Unbewegte an diesem Mann bewegender, als wenn er laut geschrien hätte.

In einer Nacht gegen Ende August – Bathshebas eheliche Erfahrungen waren noch jung – stand ein Mann bewegungslos bei den Getreideschobern der Farm von Upper Weatherbury und beobachtete den Mond und den Himmel.

Es war eine ungute Nacht. Ein heißer Südwind strich um die Giebel und Wipfel, und am Himmel trieben leichte Wolkenfetzen quer zu einer anderen Schicht, keine aber in der Richtung des erdnahen Windes. Der Mond darüber schimmerte wie Metall. Die Felder lagen fahl in einem trüben, monochromen Licht, wie durch gefärbtes Glas gesehen. Vorher, am Abend, hatten die Schafe Kopf an Schwanz stallwärts gedrängt, die Krähen waren ganz aufgeregt gewesen, und die Pferde hatten sich ängstlich und vorsichtig bewegt.

Ein Gewitter stand bevor, und einige weitere Anzeichen sprachen dafür, daß auf das Gewitter einer jener langen Regen folgen sollte, die das Ende der sommerlichen Trockenzeit bringen. Noch zwölf Stunden, dann war es mit dem Erntewetter endgültig vorbei.

Oak betrachtete voll Sorge die acht ungedeckten, schutzlos daliegenden Schober, mächtige, schwere Gebilde, ein halber Jahresertrag der Farm. Dann ging er weiter zur Scheune.

Es war dieselbe Nacht, für die Sergeant Troy – er war es, der nun im Haus seiner Frau herrschte – das Erntefest angesetzt hatte. Als Oak sich der Scheune näherte, hörte man immer deutlicher die Geigen, das Tamburin und das rhythmische Stampfen von vielen Füßen. Er trat zu einem der großen Tore, das einen Spalt offen stand, und schaute hinein.

Man hatte den Platz in der Mitte und die Nische am einen Ende von allem, was im Weg gewesen wäre, freigeräumt und diesen Raum, der etwa zwei Drittel des Ganzen ausmachte, für den geselligen Anlaß hergerichtet. Das andere Ende, wo sich der Hafer bis zur Decke türmte, war mit einer Plane verhängt; Laubgebinde und Girlanden schmückten die Wände und Balken, hingen auch von oben als Lüster herunter, und Oak gegenüber hatte man ein Podium aufgebaut, mit Tisch und Stühlen, auf denen drei Geiger saßen; neben ihnen stand ein zappeliger Mann, gesträubten Haars und schweißtriefend, und schüttelte ein Tamburin.

Ein Tanz war eben aus, und auf dem schwarzen Eichenboden in der Mitte fand sich eine neue Reihe von Paaren für den nächsten.

»Nichts für ungut, Gnädigste – was hättet Ihr gern, daß wir jetzt spielen?« fragte die erste Geige.

»Mir ist wirklich alles eins«, antwortete die klare Stimme Bathshebas, die am anderen Ende des Raums hinter einem Tisch voll Gläsern und Schüsseln stand und dem Treiben zuschaute. Neben ihr lehnte Troy.

»Alsdann«, rief der Geiger, »würde ich meinen, das Stück, das heute am besten hierherpaßt, wär’ die ›Soldatenlust‹ – weil es doch ein wackerer Soldat ist, der auf den Hof geheiratet hat! Was sagt das verehrliche Publikum?«

»Ja, die ›Soldatenlust‹!« schrien alle im Chor.

»Ein nettes Kompliment«, anerkannte der Sergeant fröhlich und faßte Bathshebas Hand, um den Tanz zu eröffnen. »Ich habe zwar meinen Abschied vom 11. Regiment der Gardedragoner Ihrer Allergnädigsten Majestät gekauft, um mich den neuen Pflichten zu widmen, die mich hier erwarten, aber im Herzen werde ich doch mein Leben lang ein Soldat bleiben.«

Der Tanz begann. Über die Qualitäten der ›Soldatenlust‹ gibt es seit jeher nur eine Meinung. Bei Musikliebhabern in Weatherbury und Umgebung heißt es, daß die ›Soldatenlust‹ einem selbst nach einer dreiviertel Stunde dröhnenden Gestampfes noch immer zündender in die Beine geht als die meisten anderen Tänze mit den ersten Takten. Einen zusätzlichen Reiz gewinnt die ›Soldatenlust‹ auch dadurch, daß sie das bereits erwähnte Tamburin so meisterhaft einsetzt – kein geringes Instrument in der Hand eines Künstlers, der sich auf die Krämpfe, Zuckungen, Anfälle von Schüttelfrost und furchterregendem Veitstanz versteht, die es braucht, um das Spiel zu höchster Vollkommenheit zu entfalten.

Schließlich endete die unsterbliche Weise mit einem sauber zweigestrichenen D, aus der Baßgeige grollend wie Kanonendonner, und nun säumte auch Gabriel nicht länger und trat ein. Er wich Bathsheba aus, drängte aber, so nahe er konnte, an das Podest vor, wo jetzt Sergeant Troy saß und verdünnten Branntwein trank, während die anderen sich ausnahmslos an Most und Bier hielten. Da es Gabriel nicht gelang, bis auf Sprechweite zu Troy vorzustoßen, ließ er ihn bitten, für einen Augenblick zu ihm herunterzukommen. Der Sergeant entgegnete, daß er keine Zeit habe.

»Richtet ihm aus, daß ich nur deshalb hereingeschaut habe, weil sich ein Wetter zusammenbraut und man etwas tun müßte, um das Getreide abzudecken.«

»Mr. Troy sagt, daß es nicht regnen wird«, bestellte der Bote, »und er hat jetzt keine Zeit, um mit Euch solche Lappalien zu bereden.«

Als Widerpart zu Troy wirkte Gabriel nur zu leicht wie eine Kerze neben einem Gaslüster, und so ging er bedrückt wieder hinaus. Er hatte vor, sich nach Hause zu begeben, denn unter den gegebenen Umständen hatte er keine Lust, an dem Treiben in der Scheune teilzunehmen. Beim Tor blieb er kurz stehen. Troy hielt eine Rede.

»Freunde! Wir feiern heute abend nicht nur, daß wir die Ernte hereingebracht haben – wir feiern auch eine Hochzeit. Es ist noch nicht lange her, daß ich das Glück hatte, die Dame hier – eure Herrin – zum Altar zu führen, und heute ist es uns nun möglich, dieses Ereignis in Weatherbury mit einem offiziellen Nachspiel zu begehen. Weil ich möchte, daß dies in gebührender Form geschieht und jeder mit frohem Herzen in sein Bett findet, habe ich uns ein paar Flaschen Brandy und heißes Wasser holen lassen. Jeder Gast soll einen Becher Grog haben, drei zu eins gemischt!«

Bathsheba legte die Hand auf seinen Arm, sah mit blassem Gesicht zu ihm auf und beschwor ihn: »Nein – gib's ihnen nicht – bitte nicht, Frank! Es kann ihnen nur Schaden tun. Sie haben übergenug von allem gehabt!«

»Stimmt. Wir machen lieber einen Punkt. Danke«, sagten ein paar.

»Pah!« spottete der Sergeant und erhob seine Stimme, als ob ihm ein neuer Gedanke gekommen wäre. »Freunde!« sagte er. »Wir schicken das Weibervolk nach Hause! Für die Hühner ist Schlafenszeit. Und dann wollen wir munteren Gockel zeigen, wie wir krähen können! Wenn einer von euch Burschen davor etwa Federn hat, soll er sich für den Winter anderswo einnisten.«

Verärgert ging Bathsheba hinaus, gefolgt von allen Frauen und Kindern. Die Musikanten, die sich nicht als zur ›Gesellschaft‹ gehörig betrachteten, verdrückten sich still zu ihrem Wagen und spannten an. Somit befanden sich nur mehr Troy und die Männer der Farm in der Scheune. Oak, der nicht unnötig den Muffel spielen wollte, blieb noch eine kleine Weile, stand aber dann auch auf und empfahl sich unauffällig. Der Sergeant schimpfte ihm gutmütig nach, weil er nicht für eine zweite Runde Grog bleiben wollte.

Gabriel machte sich auf den Heimweg. Als er sich der Haustür näherte, stieß er mit der Schuhspitze gegen etwas Weiches, Ledriges und Aufgeblähtes, wie einen Boxhandschuh. Es war eine dicke Kröte, die schwerfällig über den Weg kroch. Oak hob sie auf und dachte, daß es wohl besser wäre, das Tier zu töten und von seinen Schmerzen zu erlösen, stellte aber fest, daß es unverletzt war, und setzte es darauf im Gras ab. Er wußte, was diese Botschaft der Großen Mutter zu bedeuten hatte. Die nächste Botschaft ließ nicht lange auf sich warten.

Als er drinnen Licht machte, zeigte sich auf dem Tisch ein schmaler, schillernder Streifen, als hätte jemand mit leichter Hand einen Firnispinsel darübergezogen. Oaks Blick folgte der glänzenden Spur zur anderen Seite und sah eine kapitale Kapuzinerschnecke, die aus Gründen, um die sie allein wissen mochte, ins Haus gekommen war: Ein weiteres Zeichen, das schlechtes Wetter ankündigte.

Fast eine Stunde saß Oak allein und dachte nach, während zwei schwarze Spinnen von der Art, wie sie in strohgedeckten Häusern häufig sind, über die Decke wanderten und sich schließlich zu Boden fallen ließen. Das erinnerte ihn: Wenn er in diesem Zusammenhang etwas untrüglich verstand, war es der Instinkt der Schafe. Er verließ das Haus, lief über einige Felder, stieg auf eine Heckenleiter und sah von dort auf die Herde hinunter.

Die Schafe hatten sich drüben um ein paar Ginsterbüsche gesammelt, und zunächst fiel an ihnen auf, daß sie, als Oaks Kopf über dem Zaun auftauchte, sich weder rührten noch fortliefen. Sie fürchteten sich vor etwas, das größer war als ihre Furcht vor dem Menschen. Aber das war noch nicht das Merkwürdigste. Sie standen allesamt so, daß ihre Schwänze, ohne eine einzige Ausnahme, gegen jene Himmelsrichtung wiesen, aus der das Gewitter drohte. Außerdem gab es einen inneren Kreis, wo sie sich dicht aneinanderdrängten, während die Äußeren etwas lockerer standen, so daß das Ganze von oben einem Spitzenkragen glich, der sich um einen Hals – die Ginsterbüsche – gelegt hatte.

Das genügte, um Gabriels ursprüngliche Vermutung zu bestätigen. Jetzt war er sicher, daß er recht hatte und Troy irrte.

Alles, worin die Natur sich mitteilte, sprach für einen Wetter-umschlag. Dabei ließ sich aus diesen Botschaften zweierlei ein-deutig ableiten. Offenbar stand ein Gewitter bevor, dem ein langer, kalter Regen folgen sollte. Was da kroch, wußte von dem folgenden Regen, weniger von dem Gewitter, das ihm vorausgehen würde; die Schafe hingegen spürten das Gewitter kommen, nicht aber den Regen.

Eine derart komplexe Wetterlage war anormal und um so mehr ein Anlaß zu Besorgnis. Oak kehrte zu den Kornscho-bern zurück. Hier war alles still. Die konisch zulaufenden Spit-zen der Schober – fünf mit Weizen und drei mit Gerste – ragten schwarz gegen den Himmel auf. Beim Dreschen würde ein Weizenschober rund zweihundertfünfzig Scheffel hergeben, ein Gerstenschober über dreihundert. Wieviel das für Bathsheba – wie für jeden anderen auch – bedeutete, ergab folgende einfache Rechung, die Oak im Kopf durchführte:

$$5 \text{ mal } 250 = 1250 \text{ Scheffel} = 500 \text{ Pfund}$$
$$3 \text{ mal } 300 = 900 \text{ Scheffel} = \underline{250 \text{ Pfund}}$$
$$\text{zusammen also} \quad \overline{750 \text{ Pfund}}$$

Siebenhundertfünfzig Pfund in der göttlichsten Form von Geld, die es gibt: Nahrung für Mensch und Tier, die sie zum Leben brauchen! Rechtfertigte der Wankelmut einer Frau das Risiko, daß gut die Hälfte von soviel Korn verdarb? »Niemals, solange ich es verhindern kann!« sagte Gabriel.

Soweit Oaks Gedankengang, wie er ihn für sich formulierte. Aber zugleich ist jeder Mensch ein Palimpsest – auch im Ver-hältnis zu sich selbst – mit einer Schrift, die zum Lesen be-stimmt ist, und einem anderen Text, der zwischen den Zeilen steht. Es wäre durchaus möglich, daß wie mit goldenen Lettern durch Oaks praktische Erwägungen der Vorsatz leuchtete: »Ich will der Frau, die ich so sehr geliebt habe, bis an die Grenze meiner Kräfte beistehen.«

Er ging zur Scheune zurück, um vielleicht doch jemanden zu finden, der noch in dieser Nacht mit ihm die Schober deckte. Drinnen rührte sich nichts, und Gabriel wäre in der Annahme, daß alle nun schon zu Hause waren, weitergegangen, wenn nicht ein schwaches, im Kontrast zu dem grünlichen Weiß draußen safrangelbes Licht durch ein Astloch in den Torflügeln geschienen hätte.

Gabriel schaute hinein. Ein ungewöhnlicher Anblick bot sich ihm.

Die Kerzen zwischen dem Immergrün waren bis auf die Halter heruntergebrannt, allenthalben waren auch die Blätter versengt, mit denen man sie umwunden hatte. Viele Lampen waren überhaupt erloschen, andere schwelten stinkend, der Talg tropfte auf den Boden. Dort, unter dem Tisch, in allen Stellungen außer der normalen aufrechten, an Bänken und Stühlen, lagen hingestreut die Arbeiter, armselige Gestalten, das Haar so tief in den Stirnen, daß man an Besen oder Scheuerbürsten dachte. In der Mitte, leuchtend rot und nicht zu verkennen, lümmelte Sergeant Troy in einem Sessel. Coggan lag auf dem Rücken und schnarchte mit ein paar anderen im Chor, und der dumpfe Lärm, den diese horizontale Gesellschaft im Verein erzeugte, hörte sich an wie London aus einiger Entfernung. Joseph Poorgrass hatte sich – offenbar bemüht, möglichst wenig Oberfläche der Luft auszusetzen – wie ein Igel eingerollt, und das bescheidene Häufchen hinter ihm, dort im Zwielicht, war William Smallbury. Die Gläser und Becher standen noch auf dem Tisch, und aus einem umgestürzten Wasserkrug zog sich ein schmales Rinnsal erstaunlich präzise der Mitte der Platte entlang, bis es in stetem, monotonem Tropfen, wie in einer Tropfsteinhöhle, im Kragen des bewußtlosen Mark Clark mündete.

Gabriel überblickte die Gruppe, die bis auf wenige Ausnahmen alle arbeitsfähigen Männer der Farm umfaßte, und ließ alle Hoffnung fahren. Er begriff sofort, daß er, wenn er die Schober in dieser Nacht – oder auch am nächsten Morgen – retten wollte, dies mit eigener Hand tun mußte.

Unter Coggans Weste war ein schwaches »Ping-Ping« zu vernehmen, Coggans Uhr schlug zwei.

Oak ging hinüber zu der hingestreckten Gestalt Matthew Moons, der sonst das Grobdecken der Dächer besorgte, und rüttelte ihn. Er rührte sich nicht.

»Wo hast du das Werkzeug zum Dachdecken?« brüllte ihm Gabriel ins Ohr.

»Unterm Speicherboden«, lallte Moon mechanisch und prompt wie ein Medium bei einer Séance.

Gabriel ließ Moons Kopf los. Wie eine Kegelkugel knallte er auf den Estrich. Dann ging Gabriel zu Susan Talls Mann.

»Wo ist der Schlüssel zum Speicher?«

Keine Antwort. Gabriel wiederholte die Frage. Vergeblich.

Offenbar war Susan Talls Mann daran gewöhnt, nachts angebrüllt zu werden, anders als Matthew Moon. Oak gab Talls Kopf frei, daß er zurück in die Ecke fiel, und wandte sich ab.

Um der Gerechtigkeit willen wäre festzuhalten, daß die Männer nur wenig Schuld an diesem peinlich ausgearteten Ende des fröhlichen Abends traf. Mit dem Glas in der Hand hatte Sergeant Troy so hartnäckig darauf bestanden, seine Verbrüderung mit ihnen zu begießen, daß auch jene, die gern abgelehnt hätten, unter solchen Umständen nicht unhöflich sein wollten. Dabei waren sie aber von Jugend auf nichts Stärkeres gewohnt als Most oder leichtes Bier, und so war es kein Wunder, daß sie nach etwa einer Stunde bis auf den letzten Mann in schöner Übereinstimmung umgefallen waren.

Gabriel war sehr niedergeschlagen. Dieses Gelage ließ Schlimmes für die eigensinnige und faszinierende Frau erwarten, die er als Inbild alles Lieblichen, Schönen und Unerreichbaren in seinem Herzen trug.

Er löschte die flackernden Lichter, damit die Scheune nicht in Gefahr geriete, schloß hinter den Männern, die in tiefer Bewußtlosigkeit weiterschliefen, das Tor und ging wieder in die einsame Nacht hinaus. Ein heißer Wind, wie aus den Nüstern eines Drachen, der die Welt verschlingen will, wehte ihn von Süden her an, während genau von Norden ein unförmiges Wolkengebilde gegen den Wind vorrückte. So wider alle Natur war diese Wolkenwand aufgezogen, daß man sich vorstellen konnte, eine Bühnenmaschinerie habe sie hochgehoben. Die leichten Wölkchen hatten sich inzwischen nach Süden geflüchtet, als fürchteten sie die große Wolke, wie eine Schar von Vögelchen unter dem Blick eines Ungeheuers.

Oak begab sich ins Dorf und warf einen Stein gegen Laban Talls Schlafzimmerfenster. Er erwartete, daß Susan herausschauen würde, aber niemand zeigte sich. Also ging er zur Hintertür, die für die Heimkehr Labans unversperrt geblieben war, und tappte bis zum Fuß der Treppe.

»Mrs. Tall!« rief Oak mit Stentorstimme. »Ich brauche den Speicherschlüssel, weil ich die Planen für die Schober holen muß!«

»Bist du's?« fragte Susan Tall im Halbschlaf.

»Ja«, antwortete Gabriel.

»Dann komm ins Bett, du Herumtreiber! Mich so lang wachzuhalten –«

»Ich bin Gabriel Oak – nicht Laban! Ich brauche den Speicherschlüssel!«

»Gabriel! Warum hast du mir weismachen wollen, daß du Laban bist?«

»Hab' ich nicht. Ich dachte nur, Ihr meintet –«

»Doch hast du! Was willst du hier?«

»Den Speicherschlüssel.«

»Dann nimm ihn schon, er hängt am Nagel. Was ist das für eine Art, Frauen mitten in der Nacht herauszuholen? Da soll doch –«

Gabriel wartete nicht, bis sie zu Ende geschimpft hatte, sondern nahm den Schlüssel. Zehn Minuten später hätte man ihn sehen können, wie er ganz allein vier große, wasserdichte Planen über den Hof schleifte, und bald schon waren zwei von den kostbaren Haufen überdacht, jeder mit zwei Planen. Zweihundert Pfund waren gerettet. Für die übrigen drei Weizenschober gab es keine Planen. Oak durchsuchte den Speicher, fand eine Gabel, kletterte auf den dritten Schober und machte sich ans Werk. Er hatte sich ausgedacht, daß er die obersten Weizengarben schräg hochschichten und die Fugen mit dem Material von ein paar losen Bünden stopfen könnte.

So weit ging alles gut. Durch diesen raschen Eingriff war Bathshebas Weizen, wenn sich der Wind zurückhielt, immerhin für eine oder zwei Wochen sicher.

Dann kam die Gerste dran, die konnte er nur nach allen Regeln decken wie ein Dach. Die Zeit verfloß, und der Mond verschwand, um nicht wiederzukehren. Vor Ausbruch der Feindseligkeiten hatte der Botschafter seinen Abschied genommen. Die Nacht wirkte ausgezehrt, als wäre sie krank, und schließlich hauchte der ganze Himmel seinen Atem als weiche Brise aus. Es war wie ein Sterben. Nun hörte man auf dem Hof nur mehr die dumpfen Stöße des Stechholzes, das die Sparren einführte, und dazwischen das Rascheln von Stroh.

Ein Licht huschte über die Szene, wie von phosphoreszierenden Vögeln zurückgeworfen, die quer durch den Himmel flogen, und ein Grollen ließ die Luft zittern. Es war der Auftakt zu dem nahenden Gewitter.

Der zweite Donnerschlag war laut, trotz des relativ unscheinbaren Blitzes. Gabriel sah eine Kerze in Bathshebas Schlafzimmer aufleuchten und gleich darauf einen Schatten, der sich auf dem Vorhang bewegte.

Dann blitzte es zum dritten Mal. Am weiten Gewölbe des Himmels begab sich Außerordentliches. Dieser Blitz war silbrig und zog schimmernd über das Firmament wie ein waffenstarrender Heerwurm. Das Grollen wurde zu Geschepper. Gabriel überblickte aus seiner gehobenen Position das Land auf etwa ein Dutzend Meilen in der Runde. Jede Hecke, Busch und Baum war scharf wie mit einem Gravurstichel herausgearbeitet. Auf einer Koppel in derselben Richtung befand sich eine Herde von Kühen, die nun für einen Augenblick sichtbar wurden, in völliger Auflösung, Schwänze und Hinterhufe oben, die Schädel unten. Eine Pappel im Vordergrund war wie ein Tintenstrich auf poliertem Zinn. Dann verschwand das Bild, und die Finsternis, die es hinterließ, war von so absoluter Pechschwärze, daß Gabriel sich auf das Gefühl in seinen Händen verlassen mußte.

Er hatte das Werkzeug, mit dem er arbeitete – eine vom vielen Gebrauch glatte, lange Eisenlanze, wie man sie zum Abstützen der Garben verwendet – in den Schober gestoßen, als über ihm ein blaues Licht aufflammte und irgendwie am einen Ende des Dings herunterflackerte. Das war nun der vierte stärkere Blitz, und gleich knallte es auch schon, peitschend und knapp. Gabriel fand, daß seine Situation nachgerade ungemütlich wurde, und er beschloß hinunterzusteigen.

Bis dahin war noch kein einziger Tropfen gefallen. Müde wischte sich Gabriel die Stirn und sah wieder auf die dunklen Massen der ungeschützten Schober. War ihm sein Leben noch immer so viel wert? Was hatte er schon zu erwarten, daß er vor einer Gefahr scheute, die sich nicht umgehen ließ, wenn getan werden sollte, was drängte und wichtig war? Nein, er gab den Schober nicht auf! Unter dem Balkenrost war eine lange Kette, an die man sonst Pferde legte, wenn sie auf offenen Wiesen grasten. Diese Kette hob Gabriel nun die Leiter hinauf, steckte die Eisenstange durch den Ring an einem Ende und ließ das andere hinunter zur Erde hängen. Geschützt durch diesen improvisierten Blitzableiter fühlte er sich verhältnismäßig sicher.

Noch hatte er sein Werkzeug nicht wieder zur Hand genommen, da fuhr wie eine Schlange und mit höllischem Lärm der fünfte Blitz herunter, smaragdgrün und ohrenbetäubend. Und was zeigte ihm dieses Licht? Vor Oak, der vom First des Schobers hinunterschaute, stand auf freiem Gelände eine dunkle, anscheinend weibliche Gestalt. War es möglich, daß es sich um die einzig wagemutige Frau im Dorf handelte – um Bathsheba? Die Gestalt trat einen Schritt vor. Dann sah er nichts mehr.

»Seid Ihr es, Gnädige?« fragte Oak in die Finsternis.

»Wer ist da?« fragte Bathshebas Stimme.

»Gabriel. Ich bin hier oben und decke den Schober.«

»Oh, Gabriel! Du? Ich bin deswegen hergekommen. Das Gewitter hat mich geweckt, und da ist mir das Korn eingefallen. Ich bin ganz verzweifelt – können wir etwas tun, um es zu retten? Und ich finde meinen Mann nicht. Ist er bei dir?«

»Nein.«

»Weißt du, wo er ist?«

»Er schläft in der Scheune.«

»Er hat mir versprochen, daß sie sich um die Schober kümmern werden – und jetzt ist nichts geschehen! Kann ich dir helfen? Liddy fürchtet sich und will nicht herauskommen. Daß ich dich hier finde! Bestimmt kann ich etwas tun?«

»Ihr könnt mir ein paar Schilfbündel bringen, eines nach dem anderen, wenn ihr nicht Angst habt, im Finstern die Leiter hinaufzusteigen. Jetzt ist jede Sekunde kostbar, und mir würde das viel Zeit sparen. Wenn es erst einmal zu blitzen aufhört, ist es gar nicht so dunkel.«

»Ich bin zu allem bereit!« erwiderte sie entschlossen. Ohne weiteres nahm sie ein Bündel auf die Schulter, kletterte bis dicht an Gabriels Füße, schob es hinter die Stange und stieg für das nächste hinunter. Als sie zum dritten Mal kam, gleißte der Schober plötzlich wie Majolika – jeder Knoten in jedem Halm war zu erkennen. Pechschwarz auf der Schräge vor Gabriel zeichneten sich zwei menschliche Silhouetten ab. Dann erlosch das Licht – die Schatten verschwanden. Im Osten, hinter Gabriels Rücken, hatte der sechste Blitz eingeschlagen, und die zwei schwarzen Figuren: das waren er selbst und Bathsheba gewesen.

Dann brach der Donner los. Kaum zu fassen, daß ein derart himmlisches Licht so höllischen Lärm erzeugt haben sollte.

»Nein!« schrie sie und klammerte sich an seinen Ärmel. Gabriel drehte sich um und stützte sie an ihrem luftigen Ort, indem er ihren Arm hielt. Im selben Augenblick, während er noch so umgewandt stand, schwoll das Licht an, und er sah an der Scheunenwand die Umrisse der großen Pappel von drüben auf dem Hügel. Ein Nachblitz im Westen hatte den Schatten des Baumes dorthin geworfen.

Der nächste Blitz fuhr nieder. Bathsheba war jetzt unten, sie schulterte eben wieder ein Bündel und stieg, unbeeindruckt von der Grelle und dem Gepolter, mit ihrer Last hoch. Danach war es rundum für vier oder fünf Minuten ruhig, so daß man deutlich das Knirschen der Sparren hörte, wenn Gabriel sie mit flinker Hand in das Schilf trieb. Er glaubte, daß das Schlimmste schon vorbei wäre. Aber da flammte es abermals auf.

»Haltet Euch fest!« rief Gabriel, nahm das Bündel von Bathshebas Schultern und packte wieder ihren Arm.

Und nun riß wahrhaftig der Himmel auf: Der Blitzstrahl war so plötzlich da, daß man sich kaum der hautnahen Gefahr bewußt wurde, sie nahmen nur seine majestätische Pracht wahr. Er brach zugleich im Osten, Westen und Norden los, ein rechter Totentanz, bei dem sich die Konturen von Gerippen in die Luft schrieben, mit Knochen aus blauem Feuer – im Kreis herum tanzend, springend, rasend, unentwirrbar sich verstrickend. Hineingeflochten waren wabernde grüne Schlangen, dahinter eine breite Masse von geringerer Helle. Zugleich ertönte aus allen Höhen des berstenden Himmels ein Laut, den man als Schrei bezeichnen konnte – obwohl so noch kein Mensch geschrien hatte, war es am ehesten mit einem Schrei verwandt. Und nun war eines von diesen schaurigen Gespenstern auf Gabriels Stange gelandet, wieselte unsichtbar daran hinunter, die Kette entlang und in die Erde hinein! Gabriel war wie erblindet. Er fühlte, wie Bathshebas warmer Arm in seinem Griff zitterte – eine ganz neue und aufregende Erfahrung. Aber Liebe, Leben und überhaupt alles Menschliche war klein und belanglos, maß man es so unmittelbar an einem entfesselten Universum.

Oak blieb kaum Zeit, diese Wahrnehmungen in Gedanken umzusetzen und zu sehen, wie seltsam doch die roten Federn an ihrem Hut aufleuchten, als der große Baum auf dem Hügel in Weißglut erstrahlte und schon der nächste Donnerschlag in das Gebrüll des vorangegangenen einstimmte. Es war ein scharfer, brutaler Knall, der ihre Ohren traf, ohne das Grollen, das einen weniger nahen Donner wie eine Pauke dröhnen läßt. Im schimmernden Licht, das allenthalben auf Erden und im weiten Himmelsdom widerstrahlte, sah Gabriel, daß der Baum über die ganze Länge seines hohen, kerzengeraden Stamms gespalten war, und offensichtlich hatte es auch in breiter Bahn die Rinde abgesprengt. Der Rest, der aufrecht stehenblieb, trug vorn, wo er bloßgelegt war, einen weißen Streifen. Der Blitz hatte den Baum getroffen. Schwefelgeruch hing in der Luft. Nun war es wieder still und finster wie in einer Höhle.

»Das war knapp!« stieß Gabriel hervor. »Ihr steigt jetzt besser hinunter!«

Bathsheba sagte nichts, aber er hörte deutlich ihren raschen Atem. Das Schilfbündel neben ihr gab raschelnd Antwort auf das verschreckte Pochen ihres Herzens. Sie stieg die Leiter hinunter. Die Finsternis war hier völlig undurchdringlich. Seite an Seite standen sie am Fuß der Leiter. Bathsheba schien nur an das Wetter zu denken – Oak dagegen dachte nur an sie.

»Jetzt scheint es doch vorbei zu sein«, stellte er endlich fest.

»Ja, ich glaube auch«, sagte Bathsheba. »Obwohl es dort ganz wild wetterleuchtet, schau!«

Den Himmel erfüllte jetzt ein stetiges Licht, zu dem das hektische Geflacker verschmolz, so wie aufeinanderfolgende Schläge auf einen Gong einen einzigen Ton ergaben.

»Das ist jetzt nicht mehr ernst«, sagte er. »Ich verstehe nicht, wo der Regen bleibt. Aber danken wir Gott dafür – uns kann es nur recht sein. Ich steige wieder hinauf.«

»Gabriel, du tust mehr für mich, als ich verdiene. Aber ich werde bleiben und dir helfen. Zu dumm, daß keiner von den anderen hier ist.«

»Wenn sie könnten, wären sie bestimmt hier«, meinte Oak zögernd.

»Ja, ich weiß es – alles«, sagte sie und fügte langsam hinzu: »Sie schlafen in der Scheune – schlafen in ihrem Rausch – und mein Mann mit ihnen. So ist es doch, nicht wahr? Glaub nicht, daß ich zimperlich bin und du mir die Wahrheit nicht zumuten kannst.«

»Ich bin nicht sicher«, entgegnete Gabriel. »Ich werde einmal nachschauen.«

Er ließ sie stehen und ging hinüber zur Scheune, blickte durch eine von den Fugen im Tor. Alles lag in völliger Dunkelheit, wie er es verlassen hatte, und wie schon vorhin brauste es vom Schnarchen vieler Schläfer.

Gabriel spürte einen warmen Hauch an seiner Wange und drehte sich um. Es war Bathshebas Atem – sie war ihm gefolgt und spähte durch dieselbe Fuge.

Er versuchte, das auf der Hand Liegende, woran sie beide dachten, aufzuschieben und sagte ruhig: »Wenn Ihr jetzt mit mir kommt, Miss – Gnädige, und mir noch ein paar Bündel hinaufreicht, geht es viel rascher.«

Oak kletterte also wieder auf den Schober. Er stieg über die Leiter hinaus, um die Arbeit zu beschleunigen. Bathsheba folgte ihm, aber sie hatte kein Schilfbündel bei sich.

»Gabriel«, sagte sie. Es klang seltsam eindringlich.

Oak schaute zu ihr auf. Es war ihr erstes Wort, seit er die Scheune verlassen hatte. Das sanfte, stetige Flimmern der verebbenden Blitze zeigte ihm ein Gesicht wie aus Marmor. Bathsheba saß nahe am First des Schobers, die Füße angezogen, und lehnte sich an die oberste Leitersprosse.

»Ja?« sagte er.

»Damals, in jener Nacht, als ich nach Bath loskutschierte, hast du wohl vermutet, daß ich es tat, weil ich heiraten wollte.«

»Erst später – nicht gleich«, erwiderte er, einigermaßen überrascht von der Plötzlichkeit, mit der sie dieses neue Thema anschnitt.

»Und die anderen haben es auch geglaubt!«

»Ja.«

»Und du hast deswegen einiges an mir auszusetzen gefunden?«

»Schon – ein wenig.«

»Das habe ich mir so vorgestellt! Mir ist es nicht ganz gleichgültig, wie du über mich denkst, und darum möchte ich dir jetzt etwas erklären – ich wollte es immer wieder, seit meiner Heimkehr, und du hast mich immer so streng angesehen ... Es ist ein schrecklicher Gedanke, daß ich sterben könnte – und das kann ja schon bald sein – und du mich für immer in diesem falschen Licht siehst. Hör zu –:«

Gabriel legte das Schilf beiseite.

»An jenem Abend, als ich nach Bath fuhr, war ich fest entschlossen, meine Verlobung mit Troy zu lösen. Erst Umstände, die dort eingetreten sind, haben dazu geführt, daß wir heirateten. – Siehst du die Sache jetzt schon anders?«

»Ja. Ein wenig anders.«

»Wahrscheinlich muß ich noch einiges hinzufügen, nachdem ich schon davon angefangen habe. Und vielleicht ist das gar kein Schaden, denn du bildest dir ja gewiß nicht ein, daß ich jemals in dich verliebt war oder irgendwelche andere Absichten haben könnte als die, von denen ich dir gesagt habe. Ich war also allein in einer fremden Stadt – und mit einem lahmen Pferd. Und zuletzt wußte ich nicht mehr weiter. Zu spät begriff ich, wie leicht mich die Tatsache, daß ich mit ihm unter solchen Umständen zusammen war, in Verruf bringen konnte. Trotzdem wollte ich heimfahren, da behauptete er auf einmal, er habe am selben Tag eine Frau gesehen, die schöner sei als ich, und daß ich nicht mit seiner Treue rechnen dürfe, wenn ich nicht sofort – . . . Und ich kränkte mich und war beunruhigt –« Sie räusperte sich und legte eine Pause ein, als ob sie Atem schöpfen müßte. »Und dann – halb aus Eifersucht und halb aus Verblendung – habe ich ihn geheiratet«, flüsterte sie mit dem Mut der Verzweiflung.

Gabriel blieb stumm.

»Ihn trifft kein Vorwurf, denn das mit der anderen – der anderen, die er gesehen hat – war nicht gelogen«, fügte sie hastig hinzu. »Und jetzt wünsche ich nicht, daß du auch nur ein einziges Wort zu all dem sagst – ich verbitte es mir! Ich wollte nur, daß du die Wahrheit über dieses mißverstandene Kapitel meines Lebens erfährst, bevor es zu spät ist und du es nie mehr erfahren kannst. Brauchst du noch mehr Schilf?«

Sie stieg die Leiter hinunter, und die Arbeit ging weiter. Gabriel bemerkte allerdings bald, daß die Bewegungen seiner Herrin schwerfälliger wurden. »Ich glaube, Ihr geht jetzt besser ins Haus«, sagte er zu ihr, sanft wie eine Mutter. »Mit dem Rest werde ich allein fertig. Und wenn der Wind nicht umschlägt, kommt womöglich gar kein Regen.«

»Wenn ich nutzlos bin, gehe ich«, entgegnete Bathsheba mit versagender Stimme. »Aber wenn dir etwas zustößt!«

»Ihr seid nicht nutzlos – aber mir wäre es lieber, wenn Ihr Euch nicht länger anstrengt. Ihr habt mir sehr geholfen.«

»Und du mir noch mehr«, sagte sie anerkennend. »Sei bedankt für deine Treue, Gabriel! Gute Nacht – ich weiß, daß du für mich tust, was in deinen Kräften steht.«

Sie löste sich im Dunkel auf, und er hörte den Riegel zufallen, als sie durch das Gatter ging. Vor sich hinträumend arbeitete er weiter. Er dachte über das nach, was sie erzählt hatte, und über die Widersprüche im Herzen dieser Frau, die bewirkt hatten, daß sie es ihm in dieser Nacht weiter aufgetan hatte als je zuvor, als sie noch unverheiratet gewesen war und nichts sie hinderte, so freundlich zu ihm zu sein, wie ihr beliebte.

Ein Knarren von der Remise her störte ihn in seiner Meditation. Die Wetterfahne auf dem Dach drehte sich, und mit diesem Richtungswechsel des Windes setzte ein katastrophaler Regen ein.

Es war inzwischen fünf Uhr geworden. Schmutziggrau kündigte sich der Tag an.

Die Temperatur sank. Die Luft geriet in Bewegung. In unsichtbaren Wirbeln blies ein kühler Hauch Gabriel ins Gesicht, verlagerte sich dann um ein paar Bogengrade und wurde stärker. Zehn Minuten später war es, als seien überhaupt alle Winde zugleich los. Von den Weizenschobern fegte es Teile der Eindeckung hoch. Gabriel sorgte für Ersatz und beschwerte das Schilf mit einigen Stangen, die in der Nähe lagen. Hierauf schuftete er weiter bei der Gerste. Ein dicker Tropfen klatschte ihm ins Gesicht. Der Wind hechelte um alle Ecken, die Bäume schwankten bis an die Wurzeln und fuchtelten mit ihrem Geäst. Überall, in jede Schilflage, trieb Gabriel seine Sparren und schob Zoll um Zoll ein Schutzschild über diese sinnfällige Verkörperung von siebenhundert Pfund. Jetzt regnete es richtig. Oak spürte das Wasser in kalten, klammen Bahnen seinen Rücken hinunterlaufen, bis er zuletzt fast einheitlich bis auf die Haut durchweicht war und die Farbe aus seinen Kleidern die Leiter entlangrann und sich an ihrem Fuß zu einer Lache sammelte. Schräg durch das Grau spann der Regen flüssige Fäden, die zwischen ihrem Ursprung in den Wolken und Gabriel nirgends abrissen.

Oak erinnerte sich daran, wie er vor acht Monaten an eben dieser Stelle so verzweifelt gegen das Feuer angekämpft hatte wie jetzt gegen das Wasser – und beide Male aus hoffnungsloser Liebe zu derselben Frau. Was diese Frau betraf . . . Aber Oak, großmütig und treu, dachte nicht weiter.

Gegen sieben war es an diesem bleidüsteren Morgen, als Gabriel vom letzten der Schober herabrutschte und erleichtert rief: »So, das hätten wir!« Er war durchnäßt, erschöft und traurig – aber doch weniger traurig als durchnäßt und erschöpft, denn das Gefühl, daß er einer guten Sache gedient hatte, heiterte ihn auf.

Bei der Scheune rührte sich etwas und ließ ihn hinschauen. Einzeln und paarweise tappten sie dort aus dem Tor, unsicheren Schritts und verschämt – mit Ausnahme des ersten, der eine rote Jacke trug und, Hände in den Hosentaschen, ein Liedchen pfiff. Die übrigen stolperten mit schuldbewußten Mienen hinterdrein: Ihr Zug erinnerte an Flaxmanns Darstellung der Freier Penelopes, wie sie, angeführt von Hermes, in den Hades wanken. Krumm und lahm zogen sie ins Dorf hinunter, während Troy, ihr Anführer, in das Wohnhaus der Farm trat. Kein einziger hatte einen Blick für die Schober gehabt, wohl nicht einmal einen Gedanken auf ihren Zustand verschwendet.

Bald darauf ging auch Oak nach Hause, auf einem anderen Weg als sie. Vor sich, gegen die naßglänzende Straße, sah er jemanden, der unter einem Schirm noch langsamer dahinwanderte. Nun drehte er sich um: Es war Boldwood, der Gabriel entgeistert anblickte.

»Guten Morgen, Sir«, grüßte Gabriel. »Wie ist das Befinden?«

»Ein nasser Tag, ja. – Oh, mir geht es gut, sehr gut, danke – ganz gut.«

»Das freut mich, Sir.«

Boldwood schien erst allmählich aufzuwachen. »Aber Ihr schaut müde und nicht gesund aus, Oak«, stellte er fest, nachdem er seinen Schicksalsgefährten gedankenverloren betrachtet hatte.

»Ich bin müde. Ihr wirkt seltsam verändert, Sir.«

»Ich? Nicht im geringsten. Mir geht's recht gut. Wie kommt Ihr auf so etwas?«

»Ich dachte nur, daß Ihr nicht ganz so kerngesund ausschaut wie sonst. Das war alles.«

»Dann irrt Ihr Euch«, entgegnete Boldwood kurz. »Mir tut nichts weh. Ich habe eine Natur aus Eisen.«

»Ich habe mich sehr plagen müssen, um unsere Schober zu decken. Kaum daß ich damit zurechtgekommen bin. So geschuftet habe ich noch nie! Die Euren sind in Ordnung, Sir?«

»Oh, gewiß.« Aber nach einer Pause fragte Boldwood: »Was habt Ihr wissen wollen, Oak?«

»Ob Eure Schober gedeckt waren, bevor dieses Wetter angefangen hat.«

»Nein.«

»Aber doch die großen – die auf den Rosten?«

»Nein, die nicht.«

»Und die unter der Hecke?«

»Nein. Ich habe vergessen, dem Decker zu sagen, daß er sich darum kümmern soll.«

»Auch nicht der kleine beim Durchstieg?«

»Auch nicht der kleine beim Durchstieg. Ich habe heuer gar nicht an die Schober gedacht.«

»Dann wird Euch nicht einmal ein Zehntel von Eurem Korn bleiben!«

»Mag schon sein.«

Nicht daran gedacht hat er, wiederholte Gabriel bei sich. Es ist schwer zu beschreiben, wie sehr dieses Bekenntnis unter den gegebenen Umständen Oak bestürzte. Die ganze Nacht hindurch hatte er mit dem Gefühl gearbeitet, daß die Nachlässigkeit, deren Folgen er verhindern wollte, ein anormaler Sonderfall sei – etwas Einmaliges in weitem Umkreis. Und dabei ging zur selben Stunde im selben Dorf noch viel mehr zugrunde, unbeachtet und unbedauert. Daß Boldwood einfach vergaß, was auf seiner Farm nötig war, hätte man noch vor wenigen Monaten als Wahnwitz abgetan, wie etwa die Vorstellung, daß ein Matrose das Schiff vergessen kann, mit dem er segelt. Oak bedachte eben, daß ihm, mochte Bathshebas Heirat ihn noch so schmerzen, nicht so schlimm mitgespielt worden war wie diesem Mann, als Boldwood weitersprach – mit einer ganz anderen Stimme, die einen Menschen verriet, der danach fieberte, ein Geständnis zu machen und sein Herz auszuschütten.

»Oak, Ihr wißt so gut wie ich, daß bei mir in der letzten Zeit einiges schief gegangen ist. Ich will daraus kein Hehl machen. Ich wollte meinem Leben eine bestimmte Richtung geben, aber irgendwie ist aus meinen Plänen nichts geworden.«

»Auch ich habe angenommen, daß meine Herrin Euch heiraten wird«, sagte Gabriel. Er wußte zu wenig um die Abgründe von Boldwoods Liebe, als daß er aus Rücksicht auf den Farmer geschwiegen hätte, und auf sich selbst nahm er schon deshalb keine, weil er sich nicht gehenlassen wollte. »Manchmal kommt es eben anders, da wird nichts, wie wir es erwartet haben«, fügte er mit der Gelassenheit eines Mannes hinzu, den sein Unglück nicht gebrochen, sondern gestählt hat.

»Für das ganze Dorf bin ich eine komische Figur«, sagte Boldwood, als könnte er nur davon reden, und mit einer verquälten Lustigkeit, die ausdrücken sollte, daß es ihm gleichgültig sei.

»O nein, das glaube ich nicht.«

»Die reine Wahrheit ist aber doch, daß sie – von ihrem Standpunkt aus – mich nicht getäuscht hat. Zwischen mir und Miss Everdene hat nie eine Verlobung bestanden. Die Leute behaup-

ten das, aber es stimmt nicht. Sie hat mir nie ihr Wort gegeben!« Boldwood stand jetzt still und kehrte sein schmerzzerris-
senes Gesicht zu Oak. »Ach, Gabriel«, fuhr er fort, »ich bin ein
Schwächling und ein Narr! Ich weiß nicht ein noch aus – und
ich werde mit meinem elendigen Kummer nicht fertig! ...
Bevor ich diese Frau verlor, hatte ich doch ein wenig Vertrauen
in die Güte Gottes. Ja, und er ließ einen Strauch wachsen, um
mir Schatten zu spenden, und wie der Prophet dankte ich ihm
und freute mich daran; aber am nächsten Tag sandte er einen
Wurm, daß er den Strauch verderbe und welken lasse – und ich
möchte lieber sterben als weiterleben.«

Ein Schweigen trat ein. Boldwood erholte sich von der ungewohnten Mitteilsamkeit, die ihn anfallartig überkommen hatte.
Er zog sich in sich zurück, wie man es von ihm kannte, und
ging weiter.

»Nein, Gabriel«, schloß er mit einer Nonchalance, die wie
das Grinsen eines Totenschädels wirkte: »Die Leute haben
mehr davon hergemacht, als je in unserer Absicht gelegen hatte. Manchmal kommt mich wohl ein Bedauern an, aber noch
nie hat eine Frau mich in ihrer Macht gehabt. Einen guten
Morgen denn. Ich vertraue darauf, daß Ihr niemandem erzählt,
was hier zwischen uns vorgegangen ist.«

Die Landstraße von Casterbridge führt etwa drei Meilen vor Weatherbury den Hügel von Yalbury hinauf, über eine jener langen Steigungen, wie sie auf den Straßen des hügeligen Teils von Südwessex nicht selten sind. Farmer und andere Herrschaften mit Wagen pflegen auf der Heimfahrt vom Markt unten abzusteigen und zu Fuß zu gehen, bis die Höhe erreicht ist.

Eines Samstagabends im Oktober kroch Bathshebas Gig diesen Hang hinan. Sie saß auf dem Nebensitz und schaute vor sich hin, während neben ihr ein gutgebauter, kerzengerader junger Mann schritt. Er trug einen Anzug, wie ihn Farmer am Markttag tragen, aber von auffällig modischem Schnitt. Obwohl er zu Fuß ging, hielt er Zügel und Peitsche, und hin und wieder schnalzte er mit dem Ende der Peitschenschnur gegen das Ohr des Pferdes, nur so zum Zeitvertreib. Das war Bathshebas Gatte, ehedem Sergeant Troy, der, nachdem er mit Bathshebas Geld seinen Abschied gekauft hatte, sich allmählich zu einem Farmer von besonderer Unternehmungslust und Fortschrittlichkeit mauserte. Leute, die nicht umlernen wollten, sprachen ihn beharrlich weiterhin als »Sergeant« an, wenn sie ihm begegneten, was sich teilweise daraus erklärte, daß er den aparten Schnurrbart aus seinen Soldatentagen beibehalten hatte und den Soldaten auch sonst in Erscheinung und Benehmen nicht verleugnete.

»Wenn dieser idiotische Regen nicht gewesen wäre, hätte ich spielend meine Zweihundert gemacht, Schatz«, sagte er. »Begreifst du nicht, daß der Regen alles total umgekehrt hat? Das Regenwetter, habe ich einmal gelesen, bestimmt die Richtung, in der die Geschichte unseres Landes verläuft, und Sonnentage sind die memorablen Ereignisse. Ist es nicht wirklich so?«

»Aber wir haben jetzt die Jahreszeit, in der das Wetter leicht umschlägt.«

»Ja, schon. Es ist auch richtig, daß man sich bei diesen Herbstrennen ruinieren kann. So einen Tag habe ich noch nie erlebt! Eine öde, offene Gegend ist das dort, gleich hinter Budmouth, und das graue Meer drängt herein wie ein wässeriges Elend. Wind und Regen – gütiger Himmel! Und dunkel! Schwarz wie mein Hut ist es gewesen, bevor der letzte Durchgang vorbei war. Fünf Uhr – und du hast die Pferde erst gesehen, wie sie fast schon im Ziel waren, und die Farben erst recht nicht. Dazu der Grund schwer wie Blei, so daß alles, was einer nach seiner Erfahrung vorausgesagt hätte, hinfällig war. Drei Buden hat es umgeblasen, die armen Kerle sind auf allen Vieren herausgekrochen, und auf dem nächsten Acker sind an ein Dutzend Hüte herumgetanzt. Ja – und dann bleibt Pimpernel etwa sechzig Meter vor dem Ziel hängen, und wie ich Policy aufrücken sehe, ist mir fast das Blut in den Adern gefroren, das kannst du mir glauben, Liebste!«

»Das heißt also«, sagte Bathsheba traurig – es hörte sich nicht mehr annähernd so keck und bestimmt an wie im Sommer –, »daß du bei diesen schrecklichen Pferderennen in einem Monat mehr als hundert Pfund verspielt hast? O Frank, das ist ja furchtbar! Was für ein Wahnsinn, mein Geld so zu verschleudern! Du bringst es noch so weit, daß wir die Farm aufgeben müssen!«

»Furchtbar ist überhaupt nichts. Aha, da haben wir's wieder! Die Wasserleitung in Aktion! Das sieht dir ähnlich!«

»Du versprichst mir aber, daß du nicht auch zum zweiten Rennen nach Budmouth gehst?« flehte sie. Man sah ihr an, daß sie am liebsten losgeweint hätte, aber sie hielt die Tränen zurück.

»Warum sollte ich nicht? Ich habe sogar überlegt, ob ich dich nicht mitnehmen könnte, wenn das Wetter schön wird.«

»Nie, nie! Nicht mit zehn Pferden bringst du mich hin! Mir wird schon übel, wenn ich nur daran denke!«

»Aber es ändert doch an der Sache selbst nichts, ob wir uns das Rennen ansehen oder zu Hause bleiben. Die Einsätze sind längst gemacht bevor das Rennen losgeht. Ob es für mich gut oder schlecht endet, hat nichts damit zu tun, daß wir am Montag hinfahren.«

»Du willst doch nicht behaupten, daß du schon wieder auf ein Pferd gewettet hast!« rief sie mit einem verzweifelten Blick.

»Also bitte, sei nicht so unvernünftig! Du wirst es schon noch erfahren. Wirklich, Bathsheba, du bist überhaupt nicht mehr die Draufgängerin, als die ich dich gekannt habe – und ich schwöre dir: Wenn ich geahnt hätte, was für ein furchtsames Huhn du unter deinem mutigen Gehabe bist, wäre ich nie dein . . . – nun, was ich jetzt bin.«

Bathshebas dunkle Augen blitzten zornig auf, als sie nach dieser Antwort entschlossen geradeaus schaute. Schweigend

zogen sie weiter. Von den Bäumen, die hier die Straße über-
dachten, taumelte hin und wieder ein früh verwelktes Blatt
über ihren Weg zur Erde nieder.

Eine Frau erschien oben auf dem Hügel. Die Straße verlief
dort in einem Einschnitt, so daß die Frau schon ganz nahe war,
als das Paar sie erblickte. Troy hatte sich zum Wagen gekehrt,
um wieder aufzusteigen, und er setzte eben den Fuß auf das
Trittbrett, als die Frau hinter ihm vorbeikam.

Obwohl die Schatten der Bäume und der nahende Abend sie
schon in Dämmerung hüllten, war es noch hell genug, daß
Bathsheba den Kummer im Gesicht der Frau und die erbar-
menswerte Ärmlichkeit ihrer Kleidung erkennen konnte.

»Bitte, Sir, könnt Ihr mir sagen, bis wann die Mission in
Casterbridge offen hält?« fragte die Frau über Troys Schulter.

Der Klang ließ Troy sichtbar zusammenzucken, er verfügte
aber doch über soviel Geistesgegenwart, daß er sich nicht sofort umdrehte und ihr in die Augen sah.

»Nein, das weiß ich nicht«, antwortete er zögernd.

Als die Frau ihn sprechen hörte, warf sie einen raschen Blick
auf sein Profil und erkannte unter der ländlichen Tracht den
Soldaten. Ihre Miene drückte zugleich Freude und Schmerz
aus. Sie schrie auf und fiel zu Boden.

»Ach, die Arme!« rief Bathsheba und wollte sofort vom Wagen steigen.

»Bleib oben und gib auf das Pferd acht!« befahl Troy, indem
er ihr Zügel und Peitsche zuwarf. »Fahr weiter, bis es wieder
bergab geht. Ich kümmere mich um sie.«

»Aber ich –«

»Hörst du nicht? Hü, Poppet!«

Pferd, Wagen und Bathsheba fuhren weiter.

»Wo in aller Welt kommst du her? Ich habe geglaubt, du bist
über alle Berge – oder tot! Warum hast du mir nicht geschrieben?« sagte Troy zu der Frau, als er sie aufhob. Seine Stimme
klang seltsam weich, aber auch gehetzt.

»Aus Angst.«

»Hast du Geld?«

»Nein.«

»Gütiger Heiland . . . Ich wollte, ich könnte dir mehr geben.
Da – zu dumm – nur die paar Pennies. Aber das ist alles, was
ich noch habe. Ich habe nur, was meine Frau mir gibt, weißt
du, und ich kann sie jetzt nicht anpumpen.«

Die Frau erwiderte nichts.

»Ich muß gleich weiter«, fuhr Troy fort. »Hör zu, wo bleibst du über Nacht? In der Mission in Casterbridge?«

»Ja. Dorthin wollte ich.«

»Nein, das darfst du nicht. Und doch – warte, vielleicht für diese eine Nacht ... Ich kann dir jetzt nichts Besseres bieten – so etwas Dummes! Du schläfst also heute dort und bleibst auch noch morgen. Montag habe ich zum ersten Mal Ausgang, da wartest du um Punkt zehn bei der Greybrücke auf mich, am Stadtrand. Ich bringe dir alles Geld, das ich zusammenkratzen kann. Du sollst nicht Not leiden – dafür werde ich sorgen, Fanny! Und dann suche ich dir etwas, wo du wohnen kannst. Leb wohl bis dahin! Ich bin ein gemeines Scheusal, aber lebe wohl!«

Als sie das Stück bis zur Anhöhe gefahren war, wandte Bathsheba sich um. Die Frau stand jetzt wieder, und Bathsheba sah, wie sie sich von Troy entfernte und mit unsicheren Schritten beim dritten Meilenstein von Casterbridge den Hügel hinunterging. Dann kam Troy zu seiner Gattin zurück, stieg in das Gig, nahm ihr die Zügel aus der Hand und trieb, ohne ein Wort zu verlieren, das Pferd zum Trab an. Er war deutlich erregt.

»Kennst du die Frau?« fragte Bathsheba und sah forschend zu ihm hinüber.

»Ja«, antwortete er und sah ihr offen ins Gesicht.

»Das habe ich vermutet«, sagte sie, ärgerlich und etwas von oben herab. Sie ließ ihn nicht aus den Augen. »Wer ist sie?«

Er war anscheinend zu dem Schluß gelangt, daß in diesem Fall die Wahrheit für keine der beiden Frauen gut wäre.

»Für uns ein Niemand«, erwiderte er. »Ich kenne sie vom Sehen.«

»Wie heißt sie?«

»Woher soll ich das wissen?«

»Ich habe das Gefühl, du weißt es.«

»Hab meinetwegen Gefühle, soviel du willst, und scher –«
Ein scharfer Peitschenhieb über Poppets Flanke, der das Tier losstürmen ließ, beendete den Satz und das Gespräch.

Eine beträchtliche Weile wanderte die Frau weiter. Sie schleppte sich mühsam dahin und spähte angestrengt die kahle Straße entlang, die nun in der Abenddämmerung verschwamm. Zuletzt taumelte sie nur mehr voran, bis sie ein Gatter sah und dahinter einen Heuhaufen. Dort ließ sie sich nieder und schlief sofort ein.

Als sie erwachte, fand sie sich in einer Nacht ohne Mond und Sterne. Eine dichte, niedrige Wolkendecke lag über dem Himmel und ließ keine Spur Licht durch, nur ein ferner Schimmer, der die Stadt Casterbridge anzeigte, war in der schwarzen Wölbung auszunehmen und schien etwas heller, weil er so anders war als die Finsternis rundum. Zu diesem schwachen, milden Glanz richtete die Frau ihren Blick.

»Wenn ich nur so weit käme!« sagte sie. »Übermorgen soll ich ihn treffen. Gott helfe mir! Vielleicht bin ich dann schon tot . . .«

Die Uhr eines Gutshofs irgendwo in der Tiefe der Schatten schlug die Stunde – ein schüchterner, flüchtiger Klang. Eins . . . Nach Mitternacht scheint die Stimme einer Uhr mit der Länge auch an Breite zu verlieren, das kräftige Dröhnen schrumpft zu einem dünnen Falsett.

Dann löste sich ein Licht – nein, zwei Lichter – aus den Schatten am Horizont. Sie wurden größer. Ein Wagen rollte die Straße heran und an dem Gatter vorbei. Wahrscheinlich fuhren Leute von einer Abendeinladung nach Hause. Der Schein der einen Lampe fiel für eine Sekunde auf die verkrümmt daliegende Frau und modellierte ihr Gesicht in lebhaftem Relief. Ein eigentlich junges Gesicht, über dem das Alter wie eine Maske lag – weich und kindlich in den Konturen, aber in den Zügen schon schmal und scharf geworden.

Die Frau erhob sich, offensichtlich mit neuem Mut, und schaute um sich. Die Straße kam ihr vertraut vor, und sie behielt, als sie weiterging, den Zaun im Auge. Da war auch schon etwas Weißes im Dunkel, der nächste Meilenstein. Sie tastete ihn mit den Fingern ab, um die Schrift zu erfühlen.

»Noch zwei«, sagte sie.

Für eine kurze Rast lehnte sie sich an den Stein, raffte sich dann auf und setzte ihren Weg fort. Eine Strecke hielt sie sich recht tapfer, dann fing sie wieder an zu straucheln wie zuvor. Dies geschah am Rand eines einsamen Buschwalds, und weiße Schnitzel, die in Haufen auf dem Laubgrund verstreut lagen, ließen darauf schließen, daß Holzfäller tagsüber hier geschlagen und Reisig gebündelt hatten. Jetzt war da kein Laut, kein Lufthauch, nicht das leiseste Aneinanderreiben von Gezweig, das die Frau begrüßt hätte. Sie sah über das Gatter, stieß es auf und trat durch. Neben der Einfahrt lagerte ein Stapel von Knüppeln und Stangenholz von unterschiedlicher Länge.

Sekundenlang stand die Wanderin so angespannt, wie es nicht dem Ende, sondern der Unterbrechung eines Bewegungsablaufs entspricht. Ihre Haltung war die einer Lauschenden, entweder auf ein Geräusch von außen oder auf eine innere Stimme, die zu ihr spricht. Ein genauer Beobachter hätte aus Indizien feststellen können, daß es der letztere Anlaß war. Dann aber bewies sie auf merkwürdige Weise ihre Erfindungsgabe auf dem Gebiet, das der kluge Jacques Droz als Konstrukteur von künstlichen Gliedmaßen beherrscht.

Im Widerschein der Lichter von Casterbridge und mit ihren Händen tastend suchte die Frau aus dem Haufen zwei Stangen, die in einer Länge von etwas mehr als einem Meter ziemlich gerade waren, dann aber in eine Gabel ausliefen. Sie setzte sich hin, brach die kurzen oberen Zweige ab und trug das Verbliebene mit sich zur Straße. Dort schob sie unter jeden Arm eine der Gabeln, prüfte diese Krücken, indem sie ihr ganzes Gewicht – so gering es war – auf sie verlagerte, und schwang sich vorwärts.

Die Krücken erwiesen sich als recht brauchbar. Das weiche Knirschen ihrer Schuhe und das Tappen der Stangen auf der Straße waren nun die einzigen Geräusche, welche die Frau erzeugte. Bald hatte sie den Meilenstein ein gutes Stück hinter sich und begann zur Böschung hin auszuschauen, als ob sie schon den nächsten erwartete. Die Krücken waren zwar sehr praktisch, aber ihre Leistung war doch begrenzt. Ein solcher Apparat verteilt nur die Mühe, er kann sie nicht fortzaubern, und die Summe der aufgewendeten Kraft bleibt gleich; sie wird nur auf Körper und Arme verlagert. Die junge Frau war erschöpft, die Vorwärtsschwünge wurden von Mal zu Mal schwächer. Zuletzt schwankte sie seitwärts und stürzte.

Da lag sie nun als formloses Bündel mehr als zehn Minuten. Der Morgenwind kam auf, blies über das offene Land und spielte mit den dürren Blättern, die seit dem Vorabend ruhig gelegen hatten. Mühsam drehte sich die Frau auf den Knien und richtete sich hoch. Gestützt auf eine der Krücken versuchte sie einen Schritt, dann einen zweiten und einen dritten, indem sie die Krücken nun einfach wie Stöcke verwendete. So kam sie voran, bis am Hang des Hügels von Mellstock der nächste Meilenstein auftauchte, und bald darauf kam ein Gitterzaun mit Eisenpfählen in Sicht. Die Frau stolperte zu dem ersten Pfahl, klammerte sich daran und schaute um sich.

Jetzt sah man die Lichter von Casterbridge schon ganz deutlich. Der Morgen war nicht mehr weit, und vielleicht, ja bestimmt, kamen bald Fuhrwerke vorbei. Sie lauschte. Da war kein lebendiger Laut bis auf jenen einen, in dem sich alle Trostlosigkeit zum Äußersten verdichtet: Das Bellen eines Fuchses, drei hohle Kläffer, mit der Präzision einer Sterbeglocke in Abständen von einer Minute.

»Weniger als eine Meile«, flüsterte die Frau. »Nein – doch mehr«, berichtigte sie. »Eine Meile bis zum Rathaus, aber das Asyl ist auf der anderen Seite von Casterbridge. Ein bißchen mehr als eine Meile – aber dann bin ich dort!« Nach einer Weile sprach sie weiter: »Fünf oder sechs Schritte für jeden Meter – eher sechs. Siebzehnhundert Meter muß ich gehen. Hundert mal sechs sind sechshundert. Und das mal siebzehn: Gott sei mir gnädig!«

Sie hielt sich an dem Gitterzaun, griff erst mit der einen, dann mit der anderen Hand nach vorn und zog hierauf die Beine nach.

Diese Frau neigte nicht zu Selbstgesprächen, aber extreme Belastung mindert die Individualität der Schwachen, wie sie jene der Starken steigert. Im selben Tonfall fuhr sie fort: »Ich will mir einreden, daß der Zaun nach fünf Pfählen zu Ende ist; dann werde ich mich zusammennehmen und bis dorthin kommen.«

Das heißt, sie wandte die Regel an, daß halber Glaube, sei er auch nur vorgespiegelt und erfunden, besser ist als kein Glaube.

So rückte sie fünf Pfähle vor und hielt sich am fünften fest.

»Ich bringe es auf fünf mehr, wenn ich fest daran glaube, daß ich beim fünften am Ziel bin. Ich kann das.«

Sie konnte es.

»Noch fünf, dann bin ich dort.«

Auch diese fünf Pfähle bewältigte sie.

»Aber es liegt noch fünf Pfähle weiter.«

Dann lagen auch sie hinter ihr.

»Dort bei der Steinbrücke ist meine Reise zu Ende«, sagte sie, als die Brücke über die Froom in Sicht kam.

Sie kroch auf die Brücke zu. Jeder Atemzug, den es sie kostete, war wie für immer verloren.

»Und jetzt die ungeschminkte Wahrheit«, sagte sie und ließ sich nieder: »Fest steht, daß ich nicht einmal eine halbe Meile vor mir habe.« Einem von Anfang an bewußten Selbstbetrug verdankte sie die Kraft, welche ihr über eine halbe Meile, die als Ganzes für sie unbezwingbar erschienen wäre, hinweggeholfen hatte. Der Trick zeigt, wie die Frau einer geheimnisvollen Eingebung zufolge die paradoxe Wahrheit erfaßt hatte, daß Blindheit manchmal ein besserer Führer ist als klares Wissen und ein Kurzsichtiger mehr zuwege bringt als ein Weitblickender, daß Konzentration und nicht umfassendes Verstehen nötig ist, um einen Kraftakt zu leisten.

Vor der kranken und ausgepumpten Frau stand nun die halbe Meile wie ein Berg, unverrückbar und mächtig beherrschte sie ihren Horizont. Der Weg führt hier über das Moor von Durnover, das zu beiden Seiten bis an die Straße reicht. Die Frau blickte über die weite Fläche, sah die Lichter, zog ihren eigenen Zustand in Betracht und sank an einem Prellstein der Brücke hin.

Kein Wanderer hat sich jemals so das Hirn zermartert wie nun diese Frau. Was an Methoden, Behelfen und Mitteln denkbar schien, um einen Menschen über diese achthundert letzten, entsetzlichen Meter zu tragen, ging ihr wie von einem Mühlrad getrieben im Kopf herum und wurde als unmöglich ausgeschieden. Stöcke fielen ihr ein, Räder, Kriechen – sie erwog sogar, ob sie sich weiterwälzen könnte. Aber die Anstrengung, derer es bei diesen Fortbewegungsarten bedurft hätte, wäre größer gewesen als jene, die ein aufrechter Gang erfordert. Es wollte ihr nichts mehr einfallen. Hoffnungslosigkeit überkam sie.

»Bis hierher und nicht weiter«, flüsterte sie und schloß die Augen.

Aus der Schattenzone auf der anderen Seite der Brücke löste sich etwas, das selbst ein Schatten schien. Es machte sich selbständig, rückte in das bleiche Weiß der Straße vor und glitt geräuschlos zu der Frau, die hier lag.

Sie merkte, daß etwas an ihre Hand stieß – etwas Weiches, Warmes. Als sie die Augen aufschlug, berührte es ihr Gesicht. Ein Hund leckte ihr die Wange.

Es war ein mächtiges, schweres und stilles Tier, das da dunkel gegen den niederen Himmel stand und gut zwei Fuß über ihre Augenhöhe reichte. Welcher Rasse es angehörte – Neufundländer, Bullenbeißer, Bluthund oder was immer – war unmöglich festzustellen. Dieser Hund war ein so fremdartiges, mythisches Wesen, daß die geläufige Nomenklatur auf ihn nicht anwendbar war, und eben darum war er der Inbegriff hündischer Würde – die Quintessenz aller Hunde. Die Nacht – ihr melancholischer, feierlicher und begütigender Aspekt, im Gegensatz zu ihrer hinterhältigen, grausamen Seite – verdichtete sich in diesem Körper. Das Dunkle begabt gerade die kleinen, unbedeutenden Menschen mit dichterischem Feuer, und sogar die leidende Frau hier sah darin ausgedrückt, was sie dachte.

Aus ihrer halb liegenden Stellung schaute sie zu dem Hund auf, wie sie zu anderen Zeiten zu einem Mann aufgeschaut haben mochte. Das Tier, so unbehaust wie sie, zog sich respektvoll ein paar Schritte zurück, als sie sich bewegte, um hierauf, als es begriff, daß sie es nicht abwies, wieder ihre Hand zu lecken.

Wie ein Blitz traf es sie: »Vielleicht kann er mir helfen – vielleicht schaffe ich es doch!«

Sie deutete in die Richtung von Casterbridge. Der Hund verstand sie nicht, er trottete los. Dann aber, als er bemerkte, daß sie ihm nicht zu folgen vermochte, kam er zurück und winselte.

Ihr Letztes und Äußerstes an Energie und Erfindungsgabe wandte die Frau nun auf, als sie sich jetzt mit rascherem Atem hochstemmte und gebückt, mit den schwachen Armen voll auf die Schultern des Hundes gestützt, ihm auffordernd zuflüsterte. Aus wehem Herzen kam ihre muntere Stimme, und noch merkwürdiger als die Tatsache, daß der Starke den Zuspruch der Schwachen brauchte, war es wohl, daß Munterkeit derart von äußerster Verzweiflung genährt werden konnte. Ihr Freund bewegte sich langsam weiter, und sie folgte an seiner Seite mit kurzen Trippelschritten, wobei der Hund ein Gutteil ihres Gewichts trug. Hin und wieder sank sie nieder, so wie es ihr vorher schon geschehen war, erst auf eigenen Beinen, dann mit den Krücken und schließlich an dem eisernen Gitterzaun.

Der Hund, der jetzt begriffen hatte, was sie wollte und in ihrer Schwäche nicht vermochte, geriet in diesen Momenten ganz außer sich, zerrte an ihrem Kleid und lief voraus. Sie rief ihn jedesmal zurück, und es war festzustellen, daß sie auf menschliche Laute nur acht hatte, um Begegnungen zu vermeiden. Offensichtlich wollte sie nicht, daß man sie auf der Straße und in dieser elenden Verfassung sah.

Natürlich kamen sie sehr langsam voran. Sie erreichten das Weichbild der Stadt, und die Lichter von Casterbridge lagen vor ihnen wie ein Sternenhaufen, als sie sich nach links in den dichten Schatten einer einsamen Kastanienallee wandten und so dem bebauten Gebiet auswichen. Auf diese Weise brachten sie die Stadt hinter sich und gelangten ans Ziel.

An dem ersehnten Ort vor der Stadt erhob sich ein malerisches Gebäude. Ursprünglich war es nur ein Behältnis gewesen, um Menschen darin zu verstauen. Die Mauern waren so dünn, so bar jeder Verzierung und so eng um die Räume gezogen, daß der düstere Charakter dessen, was sie bargen, wie die Gestalt eines Leibes unter einem Leichentuch durchschien.

Dann hatte, als ertrüge sie die Beleidigung nicht, die Natur selbst eingegriffen. Ein Dickicht von Efeu war aufgewachsen und verhüllte die Mauern so vollständig, daß das Gebäude schließlich an eine alte Abtei erinnerte. Überdies entdeckte man, daß die Aussicht über die Dächer von Casterbridge, die man von der Vorderfront hatte, einer der schönsten Fernblicke in der gesamten Grafschaft war. Ein Graf aus der Nachbarschaft sagte einmal, er würde den Pachtzins eines ganzen Jahres dafür geben, wenn er vor seiner Tür die Aussicht haben könnte, die hier die Armenhäusler genossen – und diese hätten vermutlich gern die Aussicht gegen seinen Pachtzins eingetauscht.

Das steinerne Gebäude bestand aus einem Mittelblock und zwei seitlichen Flügeln. Darüber ragten einige schlanke Schornsteine, auf denen eben der träge Wind ein melancholisches Lied blies. In der Mauer gab es ein Tor und daneben einen losen Draht als Glockenzug. Die Frau erhob sich auf den Knien, so hoch sie vermochte, und erreichte gerade noch den Griff. Sie zog daran und fiel vornüber, das Gesicht auf der Brust.

Es ging nun gegen sechs Uhr, und in dem Haus, das dieser müden Seele eine Raststatt sein sollte, rührte sich etwas. Eine kleine Tür neben dem Tor öffnete sich, und in dem Geviert erschien ein Mann. Er bemerkte das keuchende Kleiderbündel und holte Licht. Dann verschwand er ein zweites Mal und kehrte mit zwei Frauen zurück.

Die Frauen hoben die hingestreckte Gestalt auf und halfen ihr über die Schwelle. Dann schloß der Mann die Tür.

»Wie ist sie hergekommen?« fragte die eine Frau.

»Das weiß der Himmel«, meinte die andere.

»Draußen ist ein Hund«, murmelte die von der langen Wanderschaft völlig Erschöpfte. »Wo ist er hin? Er hat mir geholfen.«

»Ich habe ihn fortgejagt«, sagte der Mann.

Der kleine Zug setzte sich hierauf in Bewegung – erst der Mann, der das Licht trug, hinter ihm die zwei grobknochigen Frauen, die zwischen sich die kleine, zarte Frau stützten. So traten sie in das Haus und waren nicht mehr zu sehen.

An jenem Abend, nach der Heimkehr vom Markt, sprach
Bathsheba nur sehr wenig mit ihrem Gatten, und auch er hatte
ihr nicht viel zu sagen. Er war einerseits rastlos, andererseits
maulfaul – eine irritierende Kombination. Der nächste Tag war
Sonntag, und die Atmosphäre änderte sich, was die beiderseiti-
ge Schweigsamkeit betraf, nicht wesentlich. Bathsheba ging
nach dem Frühstück und dann ein zweites Mal am Nachmittag
zur Kirche. Am Montag waren die Rennen in Budmouth, und
vor dem Schlafengehen begann Troy plötzlich:

»Kannst du mir zwanzig Pfund geben, Bathsheba?«

Ihre Miene verdüsterte sich sofort. »Zwanzig Pfund?« wiederholte sie.

»Ich brauche das Geld wirklich sehr dringend.« Die Nervosität in Troys Benehmen war ungewöhnlich und nicht zu übersehen. Es war sozusagen die Klimax des Zustands, in dem er sich
den ganzen Tag über befunden hatte.

»Aha! Für die Rennen morgen!«

Troy blieb zunächst stumm. Für einen Mann, der sich nicht
auf ein Kreuzverhör einlassen wollte, hatte das Mißverständnis
seine Vorteile. »Und wenn es so wäre, daß ich es für die Rennen brauche?« sagte er schließlich.

»O Frank!« seufzte Bathsheba und bot nun in ihren Worten
alle Beschwörungskunst auf, über die sie verfügte: »Erst vor
ein paar Wochen hast du mir gesagt, daß ich dir lieber bin als
alles andere, was dir Spaß macht, und daß du alles um meinetwillen aufgeben würdest – und jetzt willst du nicht einmal auf
diesen einen Zeitvertreib verzichten, der mehr Sorge bringt als
Vergnügen? Bitte, Frank! Komm, laß mich dich mit allem, was
ich kann, verführen – mit guten Worten und Liebreiz und allem, woran ich denken kann –, daß du zu Hause bleibst! Sag ja
zu deiner Frau – sag ja!«

Bathsheba zeigte sich von ihrer liebebedürftigsten und lie-
benswürdigsten Seite, sie bot sich ihm impulsiv dar, ohne jene
Vorbehalte und Ablenkungsmanöver, hinter die sie sich aus
angeborenem Mißtrauen nur allzuoft zurückzuziehen pflegte,
wenn sie nicht so erregt war. Wenige Männer hätten dem
schmeichelnden und doch selbstbewußten Bitten der schönen
Frau widerstanden, wenn sie auf jene wohlbekannte Weise, die

mehr als die begleitenden Worte sagt, und die wie für solche Anlässe erfunden ist, den Kopf leicht in den Nacken und zur Seite legte. Wäre sie nicht seine Frau gewesen, hätte Troy sofort die Waffen gestreckt; unter den gegebenen Umständen entschloß er sich immerhin, sie nicht länger zu täuschen.

»Mit Wettschulden hat es überhaupt nichts zu tun.«

»Wozu brauchst du das Geld?« wollte sie dennoch wissen. »Diese mysteriösen Verpflichtungen beunruhigen mich sehr, Frank!«

Troy zögerte. Im Augenblick liebte er sie nicht so sehr, daß er sich zu weit hinreißen lassen wollte. Trotzdem war Liebenswürdigkeit geboten. »Du tust mir mit solchen Verdächtigungen unrecht«, sagte er. »Und es ist kein schöner Zug von dir, daß du mich jetzt schon auf schmale Kost setzt.«

»Wenn ich schon zahle, darf ich doch ein bißchen brummen«, fand sie mit einer Miene zwischen Lächeln und Schmollen.

»Genau. Gebrummt hast du, kommen wir also zum Zahlen. Ich habe nichts gegen einen Spaß, Bathsheba, aber du mußt die Grenzen kennen – sonst wirst du es noch bereuen.«

Sie wurde rot. »Das tue ich schon jetzt«, entfuhr es ihr.

»Was bereust du?«

»Daß meine Romanze aus ist.«

»Alle Romanzen dauern nur bis zur Hochzeit.«

»Ich mag nicht, daß du so redest. Du tust mir weh, wenn du dich auf meine Kosten amüsierst.«

»Anders kann ich mich mit dir anscheinend nicht amüsieren. Mir scheint, du haßt mich.«

»Nicht dich – nur deine Fehler. Die hasse ich!«

»Du solltest dich lieber bemühen, sie zu bessern. Komm doch! Gib mir die zwanzig Pfund, und dann machen wir Frieden.«

Sie seufzte resigniert. »Ungefähr zwanzig Pfund habe ich hier als Haushaltsgeld. Wenn du nicht anders kannst, nimm sie dir.«

»Sehr gut. Vielen Dank. Wahrscheinlich werde ich morgen schon fort sein, bevor du zum Frühstück herunterkommst.«

»Fort mußt du? Ah! Ich kann mich an Zeiten erinnern, Frank, da hätte es vieler Verpflichtungen gegenüber anderen Menschen gebraucht, um dich von mir fortzubringen! Deinen Schatz hast du mich damals genannt ... Jetzt ist es dir egal, was ich den ganzen Tag über anfange!«

»Gefühle zählen hier nicht. Ich muß fort.« Troy widersprach sich freilich selbst, denn er zog dabei seine Uhr hervor und klappte den hinteren Deckel auf. Wohlverwahrt darunter lag eingedrehtes Haar.

Zufällig in diesem Moment hatte Bathsheba aufgeschaut. Sie sah, was er tat, und sie sah auch das Haar. Schmerz und Überraschung ließen sie erröten, und einige Worte rutschten ihr heraus, ehe sie bedacht hatte, ob Schweigen nicht klüger wäre: »Frauenhaar!« rief sie. »Oh, Frank – von wem?«

Troy hatte sofort den Deckel zugedrückt. »Na, von dir natürlich«, entgegnete er unbekümmert wie einer, der seine von dem Anblick ausgelösten Gefühle verbergen wollte. »Von wem sonst? Ich habe ganz vergessen, daß es da drinsteckt.«

»Was für eine abscheuliche Lüge, Frank!«

»Ich habe es wirklich vergessen!« versicherte er laut.

»Das meine ich nicht! Es war blondes Haar!«

»Unsinn.«

»Das ist eine Beleidigung! Ich weiß, daß es blond ist! Von wem also kommt es? Ich will das wissen!«

»Meinetwegen – ich sag's dir, aber mach' kein solches Aufheben. Es ist das Haar einer jungen Frau, die ich heiraten wollte, bevor ich dir begegnet war.«

»Dann solltest du mir sagen, wie sie heißt.«

»Das kann ich nicht.«

»Ist sie verheiratet?«

»Nein.«

»Lebt sie noch?«

»Ja.«

»Ist sie hübsch?«

»Ja.«

»Seltsam, wie das möglich ist, wenn das Schicksal sie so geschlagen hat.«

»Wieso geschlagen?« fragte er rasch.

»Weil sie doch so abscheulich blonde Haare hat.«

»Oh – ho – du bist komisch!« fand Troy, als er sich gefaßt hatte. »Seit sie ihr Haar offen trägt – und so lang her ist das gar nicht – bewundern es alle. Ihr Haar ist sehr schön. Umgedreht haben sich die Leute deswegen, du armes Mädchen!«

»Und wenn schon – und wenn schon!« rief sie in zunehmend gereiztem Ton. »Wenn mir noch soviel wie früher daran liegen würde, ob du mich liebst, könnte ich auch behaupten, daß sich die Leute nach meinen Haaren umgedreht haben!«

»Bathsheba, sei doch nicht so kindisch und eifersüchtig! Du

284

hast doch gewußt, wie das ist, wenn man heiratet. Wenn du solche Entdeckungen nicht verträgst, hättest du dich erst gar nicht darauf einlassen dürfen.«

Troy hatte sie nun richtig vergrämt. Sie spürte ihr Herz wie einen Kloß in der Kehle, und ihre Augen brannten vor Tränen. Weil sie sich schämte, ihre Gefühle zu zeigen, brach es schließlich aus ihr hervor:

»Das ist der Lohn für meine Liebe! Ah! Damals, als wir vor dem Altar gestanden sind, warst du mir teurer als mein eigenes Leben. In den Tod wäre ich für dich gegangen – wahrhaftig in den Tod! Und jetzt verhöhnst du mich, weil ich so dumm war, dich zu heiraten! Oh! Hältst du es für besonders taktvoll, mir meinen Irrtum so anzulasten? Wie immer du mich einschätzt – du solltest es mir jetzt, da ich in deiner Gewalt bin, nicht so unverblümt sagen!«

»Ich kann nichts dafür, daß es dazu gekommen ist«, entgegnete Troy. »Diese Weiber werden mich noch ins Grab bringen.!«

»Auf jeden Fall gehört es sich nicht, daß du die Haare von anderen Frauen mit dir herumträgst. Wirst du sie verbrennen, Frank?«

Frank redete weiter, als habe er sie nicht gehört. »Es gibt Rücksichten, die auch meiner Rücksicht auf dich vorangehen; Schulden, die abgetragen werden müssen – Bindungen, von denen du nichts weißt. Wenn du bereust, daß du geheiratet hast – ich tue es auch!«

Zitternd legte sie ihre Hand auf seinen Arm. »Ich bereue es nur, wenn du mich nicht mehr liebst als alle anderen Frauen auf dieser Welt«, sagte sie, und in ihrer Stimme mischten sich Verzweiflung und Flehen. »Nur dann, Frank! Du bereust es doch nicht, weil du eine andere mehr liebst als mich, nicht wahr?«

»Ich weiß es nicht. Wie kommst du darauf?«

»Weil du die Locke nicht verbrennen willst. Dir gefällt die Frau mit diesen schönen Haaren. Ja, sie sind schön – schöner als meine armselige schwarze Mähne. Aber was soll ich tun? Ich bin nun einmal so häßlich. Wenn du es so willst, muß sie dir besser gefallen.«

»Seit Monaten habe ich dieses Haar nicht angesehen, erst heute wieder, als ich es aus einer Lade nahm, das kann ich beschwören.«

»Und doch hast du eben von ›Bindungen‹ gesprochen …
Und dann: Diese Frau, der wir begegnet sind?«

»Diese Begegnung war es, die mich an die Locke erinnert
hat.«

»Dann stammt sie von ihr?«

»Ja. Bitte sehr, da hast du es endlich aus mir herausge-
quetscht. Hoffentlich bist du jetzt zufrieden.«

»Und welche Bindungen sind das?«

»Ach – das war nur so geredet. Ein Scherz.«

»Nur ein Scherz!« wiederholte sie traurig und erstaunt.
»Kannst du scherzen, wenn es mir so bitter ernst ist? Sag mir
die Wahrheit, Frank! Ich bin nicht du, das weißt du, obwohl ich
eine Frau bin und meine weiblichen Anwandlungen habe.
Komm – sei ehrlich zu mir!« Sie sah ihm offen und furchtlos in
die Augen. »Ich will nicht viel, nicht mehr als recht ist – das ist
alles … Ach! Früher einmal habe ich geglaubt, daß ich mich,
wenn ich mir einen Mann aussuche, mit nichts Geringerem
zufrieden geben würde, als mit einem, der mich vergöttert!
Jetzt genügt es mir schon, wenn er nicht gerade grausam zu mir
ist. Ja – so weit ist es mit der so unabhängigen und stolzen
Bathsheba gekommen!«

»Übertreib doch um Himmels willen nicht so!« erwiderte
Troy wütend, stand auf und verließ das Zimmer.

Kaum war er fort, als Bathsheba losschluchzte – ein heftiges
Schluchzen bei trockenen Augen, das schmerzend hochstieß
und nicht durch Tränen gemildert wurde. Dennoch war sie
entschlossen, alle Indizien für ihre Gefühle zu unterdrücken. Sie
war besiegt, aber niemals würde sie es eingestehen, solange sie
lebte. Freilich war ihr Stolz durch die ernüchternde Feststellung
gekränkt, daß sie sich durch eine Ehe mit einem nicht so makellosen Wesen wie sie selbst entwürdigt hatte. Ihr war wie einer
gefangenen Löwin, die im Käfig hin und her läuft; ihr Inneres
war in vollem Aufruhr und das Blut glühte ihr in den Wangen.
Bis sie Troy begegnete, war Bathsheba stolz darauf gewesen,
eine Frau zu sein; sie hatte viel darauf gehalten, daß kein Mann
ihre Lippen geküßt, kein Liebhaber seine Arme um sie gelegt
hatte. Jetzt verachtete sie sich, so wie sie damals immer die
Mädchen heimlich verachtet hatte, die dem ersten hübschen
Burschen verfallen, der ihnen seine Aufwartung zu machen
beliebt. Nie hatte sie, wie die meisten Frauen ihrer Umgebung,
den abstrakten Wunsch genährt, einen Mann zu haben. In dem

Dilemma, ihren Geliebten zu verlieren, hatte sie sich entschlossen, ihn zu heiraten, aber das Gefühl, das sie selbst in ihren glücklichsten damit zusammenhängenden Stunden begleitet hatte, war mehr eines der Selbstaufgabe als das einer Rangerhöhung und besonderer Ehren. Obschon sie kaum den Namen der Göttin kannte, war es Artemis, zu der sich Bathsheba instinktiv bekannte. Daß sie niemals durch Blicke, Worte oder Zeichen einen Mann ermutigt hatte, sich ihr zu nähern – daß sie geglaubt hatte, sich selbst genug zu sein, und in ihrem Mädchenherzen geargwöhnt hatte, daß der Verzicht auf ein einfaches Mädchendasein, bloß um zur bescheideneren Hälfte eines unbestimmten ehelichen Zwiewesens zu werden, irgendwie erniedrigend wäre – an all das erinnerte sie sich jetzt voll Bitterkeit. Oh, wenn sie nie so eine – an sich wohl ehrenwerte – Dummheit begangen hätte und wieder wie damals auf dem Hügel von Norcombe stehen und sich verbitten könnte, daß Troy oder irgendein anderer Mann sich vermaß, ihr etwas in ihre Angelegenheiten hineinzureden!

Am nächsten Morgen war sie früher aus dem Bett als sonst und ließ sich das Pferd für den üblichen Ritt um ihren Besitz satteln. Als sie um halb neun – die Zeit, zu der das Paar zu frühstücken pflegte – zurückkam, wurde ihr mitgeteilt, daß ihr Gatte aufgestanden und nach einem Imbiß mit dem Gig und Poppet nach Casterbridge gefahren sei.

Nach dem Frühstück war sie kühl und gelassen – eigentlich ganz sie selbst – und schlenderte zum Tor hin in der Absicht, einen anderen Teil der Farm zu besuchen, die sie noch immer überwachte, soweit ihre häuslichen Pflichten es zuließen, fand dort aber, daß Gabriel Oak ihr zuvorgekommen war. Nachgerade empfand sie für ihn eine echte schwesterliche Zuneigung. Natürlich fiel ihr gelegentlich ein, daß er sie verehrt hatte, und dann stellte sie sich manchmal vor, wie ihr Leben mit ihm als Gatten geworden wäre; auch an Boldwood dachte sie in solchem Zusammenhang. Trotz ihrer Bereitschaft zu Gefühlen hatte Bathsheba allerdings für müßige Träumereien nichts übrig, und ihre diesbezüglichen Phantasien waren von kurzer Dauer und durchweg auf Zeiten beschränkt, wenn es besonders auffällig war, daß Troy sie vernachlässigte.

Sie sah einen Mann die Straße heraufkommen, der wie Mr. Boldwood aussah; es war in der Tat Mr. Boldwood. Bathsheba errötete verlegen und beobachtete, wie der Farmer, noch ein gutes Stück von ihr entfernt, stehenblieb und Gabriel Oak zuwinkte, der sich auf einem Fußpfad befand, welcher quer über das Feld lief. Dann gingen die zwei Männer aufeinander zu und schienen über etwas Wichtiges zu reden.

So standen sie lange beisammen. Dann kam Joseph Poorgrass daher, der einen Karren voll Äpfel zu Bathshebas Haus auf dem Hügel schob. Boldwood und Gabriel riefen ihn an, sprachen ein paar Minuten auf ihn ein – und hierauf gingen alle drei ihrer Wege. Joseph Poorgrass schob seinen Karren weiter hügelan.

Bathsheba hatte die Szene einigermaßen verwundert beobachtet und fühlte sich sehr erleichtert, daß Boldwood nun umgekehrt war. »Na, was gibt's Neues, Joseph?« erkundigte sie sich.

»Daß Ihr Fanny Robin nicht mehr sehen werdet, Gnädige – nicht mehr in diesem Leben!«

»Wie das?«

»Weil sie als eine Tote im Armenhaus liegt.«

»Fanny tot? Unmöglich!«

»Doch, Gnädige.«

»Woran ist sie gestorben?«

»Das weiß ich nicht genau, aber ich könnte mir denken, daß es ihre schwache Natur war, ganz allgemein. Sie ist so eine zarte Person gewesen, die schon damals, wie ich sie noch gekannt habe, nichts ausgehalten hat. Und jetzt, heißt es, hat es sie umgeweht wie eine Kerze ... Am frühen Morgen ist sie krank geworden, und weil sie so geschwächt und erschöpft war, ist sie am Abend gestorben. Nach dem Gesetz gehört sie zu unserer Pfarrei, und Mr. Boldwood will heute nachmittag um drei ein Fuhrwerk schicken, damit sie hergebracht und hier begraben wird.«

»Kommt nicht in Frage, daß Mr. Boldwood so etwas tut – das ist meine Sache! Fanny war die Magd meines Onkels. Ich habe sie zwar nur ein paar Tage lang gekannt, aber sie gehört trotzdem zu mir. Schrecklich, schrecklich ... Fanny im Armenhaus!« Bathsheba hatte nun ihre erste Lektion im Leiden hinter sich, so daß echtes Mitgefühl aus ihr sprach. »Laß jemanden hinüber zu Mr. Boldwood gehen und ihm sagen, daß Mrs. Troy es als ihre Pflicht betrachtet, eine frühere Angehörige ihres Hauses einzuholen. Aber wir dürfen sie nicht auf ein Fuhrwerk legen. Wir besorgen uns einen richtigen Leichenwagen.«

»Dafür wird keine Zeit sein, fürchte ich.«

»Ja, vielleicht hast du recht«, überlegte sie. »Wann, hast du gesagt, sollen wir sie holen? Um drei?«

»Heute nachmittag um drei, Gnädige, wenn's beliebt.«

»Gut, du gehst mit. Ein hübscher Leiterwagen ist ja auch wirklich besser als ein häßlicher Leichenwagen. Nimm den neuen, Joseph, den blauen mit den roten Rädern und den gefederten Achsen – und wasche ihn vorher, daß er ordentlich sauber ist. Und, Joseph –«

»Ja, Gnädige?«

»Nimm auch Immergrün und Blumen mit und leg sie auf den Sarg – ja, nimm dir, soviel du findest, und deck sie ganz damit zu. Schneid auch ein paar Zweige vom Winterschneeball ab und Buchs und Eibe – und dazu noch Raute und ein paar Chrysanthemensträuße. Und laß den alten Pleasant sie führen, weil sie ihn so gut gekannt hat.«

»Mach' ich, Gnädige. – Und fast hätt' ich es vergessen: Der Armenverein wird mit vier Arbeitern beim Tor zum Friedhof auf mich warten, damit sie die Leiche übernehmen und begraben, wie es das Gesetz dem Ausschuß vorschreibt.«

»Gott behüte! Der Armenverein von Casterbridge! So tief ist Fanny gesunken?« Bathsheba schüttelte den Kopf. »Ich wollte, ich hätte früher davon erfahren – aber ich glaubte sie weit fort. Wie lange war sie im Armenhaus?«

»Nur ein paar Tage.«

»Oh! Dann war sie nicht als eine richtige Armenhäuslerin dort?«

»Nein. Zuerst ist sie in einer Garnisonsstadt auf der anderen Seite von Wessex gewesen, und danach hat sie sich mehrere Monate in Melchester als Näherin durchgebracht – im Haus von einer sehr angesehenen Witwe, die solche Arbeiten übernimmt. In das Armenhaus ist sie, glaub' ich, erst am Sonntagmorgen gekommen, und es heißt, daß sie von Melchester her alles zu Fuß gegangen ist. Warum sie von dort fort ist, kann ich nicht sagen, weil ich's nicht weiß – und was ich nicht weiß, sag' ich nicht, weil's gelogen wäre. Auf das also läuft es hinaus, Gnädige.«

»Ah – ah!«

Das rote Funkeln eines Kristalls verliert nicht plötzlicher die Farbe, als es die junge Frau tat, während sie diesen Seufzer verhauchte. »Ist sie auf der Landstraße gegangen?« fragte sie dann, und ihre Stimme klang auf einmal nervös und drängend.

»Ich glaube ja . . . Soll ich die Liddy rufen, Gnädige? Euch ist
nicht wohl, Gnädige – ich seh's . . . Wie eine Lilie schaut ihr
aus, so weiß und dünn!«

»Nein, laß nur – es ist nichts. Wann ist sie durch Weatherbury gekommen?«

»Am Samstag – gegen Abend.«

»Danke, Joseph. Du kannst jetzt gehen.«

»Sehr wohl, Gnädige.«

»Nein, Joseph – bleib noch! Was für eine Farbe hat Fannys
Haar gehabt?«

»Ob Ihr's mir glaubt oder nicht, Gnädige, aber wenn Ihr
mich so auf den Kopf hin fragt, fällt es mir nicht ein.«

»Macht nichts. Geh jetzt und tu, was ich dir gesagt habe.
Warte – oder doch, geh nur!«

Sie wandte sich von ihm ab, weil sie ihn nicht länger Zeuge
ihres Zustands sein lassen wollte. Mit weichen Knien und hämmernden Schläfen ging sie ins Haus. Etwa eine Stunde später
hörte sie das Rattern des Wagens und trat hinaus, sich nach wie
vor peinlich bewußt, was für einen verstörten, verängstigten
Eindruck sie machte. Joseph, in seinem besten Anzug, spannte
eben an. Der Wagen war voll von grünen Zweigen und Blumen, wie Bathsheba befohlen hatte, aber sie sah es jetzt kaum.

»Wer, hast du gesagt, war ihr Verehrer?«

»Ich weiß es nicht, Gnädige.«

»Ganz bestimmt nicht, Joseph?«

»Nein, Gnädige, ganz bestimmt.«

»Bestimmt was?«

»Bestimmt weiß ich nur, daß sie am Morgen dort war und
am Abend gestorben ist, ohne daß sie etwas erzählt hat. Mehr
haben Oak und Mr. Boldwood mir nicht gesagt. ›Die kleine
Fanny Robin ist tot‹, hat Gabriel gesagt und mich so ernst
angeschaut, wie er's immer tut. Ich war sehr bestürzt. ›Ah!‹
hab' ich gesagt. ›Und wie ist sie gestorben?‹ – ›Sie liegt tot im
Armenhaus von Casterbridge‹, sagt er darauf, ›und da ist es
wohl nicht so wichtig, wie sie gestorben ist. Am Sonntag in der
Früh ist sie hingekommen – und am Nachmittag ist sie gestorben, das steht fest.‹ Dann hab' ich gefragt, wo sie in der letzten
Zeit gewesen ist, und da hat sich Mr. Boldwood, der bis dahin
mit der Spitze von seinem Spazierstock eine Distel zerspießt
hat, zu mir umgedreht und mir gesagt, daß sie sich in Melchester als Näherin durchgebracht hat, wie ich Euch erzählt habe,

und daß sie am Ende der letzten Woche zu Fuß von dort her-
übergegangen und am Samstag, wie es schon dunkel war, hier
durchgekommen ist. Sie haben mir gesagt, ich soll Euch nur
ausrichten, daß sie tot ist, und dann sind sie beide fort ...
Vielleicht ist sie gestorben, weil sie in der Nachtluft geschlafen
hat? Die Leute haben schon früher gemeint, daß sie einmal an
der Auszehrung sterben wird; im Winter hat sie immer arg
gehustet. Aber darauf kommt es jetzt, wo sie tot ist, nicht mehr
an.«

»Hast du auch etwas anderes reden gehört?« Sie sah ihn so
scharf an, daß Joseph blinzelte.

»Nein, Gnädige, das kann ich beschwören!« erwiderte er.
»Es weiß ja noch kaum einer im Dorf, was geschehen ist.«

»Ich frage mich, warum Gabriel nicht selbst gekommen ist,
um mir die Nachricht zu bringen. Sonst will er doch wegen
jeder Kleinigkeit mit mir reden.« Diese Worte murmelte sie
nur, den Blick zur Erde gerichtet.

»Vielleicht hat er etwas zu tun gehabt?« schlug Joseph vor.
»Und manchmal, scheint mir, grübelt er Dingen nach, die mit
der Zeit zusammenhängen, wie er besser dran war als jetzt. Er
ist ein komischer Kauz, aber ein sehr guter Schäfer – und viel
gelesen hat er auch.«

»Hast du den Eindruck gehabt, daß ihn etwas bedrückt?«

»Ja, das muß ich schon zugeben, Gnädige. Er war sehr niedergeschlagen – und Farmer Boldwood auch.«

»Danke, Joseph. Das ist alles. Geh jetzt, sonst kommst du zu
spät.«

Bathsheba, keineswegs beruhigt, ging wieder ins Haus.

»Was für eine Farbe hat Fanny Robins Haar gehabt?« fragte
sie später am Nachmittag Liddy, die inzwischen von dem Ereignis gehört hatte. »Ich kann mich nicht erinnern, weil ich ja
erst ein paar Tage hier war –«

»Hell war es, Gnädige. Sie hat es aber ziemlich kurz getragen
und unter die Haube gesteckt, so daß es Euch kaum auffallen
konnte. Aber ich habe gesehen, wie sie es offen gehabt hat, vor
dem Schlafengehen, und da war es sehr schön. Wie richtiges
Gold.«

»Ihr Verehrer war ein Soldat, nicht wahr?«

»Ja. Im selben Regiment wie Mr. Troy. Er sagt, daß er ihn
gut gekannt hat.«

»Wie? Das sagt Mr. Troy? Wie kommt er dazu?«

»Ich habe ihn einmal daraufhin angesprochen und gefragt, ob er Fannys Verehrer gekannt hat. ›O ja, so gut wie mich selbst‹, hat er gesagt – und daß es im ganzen Regiment keinen zweiten gegeben hat, der ihm lieber gewesen wäre.«

»Ah! Das hat er gesagt?«

»Ja. Und auch, daß zwischen ihm und dem anderen eine so starke Ähnlichkeit war, daß sie manchmal verwechselt worden sind.«

»Hör auf, Liddy, um Himmels willen!« bat Bathsheba mit jener nervösen Gereiztheit, die aus einer beunruhigenden Erkenntnis kommt.

Eine Mauer umgab das Armenhaus von Casterbridge, nur an der Hinterseite stieß eine Giebelwand vor, auch sie dicht mit Efeu überwachsen. Die Wand war völlig schmucklos, ohne Fenster, Schornstein oder sonstige Gliederung, nur eine kleine Tür war in die dunkelgrüne Decke eingeschnitten.

Das Merkwürdige an der Tür war, daß ihre Schwelle mehr als einen Meter über der Erde lag, ohne Stufen, und für einen Augenblick suchte man wohl nach einer Erklärung für diese ungewöhnliche Höhe, bis man aus den Räderspuren darunter schloß, daß die Tür nur dazu diente, um Gegenstände oder Menschen von einem Wagen, der davor stand, in das Haus zu schaffen oder, umgekehrt, auf den Wagen zu laden. Daß dieser Eingang nur selten benutzt wurde, war aus den Grasbüscheln ersichtlich, die unbehindert in den Ritzen der Schwelle sprossen.

Die Uhr über dem Stiftungshaus in der Southstreet zeigte fünf Minuten vor drei, als ein blauer Federwagen mit roten Zierstreifen, voll von grünen Zweigen und Blumen, am Ende der Straße einbog und zu dieser Seite des Gebäudes lenkte. Noch schepperte das Glockenspiel eine verstümmelte Melodie – »Malbrouk s' en va-t-en guerre« –, als Joseph Poorgrass an der Klingel zog und Bescheid erhielt, er möge mit seinem Wagen zu der hochgelegenen Türe unter dem Giebel fahren. Hierauf öffnete sich die Türe, und ein schlichter Sarg aus Ulmenbrettern wurde langsam hinausgeschoben und von zwei Männern in schwarzem Zwillich auf den Wagen gehoben.

Einer der Männer trat vor, holte einen Kreidestummel aus der Tasche und schrieb in ungefügen Lettern einen Namen und noch ein paar weitere Worte auf den Sargdeckel. (Heute, höre ich, geschieht das etwas pietätvoller, indem man ein Schild darauf anbringt.) Er deckte ein schwarzes Tuch darüber, einfach, aber sauber, das Heckbrett des Wagens wurde wieder eingehängt. Poorgrass nahm den Totenschein entgegen. Die beiden Männer stiegen durch die Tür, die sie hinter sich schlossen, in das Haus zurück. Ihre Beziehung zu Fanny war kurz gewesen und nun auch schon zu Ende.

Joseph verteilte auftragsgemäß erst die Blumen und dann rundherum das Immergrün, bis kaum mehr zu erraten war, was der Wagen führte. Er schnalzte mit der Peitsche. Der nun recht dekorative Leichenwagen fuhr gemächlich den Hügel hinunter und nahm seinen Weg nach Weatherbury.

Der Tag neigte sich. Poorgrass, der neben dem Pferd herging, schaute auf das Meer hinüber, das sich zu seiner Rechten dehnte, und beobachtete die seltsamen Wolkengebilde und Nebelschlangen, die sich über die Höhenzüge wälzten, die dort das Land gürten. Immer größer und dicker kamen sie und krochen träge über die Täler dazwischen und das papierdürre Röhricht der Moore und Flußufer. Dann zogen die klammen, schwammigen Massen über den Himmel, ein plötzliches Aufquellen atmosphärischen Schimmels, der sein Myzel in der angrenzenden See hatte, und als das Pferd, der Mann und die Tote den Forst von Yalbury erreichten, hatte das Gespinst aus lautlos unsichtbarer Hand sie eingeholt und völlig umhüllt. Das war der Beginn der herbstlichen Nebelzeit, der erste der vielen Nebel.

Die Luft war wie ein plötzlich erblindetes Auge. Das Fuhrwerk und seine Last rollten nicht mehr entlang der horizontalen Scheide zwischen Hell und Dunkel, sondern waren rundum in eine elastische Masse von farbloser Blässe eingebettet. Nichts schien sich in dieser Luft zu rühren, kein Wassertropfen fiel sichtbar auf ein Blatt der Buchen und Birken, die, zusammen mit Föhren, den Wald zu beiden Seiten bildeten. Die Bäume standen wie wartend da, als ob sie sich nach einem Wind sehnten, um sich in ihm zu wiegen. Eine irritierende Stille hing über allen Dingen – so vollkommen, daß das Knirschen der Wagenräder wie ein lautes Geräusch wirkte, und man das leiseste Rascheln, das sonst nur in der Nacht vernehmbar wird, ganz deutlich hörte.

Joseph Poorgrass blickte zurück auf seine traurige Fracht, die in vagem Umriß aus den blühenden Schneeballzweigen ragte, dann schaute er in die unergründliche Düsternis zwischen den hohen Bäumen, die sich davor verschwommen, schattenlos und geisterhaft abzeichneten. Er fühlte sich alles andere als heiter und wäre dankbar selbst für ein Kind oder einen Hund als Gesellschaft gewesen. Kein Schritt oder Rad war in weitem Umkreis zu hören, die Totenstille wurde nur von etwas Schwerem gebrochen, das von einem Baum herunterfiel und mit einem Knall durch das Immergrün auf dem Sarg der armen Fanny aufschlug. Nun waren auch die Bäume satt vom Nebel, die ersten Tropfen perlten aus den übervollen Blättern. Das hohle Echo ihres Falls erinnerte den Kutscher schmerzlich an den unerbittlichen Sensenmann, vor dem alle Menschen gleich sind. Den ersten Tropfen folgten weitere, und schon trommelte es sanft im dürren Laub, auf die Straße und die Reisenden. Die tieferen Zweige waren vom Nebel altmännergrau bereift, und auch an den rostroten Buchenblättern hingen Tropfen wie Diamanten in lohfarbenem Haar.

Beim Weiler Roy-Tow, gleich hinter dem Wald an der Straße, gab es den alten Gasthof »Zum Rehbock«, etwa eineinhalb Meilen vor Weatherbury. Zur Postkutschenzeit war er eine Relaisstation gewesen, wo viele Wagen die Pferde gewechselt hatten. Die alten Ställe waren jetzt abgebrochen, und wenig war erhalten außer dem bewohnbaren Wirtshaus, das etwas abseits lag und sich den Leuten auf der Straße schon von weitem mit einem Schild ankündigte, das auf der gegenüberliegenden Straßenseite von dem waagrechten Ast einer Ulme herabhing.

Reisende – *Touristen* hatten sich damals noch kaum zu einer besonderen Spezies entwickelt – stellten gelegentlich im Vorüberfahren, wenn der Blick auf den Baum und sein Schild fiel, dazu fest, daß das ein hübsches Motiv für Maler wäre und daß sie kein ähnlich vollkommenes Wirtshausschild wüßten, das tatsächlich seinem Zweck diente. In der Nähe dieses Baums hatte auch der Wagen gestanden, in den Gabriel Oak gekrochen war, damals auf dem Weg nach Weatherbury – das Schild und das Wirtshaus hatte er in der Dunkelheit nicht gesehen.

Es handelte sich um eines jener Wirtshäuser, wo die alten Bräuche noch gepflegt werden, so daß sie im Gedächtnis der Gäste wie ein Stereotyp haften:

> Klopf mit dem Bierkrug nach mehr Bier,
> nach Tabak mußt du rufen,
> sag ›Kleine‹ zu dem Mädchen an der Schank
> und zu der Wirtin ›Alte‹ usw. usw.

Joseph atmete auf, als das einladende Schild in Sicht kam. Unmittelbar darunter hielt er sein Pferd an und tat, was er sich längst vorgenommen hatte. Er fühlte sich dem Verdursten nahe, kehrte also den Kopf des Pferdes zu dem grünen Straßenrain und begab sich auf einen Krug Bier in die Schenke.

Und was erblickten Josephs müde Augen, als er in die Küche kam, die eine Stufe unter dem Vorhaus lag, zu dem man seinerseits über eine Stufe von der Straße hinunterstieg? Zwei kupfer-rote Scheiben – genauer gesagt, die Gesichter von Mr. Jan Coggan und Mr. Mark Clark. Diese zwei Herren, die, in den Grenzen der Schicklichkeit, die ausgepichtesten Kehlen im Umkreis ihr eigen nannten, saßen hier Nase zu Nase an einem dreibeinigen Tisch, dessen runde Platte von einem Metallrahmen eingefaßt war, der verhindern sollte, daß jemand Becher oder Schüsseln mit dem Ellbogen hinunterstieß, und sie sahen aus wie die Abendsonne und der Vollmond, wenn sie einander quer über die Erde hinweg bescheinen.

»Sieh da, Nachbar Poorgrass!« rief Mark Clark. »Auf deinen Zügen liegt nicht eben der Abglanz der Fleischtöpfe von Upper Weatherbury.«

»Ich habe über die letzten vier Meilen keine sehr muntere Gesellschaft gehabt«, erwiderte Joseph und gestattete sich ein Schaudern, freilich durch Resignation gedämpft. »Und es hat sich mir, um die Wahrheit zu sagen, allmählich auf den Magen geschlagen. Ob ihr mir glaubt oder nicht: Seit heute Morgen hab' ich keinen Bissen und keinen Tropfen gesehen – und mehr als ein Appetithappen ist mein Frühstück auch nicht gewesen.«

»Dann nimm einen Schluck, Joseph, und laß dich nicht zurückhalten!« sagte Coggan und reichte ihm einen dreiviertelvollen Humpen aus eisengebänderten Dauben.

Joseph trank in angemessen langem Zug, dann noch einmal und länger. »Ein guter Tropfen«, stellte er fest, als er den Krug absetzte. »Wirklich ein guter Tropfen ... Das kann ich bei diesem traurigen Geschäft brauchen!«

»Sicher. Bier wärmt das Herz«, meinte Jan beiläufig, als wiederhole er eine Binsenweisheit, die ihm so vertraut war, daß sie allzeit bereit auf seiner Zunge lag, und Coggan hob seinen Krug und legte mit geschlossenen Augen den Kopf behutsam in den Nacken, um ja nicht seine dürstende Seele auch nur für eine Sekunde von dem Labsal ablenken zu lassen.

»Und jetzt muß ich weiter«, sagte Poorgrass. »Was nicht heißt, daß mir noch ein Schluck ungelegen käme, aber man könnte im Dorf was Schlechtes von mir denken, wenn sie mich hier sehen würden.«

»Wo sollst du denn heute noch hin, Joseph?«

»Zurück nach Weatherbury. Ich hab' die arme Fanny Robin draußen auf dem Wagen und muß um Viertel vor fünf mit ihr beim Kirchhof sein.«

»Ja – ich hab' davon gehört. Also haben wir sie doch unter unserem Deckel und können uns das Geld für Geläut und Grab sparen.«

»Die Gemeinde zahlt die halbe Krone für das Grab, aber nicht den Schilling für das Geläut, weil das ein Luxus ist. Ohne Grab kann ein armes Menschenkind doch nicht auskommen. Trotzdem glaube ich, daß unsere Gnädige alles zahlen wird.«

»Und so ein hübsches Mädchen! Aber warum pressiert es dir so, Joseph? Die Arme ist tot, auch du machst sie nicht mehr lebendig. Da kannst du dich ebensogut in aller Ruhe hinsetzen und noch einen mit uns heben.«

»Aber wirklich nur einen winzigen Fingerhut, Kinder – und nur ein paar Minuten. Was sein muß, muß halt sein.«

»Klar. Du kriegst noch einen Schluck. Nachher stehst du für zwei. Da fühlst du dich so warm und prächtig, daß du erst richtig zupackst und alles glatt von selber läuft! Zuviel Alkohol ist schlecht und bringt einen leicht in des Teufels Küche ... Andererseits fehlt vielen Menschen die Gabe, einen guten Tropfen zu genießen, und da sollten wir schon das Beste daraus machen, daß wir von der Natur so gut ausgestattet worden sind.«

»Stimmt«, meinte Mark Clark. »Es ist ein Talent, das uns der Herrgott mitgegeben hat, und das dürfen wir nicht verkümmern lassen. Nur die Herren Pastoren und Buchhalter und Schulfüchse mit ihren hochgestochenen Teegesellschaften haben es so weit gebracht, daß das Leben nicht mehr halb so lustig ist, wie es früher war – der Schlag soll mich treffen!«

»Aber jetzt muß ich mich auf den Weg machen«, sagte Joseph.

»Unsinn, Joseph! Die arme Frau ist tot, nicht wahr? Warum hast du es so eilig?«

»Nun denn ... Ich kann nur hoffen, daß ich mich nicht gegen Gottes Willen versündige«, seufzte Joseph und setzte sich wieder hin. »Ich muß gestehen, daß ich in letzter Zeit ein paar schwache Stunden gehabt habe. Einmal schon in diesem Monat hab' ich über den Durst getrunken, am Sonntag war ich nicht in der Kirche – und gestern hab' ich hier und da auch geflucht. Da will ich nicht mehr zu viel riskieren ... Ein jeder muß schauen, wo er drüben ankommt. Ich möchte nicht meine ewige Seligkeit aufs Spiel setzen.«

»Mir scheint gar, du bist ein Reformierter, Joseph! Wahrhaftig!«

»Oh, nein, nein! So weit gehe ich nicht.«

»Was mich betrifft«, stellte Coggan fest, »ich bin ein treuer Sohn der Kirche von England.«

»Ich auch«, schloß sich Mark Clark ihm an.

»Nicht daß ich was dazu sagen möchte – das liegt mir nicht«, fuhr Coggan fort, und aus ihm sprach jene Neigung zum Grundsätzlichen, die dem Gerstensaft eigen ist, »aber ich bin nie auch nur um ein Jota vom Glauben abgewichen. Der alte Glaube ist für mich wie eine zweite Haut. Ja – und für unsere Kirche läßt sich immerhin sagen, daß ein Mensch dazugehören und doch in seinem gemütlichen Wirtshaus sitzen kann und nicht deswegen über irgendwelche Vorschriften nachdenken und sich Sorgen machen muß. Aber wenn du zu den Reformierten übertrittst, mußt du bei Wind und Wetter zum Gottesdienst gehen und dich überhaupt so hineinsteigern, als ob du läufig wärst. Auf ihre Weise sind die Reformierten bestimmt nicht auf den Kopf gefallen. Sehr schöne Gebete denken sie sich einfach selber aus – so für ihre Familie und die Schiffbrüchigen aus der Zeitung.«

»Ja, das verstehen sie«, bestätigte Mark Clark mit kollegialem Eifer. »Wir dagegen müssen alles vorher von der Kirche gedruckt kriegen, sonst wüßten wir so wenig wie ein Kind im Mutterleib, wie in Dreiteufelsnamen wir zu einem so großmächtigen Herrn wie unserem Gott reden sollen.«

»Die Reformierten stehen sich mit denen droben besser als wir«, meinte Joseph nachdenklich.

»Ja«, meinte Coggan. »Wenn überhaupt wer in den Himmel kommt, dann sind sie's – das stimmt schon. Sie tun ja auch viel dafür und verdienen, daß sie's kriegen. Ich bin nicht so verbohrt, daß ich mir einbilde, wir von der Kirche hätten dieselben Chancen wie sie, weil wir doch sehr wohl wissen, daß das nicht so ist. Aber ich mag die Leute nicht, die ihren alten Glauben nur deshalb aufgeben, weil sie in den Himmel kommen wollen. Geradeso könnte ich mich für ein paar Pfund als Zeuge kaufen lassen. Nein, Nachbarn, damals, wie mir alle Kartoffeln erfroren sind, war es unser Pfarrer Thirdly, der mir einen Sack voll Saatkartoffeln gegeben hat, obwohl er kaum für sich genug und auch kein Geld gehabt hat, um welche zu kaufen. Wenn er nicht gewesen wäre, hätte ich keine Kartoffel für meinen kleinen Acker gehabt! Und da soll ich übertreten? Nein, ich bleibe, wo ich bin – und wenn das falsch ist, ist es eben falsch: Ich bleibe ein Sünder unter Sündern!«

»Gut gesprochen – sehr gut gesprochen«, fand Joseph. »Trotzdem, meine Freunde, ich muß aufbrechen – da hilft mir gar nichts. Pfarrer Thirdly wird schon an der Kirchentür warten, und draußen liegt die Frau auf dem Wagen.«

»Du wirst doch jetzt nicht Trübsal blasen, Joseph Poorgrass! Pfarrer Thirdly macht sich nichts daraus, der ist ein großzügiger Mensch. Von mir weiß er, daß ich schon immer ein lockerer Vogel war und mir in meinem langen Lotterleben allerhand hinter die Binde gegossen habe – aber er ist keiner, der davon viel Aufhebens macht. Setz dich hin!«

Je länger Joseph Poorgrass verweilte, desto weniger drückten ihn die Pflichten, die er an diesem Nachmittag zu erfüllen gehabt hätte. Die Zeit verstrich wie im Flug, und schon vertieften sich die abendlichen Schatten. Die Augen der Zecher glänzten nur mehr wie Punkte aus dem Dunkel. Leise, wie immer, schlug die Repetieruhr in Coggans Westentasche die sechste Stunde.

In diesem Augenblick hörte man eilige Schritte im Flur, die Tür sprang auf, und es erschien Gabriel Oak, hinter sich die Magd des Wirtshauses mit einer Kerze. Sein strenger Blick richtete sich auf das eine schmale und die zwei runden Gesichter der drei, die dort an dem Tisch saßen und ihm wie eine Fiedel und ein Paar Bettpfannen entgegenglotzten. Joseph Poorgrass blinzelte und verlagerte sich um einige Zoll in den Hintergrund.

»Meiner Seel', ich schäme mich für dich, Joseph! Eine Schande ist das, wirklich eine Schande!« empörte sich Gabriel. »Coggan! Du als erwachsener Mensch könntest auch vernünftiger sein!«

Coggan schaute unsicher zu Oak auf, wobei sich erst das eine, dann das andere Auge ohne sein Zutun öffnete oder schloß, als handle es sich nicht um Teile seines Körpers, sondern um zwei dösige Wesen mit unabhängigem Eigenleben.

»Reg dich nicht so auf, Schäfer«, sagte Mark Clark und sah vorwurfsvoll auf die Kerze, die eine besondere Anziehungskraft auf seine Augen auszuüben schien.

»Einer toten Frau tut keiner mehr weh«, meinte schließlich Coggan, als treffe er damit einem Nagel auf den Kopf. »Für sie hat man getan, was man tun konnte – sie ist auf uns nicht mehr angewiesen. Warum soll sich da ein Mensch abhetzen wegen einer Handvoll Staub, der nichts mehr spürt und merkt und nichts von dem mitkriegt, was du mit ihm tust? Wenn sie jetzt was essen oder trinken wollte, könnte sie's auf meine Kosten haben! Aber sie ist tot, und wir machen sie nicht lebendig, wenn wir uns auch noch so beeilen. Diese Frau ist uns vorausgegangen, wir holen sie nicht mehr ein ... Was drängt uns noch? Trink, Schäfer, trink auf unsere Freundschaft – morgen sind vielleicht wir so tot wie sie!«

»Vielleicht schon morgen!« bekräftigte Mark Clark und nahm sofort einen Schluck, um für den Fall, daß dies einträte, nichts zu versäumen, während Jan seine Gedanken darüber in einem Lied weiterspann:

> Morgen, ja morgen!
> Sitz ich hier friedlich beim vollen Tisch,
> Denk ich nicht an Kummer und Sorgen.
> Ich teil' mit den Freunden, was das Heute uns beut,
> Und laß' für das Morgen sie sorgen:
> Denn morgen – morgen ist –

»Hör auf mit dem Gefasel, Jan!« verwies ihm Oak und wandte sich zu Joseph Poorgrass: »Und du, Joseph – du mit deinem scheinheiligen Getue –, du bist randvoll besoffen!«

»Nein, Schäfer Oak, nein! Ich muß Euch das erklären, Schäfer. Was ich habe, ist ein Leiden, das man die Mehrsichtigkeit nennt, und darum seht Ihr mich doppelt – will sagen, darum sehe ich Euch doppelt.«

»Die Mehrsichtigkeit ist eine sehr schlimme Sache«, unterstützte ihn Mark Clark.

»Es fällt mich jedesmal an, wenn ich ein Weilchen in einem Wirtshaus bin«, fuhr Joseph Poorgrass schüchtern fort. »Ja, ich sehe alles zweifach, als wenn ich einer von den Heiligen zu Noahs Zeiten wäre, der in die Arche hineinkommt ... J-j-ja«, fügte er hinzu und fing, gerührt von der Vorstellung, daß er zur Unzeit geboren war, zu weinen an: »Ich bin zu gut für dieses England! Bei den Erzvätern müßte ich leben wie die anderen Gottseligen – und dann bräuchte ich m-m-mich nicht einen S-s-saufaus nennen lassen!«

»Mir wäre lieber, du würdest dich zusammenreißen, statt hier zu hocken und mich anzuwinseln!«

»Ich mich zusammenreißen? . . . Wohlan! So will ich es denn auf mich nehmen, daß man mich einen Saufaus nennt, und will Zerknirschung üben! Ich weiß, daß ich allemal ›In Gottes Namen‹ sage, bevor ich etwas tue, wenn ich damit anfange und wenn ich fertig bin, und ich will mich nicht dagegen auflehnen, wenn an so heiligmäßigem Werk dennoch etwas auszusetzen wäre . . . Ich einer, der sich nicht zusammenreißt? Habe ich jemals zugelassen, daß mir der Hochmut in den Hintern tritt, ohne mannhaft die Billigkeit solchen Verhaltens zu bezweifeln? Ich frage das frei heraus!«

»Wir könnten nicht behaupten, daß du's getan hättest. Du bist ein Held, Poorgrass!« bestätigte Jan.

»Nie hab' ich so etwas einfach hingenommen! Und trotzdem – trotz allen diesen Beweisen behauptet der Schäfer, daß ich einer bin, der sich nicht zusammenreißt! Aber lassen wir das – Der Tod ist ein nachsichtiger Freund . . .«

Gabriel sah, daß keiner der drei in der Verfassung war, den Wagen über das letzte Stück Weges zu bringen, erwiderte darum auch nichts, sondern ließ sie sitzen und begab sich hinüber zu dem Gefährt, das bereits in Nebel und Zwielicht verschwamm. Er zerrte den Kopf des Pferdes von dem Rasenfleck hoch, den es kahlgefressen hatte, legte die Zweige auf dem Sarg wieder zurecht und fuhr in diese ungute Nacht hinein.

Inzwischen hatte sich im Dorf verbreitet, daß es sich bei der Leiche, die da gebracht und begraben werden sollte, um die sterblichen Reste der unglücklichen Fanny Robin handelte, die den Elferdragonern von Casterbridge nach Melchester und noch weiter nachgezogen war. Dennoch war dank Boldwoods Verschwiegenheit und Oaks Großmut nicht durchgedrungen, daß Troy ihr Liebhaber gewesen war. Gabriel hoffte, daß die volle Wahrheit wenigstens solange nicht herauskommen würde, bis das Mädchen wenigstens ein paar Tage im Grab gelegen hätte, da die aufgerichtete Schranke aus Erde und Zeit und das Wissen, daß die Ereignisse nach und nach in die Vergessenheit gedrängt werden, den stechenden Schmerz lindern würden, den Bathsheba empfunden hätte, wenn all das jetzt schon bekannt und durchgehechelt worden wäre.

Der alte Gutshof lag auf dem Weg zur Kirche, und als Gabriel ihn erreichte, war es schon finster. Ein Mann kam vom Tor her und fragte durch den Nebel, der wie zerstäubtes Mehl in der Luft hing:

»Ist das Poorgrass mit der Leiche?«

Gabriel erkannte die Stimme des Pfarrers und sagte: »Ich habe die Tote hier.«

»Ich habe mich eben bei Mrs. Troy erkundigt, ob sie weiß, wo ihr geblieben seid. Jetzt ist es leider schon zu spät, um das Begräbnis vorzunehmen, wie es sich gehört. Hast du den Totenschein?«

»Nein«, entgegnete Gabriel. »Den hat vermutlich Poorgrass – und der sitzt im Rehbock. Ich habe vergessen, ihn danach zu fragen.«

»Dann ist die Sache entschieden. Wir werden das Begräbnis auf morgen verschieben. Die Leiche können wir in die Kirche bringen – oder auch hier in der Farm lassen, und die Träger holen sie dann morgen früh. Sie haben über eine Stunde gewartet und sind jetzt heimgegangen.«

Gabriel hatte seine wohlbegründeten Einwände gegen letzteres Arrangement, obwohl Fanny zu Zeiten von Bathshebas Onkel durch mehrere Jahre auf dem Gutshof gelebt hatte. Folgen, die sich aus dieser Verzögerung ergeben könnten, gingen ihm durch den Kopf. Da aber nicht er zu entscheiden hatte, trat er ins Haus, um nach den Wünschen seiner Herrin zu fragen. Er fand sie in einer seltsamen Stimmung vor. Als sie zu ihm aufschaute, war ihr Blick argwöhnisch und wie von einem Gedanken, der ihr eben gekommen war, verwirrt. Troy war noch nicht zurück.

Zunächst stimmte Bathsheba ohne weiteres Gabriels Vorschlag zu, daß man sofort mit dem Sarg zur Kirche weiterfahren sollte, aber plötzlich, als sie hinter Gabriel zum Tor ging, überwältigte sie das Mitgefühl mit Fanny, und sie wollte, daß man das Mädchen ins Haus bringe. Oak wandte ein, daß es bequemer wäre, sie auf dem Wegen zu lassen – so wie sie dort lag, von ihren Blumen und dem grünen Laub umgeben – und bis zum nächsten Morgen nur in den Wagenschuppen zu schieben, aber es half nichts. »Das wäre pietätlos und unchristlich«, widersprach Bathsheba, »das arme Ding die ganze Nacht in einem Schuppen liegenzulassen!«

»Also gut«, sagte der Pfarrer, »ich kümmere mich darum, daß das Begräbnis morgen früh stattfinden kann. Mag sein, daß Mrs. Troy recht hat, wenn sie meint, daß man einem toten Mitmenschen nie zuviel Achtung erweisen kann. Fanny hat vielleicht arg gefehlt, als sie ihre Heimat verließ, doch dürfen wir nicht vergessen, daß sie unsere Schwester geblieben ist, und der Glaube sagt uns, daß Gott in seiner Barmherzigkeit auch ihr gnädig sein wird.«

In der schweren Luft klangen die Worte des Pfarrers traurig und doch gelassen, und Gabriel war wirklich zu Tränen gerührt, anscheinend im Gegensatz zu Bathsheba. Dann ging Pfarrer Thirdly. Gabriel zündete eine Laterne an, holte noch drei Männer und trug mit ihnen die tote Ausreißerin in das Haus, wo sie nach Bathshebas Angabe den Sarg auf zwei Bänken in der Mitte eines kleinen Wohnraums abstellten.

Dann gingen alle hinaus, nur Gabriel Oak blieb zurück. Noch immer unentschlossen verweilte er neben der Toten, zutiefst beunruhigt von der makabren Ironie dieser Entwicklung, ihrem Bezug auf Troys Gattin und seiner eigenen Ohnmacht, etwas dagegen zu unternehmen. Den ganzen Tag über hatte er alle nur mögliche Umsicht walten lassen, und nun war das Schlimmste geschehen, was im Zusammenhang mit diesem Begräbnis überhaupt geschehen konnte. Oak fühlte, daß alles, was da vorging, auf eine schreckliche Entdeckung zusteuerte, die einen Schatten auf Bathshebas Zukunft werfen sollte – einen Schatten, der sich auch in vielen Jahren kaum aufhellen und nie mehr ganz verschwinden würde.

Dann, wie in einem letzten Bemühen, Bathsheba wenigstens vor dem nächsten Schlag zu schützen, las er noch einmal, was in Kreide auf dem Sargdeckel stand *Fanny Robin mit Kind*. Das war es. Gabriel zog sein Taschentuch hervor und wischte sorgfältig die zwei letzten Worte aus, so daß nur *Fanny Robin* blieb. Hierauf ging auch er aus dem Zimmer.

»Braucht Ihr mich noch?« erkundigte sich Liddy, später am selben Abend. Sie stand mit einem Leuchter bei der Tür und sprach zu Bathsheba, die bedrückt und einsam im großen Salon vor dem Kamin saß, in dem das erste Feuer dieses Herbstes brannte.

»Nein, heute nicht mehr, Liddy.«

»Wenn Ihr wollt, bleibe ich auf, bis der Herr kommt. Ich fürchte mich nicht vor Fanny, wenn ich bei mir oben sitzen darf und ein Licht habe. Sie war so ein unschuldiges, harmloses Kind, daß ihr Geist bestimmt niemandem erscheinen wird, auch wenn er's möchte.«

»Nein, nein – du legst dich hin! Ich werde bis Mitternacht auf ihn warten, und wenn er bis dahin nicht hier ist, gehe auch ich ins Bett – und er soll sehen, wo er bleibt.«

»Es ist jetzt halb zehn.«

»Schon?«

»Warum wollt Ihr nicht oben warten, Gnädige?«

»Ja – warum nicht?« überlegte Bathsheba unentschlossen. »Weil nichts dafür spricht. Und hier ist eingeheizt.« Plötzlich konnte sie nicht mehr an sich halten: »Hast du etwas über Fanny reden gehört? Etwas Seltsames?« flüsterte sie erregt. Gleich darauf brach sie in Tränen aus.

»Nein – kein Wort«, entgegnete Liddy und blickte erstaunt auf die weinende Frau. »Warum weint Ihr so, Gnädige? Tut Euch etwas weh?« Voller Mitgefühl trat sie zu Bathsheba.

»Nein, Liddy – ich brauche dich nicht mehr. Ich weiß selbst nicht, warum mir in letzter Zeit so leicht die Tränen kommen. Früher habe ich nie geweint. Gute Nacht!«

Liddy ging hinaus und schloß hinter sich die Tür.

Bathsheba fühlte sich verlassen und unglücklich; nicht einsamer zwar als vor ihrer Heirat, aber damals war es gewesen, als stünde sie für sich allein auf einem Bergesgipfel, während sie sich jetzt wie in eine Höhle gesperrt vorkam. Und seit den letzten Tagen beunruhigte sie nun auch die Vergangenheit ihres Mannes. Als sie sich an diesem Abend so hartnäckig für Fannys Unterbringung im Haus eingesetzt hatte, war dies das Ergebnis einer komplizierten Reihe von Beweggründen gewesen. Vielleicht ließ sich der Sachverhalt genauer als ein bewußtes Aufbegehren gegen ihre Instinkte umschreiben, ein Hinwegsetzen über etwas Niedriges, das ihr riet, der Toten jedes Mitgefühl zu verwehren, weil sie vor Bathsheba die Aufmerksamkeit des Mannes genossen hatte, den Bathsheba nach wie vor liebte, obwohl ihre Liebe eben jetzt an einem neuen Zweifel zu ersticken drohte.

Fünf oder zehn Minuten danach klopfte es an der Tür.

Liddy kam wieder herein, blieb aber nach ein paar Schritten zögernd stehen. »Maryann hat eben etwas Seltsames reden gehört«, sagte sie schließlich. »Aber ich bin sicher, daß es nicht stimmt. In ein paar Tagen werden wir erfahren, wie das wirklich war.«

»Was?«

»Oh, nichts, was Euch oder uns betrifft, Gnädige. Etwas über Fanny. Was auch Ihr gehört habt.«

»Ich habe nichts gehört.«

»Die böse Geschichte meine ich, die seit einer Stunde in Weatherbury umgeht, daß –« Liddy trat dicht an ihre Herrin und flüsterte ihr den Rest des Satzes ins Ohr, wobei sie in Richtung des Raums nickte, in dem Fanny lag.

Bathsheba zitterte am ganzen Leib.

»Ich glaube es nicht!« rief sie. »Auf dem Sargdeckel steht auch nur ein einziger Name!«

»Ich glaube es auch nicht, Gnädige – und viele von den anderen auch nicht. Man hätte uns doch bestimmt verständigt, wenn es wahr wäre – meint Ihr nicht, Gnädige?«

»Kann sein – oder auch nicht.«

Bathsheba wandte sich um und schaute ins Feuer, um ihr Gesicht vor Liddy zu verbergen. Liddy begriff, daß ihre Herrin nichts mehr sagen wollte, zog behutsam die Tür hinter sich zu und ging zu Bett.

Selbst bei Menschen, die sonst nicht viel für sie übrig hatten, wäre Bathsheba, als sie an jenem Abend so ins Feuer starrte, eines gewissen Mitgefühls sicher gewesen. Bathsheba hatte das Rennen gemacht – irgendwie standen ihre Schicksale in einem reziproken Verhältnis –, aber das traurige Schicksal Fanny Robins erfüllte sie nicht mit Befriedigung. Als Liddy zum zweiten Mal in den Salon gekommen war, hatte eine erschöpfte, müde Frau zu ihr aufgesehen; jetzt aber, nachdem sie auch das noch von Liddy erfahren hatte, sprach aus den schönen Augen nur mehr schiere Verzweiflung. Eine Dame von Welt hätte sich, da

Fanny und ihr Kind – wenn es eines gab – nun einmal tot waren, leicht über eine solche Nachricht hinweggesetzt, aber dieses unverbildete Landkind war davon zutiefst getroffen.

Bathsheba hatte gewisse, Oak und Boldwood nicht bekannte Anhaltspunkte, die sie eine Verbindung zwischen ihrer eigenen Geschichte und Fannys tragischem Ende, das sie zumindest erahnte, herstellen ließen. Für die Begegnung mit jener einsamen Frau am vergangenen Samstagabend gab es keine Zeugen. Vielleicht handelte Oak in bester Absicht, als er vor Bathsheba verbergen wollte, was mit Fanny wirklich geschehen war, aber wenn ihm bewußt gewesen wäre, wieviel Bathsheba aus dem, was sie gesehen, schließen konnte, hätte er es wohl kaum darauf angelegt, sie noch länger mit einer Ungewißheit zu quälen, wenn das Schlimmste, das sich erdenken ließ, schließlich doch herauskommen mußte.

Plötzlich fühlte sie ein dringendes Bedürfnis, sich mit einem Menschen auszusprechen, der stärker wäre als sie, und so die Kraft zu finden, die Situation, in der sie sich vermutete, und ihre Zweifel mit stoischer Haltung zu bewältigen. Aber wo gab es einen solchen Freund? Nicht unter ihrem Dach, denn da hatte sie von allen Frauen bei weitem die besten Nerven. Was sie jetzt lernen mußte, war Geduld und ein gewisses zeitliches Abstandnehmen, bevor sie ein Urteil fällte – und niemand war da, der ihr raten konnte. Hätte sie nur zu Gabriel Oak gehen können! Aber das war unmöglich ... Oak, dachte sie – Oak weiß, wie man Schweres erträgt. Boldwood, der in seinem Fühlen soviel tiefer, stärker und anspruchsvoller als Gabriel wirkte, hatte die einfache Kunst, deren meisterliche Beherrschung Oak mit jedem Handgriff und jedem Blick bewies – wie man von den vielen Anliegen rundum jene, die das persönliche Wohlergehen betreffen, nicht für die einzig wichtigen hält –, noch nicht begriffen. Oak hatte jenen ruhigen Blick für die Dinge und Geschehnisse in seinem Umkreis, ohne sich als dessen Mittelpunkt ins Spiel zu bringen. Gern wäre auch Batsheba so gewesen! Oak wußte über Fanny alles, was Bathsheba zu wissen verlangte – dessen war sie sicher. Wenn sie jetzt auf der Stelle zu ihm ginge und ihn einfach fragte: »Was ist daran wahr?«, würde er sich verpflichtet fühlen, ihr die Wahrheit zu sagen. Welche Befreiung! Alle weiteren Worte würden sich erübrigen. Er kannte sie so gut, daß ihr Benehmen – und wäre es auch wider jede Regel – ihn nicht wundern sollte.

Sie warf den Mantel über, ging zur Tür und trat hinaus. Kein Zweig, kein Blatt rührte sich. Die Luft war noch von Feuchtigkeit gesättigt, wenngleich nicht mehr ganz so beklemmend wie am Nachmittag, und aus dem toten Laub unter den Bäumen klang das stete Fallen der Tropfen fast wie Musik in seinem besänftigenden Gleichtakt. Unter freiem Himmel schien es ihr besser als drinnen im Haus. Bathsheba schloß die Tür und ging langsam die Straße hinunter bis zu Gabriels Häuschen, wo er nun, da es bei Coggans zu eng geworden war, allein lebte. Nur hinter einem Fenster zu ebener Erde war Licht. Die Läden standen offen, auch keine Gardine war vor das Fenster gezogen, zumal der Bewohner weder Einbrechern noch Neugierigen viel zu bieten gehabt hätte. Ja, Gabriel war noch wach. Dort saß er und las. Von ihrem Standort an der Straße konnte sie ihn genau sehen. Ganz ruhig saß er da, seinen blonden Krauskopf in eine Hand gestützt, nur hin und wieder aufschauend, um den Docht der Kerze, die neben ihm stand, zu schneuzen. Schließlich sah er auf die Uhr. Anscheinend überrascht, daß es schon so spät war, klappte er das Buch zu und erhob sich. Jetzt, wußte sie, ging er schlafen. Wenn sie anklopfen wollte, mußte sie es sofort tun.

Wollen – und doch nicht können! Sie brachte es nicht über sich. Nicht um die Welt hätte sie ihm jetzt gestehen können, wie elend sie sich fühlte, und noch viel weniger konnte sie ihn unverblümt nach der Ursache von Fannys Tod fragen. Sie mußte mit ihrem Verdacht leben, mußte raten, sich das Hirn zermartern und die Last allein tragen.

Wie ein heimatloser Wanderer verharrte sie an der Böschung, als ob der Friede, der von diesem kleinen Haus ausstrahlte und den sie schmerzlich entbehrte, sie besänftige und anzöge. Nun erschien Gabriel in einem der oberen Räume, stellte das Licht auf das Fensterbrett und – kniete hin, um zu beten. Der Gegensatz zwischen diesem Bild und ihrem aufbegehrenden, zerrissenen Innern war zu groß, als daß sie noch länger hätte hinschauen können. Es war ihr nicht gegeben, auf solche Weise mit ihren Sorgen fertig zu werden. Sie mußte ihren Weg, dem schwindelerregenden Abgrund entlang, bis zum bitteren Ende gehen, wie sie ihn begonnen hatte. Schweren Herzens lief sie wieder zurück und trat in ihr Haus.

Noch zusätzlich erregt von dem Eindruck, den Oaks Beispiel auf sie gemacht hatte, blieb sie im Flur stehen und blickte auf die Tür, hinter der Fanny lag. Ihre Finger verkrampften sich ineinander, sie warf den Kopf zurück und griff mit den heißen Händen an die Stirn. »Wollte Gott«, schluchzte sie, »daß du redest und mir dein Geheimnis verrätst, Fanny! ... Oh, ich wünsche mir – ich wünsche mir so, daß es nicht wahr ist; daß ihr nicht zwei seid! ... Und ich wüßte alles, wenn ich nur einen einzigen, winzigen Augenblick zu dir hineinschauen könnte!«

Sekunden verstrichen, dann fügte sie langsam hinzu: »*Und ich werde es tun!*«

Nie in späteren Jahren vermochte Bathsheba die innere Spannung zu rekonstruieren, die ihr Handeln, das auf diesen vor sich hingeflüsterten Entschluß folgte, in jener Nacht trug. Sie ging zum Werkzeugkasten und holte einen Schraubenzieher und nach einer kurzen, in Zeit nicht meßbaren Spanne fand sie sich in dem kleinen Zimmer. Vor Erregung zitternd, Nebel vor den Augen und ein marterndes Dröhnen im Kopf stand sie neben dem geöffneten Sarg des Mädchens, dessen gemutmaßtes Ende ihr solche Qualen bereitet hatte, und stellte, als sie nun hineinblickte, mit heiserer Stimme fest:

»Auch dem Schlimmsten darf man nicht ausweichen – und jetzt weiß ich es.«

Später erinnerte sie sich, daß sie diesen Augenblick durch eine Folge von Handlungen herbeigeführt hatte, die in einen wahnwitzigen Traum paßten: Wie sie, nachdem sie ihren Entschluß gefaßt hatte, ganz methodisch vorgegangen – wie sie die Treppe hinaufgeschlichen war und sich, nach dem schweren Atem ihrer Mägde horchend, vergewissert hatte, daß sie schliefen; wie sie wieder hinuntergeschlichen war und die Klinke der Tür, hinter der das tote Mädchen lag, hinuntergedrückt hatte; wie sie in voller Absicht etwas ausführte, vor dem sie, hätte sie dergleichen vorbedacht, so in der Nacht und allein, mit Entsetzen zurückgeschreckt wäre, das aber dann, als es geschehen, doch nicht so entsetzlich gewesen war wie der endgültige Beweis für die Tat ihres Gatten, an der es nun, da sie das letzte Kapitel von Fannys Geschichte kannte, nichts mehr zu zweifeln gab.

Bathshebas Kopf sank auf ihre Brust, und der Atem, den sie vor Spannung, Wißbegier und Betroffenheit angehalten hatte, löste sich nun in einem leisen, klagenden Seufzen: »Oh-h-h!« kam es heraus und klang in dem Raum nach.

Ganz nahe bei dem leblosen Paar in dem Sarg fielen ihre

Tränen – Tränen, die einen komplizierten Ursprung hatten, nicht in Worten zu beschreiben, kaum anders zu erklären als mit der einfachen Feststellung, daß sie Bathshebas Kummer ausdrückten. Irgendwie mußte dieser heiße Schmerz in Fannys totem Leib aufgestaut gewesen sein, als der Gang der Ereignisse sich so fügte, daß sie auf eine so selbstverständliche, unverdächtige Weise hierher verbracht worden war. Das Einzige, wodurch jemand Geringer sich zum Triumph erheben kann – der Tod –, ihn hatte Fanny vollbracht. Und als solchen Triumph hatte auch das Schicksal die Begegnung dieser Nacht angelegt, die in Bathshebas verzweifelter Phantasie die Niederlage ihrer Konkurrentin in einen Sieg, ihre Demütigung in eine Rangerhöhung, ihren Verlust in einen Gewinn verwandelte. Bathsheba fühlte sich verhöhnt, und alles um sie herum kam ihr vor, als sei es zu einem spöttischen Lächeln verzerrt.

Fannys Gesicht lag in einem Kranz jenes goldenen Haars; an der Herkunft der Locke, die Troy bei sich trug, gab es nun keinen Zweifel mehr. In Bathshebas Phantasie sprach aus diesem bleichen, unschuldigen Gesicht etwas wie Befriedigung darüber, daß Fanny den Schmerz, den sie erlitten, mit der ganzen Strenge des mosaischen Gesetzes vergelten durfte: Auge um Auge, Zahn um Zahn.

Bathsheba erging sich in Fluchtplänen. Sollte sie sich der Situation durch den Tod entziehen? Wohl ein unbequemer und schrecklicher Weg, aber immerhin einer mit Grenzen der Unbequemlichkeit und Schrecklichkeit, über die es nicht hinausging, während die Schande eines Weiterlebens sich ins Ungeahnte steigern ließ. Aber selbst dieses Spiel mit dem Tod war nur ein geistloses Kopieren der Methode ihrer Rivalin – ohne die guten Gründe, die deren Fall geadelt hatten. Bathsheba lief im Zimmer auf und ab, wie sie es zu tun pflegte, wenn sie erregt war, rang vor der Brust die Hände und verriet dabei in Wortfetzen einiges von dem, was sie dachte: »Oh, ich hasse sie – aber ich mag sie nicht hassen, weil das gemein und böse wäre ... Aber ein wenig hasse ich sie doch! Ja, mein Fleisch besteht darauf, sie zu hassen, ob der Geist will oder nicht ... Wenn sie nicht tot wäre, hätte ich irgendwie ein Recht, auf sie wütend zu sein und sie zu quälen – aber die Rache an einer armen Toten fällt auf mich selbst zurück ... Oh, Gott sei mir gnädig! Das alles ist so furchtbar für mich.«

In diesem Stadium erschrak Bathsheba so vor ihrem eigenen

Zustand, daß sie um sich blickte, um irgendwo vor sich selbst Schutz zu finden. Oak fiel ihr ein, kniend und betend wie an diesem Abend, und aus dem Instinkt zur Nachahmung, der den Frauen eigen ist, klammerte sie sich an diesen Gedanken: Sie wollte niederknien und – wenn sie es vermochte – beten. Das war es.

Sie kniete also neben dem Sarg hin, das Gesicht in den Händen. Für eine Weile war es in dem Zimmer still wie in einem Grab. Und tatsächlich – sei es zufolge einer bloß mechanischen Wirkung oder aus anderer Ursache –, als Bathsheba sich erhob, war ihr Inneres beruhigt, und sie schämte sich der widerstreitenden Triebe, die sie vorhin überkommen hatten.

In ihrem Wunsch, das wieder gutzumachen, nahm sie Blumen aus einer Vase am Fenster und fing an, sie rund um den Kopf des toten Mädchens zu verteilen. Blumen für die Toten: Bathsheba wußte nicht, wie anders sie ihnen etwas Liebes erweisen könnte. Sie vergaß, wie lange sie so beschäftigt war. Sie vergaß Zeit, Leben, wo sie war, was sie tat. Erst das Dröhnen des Schuppentors, das jemand draußen zugeworfen hatte, brachte sie wieder zu sich selbst zurück. Gleich darauf ging die Vordertüre auf und wieder zu, Schritte durchquerten die Diele, und dann erschien Bathshebas Gatte auf der Schwelle des Zimmers und sah zu ihr hinüber.

Er nahm die ganze Szene ohne Eile, aber so verblüfft auf, als halte er sie für ein teufliches Blendwerk. Bathsheba, selbst bleich wie eine Leiche, starrte ihn ihrerseits mit ähnlich entgeistertem Blick an.

So wenig hat instinktives Raten mit rationalem Folgern zu tun, daß Troy in diesem Moment, als er da mit der Hand auf der Klinke stand, nicht einmal von dem Gedanken gestreift wurde, es könnte zwischen dem, was er sah, und Fanny einen Zusammenhang geben. Zunächst vermutete er vage, daß jemand im Haus gestorben sei.

»Na? Sag schon was!« verlangte er ohne lange Umschweife.

»Ich muß fort! Ich muß fort!« stieß Bathsheba hervor, mehr zu sich selbst als an ihn gerichtet. Mit weit aufgerissenen Augen kam sie zur Türe und wollte an ihm vorbei.

»Was um Himmels willen ist denn los! Wer ist gestorben?« fragte Troy.

»Ich kann es dir nicht sagen – laß mich hinaus!« erwiderte sie. »Ich brauche Luft.«

»Nein, du bleibst! Ich will es!« Er packte ihre Hand, und damit schien ihr Wille in sich zusammenzubrechen. Sie verfiel in einen Zustand völliger Teilnahmslosigkeit. Er trat, ohne ihre Hand freizugeben, in das Zimmer, und so – Hand in Hand – näherten sich Troy und Bathsheba dem Sarg.

Neben ihnen, auf einer Kommode, stand die Kerze. Das Licht fiel schräg hinunter und modellierte die erkalteten Züge von Mutter und Kind klar heraus. Troy warf einen Blick in den Sarg und ließ Bathshebas Hand fallen. Wie ein Wahnbild traf ihn die Wahrheit, und er erstarrte.

Man hätte meinen können, er hätte jedes Bewegungsvermögen eingebüßt, so still stand er da. Widerstreitende Gefühle aus allen Richtungen prallten zusammen und neutralisierten einander derart, daß jeder Antrieb sich aufhob.

»Kennst du sie?« fragte Bathsheba. Es klang dumpf und fern, wie ein Echo aus dem Inneren einer Kerkerzelle.

»Ich kenne sie«, bestätigte Troy.

»Ist sie es?«

»Sie ist es.«

Anfangs hatte er noch kerzengerade gestanden, nun aber traten – wie die Lichter, die sich nach einer Weile selbst in der finstersten Nacht ausnehmen lassen – erste Anzeichen dafür auf, daß seine Eisesstarre schmolz. Allmählich sank er vornüber. Seine Züge wurden weich, und sein Entsetzen verwandelte sich in hemmungslose Trauer. Bathsheba beobachtete ihn von der anderen Seite her, noch mit offenen Lippen und verwirrtem Blick. Wie intensiv jemand fühlen kann, steht in unmittelbarem Verhältnis zur allgemeinen Intensität seiner Natur, und vielleicht hatte Fanny, deren Leiden viel größer gewesen war, wenn man es an ihrer Schwäche maß, im absoluten Sinn nie so gelitten wie jetzt Bathsheba.

Troy hingegen brach mit einem Ausdruck, in dem sich Reue und Hingabe undefinierbar vermischten, in die Knie. Er neigte sich über Fanny Robin und küßte sie sanft, wie ein schlafendes Kind, das man nicht wecken will.

Als Bathsheba das sah und hörte, konnte sie nicht mehr an sich halten und stürzte zu ihm. Es war, als hätte sich alle Liebe, die über ihr ganzes Wesen verteilt gewesen war, seit sie überhaupt die Liebe erfahren hatte, zu dieser einen Geste verdichtet. Das Umschwenken von ihrer vorherigen Entrüstung war so heftig wie total – sie dachte nicht mehr an kompromittierte

Ehre, an Prioritäten oder den Vorrang, den die Mutterschaft der anderen verliehen hatte. All dies war vergessen in der einfachen, aber starken Bindung der Ehefrau zum Mann. Eben vorhin hatte sie gewünscht, sich unversehrt zu besitzen, nun aber kämpfte sie verzweifelt dagegen an, daß die Fessel, die sie drückte, zerrissen werden sollte. Sie schlang ihre Arme um Troys Nacken, und die Worte, die sie hervorstieß, kamen aus dem tiefsten Grund ihres Herzens:

»Nein – küß sie nicht! Oh, Frank, ich kann es nicht ertragen – ich kann es nicht! Ich liebe dich mehr als sie dich geliebt hat! Küß mich auch, Frank – küß mich. *Du mußt auch mich küssen, Frank!*«

Bei einer Frau vom Format und dem Selbstbewußtsein Bathshebas hatte dieser schlichte, kindhafte Schmerz etwas so Ungewohntes und Beunruhigendes, daß Troy, indem er sich aus der Umklammerung löste, sie verblüfft ansah. Der Beweis, daß alle Frauen im Wesentlichen gleich sind, selbst wenn sie oberflächlich so verschieden waren wie Fanny und diese Frau an seiner Seite, kam Troy so unerwartet, daß er offenbar seine stolze Gattin Bathsheba kaum wiedererkannte. Fannys Geist schien in Bathshebas Körper gefahren. Troys Überraschung dauerte jedoch nur wenige Sekunden. Als sie vorüber war, wurde sein Blick eiskalt und abweisend.

»Ich küsse dich nicht!« sagte er und schob sie von sich.

Jetzt wenigstens hätte sie sich zurückhalten sollen. Und doch läßt sich vermutlich unter den gegebenen Umständen der Fehler, den sie beging, als sie ihre Gedanken aussprach, leichter verstehen, wenn schon nicht entschuldigen, als dies für ein korrektes und nun, da ihre Konkurrentin tot war, auch zweckdienliches Verhalten gelten würde. Mit Mühe brachte sie die Gefühle, zu denen sie sich hinreißen hatte lassen, zunächst wieder unter Kontrolle.

»Was für einen Grund dafür kannst du mir nennen?« fragte sie bitter, und ihre Stimme klang seltsam leise, als käme sie plötzlich von einer ganz anderen Frau.

»Daß ich ein herzloser, nichtswürdiger Mensch gewesen bin«, erwiderte er.

»Und daß diese Frau dein Opfer ist, so wie ich dein Opfer bin.«

»Ah! Spottet nicht meiner, Gnädigste! Diese Frau ist noch als Tote mehr für mich, als Ihr es jemals wart oder seid oder werden könnt! Wäre nicht der Satan mir mit Eurer hübschen Larve und dem verdammten Geschäker dazwischengekommen, hätte ich sie geheiratet. Ich habe nie an etwas anderes gedacht, bis Ihr mir über den Weg gelaufen seid! Hätte ich es nur getan! Aber jetzt ist alles zu spät ... Ich habe mein Elend verdient.« Er wandte sich wieder zu Fanny. »Trotzdem, Liebste«, sagte er, »vor Gott bist du allein meine rechtmäßige Frau!«

Bathsheba entrang sich bei diesen Worten ein langer, dumpfer Schrei aus unsäglichem Schmerz und Empörung, ein Schrei von solchem Jammer, wie er in diesen alten Mauern, die so vieles erlebt hatten, noch nie vernommen worden war. Es war der Todesschrei ihrer Liebe zu Troy.

»Wenn sie das ist –: Was – was bin dann ich?« stammelte sie, noch im selben Atem, und schluchzte erbarmenswürdig. Selten kam es vor, daß sie sich so gehenließ, und das machte es nur noch ärger.

»Nichts bist du für mich – nichts!« entgegnete Troy ungerührt. »Eine Zeremonie vor einem Priester macht noch keine Ehe. Vor meinem Gewissen gehöre ich nicht zu dir.«

Nun wollte sie nur noch fliehen – fort von ihm, sich verstekken und seine Worte nicht mehr hören, koste es, was es wolle.

Sie zögerte nicht länger, wandte sich zur Tür und lief hinaus.

Bathsheba ging die dunkle Straße hinab, ohne zu wissen, in welche Richtung oder zu welchem Ziel die Flucht sie führen sollte. Es kümmerte sie auch nicht. Wo sie sich befand, wurde ihr zum ersten Mal wieder richtig bewußt, als sie ein Gatter erreichte, durch das man in dichtes Unterholz kam, das einige starke Eichen und Buchen überragten. Als sie genauer hinschaute, fiel ihr ein, daß sie diesen Ort bei einer früheren Gelegenheit im Tageslicht gesehen hatte und das anscheinend undurchdringliche Dickicht in Wahrheit aus Farn bestand, der jetzt rasch vergilbte. Es war für sie noch das Nächstliegende, sich und ihr wild schlagendes Herz darin zu bergen. Sie trat durch das Gatter und fand einen Platz, den ein entwurzelter Baum vor dem feuchten Nebel schützte, und sank dort auf ein Lager aus verfilztem Laub und Stengeln. Mechanisch raffte sie ein paar Armvoll davon als Windschutz um sich und schloß die Augen.

Sie war nicht sicher, ob sie in dieser Nacht auch geschlafen oder nur wach gelegen hatte. Dennoch – viele Stunden waren inzwischen vergangen – fühlte sie sich erfrischt, und auch ihr Kopf war klarer, als ihr zu Bewußtsein kam, daß da über ihr in den Bäumen und in der Runde allerhand Aufregendes vor sich ging.

Mit einem rauhkehligem Schwatzen fing es an.

Das war ein Sperling, der eben aufwachte.

Dann: »Tschi-wi-wi-wi!« aus einem anderen Versteck.

Das war ein Fink.

Und nun: »Tink-tink-tink-tink-a-tschink!« aus der Hecke.

Das war ein Rotkehlchen.

»Tschack-tschack-tschack!« von oben.

Ein Eichhörnchen.

Und schließlich, von der Straße herüber: »Mit meinem Ra-ta-ta und meinem Rum-tum-tum!«

Das war ein Bauernjunge. Jetzt war er auf Bathshebas Höhe, und nach seiner Stimme vermutete sie, daß es einer von den Jungen war, die bei ihr auf der Farm arbeiteten. Schwere, stampfende Schritte folgten ihm, und als sie durch den Farn lugte, war das fahle Licht des frühen Morgens gerade hell genug, daß Bathsheba ein Gespann ihrer eigenen Pferde erkennen konnte. Sie hielten an, um aus einem Tümpel am Wegrand zu trinken. Bathsheba beobachtete, wie sie in das Wasser planschten, tranken, die Häupter hochwarfen und wiederum tranken. Das Wasser lief ihnen in silbrigen Fäden aus den Mäulern. Dann planschte es wieder, sie entstiegen dem Tümpel und trotteten zurück zur Farm.

Wieder schaute sie um sich. Der Tag brach eben an, und zu der klaren Kühle standen die überhitzten Taten und Entschlüsse der vergangenen Nacht in einem makabren Kontrast. In ihrem Schoß und Haar sah Bathsheba die roten und gelben Blätter, die während ihres Dämmerschlafs von dem Baum auf sie gefallen waren. Als Bathsheba sie von ihrem Kleid abschütteln wollte, wirbelten viele andere Blätter rund um sie wie ein Geisterschwarm auf und flogen mit dem Luftzug davon.

Gegen Osten sah man den offenen Himmel, und die Glut der noch verborgenen Sonne lenkte ihren Blick dorthin. Vor ihren Füßen, zwischen den dekorativ vergilbenden Farnen und ihren fiedrigen Wedeln senkte sich der Boden zu einer sumpfigen, von Pilzbewuchs gescheckten Mulde. Ein morgendlicher Nebel hing jetzt darüber – ein gräulicher, aber zugleich prächtiger Silberschleier, voll Sonnenglanz und doch auch so dicht, daß er die Hecke dahinter bis auf Umrisse mit seinem schillernden Leuchten verdeckte. An den Rändern der Mulde wuchsen Büschel von Schilf, dessen spitze Blätter in der aufsteigenden Sonne wie Klingen funkelten. Dennoch hatte der Sumpf etwas Unheimliches an sich, eine feuchte, giftige Haut schien den Dunst von bösen Dingen auszuschwitzen, die es in der Erde und in den Wassern unter der Erde gab. Die Pilze sprossen an allen nur möglichen Standorten, auf faulem Laub und morschen Baumstümpfen, und Bathshebas Blick traf auf schleimige Köpfchen und triefende Lamellen. Manche Pilze waren mit großen Flecken gezeichnet, rot wie helles Blut, andere waren safrangelb, andere wieder hochgewachsen und dünn, mit Stengeln wie Makkaroni. Auch ledrige Arten in üppigen Brauntönen gab es. Die Mulde war wie eine Brutstätte von üblen Dingen unterschiedlichster Formate, und das in unmittelbarer Nachbarschaft von Geborgenheit und gesundem Wachstum. Bathsheba schauderte, als sie sich nun erhob, bei dem Gedanken, daß sie die Nacht am Saum eines so schlimmen Ortes verbracht hatte.

Jetzt hörte man neuerlich Schritte von der Straße her. Bathshebas Nerven waren noch immer angespannt. Sie kauerte sich wieder hin, daß man sie nicht sehen konnte, während der Wanderer in ihr Blickfeld trat. Es war ein Schuljunge mit einem Ranzen auf dem Rücken, der sein Mittagsbrot enthielt, und einem Buch in der Hand. Er blieb bei dem Gatter stehen, und sein Gemurmel war laut genug, daß Bathsheba die Worte verstehen konnte.

»›O Herr – o Herr – o Herr – o Herr – o Herr‹ –: Weiß ich schon. ›Gib uns – gib uns – gib uns – gib uns – gib uns‹ –: weiß ich auch schon. ›In deiner Gnade – in deiner Gnade – in deiner Gnade – in deiner Gnade – in deiner Gnade‹ –: weiß ich.« Und so ging es weiter. Bei dem Buch handelte es sich um den Psalter, aus dem der Junge, der vermutlich auf der Eselsbank saß, die Kollekte auswendiglernte. Und da selbst in den schlimmsten Stunden anscheinend immer eine Randschicht des Bewußtseins unbeteiligt an den Sorgen und offen für Nebensächlichkeiten bleibt, vermochte der Junge mit seiner Lernmethode Bathsheba ein wenig aufzuheitern, bis auch er seines Weges weiterging.

Inzwischen hatten konkretere Ängste die blinde Panik zurückgedrängt und gaben nun ihrerseits Raum für Hunger und Durst. Nun erschien auf der Anhöhe über dem anderen Ufer des Sumpfes eine Gestalt, noch von Nebel verhüllt, und kam auf Bathsheba zu. Die Frau – es war eine Frau – näherte sich mit halb abgewandtem Gesicht, als blicke sie suchend um sich. Als sie noch weiter nach links schwenkte und sich der Abstand verringerte, sah Bathsheba ihr Profil vor dem sonnigen Himmel und erkannte in der weichen Linie von der Stirn zum Kinn, in der es weder einen Knick noch sonst etwas Markantes gab, die vertraute Silhouette von Liddy Smallbury.

Bathshebas Herz weitete sich vor Dankbarkeit bei dem Gedanken, daß sie nicht von aller Welt verlassen war, und sie sprang auf.

»Liddy!« rief sie – das heißt, versuchte sie zu rufen, denn ihre Lippen hatten zwar das Wort geformt, brachten aber keinen Ton heraus. Die langen Stunden in der feuchtkalten Nachtluft hatten ihr die Stimme geraubt.

»Oh, Gnädige! Ich bin so froh, daß ich Euch gefunden habe!« rief das Mädchen, als es Bathsheba sah.

»Du kannst hier nicht herüber«, flüsterte Bathsheba, vergeblich um eine Lautstärke bemüht, mit der sie Liddys Ohr erreicht hätte.

Niemals sollte Bathsheba die kleine Szene vergessen, als Liddy im Morgenlicht über den Sumpf zu ihr kam. Aus dem Schlamm um Liddys Füße stieg der faulige Atem der Tiefe in irisierenden Blasen, die fauchend platzten und ihre Gase in die dampfige Atmosphäre verströmten. Entgegen Bathshebas Befürchtungen versank Liddy nicht. Sie gelangte wohlbehalten zum diesseitigen Ufer und schaute zu ihrer blassen, aber noch immer schönen Herrin auf.

»Arme Gnädige!« sagte Liddy, und Tränen standen in ihren Augen. »Faßt Euch doch, Gnädige! Was auch –«

»Ich kann nur flüstern – ich habe meine Stimme verloren«, entgegnete Bathsheba rasch. »Wahrscheinlich hat die feuchte Luft aus diesem Loch sie mir genommen. Frag jetzt bitte nichts, Liddy! Wer hat dich geschickt?«

»Niemand. Als ich Euch nicht zu Hause fand, habe ich mir gedacht, daß etwas Schreckliches passiert sein muß. In der Nacht muß ich seine Stimme gehört haben – und weil ich doch wußte, daß etwas nicht stimmt –«

»Ist er im Haus?«

»Nein. Er ist kurz vor mir fortgegangen.«

»Hat man Fanny schon geholt?«

»Noch nicht. Aber sie kommen bald – um neun.«

»Dann warten wir noch. Sollen wir hier im Wald bleiben?«

Liddy begriff das alles kaum oder gar nicht, war aber einverstanden, und so gingen sie unter den Bäumen weiter.

»Aber es wäre gescheiter, Gnädige, wenn Ihr heimkommen und etwas essen würdet. Ihr werdet Euch auf den Tod verkühlen!«

»Ich kann jetzt noch nicht ins Haus – vielleicht nie mehr ...«

»Soll ich Euch etwas zu essen holen und etwas für den Kopf außer dem kleinen Tuch?«

»Wenn du magst, Liddy.«

Liddy verschwand und kam nach zwanzig Minuten mit einem Umhang, einem Hut, ein paar Butterbroten, einer Teetasse und heißem Tee in einer kleinen Porzellankanne wieder.

»Ist Fanny schon fort?« fragte Bathsheba.

»Nein«, antwortete ihre Gefährtin und schenkte ihr von dem Tee ein.

Bathsheba hüllte sich in den Umhang und aß und trank ein wenig. Nachher war ihre Stimme schon ein wenig klarer, und eine Spur Farbe kehrte in ihr Gesicht zurück. »Jetzt werden wir wieder eine Runde machen«, sagte sie.

Fast zwei Stunden wanderten sie so im Wald herum. Liddy, die immer nur an ein einziges Thema, nie an zwei Dinge zugleich denken konnte, redete unaufhörlich, und Bathsheba erwiderte einsilbig.

»Ob Fanny schon fort ist?«

»Ich werde nachsehen.«

Sie brachte die Nachricht, daß eben die Männer gekommen waren, um die Leiche abzuholen. Sie hatten Bathsheba sprechen wollen, aber Liddy hatte sie mit der Auskunft abgefertigt, daß Bathsheba unwohl sei.

»Sie vermuten mich in meinem Schlafzimmer?«

»Ja«, bestätigte Liddy und fügte schüchtern hinzu: »Vorhin, als ich Euch fand, habt Ihr gesagt, daß Ihr vielleicht nie mehr nach Hause zurückkommt... Das habt Ihr doch nicht im Ernst gemeint, Gnädige?«

»Nein. Ich habe es mir anders überlegt. Nur Frauen, die keinen Stolz haben, laufen ihren Männern davon. Unter fremdem Dach zu überleben ist schändlicher, als sich im Haus des eigenen Gatten zu Tode quälen zu lassen. Ich habe den ganzen Morgen darüber nachgedacht und mich entschieden. Eine davongelaufene Frau ist allen Menschen nur zur Last, auch sich selbst, und im Ergebnis ist ihr Elend größer, als wenn sie zu Hause geblieben wäre – mag sie sich dort auch mit allerhand Unannehmlichkeiten auseinandersetzen müssen, mit Kränkungen, Schlägen und Hunger... Liddy, wenn du jemals heiratest – Gott bewahre dich davor! –, wirst du sehen, daß du in eine schreckliche Lage geraten bist. Trotzdem darfst du niemals kneifen! Ausharren mußt du, und wenn sie dich in Stücke schneiden. So werde ich es halten!«

»Nein, Gnädige, sprecht nicht so!« protestierte Liddy und nahm Bathshebas Hand. »Ich habe ja gewußt, daß Ihr zu vernünftig seid, um fortzugehen. Darf ich Euch fragen, was zwischen Euch und ihm geschehen ist?«

»Fragen darfst du –, aber ich kann es dir nicht sagen.«

Zehn Minuten später gelangten sie auf einem Umweg und durch die Hintertüre ins Haus. Bathsheba huschte über die Dienertreppe hinauf in eine unbenützte Mansarde, und Liddy folgte ihr.

»Liddy«, sagte Bathsheba nun, da sich jugendliche Zuversicht wieder durchsetzte, mit leichterem Herzen, »du bist jetzt meine einzige Vertraute – jemand muß es sein, und ich nehme dich –: Hier oben werde ich mich also für eine Weile einrichten. Sieh zu, daß eingeheizt wird, leg einen Teppich herein und hilf mir, daß es ein bißchen gemütlicher wird. Nachher trägst du mit Maryann das kurze Bett herauf, stellst es in das kleine Zimmer und bringst auch das Bettzeug und einen Tisch und ein paar andere Sachen ... Und womit soll ich dann diese schlimme Zeit totschlagen?«

»Taschentücher säumen ist immer gut«, meinte Liddy.

»O nein, nein! Nähen habe ich immer gehaßt.«

»Stricken?«

»Das auch.«

»Vielleicht macht Ihr Eure Stickerei fertig? Ihr müßt nur noch die Nelken und die Pfauen ausfüllen, und dann könnten wir sie einrahmen lassen und neben das Stickbild von Eurer Tante hängen.«

»Stickbilder sind völlig aus der Mode – so etwas hängt nur mehr bei Bauern herum. Nein, Liddy, ich werde lesen. Bring mit ein paar Bücher – aber keine neuen! Ich habe nicht das Herz, etwas Neues zu lesen.«

»Ein paar von den alten, die Eurem Onkel gehört haben?«

»Ja. Von denen, die wir in die Kisten weggepackt haben.« Der Schimmer eines Schmunzelns zog über ihr Gesicht, als sie fortfuhr: »›Die Tragödie eines Mädchens‹ von Beaumont und Fletcher – und ›Die Braut in Schwarz‹ und – warte – die ›Nachtgedanken‹ und ›Die Eitelkeit der Wünsche‹.«

»Und vielleicht auch die Geschichte von dem Mohren, der seine Frau Desdemona umbringt? Die ist so traurig, daß sie Euch jetzt bestimmt gefallen würde.«

»Liddy! Du schmökerst in meinen Büchern, ohne mich zu fragen! Woher weißt du, daß mir gerade diese Geschichte gefallen würde? Ganz das Verkehrte wäre sie!«

»Aber wenn die anderen –«

»Nein, auch die nicht. Ich werde überhaupt keine traurigen Bücher lesen. Warum soll ich ausgerechnet traurige Bücher lesen? Bring mir die ›Dorfliebe‹ und die ›Müllerstochter‹ und den ›Doktor Syntax‹ und ein paar Jahrgänge vom ›Spectator‹.«

Den ganzen Tag über lebten Bathsheba und Liddy in der Mansarde wie in einem Belagerungszustand – eine Vorsichtsmaßnahme, die sich als überflüssig erwies, was Troy betraf, denn dieser zeigte sich nicht in der Nähe und machte sich auch sonst nicht bemerkbar. Bathsheba saß bis zum Sonnenuntergang beim Fenster, versuchte gelegentlich zu lesen, um dann wieder ebenso ziellos wie aufmerksam zu beobachten, was immer sich draußen begab, und ohne besondere Anteilnahme jedem Geräusch nachzulauschen.

Blutrot war die Sonne an diesem Abend. Sie tränkte mit ihren Strahlen eine fahle Wolke im Osten. Gegen diesen dunklen Hintergrund ragte, klar herausgeschnitten und glänzend, die Westfront des Kirchturms – der einzige Teil der Kirche, den man von den Fenstern der Farm aus sah –, und die Wetterfahne an der Spitze sprühte von Licht. Wie immer gegen sechs Uhr versammelten sich dort die Burschen des Dorfs zum Barlaufspiel. Der Ort war seit jeher diesem ehrwürdigen Zeitvertreib geweiht. Gegenüber der Einfriedung des Kirchhofs grenzten die alten Bäume das Spielfeld ein; der Boden dort war von den Spielern kahl- und festgetreten wie ein Straßenpflaster. Bathsheba konnte die braunen und schwarzen Köpfe der Burschen sehen, wie sie nach rechts und links rannten; ihre weißen Hemdsärmel leuchteten in der Sonne, und hin und wieder unterbrach ein Rufen oder ein Lachen die Abendstille. Ungefähr eine Viertelstunde währte das Spiel, dann brach es plötzlich ab: die Spieler sprangen über die Kirchhofmauer und verschwanden drüben hinter einer Eibe, die ihrerseits von dem goldenen Blätterberg einer Buche, auf dem die Äste ein schwarzes Muster zeichneten, halb verdeckt wurde.

»Warum haben sie so plötzlich aufgehört zu spielen?« fragte Bathsheba, als Liddy das nächste Mal hereinkam.

»Ich glaube, es ist wegen der zwei Männer, die gerade von Casterbridge herübergekommen sind und einen prächtigen Grabstein aufstellen«, meinte Liddy. »Die Burschen wollen schauen, wem er gehört.«

»Weißt du es?« fragte Bathsheba.

»Nein, ich nicht«, sagte Liddy.

Als Bathsheba um Mitternacht aus dem Haus gelaufen war, schloß Troy zunächst den Sarg über den Toten. Danach stieg er die Treppe hinauf, warf sich in Kleidern, wie er war, auf sein Bett und wartete auf den Morgen.

Das Schicksal hatte ihm in den letzten vierundzwanzig Stunden übel mitgespielt. Schon der Tag war ganz anders verlaufen, als er es geplant hatte. Wer sein Leben ändern will, muß immer erst eine gewisse Trägheit überwinden – nicht nur in sich selbst, sondern auch in den äußeren Umständen, die sich scheinbar gegen alles Neue und Bessere verschwören.

Zwanzig Pfund hatte sich Troy von Bathsheba beschafft, und dazu konnte er noch sieben Pfund und zehn Pennies selbst zusammenkratzen. Mit diesen siebenundzwanzig Pfund und zehn Pennies war er am Morgen vom Tor weg eilig losgefahren, um rechtzeitig zu seinem Stelldichein mit Fanny Robin zu kommen.

Als er Casterbridge erreicht hatte, ließ er Pferd und Wagen in einem Gasthof. Fünf Minuten vor zehn war er bei der Brücke am unteren Ende der Stadt. Dort setzte er sich auf das Geländer.

Die Uhren schlugen zehn, aber Fanny erschien nicht. (Tatsache war, daß ihr zur selben Stunde im Armenhaus zwei Wärter das Totenhemd anlegten.) Eine Viertelstunde verstrich, dann eine halbe Stunde. Wie aufgestautes Wasser brach die Erinnerung über Troy herein: Das war nun schon zum zweiten Mal, daß Fanny eine Verabredung mit ihm nicht einhielt. Wütend schwor er sich, daß es auch das letzte Mal sein sollte, und um elf, nachdem er die Steine der Brücke so lange angestarrt hatte, daß er jeden Moosfleck auf ihren Flächen auswendig kannte, und dem Geplätscher des Wassers darunter bis zum Überdruß zugehört hatte, sprang er auf, holte den Wagen aus dem Gasthof und fuhr verdrossen nach Budmouth zu den Rennen. Was hinter ihm lag, wollte er vergessen, um sich kopfüber in die Zukunft zu stürzen.

Um zwei kam er auf den Rennplatz und blieb teils dort, teils in der Stadt bis um neun. Trotz allem blieb ihm Fanny im Sinn, wie sie ihm an jenem Samstagabend erschienen war, und auch Bathshebas Vorwürfe klangen ihm im Ohr, so daß er sich vornahm, diesmal nicht zu wetten. Er hielt sich auch wirklich daran, und als er am Abend um neun von Budmouth aufbrach, war seine Barschaft nur um ein paar Schillinge geschmolzen.

Langsam kutschierte er nach Hause, und nun erst kam ihm in den Sinn, daß es vielleicht Krankheit gewesen sein könnte, was Fanny gehindert hatte, ihr Wort zu halten. Er bereute, daß er nicht in Casterbridge geblieben war, um sich nach ihr umzusehen. Daheim angekommen, schirrte er still das Pferd ab und trat, wie wir schon wissen, ins Haus, wo das Entsetzliche, das dort seiner geharrt hatte, über ihn hereinbrach.

Als es endlich hell genug war, um einzelne Gegenstände zu unterscheiden, erhob sich Troy von seinem Bett. Ohne einen Gedanken darauf zu verschwenden, wo Bathsheba sein mochte, fast ihre Existenz vergessend, ging er hinunter und verließ das Haus durch die Hintertür. Sein Weg führte zum Kirchhof. Er trat hinein und suchte, bis er ein frisch ausgeschachtetes, noch leeres Grab fand – das Grab, das seit dem Vorabend auf Fanny wartete. Er prägte sich die Stelle ein und eilte hierauf weiter nach Casterbridge. Nur an dem Hügel, wo er Fanny ein letztes Mal lebend gesehen hatte, stand er eine Weile in stillem Gedenken.

In der Stadt wandte sich Troy in eine Seitenstraße und trat durch ein Tor, über dem auf einem Schild ›Lester – Kunst- und Grabsteinmetz‹ zu lesen war. Im Hof drinnen lagen Grabsteine aller Größen und Stile und empfahlen Ungenannte, die noch gar nicht tot waren, ihrer Nachwelt.

Troy war in seinem Äußeren, in seinem Sprechen und Tun so verwandelt, daß der Identitätsverlust sogar ihm selbst auffiel. Er ging diesen Kauf eines Grabsteins an, als verstehe er überhaupt nichts von Geld und Geschäften, vermochte weder das Angebot zu überblicken, noch den Preis abzuschätzen oder Sparsamkeit walten zu lassen. Er wollte etwas haben, von dem er keine konkrete Vorstellung besaß, und benahm sich dabei wie ein kleines Kind. »Ich möchte einen schönen Grabstein«, sagte er zu dem Mann, der in einem kleinen Büro stand, »den besten Grabstein, den Ihr mir für siebenundzwanzig Pfund geben könnt.«

Mehr hatte er nicht.

»Alles eingerechnet?«

»Alles eingerechnet: Beschriftung, Transport nach Weather-

bury und das Aufstellen am Ort. Und ich brauche ihn jetzt –
sofort!«

»Eine Sonderausführung können wir diese Woche nicht
mehr hinkriegen.«

»Ich muß ihn heute haben.«

»Wenn Ihr einen vom Lager nehmt, können wir ihn sofort
liefern.«

»Gut«, sagte Troy ungeduldig. »Schauen wir, was Ihr habt.«

»Das hier ist mein schönstes Stück«, sagte der Steinmetz und
trat in einen Schuppen. »Kopfstein aus Marmor mit besonders
schöner Schmuckleiste und Medaillons mit passenden Symbo-
len – der Fußstein in gleicher Ausführung. Und hier die Seiten-
teile. Die Politur allein hat mich elf Pfund gekostet. Erste Qualität, hält garantiert seine hundert Jahre in Regen und Frost,
ohne zu verwittern.«

»Und was kostet er?«

»Ich könnte ihm für die Summe, die Ihr genannt habt, den
Namen einfügen und ihn in Weatherbury aufstellen.«

»Dann tut es noch heute! Das Geld gebe ich Euch im
voraus.«

Der Mann war damit einverstanden, wenn auch etwas be-
fremdet von solcher Anteilnahme bei einem Kunden, der nicht
einmal einen Faden Schwarz trug. Troy schrieb ihm auf, was in
den Stein gemeißelt werden sollte, bezahlte und ging. Am
Nachmittag kam er wieder und stellte fest, daß die Beschriftung fast fertig war. Er wartete auf dem Hof, bis alles verpackt
war, schaute beim Verladen zu und blieb, bis der Wagen nach
Weatherbury abfuhr. Die zwei Männer, die den Transport be-
gleiteten, sollten den Totengräber fragen, wo die Tote lag, deren Namen der Stein trug.

Es war schon finster, als Troy von Casterbridge aufbrach. Er
trug einen ziemlich schweren Korb am Arm und wanderte
bedrückt die Straße entlang, mit Rastpausen an Brücken und
Gattern, wo er seine Last für eine Weile abstellte. Auf halber
Strecke traf er die Männer und den Wagen, die den Grabstein
nach Weatherbury gebracht hatten und nun im Dunkeln heim-
kehrten. Er erkundigte sich nur, ob die Arbeit getan sei, und
setzte, als sie dies bejahten, seinen Weg fort.

Gegen zehn betrat Troy den Kirchhof und ging sofort zu
dem Winkel, wo er am frühen Morgen das leere Grab gesehen
hatte. Es war an der Rückseite des Turms, so daß es die Leute,

die auf der Straße vorbeikamen, kaum bemerken würden. – Bis vor kurzem hatte es dort nur Steinhaufen und Holunderbüsche gegeben; weil der übrige Kirchhof sich sehr rasch füllte, hatte man den Platz freigeräumt und für Grabstellen hergerichtet.

Wie die Männer versichert hatten, stand nun hier das Grabmal, elegant und schneeweiß im Dunkeln, bestehend aus Kopf- und Fußstein, verbunden durch eine Einfassung aus Marmor. Der Humus dazwischen war für Pflanzen bestimmt.

Troy setzte seinen Korb neben dem Grab ab und verschwand für einige Minuten. Als er wiederkam, hatte er einen Spaten und eine Laterne bei sich, deren Lichtkegel er zunächst auf den Kopfstein richtete, um die Inschrift zu lesen. Dann hängte er die Laterne an den untersten Ast der Eibe und holte aus dem Korb allerhand Wurzeln, Zwiebeln und Knollen: Bündel von Schneeglöckchen, Hyazinthen- und Krokuszwiebeln, die Wurzelstöcke von Veilchen und Primeln, die schon zeitig im Frühling blühen sollten; Nelken, Federnelken und Pechnelken, Maiglöckchen, Vergißmeinnicht, Astern, Herbstzeitlosen und andere Blumen für die spätere Jahreszeit.

Troy legte all das säuberlich im Gras aus und machte sich an die Arbeit. Die Schneeglöckchen pflanzte er außen entlang der Einfassung, das übrige verteilte er zwischen den Steinen. Krokusse und Hyazinthen sollten in Längsreihen wachsen, die Sommerblumen über Fannys Kopf und Füßen, die Lilien und das Vergißmeinnicht über ihrem Herzen. Mit dem Rest füllte er die Zwischenräume aus.

So lag er auf seinen Knien und werkte – ohne Gespür für die Absurdität, die diesem Treiben, das seine Reue ob des Versäumten ausdrücken wollte, in seiner Vergeblichkeit anhaftete. Die zwei Seiten des Ärmelkanals fanden sich in seinen Charakterschwächen, und bei einem solchen Anlaß bewies er zugleich den Starrsinn des Engländers und die den Franzosen eigene Blindheit für die Grenze zwischen echtem Gefühl und melodramatischer Übertreibung.

Es war eine wolkige, lastende, sehr finstere Nacht, und das Licht aus Troys Laterne leuchtete seltsam hell zwischen den zwei alten Eiben. Fast schien es, als reichte es hinauf bis an die schwarze Wolkendecke. Troy spürte einen dicken Tropfen auf dem Handrücken, und gleich darauf traf einer durch ein Luftloch der Laterne, worauf die Kerze aufzischte und erlosch. Troy war müde, und da es nun schon auf Mitternacht zu ging und der Regen stärker wurde, entschloß er sich, die letzten Handgriffe, die seine Arbeit noch verlangte, bis auf den Tagesanbruch zu verschieben. Er tastete sich im Dunkeln an der Kirchenmauer entlang über die Gräber bis zur Nordseite. Dort trat er unter das Vordach, streckte sich auf einer Bank aus und schlief sofort ein.

Der Kirchturm von Weatherbury, ein vierkantiger Bau aus dem 14. Jahrhundert, hatte an den vier Seiten seiner Mauerkrone je zwei steinerne Wasserspeier. Nur zwei von diesen acht vorragenden Gebilden erfüllten noch ihre Aufgabe, das Wasser von dem Bleidach innerhalb der Krone abzuleiten. Einer von den zwei Wasserspeiern auf jeder Seite war von ehemaligen Kirchenaufsehern trockengelegt worden, weil man sie für überflüssig hielt, und zwei weitere waren abgeknickt und verstopft; der Zustand des Turms war dadurch nicht besonders beeinträchtigt, denn die zwei noch intakten Abflüsse genügten vollauf den Anforderungen.

Es heißt, daß die Vitalität einer Stilepoche sich vor allem an der Ausdruckskraft ihrer Meister im Grotesken erweist, und zumindest bei der Gotik trifft das zweifellos zu. Der Kirchturm von Weatherbury bot ein ziemlich frühes Beispiel für eine Pfarrkirche – im Gegensatz zu Bischofskirchen – mit einer ornamentalen Mauerkrone, und die Wasserspeier, die in einem solchen Fall als praktisch notwendiges Beiwerk auftreten, waren hier besonders auffällig, von einer nicht mehr steigerungsfähigen Kühnheit der handwerklichen Ausführung und höchster Originalität im Entwurf. Sie wiesen gewissermaßen in ihrer Verzerrung die Symmetrie auf, die eher auf dem Kontinent als in England für die Wasserspeier jener Epoche charakteristisch ist. Ein jeder war anders als alle anderen. Ein Betrachter, der die Ungeheuer der Nordseite sah, war überzeugt, daß es nichts Scheußlicheres geben konnte – bis er zur Südseite kam. In dieser Geschichte spielt jedoch nur der Wasserspeier an der Südostecke eine Rolle: zu menschenähnlich für einen Drachen, zu koboldhaft für einen Menschen, zu tierisch für einen Teufel und nicht genug Vogel, um für einen Greif zu gelten. Das grausige Steingebilde war mit einer schrumpeligen Haut überzogen, hatte kurze, aufgestellte Ohren, Hände, deren Finger in die Mundwinkel griffen und sie auseinanderzogen, um das Wasser, das es zu speien galt, hindurchzulassen, und hervorquellende Augen. Die untere Zahnreihe war völlig weggewaschen, die obere noch vorhanden. So ragte dieses Monstrum weit aus der Mauer hervor, gegen die es sich mit seinen Füßen abstützte, und grinste seit vierhundert Jahren in die Landschaft, schwieg bei schönem Wetter, röchelte und gurgelte bei Regen.

Troy schlief unter dem Vordach weiter, und der Regen wurde immer stärker. Schon fing das Ungeheuer an zu spucken. Nach einer Weile war es bereits ein kleiner Wasserfall, der die zwanzig Meter zwischen Maul und Erde verband, und die beschleunigten Tropfen schlugen wie Entenschrot ein. Dicker und lebhafter sprudelte der Wasserfall, allmählich auch immer weiter von der Mauer weg, und schließlich, als sich der Regen zu einem stetigen Guß entwickelte, wurde daraus ein wahrer Sturzbach.

Verfolgen wir das Wasser über diese Phase seines Weges. Das Ende der flüssigen Parabel ist von der Mauer abgerückt, reicht schon über den Plattenbelag, über einen Steinhaufen, über die Marmoreinfassung – und zielt mitten in Fanny Robins Grab.

Bis vor kurzem war das Wasser von ein paar flachen Steinen aufgefangen worden, die dort gelegen und die Erde gegen den Anprall abgeschirmt hatten. Im Sommer aber hatte man diese Steine fortgeräumt, und nun gab es dort nichts außer der nackten Krume, was dem Wasser Widerstand geleistet hätte. Dazu kam, daß in den letzten Jahren das Wasser nie so weit vom Turm vorgedrungen war wie in dieser Nacht; an so etwas hatte man gar nicht gedacht, zumal dieser entlegene Winkel manchmal durch zwei oder drei Jahre keinen Toten aufnahm und es sich auch dann regelmäßig um einen Armen, einen Wilderer oder sonst einen Sünder handelte, der es mit seinen Sünden nicht weit gebracht hatte.

Der Strahl, der aus dem Mund des Ungeheuers schoß, konzentrierte sein ganzes Wüten auf das Grab. Die fette, braune Lauberde wurde aufgewühlt, sie brodelte wie Schokolade. Das Wasser sammelte sich und wusch tiefer, und das Tosen des Beckens, das sich auf diese Weise bildete, übertönte allen anderen Lärm, den der katastrophale Regen in dieser Nacht hervorbrachte. Die Blumen, die Fannys reuiger Geliebter so fürsorglich gepflanzt hatte, begannen sich zu rühren und in ihrem Bett zu winden. Die Winterveilchen wälzten sich herum, so daß sie nur mehr eine schlammige Matte waren, und bald tanzten auch die Schneeglöckchen und anderen Blumenzwiebeln wie Gemüse in einem Kochtopf. Pflanzen und Wurzelballen lösten sich, stiegen an die Oberfläche und trieben davon.

Troy erwachte erst im hellen Tageslicht aus seinem unbequemen Schlaf. Nach zwei Nächten, die er nicht im Bett verbracht hatte, fühlte er sich steif in den Schultern, die Füße waren empfindlich und der Kopf schwer. Troy erinnerte sich, wie es um ihn stand, und es überlief ihn kalt, als er sich nun erhob, den Spaten nahm und wieder hinausging.

Der Regen hatte völlig aufgehört, und die Sonne schien durch das grüne, braune und gelbe Laub, das vor Nässe funkelte und wie Lack glänzte, als sei es von Ruysdael oder Hobbema gemalt, voll jener unauslotbaren Reize, die das Zusammenspiel von Wasser, Farbe und Licht ergibt. Die Luft war nach dem heftigen Regen so gläsern, daß die herbstlichen Farben auch im weiteren Umkreis satt waren wie in der Nähe, und die Felder draußen, die von der Senkrechten des Turmes geschnitten wurden, schienen mit diesem auf ein und derselben Ebene.

Troy trat auf den Weg, der ihn zur Rückseite des Turmes führen sollte, aber der Weg war nicht mehr mit Kies bedeckt wie am Abend vorher, sondern von einer dünnen Schlammschicht gebräunt. An einer Stelle erblickte Troy einen Knäuel von Wurzelfäden, sauber und weiß gewaschen wie ein Bündel Sehnen. Er hob es auf: Das war doch nicht eines von den Himmelsschlüsselchen, die er gepflanzt hatte? Als er weiterging, sah er eine Zwiebel, dann eine zweite und dritte ... Kein Zweifel: Das waren die Krokusse! Ratlose Empörung sprach aus Troys Miene, als er um die Ecke bog und die Verwüstung erblickte, die das Wasser angerichtet hatte.

Der Tümpel auf dem Grab war in die Erde versickert, und an seiner Stelle war eine Grube. Die aufgewühlte Erde war über das Gras und den Weg geschwemmt und zu dem braunen Schlamm geworden, den er schon gesehen hatte. Auch der Grabstein war damit gesprenkelt. Fast alle Blumen waren säuberlich aus dem Boden herausgewaschen und lagen, mit den Wurzeln nach oben, wo immer die Flut sie hingespült hatte.

Tiefe Furchen gruben sich in Troys Stirn. Er biß die Zähne zusammen, und seine schmalgepreßten Lippen bewegten sich wie bei einem starken körperlichen Schmerz. Eine merkwürdige Mischung von Gefühlen bewirkte, daß dieses zufällige Ereignis ihn härter als alles andere traf. Troy besaß ein sehr ausdrucksfähiges Gesicht, und niemand, der ihn jetzt gesehen hätte, wäre auf den Gedanken gekommen, daß er ein Mann war, der Lachen und muntere Lieder geliebt und süße Worte ins Ohr einer schönen Frau geflüstert hatte. Er wollte sein Schicksal verfluchen, aber selbst dieses geringste Aufbegehren erforderte eine Energie, deren Fehlen bereits eine notwendige Begleiterscheinung des Elends war, unter dem er sich krümmte. In dieser Szenerie, hier und jetzt, vor dem düsteren Hintergrund der letzten Tage, war diese ganze Entwicklung zu einer Klimax gelangt, und das überstieg nun seine Kräfte. Troy war von sanguinischer Natur und hatte ein Talent, trüben Gedanken auszuweichen, indem er sie aufschob. Er verstand es, Gespenster solange zu ignorieren, bis der Spuk sich abnützte und harmlos wurde. Auch das Pflanzen der Blumen auf Fannys Grab war vielleicht nur ein solches Ausweichmanöver gewesen, und jetzt schien es, als wäre seine Finte durchschaut und vereitelt worden.

Fast zum ersten Mal in seinem Leben wünschte sich Troy, als er hier an dem zerstörten Grab stand, in eines anderen Menschen Haut. Selten hat ein sehr vitaler Mensch nicht auch das Gefühl, daß allein die Tatsache seiner individuellen Existenz ihn zu größeren Hoffnungen berechtigt als andere, die ihm sonst in allen Einzelheiten gleichen. Auf seine beiläufige Weise war Troy schon bei zahllosen Gelegenheiten von der Überzeugung ausgegangen, daß er andere Menschen nicht um deren Startbedingungen beneiden durfte, weil diese eine ganz andere Persönlichkeit vorausgesetzt hätten, während er sich keine andere als seine eigene wünschte. Weder die absonderlichen Umstände seiner Herkunft störten ihn, noch die Wechselfälle in seinem Leben oder das Aleatorische in allen Dingen, die ihn betrafen, weil sie eben zu der Geschichte paßten, als deren Held er sich fühlte – ohne den es diese Geschichte überhaupt nicht gegeben hätte, und es lag für ihn in der Natur der Dinge, daß alles zur rechten Zeit in die rechten Bahnen einmünden und zu einem guten Ende führen mußte. An diesem Morgen jedoch verflüchtigte sich die Illusion unwiderruflich, und die Folge war, daß Troy auf einmal sich selbst verabscheute. Diese Plötzlichkeit war vermutlich mehr scheinbar als tatsächlich. Auch ein Korallenriff, das sich knapp unter der Meeresfläche hält, ist am Horizont wie nicht vorhanden, und so scheint oft das auslösende Moment ein Ereignis erst zu schaffen, das doch in der Anlage längst vollendet war.

Er stand da und überlegte – ein Bild des Jammers. Wohin sollte er sich wenden? »Wer aber verdammt ist, soll verdammt bleiben«, war das gnadenlose Urteil, das er aus seinem gescheiterten Bemühen um tätige Reue herauslas. Einem Menschen, der seine wesentliche Kraft darauf verwendet hat, in eine bestimmte Richtung vorzustoßen, bleibt nicht viel Energie, um auf Gegenkurs zu gehen. Troy hatte dies seit dem gestrigen Tag versucht, aber er war beim geringsten Widerstand schon entmutigt. Selbst wenn die Vorsehung kräftig mitgespielt hätte, wäre eine Umkehr nicht leicht gewesen. Nun aber zu erfahren, daß diese Vorsehung ihm keineswegs dabei half oder andeutete, daß so etwas in ihrem Sinn läge, sondern seinen ersten selbstkritischen Versuch verwarf, war zuviel für ihn.

Langsam wich er von dem Grab zurück. Er versuchte erst gar nicht, die Grube wieder aufzufüllen, die Blumen wieder einzusetzen oder sonst etwas zu unternehmen, sondern gab sich ein für allemal geschlagen. Still und ohne Zeugen – von den Dorfbewohnern war noch niemand auf – ging er aus dem Kirchhof hinaus und weiter über ein paar Äcker, bis er ebenso unbeobachtet auf die Landstraße gelangte. Bald darauf hatte er das Dorf hinter sich.

Mittlerweile war Bathsheba im freiwilligen Arrest ihrer Mansarde geblieben. Die Tür war versperrt, nur Liddy, für die man ein Bett in einem kleinen Nebenraum aufgeschlagen hatte, kam und ging. Gegen zehn hatte das Mädchen, das zufällig während des Abendessens aus dem Fenster zum Kirchhof hinüber schaute, dort das Licht von Troys Laterne bemerkt und Bathsheba darauf hingewiesen. Neugierig beobachteten sie beide eine Zeitlang das Phänomen, dann wurde Liddy zu Bett geschickt.

Bathshebas Schlaf in dieser Nacht war nicht sehr tief. Als nebenan ihre Magd schon fest schlief und leise schnarchte, schaute die Herrin noch immer vom Fenster aus auf den leichten Schimmer, der dort von den Bäumen ausging. Es war kein stetes Licht, sondern blinkte wie ein rotierender Leuchtturm – obwohl auch das täuschte. Sie kam nicht darauf, daß es ein Mensch war, der vor dem Licht hin und her wechselte. Still saß Bathsheba da, bis es zu regnen anfing und das Licht verschwand; worauf sie sich zurückzog und, schlaflos im Bett liegend, die schaurige Szene der letzten Nacht noch einmal durchlebte.

Bereits beim ersten Anzeichen eines Morgengrauens stand sie wieder auf und öffnete das Fenster, um die frische Morgenluft in ihre Lungen strömen zu lassen. Die Scheiben waren noch naß von zitternden Tränen, die der Nachtregen auf ihnen hinterlassen hatte, und jede von ihnen trug auf ihrer Wölbung den zarten Abglanz der primelfarbenen Risse in einer Wolke, die tief über dem erwachenden Himmel lag. Von den Bäumen und dem zusammengewehten Laub darunter war ein stetes Getropfe zu vernehmen, aber aus der Richtung der Kirche drang ein anderes Geräusch – ein merkwürdiges, ununterbrochenes Geräusch: das Brausen von Wasser, das sich in ein Becken ergießt.

Liddy klopfte um acht, und Bathsheba entriegelte die Tür.

»Ein richtiger Wolkenbruch war das heute nacht!« bemerkte Liddy, nachdem sie sich nach Bathshebas Frühstückswünschen erkundigt hatte.

»Ja, ein richtiger Wolkenbruch.«

»Habt Ihr etwas Seltsames vom Kirchhof herüber gehört?«

»Ja, ein seltsames Geräusch. Ich habe mir gedacht, daß es das Wasser aus den Turmspeiern war.«

»Ja, das hat auch der Schäfer gesagt. Er ist jetzt hinübergegangen und schaut nach.«

»Ah! Gabriel war schon hier?«

»Er hat nur im Vorbeigehen hereingeschaut – so wie immer. Obwohl es mir vorkommt, daß er in letzter Zeit ausgeblieben ist. Aber das Wasser aus den Turmspeiern ist doch sonst immer auf die Steine heruntergekommen ... Diesmal hat es sich angehört wie ein kochender Topf.«

Bathsheba war nicht nach Lesen, Denken oder Arbeiten zumute; sie lud daher Liddy ein, mit ihr zu frühstücken. Die Konversation des naiven Mädchens befaßte sich weiter mit den jüngsten Ereignissen. »Geht auch Ihr zur Kirche hinüber, Gnädige?« wollte es wissen.

»Nicht daß ich wüßte«, erwiderte Bathsheba.

»Ich habe mir gedacht, daß Ihr vielleicht sehen wollt, wo man die Fanny hingelegt hat. Von Eurem Fenster könnt Ihr es nicht sehen, weil die Bäume davor sind.«

Bathsheba wollte unter allen Umständen eine Begegnung mit ihrem Gatten vermeiden. »War Mr. Troy heute nacht im Haus?« erkundigte sie sich.

»Nein, Gnädige. Vielleicht ist er nach Budmouth gegangen?«

Budmouth! Im Klang dieses Namens lebten er und seine Taten wie in perspektivischer Verkleinerung. Dreizehn Meilen lagen jetzt dazwischen. Nur ungern erfragte Bathsheba bei Liddy, was Troy trieb, bisher hatte sie das mit Bedacht vermieden; aber nun wußte ohnehin das ganze Haus, daß es zwischen ihnen irgendein schreckliches Zerwürfnis gegeben hatte, und es war sinnlos, so zu tun, als ob nichts wäre. Bathsheba befand sich an einem Punkt, wo es den Betroffenen egal wird, was die Leute über sie denken.

»Warum glaubst du, daß er dorthin gegangen ist?« fragte sie.

»Laban Tall hat ihn auf der Straße nach Budmouth gesehen – heute morgen vor dem Frühstück.«

Bathsheba fühlte sich zunächst erleichtert. Vorüber war der Druck der letzten vierundzwanzig Stunden, der ihren jugendlichen Elan gelähmt hatte, ohne ihn durch die Philosophie der reiferen Jahre auszugleichen, und sie entschloß sich zu einem kleinen Spaziergang ins Freie. Als das Frühstück vorbei war, setzte sie daher ihren Hut auf und schlug die Richtung zur Kirche ein. Es war neun Uhr, die Männer waren nach ihrem ersten Imbiß zur Arbeit zurückgekehrt, und es war eher unwahrscheinlich, daß sie vielen von ihnen auf der Straße begegnen würde. Sie wußte, daß Fanny im Armenwinkel des Kirchhofs lag – im Volksmund hieß das »hinter der Kirche« –, und sie konnte dem Impuls nicht widerstehen, hineinzugehen und einen Blick auf den Ort zu werfen, vor dem ihr gleich aus einem Gefühl, für das es keine Worte gab, graute. Die Ahnung verfolgte sie, daß zwischen ihrer Nebenbuhlerin und dem nächtlichen Licht hinter den Bäumen eine Verbindung bestand.

Bathsheba bog um den Stützpfeiler und sah die Grube und den Grabstein, dessen zart geäderte Fläche so bespritzt und verschmutzt war, wie auch Troy sie vor zwei Stunden, vor seinem Aufbruch, gesehen hatte. Bathsheba gegenüber, an der anderen Seite des Grabes, stand Gabriel. Auch seine Augen waren auf den Stein gerichtet, und Bathshebas Kommen war so geräuschlos gewesen, daß er sie nicht gleich bemerkte. Bathsheba begriff nicht sofort, daß es dieses prächtige, verwüstete Grab war, das Fanny gehörte, und sie schaute um sich, ob es da nicht auch einen bescheideneren Erdhügel gäbe, auf die übliche Weise abgeböscht und festgeklopft. Dann folgte ihr Blick den Augen Gabriels und sie las die Worte am Beginn der Inschrift:

ERRICHTET IN LIEBE UND TRAUER
VON FRANCIS TROY
FÜR FANNY ROBIN

Oak gewahrte sie nun, und aus seiner Miene sprach zunächst die stumme Frage, wie sie das Wissen, wer hier – zu seinem beträchtlichen Erstaunen – am Werk gewesen war, wohl aufnehmen würde. Aber derlei Entdeckungen rührten sie jetzt kaum noch. Attacken auf ihre Gefühle waren inzwischen nicht mehr ungewöhnlich für Bathsheba, und sie wünschte Gabriel nur einen Guten Morgen und bat ihn, die Grube mit dem Spaten, der daneben lag, aufzufüllen. Während Oak tat, wie sie geheißen, sammelte Bathsheba die Blumen ein und machte sich daran, sie wieder einzupflanzen. Ihre Hände bewiesen jenes einfühlende Verständnis für Wurzeln und Blattwerk, das an Frauen so auffällt, wenn sie im Garten arbeiten, und anscheinend auch von den Blumen, die um so besser wachsen, geschätzt wird. Oak wurde von ihr ersucht, die Kirchenaufseher zu veranlassen, daß man den bleiernen Spund des Wasserspeiers, der sein Maul über ihnen bleckte, zur Seite bog, damit das Wasser ablenkte und die Wiederholung eines solchen Mißgeschicks verhinderte. Zuletzt – mit der Großmut einer Frau, deren Selbstsucht ihr statt Liebe nur Kummer eingetragen hat – wischte sie noch die Schlammspritzer von dem Grabstein, als habe sie gar nichts gegen die Worte, die darauf standen, einzuwenden. Dann ging sie heim.

Troy wanderte südwärts. Unterschiedliche Gefühle – Überdruß an der für seine Begriffe geistlosen Öde des Landlebens, ein düsteres Bild der Toten vom Kirchhof, Gewissensbisse und die Überzeugung, es mit Bathsheba nicht länger auszuhalten – wirkten in ihm zusammen, so daß jeder Ort der Welt ihm einladender erschien als Weatherbury. Die traurigen Umstände von Fannys Ende standen ihm so lebendig vor Augen, daß er nicht hoffen durfte, sie jemals zu vergessen. Ein Dasein unter Bathshebas Dach hätte er nicht ertragen. Um drei Uhr befand er sich am Fuß eines Hanges, der sich über eine Meile erstreckte und auf den Kamm einer Hügelkette zulief, die sich am Meeresufer hinzog; sie bildete eine reizlose Barriere zwischen dem fruchtbaren Binnenland und der rauheren Szenerie der Küste. Eine fast schnurgerade, makellos weiße Straße führte von beiden Seiten in mählichem Anstieg auf den Hügel, etwa zwei Meilen vor Troy stieß sie an den Horizont. Der Weg war schmal, steil und mühsam, keine Spur von Leben zeigte sich an diesem blendend klaren Nachmittag. Matt und niedergeschlagen wie seit Jahren nicht schleppte sich Troy die Straße hinan. Die Luft war warm und beklemmend, und es kam ihm vor, als weiche die Hügelkuppe vor ihm immer weiter zurück, je näher er kam.

Endlich erreichte er den Scheitelpunkt. Eine neue, völlig andere Perspektive tat sich vor ihm auf und beeindruckte ihn wie einst der Pazifik seinen Entdecker Balboa. Die weite, stahlgraue See, von feinen Linien nur so flach geätzt, daß sie ihre Glätte nicht beeinträchtigten, füllte das gesamte Blickfeld vor ihm und schwang zu seiner Rechten einwärts: dort, bei der Hafenstadt Budmouth, gleißte die Sonne über dem Wasser, löschte alle Farben und ersetzte sie durch einen hellen, öligen Glanz. Nichts am Himmel, auf dem Land oder dem Meer bewegte sich, ausgenommen ein Saum von milchweißer Gischt an der Küstenlinie, wo sie in Troys Nähe verlief. Wie Zungen leckte es dort an den Felsen.

Er stieg hinunter, kam zu einer kleinen, von Klippen eingeschlossenen Bucht. Der Anblick belebte ihn. Hier wollte er ein Bad nehmen und rasten, bevor er weiterging. Er zog sich aus und sprang hinein. In der Bucht war das Wasser still wie in einem Teich und für einen Schwimmer nicht besonders einladend, so daß sich Troy, um ein wenig Ozean zu schmecken, zwischen zwei vorspringenden Felsen, die wie die Säulen des Herkules dieses kleine Mittelmeer abschirmten, hinausschwamm. Zu seinem Mißgeschick wußte er nicht, daß es dort draußen eine Strömung gab, die einem Schiff oder Boot zwar nichts anhaben, aber einem Schwimmer, der unversehens in sie geriet, leicht gefährlich werden konnte. Sie faßte Troy, trug ihn erst nach links und dann in einem Schwall hinaus aufs Meer.

Jetzt erinnerte er sich: der Ort hatte einen üblen Ruf. Viele Schwimmer hatten hier schon vergeblich um einen Tod auf trockenem Land gebetet, und Troy mußte damit rechnen, daß er nun der nächste sein würde. Weit und breit war kein Boot oder etwas Ähnliches zu sehen, nur Budmouth lag weit drüben am Ufer, als ob es gleichmütig Troys Kampf zuschaue. An dem wirren Netzwerk von Tauen und Sparren war der Hafen neben der Stadt auszunehmen. Nahezu völlig entkräftet von dem Versuch, wieder zum Eingang der Bucht zurückzugelangen, aus Schwäche überdies um einige Zoll tiefer als üblich schwimmend, nur durch die Nase atmend und immer wieder auf den Rücken wechselnd, sah Troy zuletzt seine einzige Chance darin, daß er sich mit Wassertreten auf leichter Schräge hielt und so versuchte, irgendwo ans Ufer zu gelangen, indem er ohne großen Kräfteverschleiß landwärts steuerte und sich im übrigen vom Sog der Gezeiten tragen ließ. Das war natürlich ein langsames Vorwärtskommen, aber auch nicht sehr schwierig, und obwohl er sich seinen Landeplatz nicht aussuchen konnte – in traurig schleppender Prozession zog an ihm vorüber, was das Ufer zu bieten hatte – näherte er sich doch merklich der Spitze einer Landzunge, noch weiter zu seiner Rechten und nun schon deutlich gegen den sonnigen Himmel abgezeichnet. Während sich der Blick des Schwimmers an diese Landzunge klammerte, das einzige, was ihm diesseits der unbekannten Erlösung noch irdische Rettung versprach, brach etwas Bewegtes ihre Kontur, und gleich darauf erschien ein Beiboot, in dem einige Matrosen auf See hinaus ruderten.

Troy faßte allen Lebenswillen zusammen, um noch ein Stück weit durchzuhalten. Er schwamm mit dem rechten Arm und hielt den linken hoch, um den Matrosen zu winken, peitschte das Wasser auf und schrie, so laut er konnte. Die sinkende

Sonne hob seinen weißen Körper deutlich von den nun dunklen Wellen im Osten des Bootes ab, und die Männer sahen ihn sofort. Sie setzten die Ruder ein, wendeten das Boot und legten sich in die Riemen. Fünf oder sechs Minuten nach seinem ersten Rufen wurde er von zwei Männern über das Heck gehievt.

Die Matrosen gehörten zur Besatzung eines Zweimasters und hatten am Ufer Sand gefaßt. Da es nun rasch kälter wurde, zog Troy das Spärliche an, das sie erübrigen konnten, und kam mit ihnen überein, daß sie ihn am nächsten Morgen an Land bringen sollten; worauf sie, weil die Stunde vorrückte, ohne weitere Zeitvergeudung auf die Stelle zu hielten, wo ihr Schiff vor Anker lag.

Schon senkte sich die Nacht auf die weite Wasserfläche vor ihnen. Unfern, wo die Küstenlinie im Bogen einwärts schwang und ein langes Band an den Horizont zeichnete, flammte eine Kette von gelben Lichtpunkten auf: Dort war Budmouth, man zündete die Lampen entlang der Promenade an. Hier draußen war das Klatschen der Ruder der einzige Laut, und während sich die Schatten um das Boot verdichteten, wurden die Lichter größer. Jede Lampe schien ein Flammenschwert tief in die Wogen vor sich zu stoßen. Dann tauchte zwischen anderen düsteren Formen das Schiff auf.

Einigermaßen überrascht und erleichtert vermerkte Bathsheba, daß Troys Abwesenheit sich von Stunden auf Tage ausgedehnt hatte, aber ihre diesbezüglichen Gefühle stiegen nicht über jene Marke, bei der man gemeinhin von Indifferenz spricht. Sie war seine Frau: diese Situation war so klar und in dem, was sich daraus ergab, so eng umschreibbar, daß ihr kein Raum für irgendwelche Spekulationen blieb. Ihre hochgesteckten Ziele hatte sie aufgegeben und lernte nun, das Schicksal der am Leben gescheiterten Bathsheba wie von außen zu betrachten; sich und ihre Zukunft sah sie in Farben, deren Düsternis keine Wirklichkeit überbieten konnte. Ihr jugendlicher Hochmut war gebrochen, und zugleich war auch die Sorge, wie es weitergehen sollte, kleiner geworden, denn Sorgen setzen doch immer voraus, daß etwas besser oder schlechter werden kann, und Bathsheba hatte sich zu der Überzeugung durchgerungen, daß es für sie keine Alternativen gab, die noch ins Gewicht fallen konnten. Demnächst – früher oder später, aber sehr lange dauerte es wohl nicht mehr – hatte sie ihren Gatten wieder im Haus. Und dann waren ihre Tage als Pächterin von Upper Weatherbury gezählt. Schon am Beginn hatte der Anwalt des Grundherrn einiges Mißtrauen gezeigt, als Bathsheba – eine Frau, und noch dazu jung und schön – in den Pachtvertrag von James Everdene eintreten sollte, aber ihr Onkel hatte es ausdrücklich in seinem Testament so bestimmt und vor seinem Ableben mehrmals versichert, daß sie das Zeug dazu habe; und die energische Art, wie sie sich noch vor Abschluß der Verhandlungen des großen Bestandes an Schafen und Rindern annahm, der ihr so plötzlich zugefallen war, hatte sein Vertrauen in ihre Fähigkeiten gewonnen, so daß er keine weiteren Einwände erhob. In letzter Zeit waren ihr Zweifel gekommen, wie sich die Heirat mit Troy auf ihre Stellung als Pächterin auswirken könnte, aber die Namensänderung war noch nicht zur Kenntnis genommen worden. Nur eines stand fest: Besondere Rücksicht hatte sie nicht zu erhoffen – und wohl auch nicht verdient –, wenn sie oder ihr Mann nicht in der Lage waren, zum nächsten Januartermin den Pachtschilling zu bezahlen. Und war die Farm einmal verloren, ließen Not und Armut bestimmt nicht auf sich warten.

Bathsheba lebte fortan in dem Bewußtsein, daß alles sinnlos geworden sei. Sie war keine Frau, die sich ohne handfeste Gründe irgendwelchen Hoffnungen hinzugeben vermochte, und unterschied sich darin von den weniger klarsichtigen und energischen, wenngleich mehr verhätschelten Geschlechtsgenossinnen, bei denen die Hoffnung wie ein Federwerk funktioniert, das zum Aufziehen nur ein Stück Brot und ein Stück Dach über dem Kopf braucht. Sie begriff, daß sie einen fatalen Fehler begangen hatte, fand sich damit ab und wartete kaltblütig auf das Ende.

Am ersten Sonntag nach Troys Verschwinden fuhr sie allein nach Casterbridge, zum ersten Mal seit ihrer Hochzeit. Langsam bewegte sie sich durch die Gruppen der Landwirte, die wie immer vor der Markthalle herumstanden und den Städtern die Genugtuung verschafften, daß das gesunde Leben mit dem Verzicht auf einen Sitz im Stadtrat doch recht teuer bezahlt sei, als ein Mann, der Bathsheba offenbar gefolgt war, sich an jemanden zu ihrer Linken wandte. Bathshebas Ohren waren hellhörig wie die Ohren eines Tiers auf freier Wildbahn, und sie verstand ganz deutlich, was der Mann sagte, obwohl sie ihm den Rücken gekehrt hatte.

»Ich suche Mrs. Troy. Ist sie hier?«

»Doch ja. Die junge Dame da, wenn ich nicht irre«, erwiderte der Angesprochene.

»Ich habe ihr eine schlechte Nachricht zu bestellen: ihr Mann ist ertrunken.«

Wie von prophetischem Geist erfüllt, rief Bathsheba: »Nein, das ist nicht wahr! Das kann nicht wahr sein!« Mehr sagte und hörte sie nicht. Der Eispanzer ihrer Selbstbeherrschung war geborsten, alles Aufgestaute brach hervor und schwemmte sie hinweg. Vor ihren Augen wurde es dunkel, und sie sank nieder.

Aber nicht zu Boden. Ein düsterer Mann, der unter dem Portal der alten Getreidebörse gestanden und beobachtet hatte, wie sie draußen durch die Menge gegangen war, trat in dem Augenblick, als sie den Schrei ausstieß, mit einem raschen Schritt an ihre Seite und fing sie auf.

»Was gibt es?« fragte Boldwood den Hiobsboten, während er Bathsheba stützte.

»Ihr Mann ist diese Woche beim Schwimmen in der Bucht von Lulwind ertrunken. Ein Strandwächter hat seine Kleider gefunden und gestern nach Budmouth gebracht.«

Ein seltsames Feuer leuchtete in Boldwoods Augen auf, und sein Gesicht rötete sich unter dem Druck eines Gedankens, den er nicht ausdrücken konnte. Aller Blicke waren jetzt auf ihn und die bewußtlose Bathsheba gerichtet. Er nahm sie auf seine Arme und strich die Falten ihres Kleides zurecht, wie ein Junge es tun mag, der einen gestrandeten Vogel aufnimmt und ihm das vom Sturm zerzauste Gefieder glättet. So trug er sie über den Bürgersteig zum nächsten Gasthof, unter dem Torbogen durch und in ein Extrazimmer. Als er dort – sehr ungern – seine teure Last auf ein Sofa niederlegte, hatte Bathsheba die Augen schon wieder geöffnet und flüsterte: »Ich will nach Hause!«

Boldwood ging hinaus. Einen Augenblick verweilte er auf dem Korridor, um sich zu fassen. Zuviel war ihm da widerfahren, als daß er es gleich verstanden hätte, und nun war es auch schon vorbei. Für ein paar selige, goldene Sekunden hatte er sie in seinen Armen gehalten. Was kümmerte ihn, daß sie nichts davon wußte! So nahe seinem Herzen war sie, so nahe ihrem Herzen er gewesen!

Er raffte sich auf, schickte eine Frau zu Bathsheba und versuchte draußen, Genaueres über das Ereignis in Erfahrung zu bringen. Offenbar war da nicht mehr, als er bereits wußte. Dann gab er Auftrag, Bathshebas Pferd vor den Wagen zu spannen, und als das geschehen war, kehrte er zurück, um es ihr mitzuteilen. Sie war, wie er feststellte, noch blaß und angegriffen, hatte aber inzwischen den Mann rufen lassen, der ihr die Botschaft aus Budmouth gebracht hatte, und von ihm alles erfahren, was zu erfahren war.

Da sie kaum in der Verfassung war, selbst wieder heimwärts zu kutschieren, wie sie zur Stadt gefahren war, machte Boldwood sich mit viel Zartgefühl und Takt erbötig, einen Kutscher für sie zu finden oder ihr einen Platz in seinem bequemeren Phaeton zu geben. Bathsheda schlug beides höflich aus, und der Farmer zog sich sofort zurück.

Etwa nach einer Stunde hatte sie sich wieder in der Gewalt. Nichts war ihr anzusehen, als sie auf dem Wagen saß und wie immer nach den Zügeln griff. Sie verließ die Stadt durch eine winkelige Seitengasse und fuhr langsam dahin, ohne auf die Straße oder die Umgebung zu achten.

Die ersten abendlichen Schatten machten sich bemerkbar, als Bathsheba zu Hause ankam. Sie stieg ab, überließ das Pferd dem Stallburschen und ging sofort nach oben. Liddy kam ihr auf dem Treppenabsatz entgegen. Die Nachricht war eine halbe Stunde vor Bathsheba in Weatherbury eingetroffen, und Liddy blickte fragend auf ihre Herrin. Bathsheba hatte ihr nichts zu sagen.

Sie trat in ihr Schlafzimmer, setzte sich ans Fenster und dachte lange, sehr lange nach, bis die Nacht sie einhüllte und nur mehr ihr Umriß zu erkennen war. Jemand kam an die Tür, klopfte und öffnete.

»Was ist los, Liddy?« fragte Bathsheba.

»Ich habe mir gedacht, daß ich Euch etwas zum Anziehen bringen muß«, sagte Liddy zögernd.

»Wie meinst du das?«

»Etwas Schwarzes.«

»Nein, nein, nein!« protestierte Bathsheba sofort.

»Aber vielleicht sollte man doch etwas für die Armen –«

»Noch nicht. Es ist noch nicht soweit.«

»Warum nicht, Gnädige?«

»Weil er noch lebt.«

»Woher wißt Ihr das?« staunte Liddy.

»Das weiß ich nicht. Aber es müßte ganz anders gekommen sein – ich müßte mehr erfahren, oder sie müßten ihn gefunden haben, nicht wahr, Liddy? Oder – ich kenne mich damit nicht aus, aber der Tod muß anders sein. Ich bin ganz sicher, daß er noch lebt!«

In dieser Gewißheit wurde Bathsheba am Montag durch zwei Dinge erschüttert. Das erste war ein kurzer Absatz in der Lokalzeitung, der zwar nicht in aller Form den Tod Troys durch Ertrinken meldete, aber als gewichtiges Argument den Leserbrief eines jungen Dr. Barker aus Budmouth zitierte. Dr. Barker teilte darin mit, daß er bei Sonnenuntergang über die innere Klippe der Bucht gekommen sei und einen Mann im Wasser gesehen habe, der eben von der Strömung vor dem Eingang fortgetragen wurde, und er habe ihm schon da keine großen Chancen gegeben; es sei denn, der Mann hätte ganz ungewöhnliche Kräfte besessen. Er wurde hinter einen Vorsprung der Küste abgetrieben, und Dr. Barker war ihm am Ufer in derselben Richtung gefolgt. Als Dr. Barker jedoch schließlich eine Anhöhe erreicht hatte, von der aus er das Meer überblicken konnte, war es schon zu dunkel gewesen, um noch etwas zu sehen.

Der zweite Anlaß war die Übersendung von Troys Kleidern,

da es sich als notwendig erwies, daß Bathsheba sie identifiziere – obwohl das im Grund längst von anderen besorgt worden war, die seine in den Taschen befindlichen Papiere durchgeschaut hatten. Aufgeregt, wie sie war, leuchtete ihr doch ein, daß Troy die Kleider offenbar abgelegt hatte, um sie gleich wieder anzuziehen, und daß die Vermutung, nicht der Tod habe ihn daran gehindert, völlig abwegig erscheinen mußte.

Die Leute sind ihrer Sache so sicher, sagte sich Bathsheba: Merkwürdig, daß ich es nicht glauben kann. Ein seltsamer Gedanke kam ihr und trieb ihr das Blut ins Gesicht. War es möglich, daß Troy Fanny in den Tod gefolgt war? Hatte er vielleicht in voller Absicht gehandelt und versucht, seinen Tod als Unfall darzustellen? Und dennoch, auch diese Erklärung, wie etwa der Augenschein nicht mit der Wirklichkeit übereinstimmen mochte, machte sie – so lebhaft sie es in der Erinnerung an ihre Eifersucht auf Fanny und an Troys Reue, die er in jener Nacht gezeigt hatte, vor sich sah – nicht blind für eine plausiblere, nicht so tragische, für sie aber viel schlimmere Möglichkeit.

Als Bathsheba, bereits viel gelassener, am Abend vor einem kleinen Feuer saß, nahm sie Troys Uhr zur Hand, die man ihr samt seinen übrigen Habseligkeiten übergeben hatte. Sie ließ den Deckel so aufschnappen, wie er es vor einer Woche getan hatte. Da war wieder die kleine, helle Locke – die Lunte, die das Pulverfaß in Brand gesetzt hatte.

»Er hat zu ihr gehört, und sie zu ihm. Es hat seinen guten Sinn, wenn er mit ihr gegangen ist«, sagte sie. »Ich bedeute ihnen nichts. Warum soll ich ihr Haar aufbewahren?« Sie nahm die Locke und hielt sie über die Flammen. »Nein – nicht ins Feuer! Soll sie mir ein Andenken an das arme Mädchen sein . . .« Und damit zog sie ihre Hand zurück.

Spätherbst und Winter schleppten sich dahin. Dick lag das tote Laub im Wald und über dem Gras der Lichtungen. Bathsheba, vordem im Zustand der Erwartung eines Unheils, ohne auf etwas Bestimmtes zu warten, hatte jetzt zu einer inneren Ruhe gefunden, die nicht dasselbe war wie ein innerer Frieden. So-lange sie überzeugt gewesen war, daß Troy lebte, hatte sie seinen Tod gelassen ins Auge fassen können; jetzt aber tat ihr leid, daß sie ihn verloren haben sollte. Sie führte die Wirtschaft weiter, häufte den Gewinn, ohne viel Geschmack daran zu fin-den, und gab Geld für irgendwelche Dinge aus, weil sie es auch früher so gehalten hatte – in einer Zeit, die noch nicht sehr lange vergangen war, aber der Gegenwart unendlich fern zu liegen schien. Bathsheba blickte dorthin zurück wie über einen weiten Abgrund; und wie eine Tote, der ihr Denkvermögen geblieben ist, konnte sie herumsitzen und dem Geschenk des Lebens nachsinnen.

Eine erfreuliche Folge ihrer allgemeinen Apathie war jedoch die so lange aufgeschobene Bestellung Oaks zum Gutsverwal-ter. Freilich, er hatte die damit verbundenen Pflichten praktisch schon lange wahrgenommen, daß die Veränderung, wenn man von der beträchtlichen Lohnerhöhung absah, nicht viel mehr als eine Formalität im Hinblick auf die Umwelt war.

Boldwood lebte zurückgezogen und tatenlos. Der Regen hatte in diesem Jahr viel von seinem Weizen und alle Gerste vernichtet. Die Körner trieben aus, verwucherten zu filzigen Matten und wurden schließlich den Schweinen vorgeworfen. Schon gab seine Fahrlässigkeit, die diesen Schaden verursacht hatte, Anlaß zu allerhand Gerede, und von einem der Männer Boldwoods erfuhr man, daß es nicht einfach aus Vergeßlichkeit geschehen war, denn seine Leute hatten ihn auf die Gefahr hingewiesen, die dem Korn drohte – so oft und nachdrücklich sie es als Untergebene gewagt hatten. Erst der Anblick der Schweine, die sich angeekelt von den verrotteten Ähren abwandten, schien Boldwood aufzuwecken, und eines Abends bestellte er Oak zu sich. Mag sein, daß die Entscheidung, zu der Bathsheba sich durchgerungen hatte, ihn auf den Gedanken brachte. Bei diesem Gespräch schlug der Farmer vor, Gabriel möge neben der Aufsicht über Bathshebas Farm auch die über die Untere Farm übernehmen, denn Boldwood brauche solche Hilfe, und ein vertrauenswürdigerer Mann sei weit und breit nicht zu finden. Wie man sieht, verdünnte sich Gabriels Pechsträhne zusehends.

Bathsheba hatte gegen diesen Plan – über den Oak mit ihr sprechen mußte – zunächst einige Einwände. Sie meinte, daß die beiden Farmen zusammen zu groß wären, um von einem einzigen Mann beaufsichtigt zu werden. Boldwood, augenscheinlich mehr von persönlichen als wirtschaftlichen Motiven ausgehend, bot an, Oak mit einem Pferd auszustatten, das ausschließlich ihm zur Verfügung stehen sollte. Dann gebe es wohl keine Bedenken mehr, weil ja die zwei Güter unmittelbar benachbart seien. Boldwood verhandelte bei diesen Gelegenheiten nicht direkt mit Bathsheba, sondern sprach nur mit Oak, der als Mittler tätig war. Schließlich war alles zur allseitigen Zufriedenheit geregelt. Fortan erblicken wir Oak hoch zu Roß, wie er frohen Mutes und wachsamen Blickes an die achthundert Hektar abreitet, als gehörte ihn, was da heranwuchs – während die wahre Eigentümerin der einen Hälfte und der Eigentümer der anderen Hälfte in ihren jeweiligen Häusern saßen und einsam Trübsal bliesen.

Als der Frühling einzog, hieß es nach all dem im Dorf, daß Gabriel Oak große Eile habe, sein Nest zu polstern.

»Wie findest du das?« sagte Susan Tall. »Der Gabriel Oak putzt sich nachgerade fein heraus! Jetzt trägt er schon glänzende Schuhe fast ohne einen Nagel, gleich zwei oder drei Mal in der Woche, und dazu am Sonntag einen steifen Hut! Kaum daß er noch weiß, wie ein Kittel ausschaut ... Wenn ich einen Menschen so daherkommen sehe wie einen Pfau, bleibt mir wahrhaftig die Spucke weg!«

Dann sickerte auch noch durch, daß Gabriel zwar von Bathsheba einen fixen Lohn bezog, unabhängig von den schwankenden Agrarpreisen, aber mit Boldwood eine Vereinbarung getroffen hatte, die ihm einen Anteil am Ertrag des Gutes sicherte – gewiß einen bescheidenen Anteil, aber doch Geld von höherer Ordnung als bloßer Lohn und auf eine Weise steigerungsfähig, wie es ein Lohn nicht war. Da und dort sagte man Oak schon nach, er sei geizig, denn trotz dieser Besserstellung lebte er nicht aufwendiger als zuvor, wohnte weiter in demselben Häuschen, schälte seine Kartoffeln, stopfte seine Socken und machte gelegentlich sogar eigenhändig sein Bett. Da er sich jedoch nicht nur herausfordernd wenig um die öffentliche Meinung scherte, sondern hartnäckig an alten Gewohnheiten und Bräuchen festhielt, nur weil sie eben alt waren, ließen seine Motive sich nicht so leicht bestimmen.

Eine große Hoffnung war neuerdings in Boldwood aufgekeimt. Seine blinde Liebe zu Bathsheba konnte man nur als einen Liebeswahn bezeichnen, der durch nichts – weder Zeit noch wechselnde Umstände, gute oder schlechte Nachrichten – gelindert oder geheilt werden konnte. Diese fiebrige Hoffnung aber war nun wie ein Senfkorn aufgegangen in der Zeit, die auf den voreiligen Schluß, daß Troy ertrunken sei, gefolgt war. Scheu hegte Boldwood diesen Schößling und wagte aus Angst, den Traum durch die Wirklichkeit zu verscheuchen, kaum ernsthaft daran zu denken. Seit man Bathsheba überredet hatte, nun doch Trauer zu tragen, wurde Boldwood, wenn er sie in dieser Kleidung beim Kirchgang sah, allwöchentlich in der Hoffnung bestärkt, daß ein Tag kommen werde – mochte er noch so fern sein, er kam doch näher –, an dem seine Geduld belohnt würde. Wie lange sein Warten noch dauern sollte, hatte er nicht genauer überlegt.

Er wünschte, daß die harte Schule, durch die Bathsheba gegangen war, sie doch etwas mehr Verständnis für die Gefühle anderer Menschen gelehrt hätte, und vertraute darauf, daß er, sollte sie jemals wieder einen Mann heiraten wollen, dieser Mann sein würde. Einen Ansatz zum Besseren hatte er bei ihr festgestellt. An die Vorwürfe, die sie sich machte, weil sie ihn so leichtfertig gekränkt hatte, war jetzt eher anzuknüpfen als vor ihrem Liebesrausch und der nachfolgenden Ernüchterung. Es sollte doch möglich sein, ihr gutartiges Wesen für eine Annäherung zu nützen und ihr die Aufnahme einer Beziehung wie zwischen Geschäftsfreunden vorzuschlagen – mit dem Ausblick auf eine Erfüllung, die in unbestimmter Zukunft lag, und ohne seine Liebe zu ihr ins Spiel zu bringen. Das war Boldwoods Hoffnung.

In den Augen gesetzterer Leute war Bathsheba jetzt vielleicht noch anziehender geworden. Ihr Temperament war nicht mehr so stürmisch, und ihr Charme bewährte sich auch im Alltag. Sie hatte den Übergang zu dieser nächsten Phase ohne große Einbußen bewältigt.

Bathshebas Heimkehr von einem zweimonatigen Aufenthalt bei ihrer Tante in Norcombe gab dem liebeskranken Farmer einen Vorwand, sich unmittelbar nach ihr, die jetzt schon im neunten Monat ihrer Witwenschaft war, zu erkundigen und herauszufinden, wie seine Aussichten bei ihr waren. Es geschah dies auf dem Höhepunkt der Heuernte. Boldwood richtete es ein, daß er sich in der Nähe von Liddy befand, die auf dem Feld mithalf.

»Ich freue mich, dich einmal unter freiem Himmel zu sehen, Lydia«, sagte er freundlich.

Sie lachte und fragte sich, was ihn zu solcher Leutseligkeit veranlaßte.

»Ich hoffe, Mrs. Troy ist nach ihrer langen Abwesenheit wohlauf?« fuhr er auf eine Weise fort, die zu verstehen gab, daß selbst der uninteressierteste aller Nachbarn nicht weniger gesagt haben könnte.

»Ganz wohlauf, Sir.«

»Und guten Mutes?«

»Oh, gewiß.«

»Sie beredet doch alles mit dir?«

»Nein, Sir.«

»Aber einiges?«

»Das schon, Sir.«

»Sie setzt großes Vertrauen in dich, Lydia. Und wahrscheinlich mit gutem Grund.«

»Ja, das tut sie, Sir. Ich habe ja alles mit ihr durchgemacht. Auch damals, wie die Sache mit Mr. Troy passiert ist, war ich bei ihr. Und wenn sie wieder heiraten sollte, würde sie mich bestimmt mitnehmen.«

»Ja. Es ist ganz natürlich, daß sie dir das versprochen hat«, pflichtete ihr der verliebte Stratege bei, dem angesichts der Prämisse, die nach Liddys Worten so gut wie gesichert schien – die angebetete Bathsheba zog also eine Heirat in Erwägung –, das Herz höher schlug.

»Nein, richtig versprochen hat sie es mir nicht. Ich habe es mir nur so ausgerechnet.«

»Ja, ich verstehe schon. Wenn sie darauf anspielt, daß sie vielleicht wieder heiraten könnte, ziehst du daraus den Schluß –«

»Sie spielt nie darauf an, Sir«, versicherte Liddy. Dieser Boldwood wird doch tatsächlich immer dümmer, dachte sie bei sich.

»Natürlich nicht«, berichtigte er sofort, und seine Hoffnung verblaßte. »Du darfst mit deinem Rechen nicht so weit ausholen, Lydia – kurz und rasch mußt du es machen ... Und vielleicht tut sie am besten, wenn sie ihre Freiheit nicht aufgeben will, da sie jetzt wieder ihre eigene Herrin ist?«

»Einmal hat sie mir gesagt, daß sie möglicherweise wieder heiraten könnte, wenn sieben Jahre seit damals um sind und sie nicht mehr fürchten muß, daß Mr. Troy doch zurückkommt und sie für sich beansprucht. Freilich war das nicht ernst gemeint ...«

»Ah! Also sechs Jahre noch! ›Möglicherweise‹ hat sie gesagt ... Dabei würde kein vernünftiger Mensch etwas dabei finden, wenn sie es auf der Stelle täte – was immer die Juristen dagegen einzuwenden haben.«

»Habt Ihr einen Juristen gefragt?« erkundigte sich Liddy unschuldig.

»Nicht ich«, leugnete Boldwood errötend. »Übrigens hat Oak gesagt, daß du jederzeit hier aufhören kannst, wenn du genug hast. Ich gehe jetzt ein Stück weiter – Leb wohl!«

Er verließ sie, mit sich selbst unzufrieden und beschämt, weil er zum ersten Mal etwas getan hatte, das als berechnend und schlau gelten konnte. Dabei besaß der arme Boldwood nicht mehr Raffinesse als ein Rammbock, und die Vorstellung, er habe sich zum Tölpel oder, schlimmer noch, gemein gemacht, bedrückte ihn. Eines immerhin hatte er herausbekommen, das war neu und aufregend – und trotz eines bitteren Beigeschmacks greifbar und wirklich: Sechs Jahre und ein bißchen länger, dann war es fast gewiß, daß Bathsheba ihn heiraten würde. Diese Hoffnung hatte einen sicheren Kern, denn Bathsheba mochte zwar nicht viel dabei gedacht haben, als sie mit Liddy darüber gesprochen hatte, aber es verriet doch, wie sie dazu stand.

Dieser erfreuliche Gedanke verfolgte ihn jetzt ständig. Sechs Jahre waren eine lange Zeit, aber doch viel kürzer als das Niemals, das er so lange vor sich hatte sehen müssen! Zweimal sieben Jahre hatte Jakob um Rachel gedient: Was waren da schon sechs Jahre! Für eine solche Frau! Er bemühte sich, der Aussicht auf dieses Warten sogar noch mehr abzugewinnen, als wenn er Bathsheba sofort bekommen hätte. Boldwood empfand seine Liebe als so tief, so stark und unerschütterlich, daß Bathsheba sie in ihrem vollen Ausmaß vielleicht noch gar nicht erfaßt hatte. Seine Geduld sollte ihm Gelegenheit geben, sie davon zu überzeugen. Über diese sechs Jahre seines Lebens wollte er sich hinwegsetzen, als handle es sich um Minuten – so wenig bedeutete für ihn die Zeit, die ihm auf Erden zugemessen war, im Verhältnis zu ihrer Liebe! In den sechs Jahren eines begierdelosen, vergeistigten Werbens wollte er ihr zeigen, wie gering er alles achtete, was nicht zu diesem Ziel führte.

Inzwischen ging der Sommer zur Neige. Die Woche der Greenhill-Märkte rückte heran, an denen viel Volk aus Weatherbury teilnahm.

Greenhill war der bedeutendste Marktplatz von Südwessex. Wann dort Markt gehalten wurde, war genau festgelegt, und der Tag, an dem man die Schafe auftrieb, war der geschäftigste, fröhlichste und geräuschvollste. Dieses jährliche Treffen fand auf einem Hügel statt, wo es uralte, aber gut erhaltene Erdwälle gab, die sich als gewaltige, wenn auch an manchen Stellen zerstörte Bastion in einer Ellipse rund um die Kuppe schlangen. Zu jedem der beiden wichtigsten, einander gegenüberliegenden Einlässe führte in Windungen eine Straße hinauf, und drinnen, auf der ebenen, von dem Wall umschlossenen Grasfläche, die vier oder fünf Hektar maß, war der Markt. Da und dort standen ein paar feste Bauten, aber die meisten Besucher hielten sich, wenn sie während ihres Aufenthalts ausruhen oder etwas essen wollten, an die Zelte.

Schäfer, die von weither kamen, brachen schon drei Tage oder gar eine Woche vorher von zu Hause auf, trieben ihre Herden täglich ein paar Meilen – nicht mehr als zehn oder zwölf – und ließen sie über Nacht an vorausbestimmten Stellen auf angemieteten Feldern rasten und grasen, nachdem sie seit den Morgenstunden gefastet hatten. Hinter jeder Herde wanderte der Hirt, über den Schultern ein Bündel, das seinen Bedarf für die eine Woche enthielt, und in der Hand die Kruke, die ihm als Wanderstab diente. Immer gab es ein paar erschöpfte oder lahmende Schafe unterwegs, gelegentlich kam es auch vor, daß eines lammte. Um für solche Fälle gerüstet zu sein, wurde den aus entlegeneren Gegenden kommenden Herden oft ein Pferdewagen beigegeben, auf den die Patienten für den Rest des Weges geladen wurden.

Die Farmen von Weatherbury waren allerdings nicht so weit von Greenhill entfernt, solche Vorkehrungen erübrigten sich bei ihnen. Dafür summierten sich die vereinigten Herden Bathshebas und Boldwoods zu einem imposanten Haufen, der eine Menge Geld repräsentierte und viel Aufmerksamkeit auf sich zog. Gabriel, zusammen mit Boldwoods Schäfer und Cainy Ball, begleitete die Schafe auf ihrem Weg durch das alte, verfallene Kingsbere und weiter zur Hochebene hinauf – hinterher natürlich der alte Hund George.

Als die Herbstsonne sich an diesem Morgen schräg über

Greenhill legte und die taufeuchte Fläche der Kuppe bestrahlte, erblickte man allenthalben nebelgraue Staubwolken zwischen den Doppelhecken, die das weite Land in allen Richtungen durchzogen. Nach und nach fanden sich die Staubwolken am Fuß des Hügels zusammen, und nun waren auch schon die einzelnen Herden zu sehen, wie sie die Straßenkehren zur Höhe hinaufzogen. In langsamer Prozession schoben sie sich durch den Einlaß, auf den die Straße hinführte – Herde nach Herde, gehörnt und ungehörnt, mit blauen, roten, gelben und braunen, sogar grünen und lachsroten Marken, je nach der Phantasie des Färbers und dem Brauch der Farm. Männer schrien, Hunde bellten wie verrückt, aber die aneinandergedrängten Schafe waren nach der langen Reise fast unempfindlich gegen derlei Schrecken, so jämmerlich sie ob all des Ungewohnten blökten, da und dort von einem hochgewachsenen Hirten überragt wie von einem mächtigen Götzenbild, vor dem die Gläubigen auf den Knien liegen.

Vertreten waren vor allem South Downs und die alten, gehörnten Wessexrassen, die auch in Bathshebas und Boldwoods Herden in der Mehrzahl waren. Gegen neun Uhr hatten sie – gekrümmte Hörner in geometrisch perfekten Spiralen an beiden Wangen, unter jedem Horn ein rosig-weißes Ohr – ihren Auftritt. Vor und hinter ihnen trippelten andere Züchtungen, das Fell dicht und seidig wie von Leoparden, nur ohne Flecken. Auch einige Oxfords waren darunter, deren Wolle sich bereits wie blondes Kinderhaar kräuselte, darin freilich von den hochgezüchteten Leicesters übertroffen, die ihrerseits weniger gekraust waren als die Cotswolds. Weitaus den malerischsten Anblick aber bot eine kleine Herde von Exmoors, die in diesem Jahr erschienen war. Mit ihren gesprenkelten Gesichtern und Beinen, dem dunklen, schweren Gehörn und den Locken, die ihnen in die mächtigen Stirnen hingen, belebten sie das sonst etwas eintönige Bild.

Alle die blökenden, keuchenden, erschöpften Tausende waren bereits am frühen Vormittag eingetroffen und in Hürden getrieben worden. Der Hund, der zu jeder Herde gehörte, lag angebunden an einem Eckpfahl. Zwischen den Hürden war Raum für die Besucher, und bald drängten sich dort die Käufer und Verkäufer aus nah und fern.

Anderswo auf dem Hügel zog gegen Mittag etwas davon sehr Verschiedenes die Interessenten an. Ein Rundzelt, nagelneu und riesengroß, wurde dort aufgebaut. Als der Tag fortschritt und die Herden ihre Besitzer wechselten, wurden auch die Schäfer der Verantwortung ledig. Sie richteten ihre Aufmerksamkeit auf das Zelt und befragten einen Mann, der dort arbeitete und nur an die komplizierten Knoten zu denken schien, die er in Sekundenschnelle zu schlingen wußte.

»Das Königliche Hippodromtheater bringt ›Dick Turpins Ritt nach York‹ und ›Das Ende der Schwarzen Bess‹«, erwiderte der Mann prompt, ohne den Blick zu wenden oder die Schnur aus der Hand zu lassen.

Als das Zelt stand, stimmte die Musik muntere Weisen an, und das Programm wurde ausgerufen. Davor stand die Schwarze Bess, sichtbar für jedermann, der einen lebenden Beweis brauchte, daß alles wirklich so war, wie man von der Tribüne, über die das Publikum eintreten sollte, verkündete. Dieses wiederum, bewegt von solchem Appell an sein Gefühl und Verständnis, begann alsbald zuhauf hineinzudrängen. Unter den Ersten waren Jan Coggan und Joseph Poorgrass zu erkennen, die hier einen freien Tag verbrachten.

»Der Dickwanst soll aufhören, mich zu stoßen!« wurde Jan auf dem Siedepunkt der Keilerei von einer Frau vor ihm angekeift.

»Was kann ich dafür, wenn mich die Leute hinter mir stoßen?« entschuldigte sich Coggan und wandte seinen Kopf, so weit das ohne Wenden des wie in einen Schraubstock geklemmten Körpers möglich war, zu den von ihm gemeinten Leuten.

Es wurde still, aber dann setzten abermals die Trommeln und Trompeten ein, die Menge geriet wieder in Ekstase und warf Coggan und Poorgrass mit der nächsten Druckwelle wieder auf die Frauen davor.

»Wie kann man solche Ochsen auf wehrlose Frauen loslassen!« protestierte eine von den Damen, die wie ein Schilfrohr im Wind schwankte.

»Ich bitte!« appellierte Coggan an die Umstehenden, die sich hinter seinem Rücken preßten. »So etwas von Unvernunft bei einer Frau! Wenn man mich aus dieser Mangel herausläßt, kann das dumme Weib meinetwegen eine Extravorstellung haben!«

»Nicht die Geduld verlieren, Jan!« flehte Joseph Poorgrass flüsternd. »Die hetzen sonst ihre Männer auf uns, daß sie uns umbringen! Wie die aussehen, sind sie zu allem fähig . . .«

Jan gab daraufhin Ruhe, als hätte er sich seinem Freund zuliebe beschwichtigen lassen, und so erreichten sie schließlich die Leiter. Poorgrass war flachgedrückt wie ein Kuchenmännchen, und die sechs Pennies Eintrittsgeld, die er seit einer halben Stunde bereithielt, waren unter dem Druck seiner schwitzenden Hand so feuerheiß geworden, daß die Dame, die mit weißgekalktem Gesicht und Dekolleté, Armreifen und straßfunkelnden Ringen an der Kasse saß, das Geldstück rasch fallenließ, weil sie meinte, es habe sich einer einen bösen Streich erlaubt, um ihr die Finger zu verbrennen. So gelangten sie alle in das Zelt, dessen Leinwand sich unter dem Druck von Köpfen, Rücken und Ellbogen knubbelig ausbeulte wie ein Kartoffelsack.

Hinter dem großen Zelt gab es zwei kleine Garderobenzelte. Eines davon, für die männlichen Mimen bestimmt, wurde durch einen Vorhang in zwei Hälften geteilt. In einem der Abteile, beschäftigt mit einem Paar Patentstiefeln, die er sich anzog, saß im Gras ein junger Mann, in dem wir sogleich Sergeant Troy wiedererkennen.

Troys Erscheinen unter solchen Umständen verlangt eine kurze Erklärung: Der Zweimaster, der ihn bei Budmouth aufgenommen hatte, stand damals eben vor einer Reise, war aber knapp an Mannschaft. Troy las die Bedingungen durch und heuerte an. Vor der Abfahrt wurde noch ein Boot zur Bucht von Lulwind hinübergeschickt, aber seine Kleider waren, wie Troy schon vermutet hatte, nicht mehr da. Er diente schließlich auf dem Schiff seine Überfahrt nach Amerika ab, wo er sich schlecht und recht in verschiedenen Städten als Turnlehrer durchbrachte, daneben auch Säbel- und Florettfechten und Boxen unterrichtete. Einige wenige Monate genügten, ihm dieses Leben zu verleiden. Nach seiner Veranlagung neigte er gewissermaßen zu gehobener Sinnlichkeit. Ungewohntes verstand er zu genießen, solange sich Einschränkungen ohne viel Mühe vermeiden ließen; aber er empfand es als unerträglich, sobald ihm das Geld ausging. Allerdings vergaß er nicht, daß für ihn ein Zuhause mit seinen Annehmlichkeiten bereitstand; er mußte sich nur entschließen, nach England und Weatherbury zurückzukehren. Oft stellte er sich die Frage, ob Bathsheba ihn wohl für tot hielt. Schließlich fuhr er wirklich nach England zurück, aber je näher er kam, desto mehr verblaßten die Reize von Weatherbury wieder, und seine Absicht, dort auf seinen alten Platz zu finden, geriet ins Wanken. In düsteren Farben malte er sich bei der Landung in Liverpool den Willkomm aus, der ihn daheim erwartete ... Troys Emotionen traten anfallartig auf und bereiteten ihm damit manchmal nicht geringere Schwierigkeiten als anderen Menschen ein tieferes und gesünderes Gefühlsleben. Bathsheba war nicht die Frau, die sich zum Narren halten ließ oder schweigend leiden würde. Wie sollte er ein Leben mit einer Frau ihres Temperaments ertragen, die er vor allem anderen um etwas zum Beißen und um ein Bett angehen mußte? Überdies war es ja gar nicht ausgeschlossen, daß sie mit ihrer Farm einmal Schiffbruch erlitt – falls dies nicht schon geschehen war – und er dann für ihren Unterhalt aufkommen mußte ... Eine Zukunft voll Drangsal, ständig zwischen sich und Bathsheba das Gespenst Fannys, um ihn gegen sie aufzureizen und ihr bittere Worte einzuflüstern! Aus Gründen, die sich zwischen Widerwillen, Reue und Scham hielten, verschob er daher seine Heimkehr von einem Tag zum anderen und hätte gern ganz von ihr abgesehen, wenn er einen solchen Platz, wie er dort auf ihn wartete, auch anderswo gesehen hätte.

Um diese Zeit – im Juli vor dem September, der uns Troy auf dem Markt von Greenhill finden läßt – schloß er sich einem Wanderzirkus an, der in den Außenbezirken einer Stadt im Norden gastierte. Troy führte sich bei dem Direktor ein, indem er allerhand Kunststücke zeigte, unter anderem ein bockiges Pferd zähmte und in vollem Galopp vom Sattel aus mit einem Pistolenschuß einen aufgehängten Apfel traf. Solcher Geschicklichkeiten wegen – alles mehr oder weniger mit seinem Vorleben als Gardedragoner zusammenhängend – nahm man ihn als Mitglied der Truppe auf, und das Stück über Dick Turpin war darauf angelegt, ihn in der Titelrolle zu präsentieren. Troy war nicht besonders angetan von der Wertschätzung, die man zweifellos für ihn hatte, aber er meinte, daß ihm das Engagement noch ein paar Wochen Bedenkzeit verschaffen könnte. So beiläufig und ohne einen klaren Plan für seine Zukunft war Troy an diesem Tag mit der übrigen Truppe auf den Markt von Greenhill geraten.

Schon neigte sich die milde Herbstsonne, und nun ereignete sich vor dem Zelt das Folgende: Bathsheba, mit ihrem Faktotum Poorgrass als Kutscher, war auf den Markt gefahren und hatte wie alle anderen Besucher die Ankündigung gehört oder

gelesen, wonach Mr. Francis, der international bekannte
Kunstreiter, als Dick Turpin zu sehen sein werde. Sie war noch
keineswegs so alt oder von ihren Sorgen ausgelaugt, daß sie auf
Mr. Francis nicht doch ein wenig neugierig gewesen wäre.
Dieses Theater war weitaus das Größte und Aufwendigste, was
der Markt zu bieten hatte, und allerhand bescheidenere Schau-
steller scharten sich rundum wie Küken um eine Henne. Die
Menge war bereits drinnen im Zelt, und Boldwood, der den
ganzen Tag auf die Gelegenheit zu einem Gespräch mit Bathsheba gewartet hatte, sah jetzt, wie sie fast allein dastand, und
trat zu ihr hin.

»Haben sich Eure Schafe gut gemacht, Mrs. Troy?« fragte er
nervös.

»O doch – vielen Dank«, erwiderte sie. Zwei rote Flecken
bildeten sich in der Mitte ihrer Wangen. »Ich habe sie schon
gleich nach dem Eintreffen verkaufen können, so daß wir gar
keine Hürde brauchten.«

»Und jetzt seid Ihr aller Pflichten ledig?«

»Ja, nur daß ich noch in zwei Stunden mit einem Händler
verabredet bin. Sonst wäre ich schon heimgefahren ... Ich
habe mir das Zelt hier und den Programmzettel angeschaut.
Habt Ihr schon einmal ›Dick Turpins Ritt nach York‹ auf der
Bühne gesehen? Diesen Turpin hat es ja wirklich gegeben,
nicht wahr?«

»O gewiß, das stimmt alles. Ich erinnere mich sogar, daß Jan
Coggan behauptet hat, einer von seinen Verwandten habe Tom
King, den Freund Turpins, recht gut gekannt.«

»Allerdings erzählt Coggan gern seltsame Geschichten über
seine Verwandtschaft. Wie ernst man das nehmen darf, weiß
ich nicht.«

»Natürlich. Wir alle kennen unseren Coggan. Aber den Turpin hat es wirklich gegeben. Ihr habt das Stück nie gesehen?«

»Nein. In meiner Jugend durfte ich nicht ins Theater.
Horcht! Was war das für ein Trampeln? Und wie sie brüllen!«

»Vermutlich hat die Schwarze Bess ihren Auftritt. Gehe ich
fehl in der Annahme, daß Ihr Euch für die Vorstellung interessiert? Entschuldigt, wenn ich mich getäuscht haben sollte, aber
wenn Ihr Lust darauf hättet, will ich Euch mit Vergnügen einen
Platz verschaffen.« Und da er ihr Zögern bemerkte, fügte er
hinzu: »Begleiten werde ich Euch nicht. Ich kenne das Stück
schon.«

Bathsheba hätte tatsächlich die Vorführung nicht ungern gesehen und war nur deshalb nicht über die Leiter gestiegen, weil sie sich scheute, allein hineinzugehen. Sie hatte gehofft, daß Oak auftauchen würde, zu dessen unangefochtenem Privileg sich die Assistenz bei solchen Anlässen entwickelt hatte, aber Oak ließ sich nicht blicken. So kam es, daß sie sagte: »Wenn Ihr Euch erst einmal umschaut, ob es noch einen Stuhl gibt, würde ich Euch gern in ein paar Minuten folgen.«

Kurz darauf erschien Bathsheba mit Boldwood an ihrer Seite im Zelt. Boldwood führte sie zu einem »reservierten Platz« und zog sich hierauf zurück.

Die »reservierten Plätze« befanden sich an einer gut einsehbaren Stelle, wo eine mit rotem Stoff bezogene Bank auf einem Podest mit Teppich stand, und es wurde Bathsheba sofort peinlich bewußt, daß sie die einzige ›reservierte‹ Person im ganzen Zelt war. Die übrigen Zuschauer standen dichtgedrängt um die Arena, von wo aus sie für das halbe Geld eine viel bessere Sicht hatten. So allein auf ihrem Ehrenplatz vor einem scharlachroten Hintergrund thronend zog Bathsheba nicht weniger Aufmerksamkeit auf sich als die Pferde und Clowns, die sich vor dem Auftritt Turpins in der Manege herumtrieben, aber da saß sie nun einmal und konnte nicht anders, als gute Miene dazu zu machen und auszuharren. Sie ließ sich nieder, breitete ihren Rock einigermaßen würdevoll über die freien Sitze zu beiden Seiten und bereicherte damit das Theater um eine neue, weibliche Note. Ein paar Minuten später entdeckte sie unter dem Volk, das unmittelbar unter ihr stand, den roten Nacken Jan Coggans und ein Stück weiter weg auch das biedere Profil von Joseph Poorgrass.

Das Licht im Zelt war gedämpft und eigentümlich getönt. In dem merkwürdig hellen Halbschatten eines schönen Herbstnachmittags bewirkten die wenigen goldenen Sonnenstrahlen, die durch Löcher und Einschnitte in die Zeltplanen fielen, wahrhaft rembrandteske Effekte: Sie sprühten wie Fontänen von Goldstaub durch die staubig-blaue Atmosphäre und leuchteten auf der gegenüberliegenden Zeltwand, wo sie auftrafen, als hätte man dort kleine Lampen hingehängt.

Als Troy vor seinem Auftritt durch einen Schlitz aus seinem Umkleidezelt lugte, sah er dort oben seine ahnungslose Frau sitzen wie die Königin bei einem Turnier. Er fuhr erschrocken zurück, denn trotz der Maske, die sein Äußeres hinlänglich schützte, war ihm sofort klar, daß sie ihn an der Stimme erkennen würde. Nicht zum ersten Mal an diesem Tag hatte er in Betracht gezogen, daß jemand aus Weatherbury auftauchen und ihn erkennen könnte, aber er war das Risiko ohne Bedenken eingegangen. Sollen sie mich nur sehen, hatte er zu sich gesagt, wenn schon! Aber da saß nun Bathsheba leibhaftig, und die Wirklichkeit war um so viel stärker als alles, was er sich vorgestellt hatte, daß ihm der Verdacht kam, er habe sich diese Möglichkeit nicht annähernd gründlich genug überlegt.

So bezaubernd sah sie aus, daß Troys Gelassenheit, was Weatherbury und seine Menschen betraf, sich im Nu verflüchtigte. Er hatte nicht damit gerechnet, daß es nur eines Lidschlags bedurfte, um ihr wieder diese Macht über ihn zu geben. Sollte er weiter tun, als ob sie ihn nichts anginge? Das brachte er nicht über sich. Abgesehen von dem taktischen Wunsch, unentdeckt zu bleiben, bedrückte es ihn plötzlich, daß ihm diese schöne junge Frau, bei der er auch so schon schlecht angeschrieben war, nur noch mehr verachten mußte, wenn sie ihn nach so langer Zeit in derart jämmerlichen Verhältnissen wiederfand. Der Gedanke trieb ihm das Blut ins Gesicht, und das Eingeständnis, daß er nur aus Angst vor Weatherbury so im Land herumzog, war kaum zu ertragen.

Dennoch war Troy nie so schlau wie in einer völlig ausweglosen Situation. Er zog rasch den Vorhang zurück, der seine kleine Garderobe von dem Abteil des Besitzers und Theaterdirektors trennte – im Augenblick vom Gürtel aufwärts bereits in der Rolle des Tom King, darunter noch Direktor.

»Jetzt geht es mir an den Kragen!« kündigte Troy an.

»Wieso das?«

»Draußen sitzt einer, dem ich Geld schuldig bin und lieber nicht unter die Augen kommen möchte: Sobald ich den Mund aufmache, erkennt er mich todsicher und zieht mir die Hosen aus! Was soll ich tun?«

»Auftreten mußt du. «

»Ich kann nicht. «

»Aber das Stück muß weitergehen. «

»Sag den Leuten, daß Turpin sich verkühlt hat und seine Rolle nicht sprechen kann, aber trotzdem stumm spielen wird. «

Der Direktor schüttelte den Kopf.

»Turpin oder nicht Turpin, ich mache den Mund nicht auf!« beharrte Troy.

»Moment, ich werde dir sagen, was wir tun«, lenkte der Direktor ein. Vielleicht fand er es doch zu riskant, sich ausgerechnet in dieser Situation mit seinem Titelhelden anzulegen. »Ich werde gar nicht erwähnen, daß du nicht redest. Du spielst einfach ohne Worte drauflos und drückst dich, so gut es geht, pantomimisch aus – wirfst trotzig den Kopf zurück, wenn es heroisch wird, und so halt ... Die werden überhaupt nicht draufkommen, daß du den Text ausläßt.«

Das schien durchaus nicht unmöglich, denn Turpin hatte weder viel noch lange zu reden; das Stück war ganz auf wildbewegter Handlung aufgebaut. Dementsprechend ging es also los, und an der vorgesehenen Stelle sprang die Schwarze Bess unter dem Applaus der Zuschauer in die Arena. In der Schlüsselszene, in der Turpin auf der Schwarzen Bess zu mitternächtlicher Stunde von den Gendarmen gejagt wird und der verschlafene Mautwächter mit der Zipfelhaube behauptet, daß bei ihm kein Reiter durchgekommen sei, stieß Coggan aus voller Brust ein »Das hat er gut gemacht!« hervor, das man durch alles Geblök über den ganzen Markt hören konnte, und Poorgrass würdigte mit seinem feinen Lächeln den dramatischen Gegensatz zwischen dem Helden, der kaltblütig über den Schlagbaum hinwegsetzt, und dem Lauf der Gerechtigkeit, der in Gestalt von Turpins Verfolgern aufgehalten wird und auf den Durchlaß warten muß. Als dann Tom King starb, konnte Poorgrass nur mehr Coggans Hand drücken und tränenerstickt flüstern: »Aber sie haben ihn doch nicht wirklich erschossen, Jan? Die tun doch nur so?« Und in der letzten, ergreifenden Szene, in der zwölf Freiwillige aus dem Publikum die treue, tapfere Bess auf einem Türladen hinaustragen müssen, war Poorgrass selbstverständlich dabei. »Da hast du was für Jahre, was du in der Mälzerei erzählen kannst!« rief er, als er auch Coggan dazu anzuwerben versuchte. »Noch deinen Kindern kannst du das weitergeben!« Tatsächlich rühmte sich Joseph noch nach Jahren in Weatherbury, daß er mit eigener Hand einen Huf der Schwarzen Bess berührt habe, als sie dort auf den Brettern lag, an seiner Schulter. Wenn es, wie manche behaupten, bei der Unsterblichkeit wirklich nur darum geht, daß man im Gedächtnis der Nachwelt weiterlebt, war die Schwarze Bess spätestens an jenem Abend unsterblich geworden.

Troy hatte etwas mehr Schminke als sonst verwendet, um sich unkenntlich zu machen. Bei seinem ersten Auftritt hatte er einige Angst durchzustehen, aber die vorsorglich aufgesetzte Drahtmaske bewirkte eine solche Entstellung, daß er vor den Blicken Bathshebas und ihrer Leute sicher war. Trotzdem fühlte er sich wohler, als er es hinter sich hatte.

Am Abend gab es noch eine zweite Vorstellung, für die das Zelt illuminiert wurde. Diesmal spielte Troy seine Rolle ganz unbesorgt und wagte gelegentlich sogar ein paar Sätze. Erst gegen Schluß, als er am Rand des Spielfelds dicht an der vordersten Reihe der Zuschauer stand, geschah es, daß ihm ein Mann auffiel, der ihn forschend von der Seite her beobachtete. Troy wechselte sofort seine Position, denn zugleich hatte er in dem Neugierigen ausgerechnet den betrügerischen Verwalter Pennyways erkannt, den Todfeind Bathshebas, der sich noch immer in der Umgebung von Weatherbury herumtrieb.

Zunächst beschloß Troy, sich nicht darum zu kümmern und die weitere Entwicklung abzuwarten. Daß der Mann ihn erkannt hatte, war mehr als wahrscheinlich, aber immerhin nicht ganz sicher. Dann jedoch meldeten sich mit allem Nachdruck wieder die Einwände, deretwegen er nicht gewollt hatte, daß die Nachricht von seinem Aufenthalt in solcher Nähe vor ihm nach Weatherbury gelange – weil er spürte, daß ein Bekanntwerden seiner gegenwärtigen Beschäftigung ihn in den Augen seiner Frau noch zusätzlich disqualifizieren würde. Auch für den Fall, daß er Weatherbury ein für allemal den Rücken kehren wollte, war es unangenehm, wenn dort das Gerücht umging, er sei am Leben und halte sich sogar in der Nachbarschaft auf. Davon abgesehen wollte er unbedingt vor einer Entscheidung wissen, wie es um die Geschäfte seiner Frau stand.

In diesem Zwiespalt begab sich Troy hinaus, um unverzüglich seine Erkundigungen einzuziehen. Er stellte sich vor, daß es bestimmt nicht schaden konnte, wenn er Pennyways fände und sich womöglich mit ihm verbündete. Im Schutz eines dichten Bartes, den er sich aus dem Fundus geborgt hatte, schlenderte er über das Festgelände. Es war schon ziemlich dunkel, und die wohlhabenderen Marktbesucher bereiteten ihre Wagen zur Heimfahrt vor.

Das größte Imbißzelt, das ein Gastwirt aus einer benachbarten Stadt aufgestellt hatte, galt als der beste Anlaufplatz für Leute, die ihren Hunger stillen und sich ausruhen wollten, denn Papa Trencher, wie ihn das Lokalblatt launig nannte, war ein angesehener Bürger, und seine Küche genoß rundum den besten Ruf. In dem Zelt gab es zwei Abteilungen – erste und zweite Klasse – und hinter der ersten Klasse, abgetrennt durch ein Buffet, an dem Papa Trencher höchstselbst in weißem Schurz und Hemdsärmeln waltete, als hätte er sein ganzes Leben in Zelten verbracht, noch ein Séparée für die Nobelgäste. In diesem Allerheiligsten waren Stühle um einen Tisch gruppiert, der mit Kerzen, einem blinkenden Kessel, versilberten Tee- und Kaffeekannen, Porzellangeschirr und Pflaumenkuchen recht einladend und üppig bestellt war.

Am Eingang des Etablissements, wo eine Zigeunerin über einem Reisigfeuerchen Pfannkuchen buk, die einen Penny kosteten, stand Troy und schaute über die Köpfe der Gäste, die drinnen saßen. Pennyways sah er nicht, der Durchblick in das Séparée am anderen Ende ließ ihn jedoch alsbald Bathsheba erkennen. Troy zog sich darauf zurück, ging draußen im Dunkeln hinter das Zelt und horchte dort. Durch die Zeltplane, dicht neben ihm, war Bathshebas Stimme zu vernehmen. Sie sprach mit einem Mann. Troy wurde es heiß unter seinem Bart: So weit konnte sie sich doch nicht vergessen haben, daß sie auf einer Kirmes mit einem Mann schäkerte! War sie so sicher, daß Troy nicht mehr lebte? Um der Sache auf den Grund zu gehen, zog er sein Taschenmesser heraus und schnitt die Leinwand kreuzweis ein, so daß sich, als er die Ecken zurückklappte, ein talergroßes Loch ergab. Er spähte hinein, fuhr aber sofort wieder zurück. Sein Auge hatte sich kaum einen halben Meter von Bathshebas Kopf befunden. Das war denn doch zu nahe! Also schlitzte er seitlich und etwas tiefer ein zweites Loch, im Schatten neben ihrem Stuhl, von dem aus er sie leicht und ohne Gefahr beobachten konnte.

Troy überblickte nun die ganze Szene. Bathsheba saß zurückgelehnt auf einem der Stühle und nippte an einer Teetasse, und die männliche Stimme gehörte Boldwood, der ihr offensichtlich soeben die Tasse gebracht hatte. Bathsheba lehnte ganz entspannt gegen die Zeltleinwand, so daß sich ihr Rücken darin abzeichnete und sie fast in Troys Armen lag. Er mußte achtgeben, daß er mit seiner Brust nicht zu nahe kam und sie durch den Stoff hindurch seine Wärme spürte.

Unversehens regten sich in Troy wieder die Gefühle, die sich bereits vorhin bemerkbar gemacht hatten. Bathsheba war so schön wie immer, und sie gehörte ihm. Es dauerte einige Minuten, bis er den Impuls, einfach hineinzugehen und sein Recht auf sie geltend zu machen, unterdrücken konnte. Dann bedachte er, wie sehr dieses stolze Mädchen, das selbst in den Tagen ihrer Liebe auf ihn herabgesehen hatte, ihn nunmehr verabscheuen würde, wenn es ihn als Schmierenkomödianten wiederfände. Wollte er sich wirklich zu erkennen geben und nicht zum Spott des Dorfes werden, so mußte dieses Kapitel vor ihr und den Leuten aus Weatherbury für immer verborgen bleiben, sonst würde er dort sein Leben lang nur noch ›Turpin‹ heißen. Ehe er seinen Anspruch auf sie erheben durfte, mußten die letzten Monate aus seiner Vergangenheit getilgt werden.

»Soll ich Euch noch eine Tasse bringen, bevor Ihr aufbrecht?« fragte Farmer Boldwood.

»Nein, danke«, erwiderte Bathsheba. »Ich muß jetzt gehen. Wirklich ein starkes Stück, daß dieser Mensch mich so lange warten läßt. Nur seinetwegen bin ich nicht schon vor zwei Stunden losgefahren. Immerhin gibt es nichts Besseres als einen Schluck Tee, wenn man müde ist – und ohne Euch wäre ich bestimmt nicht dazu gekommen.«

Troys Blick haftete an ihrer Wange, auf der das Licht der Kerzen lag, er folgte dem Spiel der Schatten dort und in den muschelweißen Krümmungen des Ohrs. Sie zog eben ihre Geldbörse hervor und bestand darauf, für ihren Tee selbst zu bezahlen, als am anderen Ende Pennyways in das Zelt trat. Troy überlief es kalt: Das brachte den ganzen Plan, wie er seinen guten Ruf wahren könnte, in Gefahr. Schon wollte er sein Guckloch aufgeben und Pennyways aufsuchen, um herauszukriegen, ob ihn der Exverwalter erkannt hatte, da hielt ihn zurück, was er drinnen hörte. Es war zu spät.

»Verzeiht, Gnädige«, sagte Pennyways. »Ich habe eine vertrauliche Nachricht, die für Euch allein bestimmt ist.«

»Ich habe keine Zeit«, erwiderte Bathsheba kühl. Sie machte kein Hehl daraus, daß sie den Mann nicht ausstehen konnte. Tatsächlich verhielt es sich so, daß er ihr immer wieder mit irgendwelchen Geschichten nachlief und sich bei ihr auf Kosten anderer beliebt zu machen versuchte.

»Ich will es Euch schriftlich geben«, verkündete Pennyways. Er beugte sich über den Tisch, riß ein Blatt aus einem zerfledderten Notizbuch und schrieb:

Euer Gatte ist hier. Ich habe ihn gesehen. Wer ist jetzt der Dumme?

Danach faltete er das Papier zusammen und hielt es ihr hin. Bathsheba wollte es nicht lesen. Sie war nicht einmal bereit, ihre Hand auszustrecken, um es entgegenzunehmen. Worauf Pennyways es ihr mit einem höhnischen Lachen in den Schoß warf, sich umdrehte und hinausging.

Troy hatte nicht sehen können, was der Exverwalter geschrieben hatte, aber nach diesen Worten und seinem Benehmen zweifelte er keine Sekunde, daß sich die Nachricht auf ihn bezog. Nichts fiel ihm ein, was die Entdeckung noch hätte verhindern können. »Verdammtes Pech!« knurrte er, und was er sonst noch hinzufügte, hörte sich in der Dämmerung wie das Fauchen einer Raubkatze an. Inzwischen griff Boldwood nach dem Zettel und sagte:

»Ihr wollt es nicht lesen, Mrs. Troy? In diesem Fall werde ich es vernichten.«

»Ach was«, entgegnete Bathsheba gleichgültig. »Vielleicht ist es ungerecht, wenn ich es nicht lese, aber ich kann mir schon denken, was draufsteht. Er will vermutlich, daß ich ihn weiterempfehle, oder es handelt sich um irgendein Skandälchen, das mit meinen Leuten zu tun hat. Das macht er immer wieder.«

Bathsheba hatte den Zettel in ihrer rechten Hand, während ihr Boldwood einen Teller mit Butterbroten hinüberreichte. Um eine Schnitte zu nehmen, tat sie den Zettel in ihre Linke, die noch immer die Börse hielt, und ließ dann die Hand sinken, unmittelbar neben der Zeltwand. Der rettende Augenblick war da, und Troy zögerte nicht, sein Glück zu wagen. Sekundenlang schaute er auf ihre schöne Hand, sah die rosigen Fingerkuppen und die blauen Adern am Gelenk, das ein Korallenarmband schmückte: Wie vertraut war ihm das alles! Dann, mit der Flinkheit, auf die er sich so gut verstand, schob er geräuschlos seine Hand unter den Rand des Zeltes, das keineswegs fest im Boden verankert war, hob die Plane ein Stück hoch und riß, das Auge am Guckloch, Bathsheba den Zettel aus den Fingern. Sie schrie überrascht auf. Er ließ die Leinwand fallen und lief, vor sich hinlachend, durch das Dunkel zum Wall hinüber, rutschte die Böschung hinunter, rannte etwa hundert Meter am Graben entlang und kletterte dann wieder hinauf, um von dort ganz gelassen zum Vordereingang des Zeltes zu spazieren. Jetzt wollte er Pennyways suchen und verhindern, daß sich etwas Ähnliches wiederholte, bevor er selbst fand, daß es an der Zeit wäre.

Troy erreichte den Eingang, mischte sich unter die Leute, die dort herumstanden, und schaute nach Pennyways aus. Nach ihm zu fragen, vermied er, um die Aufmerksamkeit nicht auf sich zu lenken. Ein paar Männer unterhielten sich über den frechen Versuch, eine junge Dame zu bestehlen. Jemand hatte neben ihr die Zeltleinwand angehoben, und anscheinend hatte der Gauner einen Zettel, den sie in der Hand hielt, mit einer Banknote verwechselt, denn er war damit davongelaufen und hatte die Geldbörse liegengelassen. Seine Enttäuschung über den wertlosen Zettel war den Scherz wert, fand man. Dennoch hatte sich der Vorfall anscheinend nicht herumgesprochen, denn ein Musikant, der neben dem Eingang zu fiedeln begonnen hatte, unterbrach sein Spiel nicht, und die vier krummrükkigen Alten, die mit grimmigen Mienen ›Major Malley's Reel‹ tanzten, ließen sich nicht stören. Hinter ihnen stand Pennyways. Troy schlich an ihn heran, gab ihm einen Wink und flüsterte ein paar Worte. Die beiden wechselten einen Verschwörerblick und entschwanden zusammen ins Dunkel.

Vorgesehen war, daß Oak auf der Rückfahrt nach Weatherbury an Stelle von Poorgrass für die Beförderung Bathshebas verantwortlich sein sollte, denn im Lauf des Nachmittags hatte sich gezeigt, daß Joseph wieder an seinem alten Übel, der Doppelsichtigkeit, litt und daher als Kutscher und Beschützer einer Frau nicht in Betracht kam. Oak jedoch war so beschäftigt mit dem Teil von Boldwoods Schafen, die unverkauft geblieben waren, daß Bathsheba, ohne Oak oder sonst jemandem ein Wort zu sagen, sich entschloß, selbst zu kutschieren, wie sie es ja von Casterbridge nach Weatherbury schon oft getan hatte, und es ihrem Schutzengel zu überlassen, daß sie unterwegs nicht belästigt wurde. Da sie aber nun zufällig (zumindest was sie betraf) in dem Imbißzelt mit Farmer Boldwood zusammengeraten war, konnte sie sein Angebot, als Eskorte neben ihr herzureiten, nicht gut ablehnen. Die Nacht war eingefallen, ehe sie es sich versah, aber Boldwood versicherte ihr, daß kein Anlaß zu Besorgnis gegeben sei, zumal nach einer halben Stunde der Mond aufgehen werde.

Sofort nach dem Zwischenfall im Zelt war sie aufgebrochen, nun wirklich verängstigt und aufrichtig dankbar für den Schutz, den ihr der treue Verehrer gewährte – wenngleich Gabriel als ihr Bevollmächtigter und Angestellter dazu besser geeignet und ihr angenehmer gewesen wäre. Aber das war nun nicht möglich, und da sie Boldwood, dem sie schon einmal so schlimm mitgespielt hatte, auf keinen Fall verletzen wollte, auch der Mond schon aufgegangen und der Wagen bereit war, fuhr sie den Serpentinenweg bergab – in einen schwarzen Abgrund, schien es, denn der Mond dort und hier der von seinem Schein überflutete Hügel hielten sich auf derselben Höhe, während der Rest der Welt als grenzenlose Schattenmulde dazwischenlag. Boldwood bestieg sein Pferd und ritt in kurzem Abstand hinterher. So gelangten sie in die Niederungen. Der Lärm auf dem Hügel droben hörte sich an, als käme er vom Himmel, auch die Lichter dort hätten zu einem Heerlager in den Wolken gepaßt. Bald überholten sie die fröhlichen Wanderer am Fuß des Hügels, durchquerten Kingsbere und erreichten die Landstraße.

Mit wachem Instinkt hatte Bathsheba erfaßt, daß der Farmer

sie noch immer so unbeirrbar wie früher verehrte, und sie bemitleidete ihn von Herzen. Sein Anblick hatte sie den ganzen Abend hindurch bedrückt, hatte sie an ihre Narretei erinnert und sie wiederum, wie schon vor vielen Monaten, wünschen lassen, daß sie ihren Fehler irgendwie gutmachen könnte. Ihr Mitleid für den Mann, der so beharrlich in seiner Liebe war, obgleich sie ihm schlecht bekam und sein Gemüt ständig verdüsterte, bewirkte bei Bathsheba ein unüberlegt entgegenkommendes Verhalten, das fast einen zärtlichen Eindruck machte und dem süßen Traum des armen Boldwood von den sieben Jahren, die er wie Jakob dienen sollte, neue Nahrung gab.

Bald schon fand er einen Vorwand, um aus der Nachhut vorzurücken und dicht an ihrer Seite zu reiten. So hatten sie ein paar Meilen im Mondschein zurückgelegt und sich über das Wagenrad hin ganz unverbindlich über den Schafmarkt, die Landwirtschaft, Oaks Verdienste um sie beide und andere neutrale Themen unterhalten, als Boldwood plötzlich ohne Umschweife sagte:

»Werdet Ihr irgendwann wieder heiraten, Mrs. Troy?«

Daß die unverblümte Frage sie verwirrte, war augenscheinlich, und es dauerte eine Minute oder länger, bis sie erwiderte: »Darüber habe ich noch nicht ernstlich nachgedacht.«

»Das verstehe ich sehr gut. Aber Euer Gatte ist immerhin fast ein Jahr tot, und –«

»Ihr vergeßt, daß sein Tod nie eindeutig festgestellt wurde. Vielleicht stimmt es gar nicht, daß er tot ist. Vielleicht bin ich keine Witwe.«

»Kann sein, daß es nicht eindeutig festgestellt wurde, aber die Umstände sprechen dafür. Außerdem hat ein Mann ihn beobachtet, wie er am Ertrinken war. Kein vernünftiger Mensch wird an seinem Tod zweifeln – und auch Ihr, Gnädigste, tut es nicht, sollte ich meinen . . .«

»O doch! Sonst hätte ich mich anders verhalten«, widersprach sie sanft. »Von Anfang an habe ich ein merkwürdiges, unerklärliches Gefühl gehabt, als sei er vielleicht nicht wirklich ertrunken. Einige Gründe dafür sind mir inzwischen klar geworden. Aber selbst für den Fall, daß ich einigermaßen sicher wäre, ihn nie mehr zu sehen, liegt mir der Gedanke an eine Ehe mit einem anderen Mann fern. Ich müßte mich schämen, wenn ich mich auf solche Spekulationen einlassen wollte.«

Sie waren eine Weile still, und da sie auf einen selten befahre nen Weg über eine Hutweide geraten waren, hörte man nur Boldwoods Sattel und die Federn des Wagens knarren. Schließlich brach Boldwood das Schweigen.

»Wißt Ihr noch«, sagte er, »wie ich Euch damals in Casterbridge, als Ihr ohnmächtig wart, in den Gasthof getragen habe? So hat jeder Narr einmal seine Sternstunde.«

»Ich weiß es noch«, bestätigte sie rasch.

»Nie werde ich dem Schicksal vergeben, das Euch mir vorenthalten hat.«

»Ja, auch mir tut das leid«, sagte sie, berichtigte aber sofort: »Es tut mir leid, daß Ihr vermutet habt –«

»Ich leiste mir oft das traurige Vergnügen, mich an jene Tage mit Euch zu erinnern –, daß ich Euch etwas bedeutete, als es *ihn* überhaupt noch nicht gab, und daß Ihr fast die Meine wart. Aber das ist natürlich Unsinn. Ihr habt mich nie leiden können.«

»O doch. Und ich habe große Achtung vor Euch gehabt.«

»Habt Ihr die immer noch?«

»Ja.«

»Was?«

»Wie meint Ihr das?«

»Könnt Ihr mich leiden – oder achtet Ihr mich?«

»Ich weiß es nicht – jedenfalls kann ich es Euch nicht sagen. Es ist nicht einfach für eine Frau, ihre Gefühle in einer Sprache auszudrücken, die vor allem von Männern für Männer gemacht ist. Ich habe mich Euch gegenüber gedankenlos benommen – unentschuldbar und gemein! Ich werde das ewig bereuen. Wenn es möglich gewesen wäre, das wieder gutzumachen, hätte ich es von Herzen gern getan ... Aber das war mir nicht gegeben.«

»Ihr habt Euch nichts vorzuwerfen. Euer Unrecht war nicht so schlimm, wie Ihr meint. Aber, Bathsheba, setzen wir einmal den Fall, Ihr wärt nun wirklich, was Ihr ja in Wahrheit seid – eine Witwe also –, würdet Ihr dann den Fehler ungeschehen machen, indem Ihr mich heiratet?«

»Darauf kann ich nicht antworten. Ich darf es noch nicht.«

»Aber doch vielleicht irgendwann – in absehbarer Zeit.«

»O ja. Das könnte ich mir schon vorstellen.«

»Gut ... Und ist Euch bewußt, daß Ihr nach sechs Jahren, vom heutigen Tag an gerechnet, auch ohne sonstigen Nachweis das Recht haben werdet, Euch wieder zu verheiraten? Daß dann niemand etwas dagegen einwenden oder daran aussetzen kann?«

»Ja«, sagte sie ohne Zögern. »Ich weiß das alles. Aber sprecht nicht davon! Sieben oder auch sechs Jahre! Wer kann voraussehen, was dann mit uns sein wird?«

»Sie werden rasch vergehen und nachher im Rückblick kurz wirken – viel kürzer, als sie Euch jetzt, da sie noch vor uns liegen, vielleicht erscheinen.«

»Ja, ja. Auch ich habe schon solche Erfahrungen gemacht.«

»Hört mich noch einmal an«, bat Boldwood: »Werdet Ihr mich heiraten wollen, wenn ich bis dahin auf Euch warte? Ihr gebt selbst zu, daß Ihr an mir etwas gutzumachen habt: Tut es auf diese Weise!«

»Aber, Mr. Boldwood, sechs Jahre!«

»Habt Ihr die Absicht, Euch mit irgendeinem anderen Mann zu verbinden?«

»Das gewiß nicht! Aber ich will auch nicht jetzt über dieses Thema reden. Vielleicht ist es so unschicklich, daß ich Euch das Wort verbieten sollte. Lassen wir es dabei. Es könnte ja, wie gesagt, auch sein, daß mein Gatte noch lebt.«

»Wenn Ihr es so wünscht, werde ich natürlich nicht weiterreden. Aber Schicklichkeit hat nichts mit den guten Gründen zu schaffen, die dafür sprechen. Ich bin ein Mann in mittleren Jahren, der Euch beschützen will, solange wir beide leben. Zumindest auf Eurer Seite gibt es weder Leidenschaft noch unziemliche Eile – für mich will ich das nicht ausschließen, sehe aber auch nicht, daß man Euch als Frau einen Vorwurf daraus machen könnte, wenn Ihr aus Mitgefühl oder, wie Ihr gesagt habt, aus dem Wunsch, etwas gutzumachen, mit mir einen Handel eingeht, der zwar in einer noch fernen Zukunft zum Tragen kommt, aber alles in Ordnung bringt und mich glücklich macht, so spät es dafür auch sein mag. War ich nicht der erste unter Euren Bewerbern? Wart Ihr nicht beinahe schon meine Frau? Könnt Ihr nicht wenigstens sagen, daß Ihr mich, wenn es die Umstände gestatten, zu guter Letzt doch nehmen wollt? Bitte, sagt es mir! Bitte, Bathsheba, ich will nicht viel von Euch, aber versprecht mir, daß Ihr, wenn Ihr jemals wieder heiratet, mich heiratet!«

Sein Ton war so erregt, daß sie sich bei allem Mitgefühl fast vor ihm fürchtete. Es war die schlichte physische Angst der Schwachen vor einem Stärkeren, keine innere Abneigung oder

Widerwille. Sein Wutausbruch damals auf der Straße nach Yalbury stand sehr lebhaft vor ihr, und da sie ihn nicht wieder reizen wollte, zitterte ihre Stimme ein wenig, als sie ihm entgegnete:

»Ich werde nie einen anderen Mann heiraten, solange Ihr mich zu Eurer Frau haben wollt, was immer geschehen mag. Aber sprecht nicht weiter, Ihr habt mich so überrascht –«

»Warum sagt Ihr dann nicht einfach, daß Ihr in sechs Jahren meine Frau sein wollt? Etwas Unvorhersehbares, das dazwischentreten könnte, wollen wir außer acht lassen, dagegen sind wir natürlich nicht gefeit. Aber ich weiß, daß Ihr mir diesmal Euer Wort halten werdet.«

»Darum zögere ich auch, es Euch zu geben.«

»Gebt es mir dennoch! Erinnert Euch an das, was war, und seid mir gnädig!«

Sie holte tief Atem. »Was soll ich nur tun?« seufzte sie. »Ich liebe Euch nicht – und ich fürchte, daß ich Euch nie lieben werde, wie eine Frau ihren Mann lieben soll. Wenn Ihr das bedenkt, Sir, und ich Euch dennoch allein mit dem Versprechen glücklich machen kann, daß ich Euch, sofern mein Gatte nicht zurückkehrt, nach sechs Jahren heiraten will, ist das für mich eine große Ehre. Und wenn Euch so viel an einem solchen Beweis meiner Freundschaft liegt – von einer Frau, die einiges an Selbstachtung eingebüßt und nur mehr wenig zu geben hat – dann – ja dann –«

»Versprecht es mir!«

»– ich will es mir überlegen, ob ich Euch nicht schon bald dieses Versprechen geben kann.«

»Aber ›bald‹ könnte soviel sein wie ›nie‹?«

»O nein, das nicht! Ich meine wirklich ›bald‹! Sagen wir – um Weihnachten.«

»Weihnachten!« Er schwieg eine Weile, um dann nur noch hinzuzufügen: »Also gut. Bis dahin will ich davon schweigen.«

Bathsheba befand sich in einer ganz eigenartigen Stimmung, die zeigte, wie sehr doch die Seele eine Sklavin des Leibes ist, wie sehr der Geist in seinem Verhalten von Fleisch und Blut abhängt. Ohne Übertreibung ließe sich feststellen, daß die Macht eines stärkeren Willens sie beugte, und das nicht nur im Hinblick auf ein so vages Versprechen, sondern auch in den Beweggründen, die sie bestimmten, sich überhaupt auf ein solches einzulassen. Als nach der Nacht, in der dieses Gespräch stattgefunden hatte, der Weihnachtstag immer näherrückte, wurde Bathsheba in ihrer Unentschlossenheit immer nervöser.

Ein Zufall fügte es, daß sie eines Tages ungewöhnlich offen mit Gabriel über ihr Problem zu reden kam. Das verschaffte ihr ein wenig Erleichterung, allerdings weit entfernt von heiterem Seelenfrieden. Sie ging mit ihm die Rechnungsbücher durch, und im Verlauf dieser Arbeit ergab sich, daß Oak auf Boldwood anspielend, sagte:

»Er wird Euch nie vergessen können, Gnädige, – nie!«

Das war für sie der Anstoß, ihr Herz auszuschütten, bevor sie sich dessen richtig bewußt wurde. Sie erzählte Gabriel, in welchem Dilemma sie schon wieder steckte, was Boldwood von ihr verlangt hatte und wie sehr er mit ihrer positiven Antwort rechnete. »Aber das betrüblichste Motiv für mein Einverständnis«, sagte sie bedrückt, »und der wahre Grund dafür, daß ich es ihm ohne Rücksicht auf meine Person geben werde, ist der, daß ich – und davon habe ich noch keinem anderen Menschen etwas verraten –, daß ich fürchte, er könnte seinen Verstand verlieren, wenn ich es ihm verweigere.«

»Das fürchtet Ihr wirklich?« fragte Gabriel betroffen.

»Ja, das fürchte ich«, fuhr sie, nun hemmungslos in ihrem Bekenntnisdrang, fort. »Und Gott weiß, daß es alles andere als Eitelkeit ist, die mir das eingibt, denn es bricht mir fast das Herz ... Ich glaube, daß ich tatsächlich für die Zukunft dieses Menschen verantwortlich bin. Was mit ihm wird, hängt ausschließlich von mir ab. Oh, Gabriel, mir graut vor einer solchen Verantwortung! Das ist fürchterlich!«

»Wenn Ihr mich fragt, Gnädige«, bekannte Oak, »kann ich nur wiederholen, was ich Euch schon vor Jahren gesagt habe: Sein Leben verliert jeden Sinn, wenn er nicht auf Euch hoffen darf. Trotzdem kann ich nicht glauben – will ich nicht glauben, daß es so schlimm ist, wie ihr vermutet. Ihr wißt ja, daß er schon immer so finster und so exzentrisch in seinem Wesen war. Aber da diese ganze Geschichte nun einmal so heillos verfahren ist, könntet Ihr ihm doch wirklich dieses eingeschränkte Versprechen geben! Ich an Eurer Stelle täte es.«

»Aber ist es nicht unrecht? Ich habe schon einige Male zu spät die Folgen bedacht und daraus gelernt, daß eine Frau, die im Blickfeld steht, sehr aufpassen muß, um sich nicht zu kompromittieren. Ich möchte unter allen Umständen vermeiden, daß man darüber herumtratscht! Und sechs Jahre! In sechs Jahren

sind wir vielleicht alle tot, selbst wenn Mr. Troy nicht zurückkommt, was gar nicht so sicher ist! Wenn ich das bedenke,
kommt mir die ganze Sache irgendwie absurd vor. Ist es nicht
einfach Wahnwitz, Gabriel? Ich verstehe nicht, wie ihm so etwas einfallen konnte ... Und ist es nicht auch unrecht? Du
mußt es wissen – du bist älter als ich.«

»Acht Jahre, Gnädige.«

»Ja, acht Jahre ... Ist es unrecht?«

»Kann sein, daß es ungewöhnlich ist, wenn eine Frau und ein
Mann einen solchen Handel eingehen, aber ich würde nichts
wirklich Unrechtes darin sehen«, erwiderte Oak zögernd. »Das
Einzige, was auch unter anderen Umständen dagegen sprechen
könnte – ich meine, daß Ihr ihn nicht liebt – denn ich darf wohl
annehmen –«

»Ja, du darfst: Mit Liebe hat das nichts zu tun«, bestätigte sie
knapp. »Meine armselige, ausgelaugte, jämmerliche Liebe habe
ich endgültig abgeschrieben – sei es für ihn oder einen anderen.«

»Nun denn, gerade Euer Mangel an Liebe, scheint mir,
könnte den Handel rechtfertigen. Wenn es fleischliche Begierde
wäre, die Euch wünschen läßt, aus der mißlichen Lage nach
dem Verschwinden Eures Gatten herauszukommen, wäre es
vielleicht unrecht – aber eine Verpflichtung, die Ihr mit kühlem
Herzen einem Mann zuliebe eingeht, ist doch etwas anderes.
Das eigentlich Sündhafte, Gnädige, würde ich eher darin erblicken, daß Ihr überhaupt daran denkt, einen Mann zu heiraten, den Ihr nicht wirklich und aufrichtig liebt.«

»Die Strafe dafür nehme ich auf mich«, stellte Bathsheba
entschlossen fest. »Es gibt etwas, Gabriel, das ständig auf meinem Gewissen lastet: Daß ich ihn einmal aus schierer Gedankenlosigkeit tief verletzt habe. Hätte ich ihm nie diesen dummen Streich gespielt, so wäre er nie darauf verfallen, mich zur
Frau zu begehren. Könnte ich den Schaden, den ich da angerichtet habe, mit einem Haufen Geld beheben, und auf solche
Weise meine Tat sühnen! Aber da ist diese Schuld, die ich nicht
anders abtragen kann, und ich glaube, dazu bin ich verpflichtet,
wenn es wirklich nur an mir liegt – ohne Rücksicht auf mich
und meine Zukunft. Wenn ein Filou seine Chancen verspielt,
ändert die Tatsache, daß es für seine Schuld keinen triftigeren
Anlaß gibt, nichts an seiner Verpflichtung, sie zu bezahlen. Ich
habe mich wie ein Filou benommen, und von dir möchte ich

nur, daß du – ausgehend von der Voraussetzung, daß mich mein eigenes Gewissen und das Gesetz, nach dem mein Gatte nur als vermißt gilt, auf jeden Fall vor einer Heirat bewahren, ehe die sieben Jahre um sind – daß du mir sagst, ob ich mich auf einen solchen Gedanken einlassen darf – und wenn es nur eine Art Buße wäre. Denn das wird es sein! Mir schaudert vor einer Ehe unter derartigen Umständen, so wie mich vor den Weibern ekelt, zu denen ich mich wahrscheinlich rechnen muß, wenn ich es tue.«

»Alles wird wohl davon abhängen, ob Ihr wie alle Welt daran glaubt, daß Euer Gatte tot ist.«

»Ich werde nicht umhinkönnen – denn ich ahne nur zu gut, was ihn schon lange zurückgebracht hätte, wenn er noch am Leben wäre!«

»Nun, in diesem Fall steht es Euch vor Gott frei, eine Ehe in Betracht zu ziehen, so wie jede richtige Witwe, deren Mann seit einem Jahr tot ist. Aber warum fragt Ihr nicht Pfarrer Thirdly, wie Ihr Euch gegen Mr. Boldwood verhalten sollt?«

»Nein. Wenn ich ein Urteil brauche, das alles Für und Wider abwägt und dem gesunden Menschenverstand entspricht, gehe ich nie zu einem, der von Beruf für die Sache zuständig ist. Vom Pfarrer lasse ich mich juristisch beraten, vom Anwalt medizinisch, vom Doktor in Geschäften, und von meinem Geschäftsführer – das heißt: von dir –, wenn es um eine Frage der Moral geht.«

»Und in Liebesdingen?«

»Berate ich mich selbst.«

»Irgendwo, kommt mir vor, hat das einen Haken«, meinte Oak mit einem ernsten Lächeln.

Sie entgegnete nicht sofort darauf, sagte schließlich nur: »Gute Nacht, Mr. Oak« und ging.

Bathsheba hatte ohne Rückhalt gesprochen und von Gabriel eine bessere Antwort weder gewünscht noch erwartet. Und doch gab es ihr im Innersten ihres komplizierten Herzens einen feinen Stich. Sie war enttäuscht, und das aus einem Grund, den sie vor sich selbst nicht zugeben wollte. Nicht einmal andeutungsweise hatte Oak den Wunsch verraten, daß sie frei wäre, damit er selbst sie heiraten könnte. Kein einziges Mal hatte er gesagt: »Ich würde so gut wie er auf Euch warten.« Das war es. Nicht daß sie solchen Spekulationen ein Ohr geliehen hätte – oh, nein! Hatte sie nicht die ganze Zeit über behauptet, daß ein solches Zukunftsdenken unschicklich sei? Und war nicht Gabriel viel zu arm, um ihr irgendwelche Gefühle zu eröffnen? Trotzdem hätte er auf seine einstige Neigung doch wenigstens anspielen oder zumindest im Scherz sich erkundigen können, ob sie ihm auch davon zu sprechen gestatte. Nett und liebenswürdig wäre das gewesen, wenn schon nicht mehr – und sie hätte ihm bewiesen, wie nett und liebenswürdig das »Nein« einer Frau manchmal sein kann. So sachliche Ratschläge zu erteilen ... Gewiß hatte sie nichts anderes gewollt, aber es wurmte unsere Heldin doch den ganzen Nachmittag.

I

Der Weihnachtsabend rückte heran, und die Tatsache, daß Boldwood ein Fest veranstalten wollte, versorgte Weatherbury mit reichlichem Gesprächsstoff. Nicht, daß solche Gesellschaften am Ort so selten gewesen wären, aber Boldwood als Gastgeber, das war noch nie dagewesen! Schon die Ankündigung hatte etwas Abseitiges, Unstimmiges an sich, als hätte jemand zu einer Krocketpartie in eine Kirche eingeladen, oder ein hochangesehener Richter würde in einem Lustspiel auftreten. Daß es sich um ein fröhliches Fest handeln sollte, war nicht zu bezweifeln. Ein mächtiger Mistelzweig war aus dem Wald geholt worden und hing nun in der Diele des Junggesellen, und von Stechpalmzweigen und Efeu hatte man ganze Arme voll verteilt. Von sechs Uhr morgens bis über Mittag loderte und prasselte ein gewaltiges Holzfeuer in der Küche, und inmitten der Flammen standen der dreibeinige Kessel, Pfanne und Topf wie die drei Jünglinge im Feuerofen, während davor ohne Unterlaß der Braten gewendet und begossen wurde.

Später fachte man auch in der langen, weiten Halle, in welche die Treppe mündete, ein Feuer an und räumte alles hinaus, was bei einem Tanz im Weg gewesen wäre. Der Holzblock, der den ganzen Abend das Feuer speisen sollte, war ein ungespaltener Baumstrunk von solcher Mächtigkeit, daß man ihn weder durch Rollen noch Heben an seinen Platz bringen konnte: Als die Stunde nahte, zu der die Gäste eintreffen sollten, wurde er von zwei Männern herbeigeschleift und mit Ketten in den Kamin gehievt.

Trotz all dieser Vorbereitungen kam aber in dem Haus keine richtig festliche Stimmung auf. Nie hatte der Hausherr dergleichen unternommen, und jetzt war es, als wollte er es aus dem Boden stampfen. Programmierte Lustbarkeit neigt immer zu feierlichem Pomp. Mietpersonal ohne innere Anteilnahme besorgte die Organisation des ganzen Ereignisses, und man hatte den Eindruck, ein Gespenst gehe um und bezeuge allenthalben, daß dieses Treiben dem Haus und seinem Herrn wesensfremd und daher nichts Gutes sei.

Bathsheba befand sich um diese Stunde in ihrem Zimmer und kleidete sich für das Fest. Sie hatte nach Kerzen verlangt, und Liddy kam nun herein und stellte die Leuchter zu beiden Seiten des Spiegels auf.

»Geh nicht fort, Liddy«, bat Bathsheba, beinahe schüchtern. »Ich bin so dumm aufgeregt – ich weiß nicht warum. Ich wollte, ich müßte nicht auf dieses Fest gehen, aber jetzt gibt es kein Entrinnen mehr ... Seit damals im Herbst, als ich ihm versprach, daß ich ihn zu Weihnachten besuchen würde, um etwas Geschäftliches zu regeln, habe ich mit Mr. Boldwood nicht gesprochen. Aber damals ahnte ich nicht, was er da im Sinn hatte.«

»Trotzdem würde ich jetzt gehen«, meinte Liddy, die sie begleiten sollte. Boldwood hatte seine Einladungen unterschiedslos ausgestreut.

»Ja – natürlich werde ich meinen Auftritt machen«, sagte Bathsheba. »Aber ich bin der Anlaß zu diesem Fest, und das macht mich nervös! – Sag nichts, Liddy!«

»Nein, Gnädige. Ihr seid der Anlaß?«

»Ja. Meinetwegen wird dieses Fest gefeiert – nur meinetwegen! Wenn ich nicht wäre, gäbe es das Ganze überhaupt nicht. Ich wollte, ich hätte Weatherbury nie gesehen!«

»Ihr wollt, daß es Euch weniger gut geht? Versündigt Euch nicht!«

»Nein, Liddy. Seit ich hier lebe, habe ich immer nur Kummer gehabt, und dieses Fest wird mir nur neuen Kummer bringen. Hol mir das Schwarzseidene und schau, ob es mir paßt.«

»Aber das wollt Ihr doch nicht anziehen, Gnädige? Jetzt seid ihr seit vierzehn Wochen Witfrau, da könnt Ihr Euch an einem solchen Abend doch ein wenig fröhlicher geben!«

»Ist das nötig? Nein. Ich werde mich dort so zeigen wie immer, denn die Leute würden bestimmt tratschen, wenn ich nicht in Trauer käme, und es könnte den Eindruck machen, daß ich mich amüsiere, obwohl mir gar nicht zum Lachen ist. Mir ist wirklich nicht nach einem Fest zumute ... Aber sei's drum! Bleib und hilf mir beim Anziehen.«

Auch Boldwood war zur selben Stunde mit seinem Äußeren beschäftigt. Ein Schneider aus Casterbridge war gekommen und half Boldwood in einen neuen Gehrock.

Noch nie war Boldwood, was die Paßform betraf, so penibel und unbelehrbar, so schwer zu befriedigen gewesen. Der Schneider umkreiste ihn immer wieder, zupfte am Ärmel, strich den Kragen glatt, und zum ersten Mal fand Boldwood, daß so etwas nicht nur lästig war. In früheren Tagen hatte der Farmer solche Alfanzereien einfach kindisch gefunden, jetzt aber enthielt er sich jedes philosophischen oder ungeduldigen Kommentars, als wäre ein Fältchen im Gehrock so wichtig wie ein Erdbeben in Südamerika. Schließlich teilte Boldwood mit, daß er nun annähernd zufrieden sei, und bezahlte die Rechnung. Der Schneider ging eben zur Türe hinaus, als Oak hereinkam, um über die Entwicklung draußen zu sprechen.

»Ah, Oak«, sagte Boldwood: »Ihr kommt doch heute abend? Unterhaltet Euch gut – ich spare weder Aufwand noch Mühe!«

»Ich werde zusehen, daß ich kommen kann«, erwiderte Gabriel ruhig. »Obwohl es bei mir vielleicht etwas später werden kann. Ich freue mich sehr, Euch so verändert zu finden.«

»Ja, ich gebe es zu, ich bin heute sehr aufgeräumt – richtig fröhlich und mehr noch –, so sehr, daß ich zugleich fast traurig bei dem Gedanken werde, daß all das vorbeigehen soll. Und manchmal, wenn ich voller Hoffnung und Mut bin, braut sich im Hintergrund ein Mißgeschick zusammen, so daß ich oft ganz zufrieden in meiner Trübsal bin und Angst vor heiteren Stunden habe ... Aber das ist vielleicht absurd – ich spüre, daß es absurd ist. Mag sein, daß auch ich endlich einmal Glück habe.«

»Ich wünsche Euch, daß Ihr es lange und ungetrübt genießen könnt.«

»Danke – ich danke Euch. – Und doch wäre es möglich, daß mein Optimismus nur auf einer schwachen Chance gründet ... Trotzdem will ich auf sie bauen. Es ist ein fester Glaube, nicht nur ein Hoffen ... Diesmal mache ich nicht meine Rechnung ohne die Wirtin. Oak? Mir scheint die Hand zu zittern – ich komme mit dieser Krawatte nicht zurecht, könnt Ihr sie mir binden? Ich war in letzter Zeit nicht sehr gut beisammen ...«

»Das tut mir leid, Sir.«

»Oh, nichts Ernstes. Bitte bemüht Euch, so gut Ihr könnt! Gibt es irgendeinen besonders modischen Knoten?«

»Das weiß ich nicht, Sir«, sagte Oak, und seine Stimme klang traurig.

Boldwood trat zu Gabriel, und als dieser die Krawatte gebunden hatte, sprach der Farmer wie im Fieber weiter:

»Gibt es Frauen, die zu ihrem Wort stehen, Gabriel?«

»Soweit es ihnen in ihre Pläne paßt.«

»– oder wenn sie etwas durch ein schlüssiges Handeln versprochen haben?«

»Was eine Frau durch schlüssiges Handeln verspricht, kann ich nicht beurteilen«, meinte Oak ein wenig bitter. »Das hat soviel Löcher wie ein Sieb.«

»Sprecht nicht so, Oak! In letzter Zeit seid Ihr richtig zynisch geworden. Was ist los mit Euch? Als ob wir unsere Rollen vertauscht hätten, ich der hoffnungsfrohe Jüngling und Ihr der alte Mann, der an nichts mehr glaubt! Aber noch einmal: Hält eine Frau ihr Wort, wenn es für sie nicht darum geht, sofort zu heiraten, sondern um ein Verlöbnis, das erst später zu einer Ehe führen soll? Ihr kennt die Frauen besser als ich, sagt es mir!«

»Ich fürchte, Ihr überschätzt mich. Aber es kann wohl sein, daß eine Frau ihr Wort hält, wenn sie es in der ehrlichen Absicht gegeben hat, ein Unrecht gutzumachen.«

»Noch stehe ich ziemlich am Anfang, aber bald wird es, glaube ich, soweit sein – Ja, ich weiß es!« flüsterte Boldwood erregt. »Ich habe ihr sehr zugesetzt, und sie ist mir gewogen und bereit, in mir ihren künftigen Gatten zu sehen, wenn es bis dahin auch noch lange dauert. Mir genügt das. Was kann ich mehr erwarten? Sie bildet sich ein, daß eine Frau erst sieben Jahre nach dem Verschwinden ihres Gatten sich wieder verehelichen darf – das heißt, daß sie es vorher nicht darf –, weil man die Leiche nicht gefunden hat. Vielleicht ist es nur dieser juristische Grund, der sie zurückhält, oder sie hat moralische Bedenken. Auf jeden Fall redet sie nicht gern darüber. Aber sie hat mir dennoch versprochen – mich schlüssig wissen lassen –, daß sie heute abend bereit sein wird, ein Verlöbnis einzugehen.«

»Sieben Jahre!« murmelte Oak.

»Nein, nein – nicht sieben Jahre!« widersprach Boldwood heftig. »Fünf Jahre, neun Monate und ein paar Tage. Fast fünfzehn Monate sind vorbei, seit er verschwunden ist. Was soll an einer Verlobungszeit von etwas mehr als fünf Jahren denn so merkwürdig sein?«

»Für mich liegt das in einer fernen Zukunft. Baut nicht zu sehr auf solche Versprechen, Sir! Erinnert Euch, daß sie Euch schon einmal hintergangen hat. Sie mag die beste Absicht haben, aber ... sie ist noch jung ...«

»Mich hintergangen? Niemals!« berichtigte Boldwood gereizt. »Sie hat mir damals nichts versprochen und daher auch nicht ihr Wort gebrochen! Wenn sie es mir verspricht, wird sie mich heiraten! Bathsheba ist eine Frau, die zu ihrem Wort steht.«

4

Im »Weißen Hirsch« zu Casterbridge saß Troy in einer Ecke und rauchte; vor sich ein dampfendes Gebräu. Es klopfte an der Türe. Pennyways trat ein.

»Na, habt Ihr ihn gesehen?« fragte Troy und deutete auf einen Stuhl.

»Boldwood?«

»Nein, den Anwalt Long.«

»War nicht zu Hause. Bei ihm hab ich's zuerst versucht.«

»Zu dumm!«

»Ja, das wohl.«

»Trotzdem will mir nicht eingehen, daß ein Mann keine Rechte mehr haben soll, nur weil es den Anschein hat, als wäre er ertrunken – obwohl er es nicht ist. Ich werde auch ohne Anwalt auskommen.«

»Aber darum geht es eigentlich nicht. Jemand, der unter anderem Namen lebt und sich so verhält, daß weder seine eigene Frau noch sonstwer draufkommt, ist ein Betrüger – und das auch vor dem Gesetz. Er ist ein Vagabund, ein Herumtreiber. Das ist strafbar.«

»Haha! Gut gegeben, Pennyways!« Troy hatte gelacht, aber er zeigte sich nun doch etwas beunruhigt. »Vor allem möchte ich von Euch wissen, ob sich nach Eurer Ansicht etwas zwischen ihr und Boldwood angesponnen hat? Bei Gott, das hätte ich mir nie träumen lassen! Wie muß sie mich verabscheuen! Habt Ihr herausbekommen, ob sie ihm Avancen gemacht hat?«

»Das weiß ich nicht. Anscheinend ist er sehr hinter ihr her, aber wie es mit ihr steht, kann ich nicht sagen. Ich habe bis gestern von der ganzen Geschichte keine Ahnung gehabt, und auch da habe ich nur erfahren, daß sie zu dem Fest gehen wird, das er heute bei sich im Haus gibt. Es heißt, daß sie vorher überhaupt noch nie dort gewesen ist und mit ihm kein einziges Mal geredet hat, seit sie zusammen in Greenhill auf dem Markt waren. Aber was kann man schon den Leuten glauben? Viel hat sie nicht für ihn übrig, das weiß ich. Sie behandelt ihn sehr kurz angebunden und von oben her . . .«

»So sicher bin ich da nicht . . . Sie ist doch eine attraktive Frau, nicht wahr? Gebt zu, daß Ihr Euer Lebtag keine strahlendere Schönheit gesehen habt! Bei meiner Seele, wie sie mir damals wieder unter die Augen gekommen ist, habe ich mich gefragt, wo's bei mir fehlt, daß ich es je über mich gebracht habe, sie so lange allein zu lassen. Aber da hatte ich diesen blöden Zirkus am Hals, von dem ich mich jetzt endlich losgeeist habe, dem Himmel sei Dank!« Er paffte eine Weile vor sich hin und fragte dann: »Ihr seid ihr doch gestern begegnet. Wie hat sie ausgesehen?«

»Oh, sie hat mich kaum zur Kenntnis genommen, wie Ihr Euch wohl vorstellen könnt . . . Aber sonst hat sie recht gut ausgesehen – äußerlich jedenfalls. Einen von ihren hochmütigen Blicken hat sie mir armem Würstchen zugeworfen, und dann durch mich hindurchgeschaut auf das, was hinter mir war – als wäre ich ein Baum ohne Blätter. Sie ist eben von ihrem Pferd gestiegen und hat zugesehen, wie sie heuer den letzten Most gepreßt haben – und weil sie vorher geritten ist, war sie im Gesicht ein bißchen röter als sonst und hat ziemlich rasch geatmet, so daß man es an ihrem Busen gemerkt hat, wie er sich hebt und senkt – immer rauf und runter, ganz deutlich hab ich's gesehen. Ja – und rundherum die Burschen haben die Maische eingepreßt und sich wichtig gemacht. ›Paßt auf, Gnädige‹, haben sie gesagt, ›sonst wird Euer Kleid schmutzig!‹ ›Keine Angst‹, hat sie darauf geantwortet. Dann hat ihr der Gabriel frischen Most gebracht, den hat sie mit einem Strohhalm getrunken, als wär' sie sich zu fein für einen Schluck. ›Liddy‹, hat sie dann gesagt, ›bring ein paar Flaschen ins Haus, damit ich Apfelwein machen kann!‹ Ich war für sie nicht mehr als eine Laus, die man mit dem Finger wegschnippt.«

»Ich muß sofort zu ihr und sie sehen – Ja, das muß ich! Oak ist noch immer ihr Vorarbeiter?«

»Ja, vermutlich. Und auch auf Little Weatherbury. Er macht das alles zugleich.«

»An ihr werden sich er und seinesgleichen allerdings die Zähne ausbeißen.«

»Das weiß ich nicht. Ohne ihn kommt sie nicht aus, und weil sie das weiß, ist er weitgehend sein eigener Herr. Und sie hat schon auch ihre schwachen Stellen, nur daß ich nicht weiß wo, hol's der Satan!«

»Tja, Pennyways, da kommt Ihr eben nicht mit – damit müßt Ihr Euch abfinden: Höhere Rasse – feineres Material ... Aber wenn Ihr Euch an mich haltet, soll Euch weder dieses nochnäsige Götterweib, mit dem ich verheiratet bin, noch sonst jemand etwas anhaben. Ich sehe schon, man muß den Dingen erst noch auf den Grund gehen ... Jedenfalls weiß ich jetzt, was ich zu tun habe.«

5

»Wie findest du mich heute abend, Liddy?« fragte Bathsheba, indem sie noch einmal, bevor sie den Spiegel verließ, ihr Kleid zurechtstrich.

»So schön seid Ihr noch nie gewesen! Ich will Euch sagen, wann Ihr so ausgesehen habt: Das war damals an dem Abend vor eineinhalb Jahren, wie Ihr so wütend zu uns hereingekommen seid, weil wir über Euch und Mr. Troy geredet haben.«

»Sicher werden sie alle denken, daß ich darauf aus bin, Mr. Boldwood einzufangen«, murmelte Bathsheba. »Jedenfalls wird es das heißen. Kannst du mir nicht das Haar ein bißchen flacher bürsten? Ich fürchte mich, zu ihm zu gehen – und ich fürchte mich davor, daß ich ihm weh tue, wenn ich nicht gehe.«

»Schlichter könnt Ihr Euch kaum anziehen, Gnädige, wenn Ihr nicht gleich in einer Kutte auftreten wollt. Die Aufregung macht es, daß Ihr heute abend so schön seid.«

»Ich weiß wirklich nicht, was mit mir los ist! Ich fühle mich sterbenselend, aber dann auch wieder ganz übermütig ... Ich wollte, ich dürfte einfach so weiterleben wie seit Jahr und Tag, so ohne Furcht und Hoffnung, ohne Freud und Leid ...«

»Stellt Euch einmal vor – nur so theoretisch –, Mr. Boldwood bittet Euch, daß Ihr mit ihm auf und davon geht: Was würdet Ihr tun, Gnädige?«

»Hör auf mit dem Unsinn, Liddy!« verwies ihr Bathsheba streng. »Solche Witze vertrage ich nicht. Verstanden?«

»Verzeihung, Gnädige! Nur weil ich doch weiß, was für seltsame Geschöpfe wir Frauen sind ... Aber ich bin schon still.«

»Eine Ehe gibt es für mich noch lange nicht! Und wenn ich doch einmal heiraten sollte, wird das ganz, ganz andere Gründe haben, als du und die anderen vermuten! Hol jetzt meinen Mantel – wir müssen gehen.«

6

»Oak«, sagte Boldwood: »Bevor Ihr geht, möchte ich noch etwas erwähnen, das mir erst letzthin eingefallen ist – ich meine dieses kleine Arrangement mit Eurem Anteil an der Farm. Der Anteil ist bescheiden – zu bescheiden, wenn ich bedenke, wie wenig ich mich um die Wirtschaft kümmere, und wieviel Zeit und Sorge Ihr darauf verwendet. Jetzt sehe ich endlich einen Silberstreifen am Horizont, und ich möchte das zum Anlaß nehmen, um mich durch eine Erhöhung Eures Anteils erkenntlich zu zeigen. Ich werde den Vertrag durch einen Zusatz abändern, wie ich es für angemessen halte. Jetzt habe ich keine Zeit, aber nachher können wir das in Muße bereden. Irgendwann will ich mich ganz zurückziehen, und bis Ihr soweit seid, daß Ihr die Geschäftsführung voll übernehmen könnt, werde ich Euer stiller Teilhaber bleiben. Und dann, wenn sie meine Frau wird – und ich hoffe, ich spüre es –«

»Bitte, Sir, sprecht nicht weiter!« unterbrach ihn Oak. »Wir wissen nicht, was die Zukunft bringt. So viel kann dazwischenkommen! Der Teufel schläft nicht, wie man sagt, und ich möchte Euch raten – verzeiht mir noch dieses eine Mal –, nicht allzu sicher zu sein.«

»Ich weiß, ich weiß. Aber mein Gefühl, daß ich Euren Anteil erhöhen muß, geht einfach von dem aus, was ich über Euch weiß. Ein wenig habe ich Euer Geheimnis durchschaut, Oak: Was Euch mit ihr verbindet, ist ein bißchen mehr als nur die Beziehung zwischen Verwalter und Dienstgeberin! Dennoch habt Ihr Euch verhalten wie ein Ehrenmann, und ich bin gewissermaßen Euer Rivale, der besser im Rennen liegt, was ich zum Teil Eurer Herzensgüte verdanke. Deshalb will ich unter allen Umständen mit einem Beweis meiner Freundschaft anerkennen, was Euch gewiß nicht leicht geworden ist.«

»Oh, das ist wirklich nicht nötig – vielen Dank«, entgegnete Oak rasch. »Damit muß ich mich abfinden.«

Darauf verließ ihn Oak. Er machte sich Sorgen um Boldwood, denn er sah abermals, wie die heillose Leidenschaft den Farmer verändert hatte.

Boldwood blieb noch eine Weile allein im Zimmer, nun fertig angekleidet und zum Empfang der Gäste bereit. Die Nervosität, die sein Äußeres betraf, legte sich, und ein tiefer, feierlicher Ernst überkam ihn. Er blickte aus dem Fenster, beobachtete die dunklen Silhouetten der Bäume gegen den Himmel und schaute zu, wie das Zwielicht sich zur Nacht verdichtete.

Anschließend trat er zu einem verschlossenen Wandschrank und zog aus einer gleichfalls verschlossenen Lade ein kleines, rundes Etui im Format einer Pillenschachtel. Er schickte sich an, es in die Tasche zu stecken, besann sich aber und öffnete den Deckel, um einen Blick hineinzuwerfen. Es enthielt einen Ring für eine Dame, rundum mit kleinen Brillanten besetzt und offensichtlich erst vor kurzem erworben. Lange schaute Boldwood in das Gefunkel, und Miene und Verhalten ließen klar erkennen, daß ihn das Materielle an dem Ring wenig interessierte, er vielmehr in Gedanken über ein Schicksal nachsann, das dem Kleinod erst noch beschieden sein sollte.

Von der Vorderfront her drang das Rollen von Rädern. Boldwood klappte das Etui zu, verstaute es behutsam in einer Tasche und trat hinaus auf die Galerie. Der alte Diener, der im Haus für alles sorgte, erschien im selben Augenblick unten an der Treppe.

»Sie kommen schon, Sir – ein ganzer Haufen – zu Fuß und mit Wagen!«

»Ich wollte eben hinuntergehen. Der Wagen, den ich gehört habe . . . war das Mrs. Troy?«

»Nein, Sir, sie ist noch nicht hier.«

Boldwoods Miene war wieder verschlossen und düster, aber sie verbarg nur unzulänglich seine Gefühle, als er Bathshebas Namen nannte, und seine fiebrige Spannung verriet sich in dem nervösen Schnippen der Finger, als er die Treppe hinabschritt.

»Wie verändert mich das?« sagte Troy zu Pennyways. »Jetzt erkennt mich bestimmt niemand.«

Er knöpfte einen schweren, grauen Mantel zu, ein uraltes Stück mit Schulterteil und einem hohen Kragen, der steif wie ein Mauerkranz bis fast an den Rand der Reisemütze ragte, die er über die Ohren gezogen hatte.

Pennyways schneuzte den Docht der Kerze und betrachtete Troy mit kritischem Blick.

»Also wollt Ihr wirklich hingehen?« sagte er.

»Natürlich will ich hingehen.«

»Wäre es nicht gescheiter, ihr zu schreiben? Ihr seid in einer vertrackten Situation, Sergeant! Wenn Ihr zu ihr zurückkehrt, kommt alles heraus – und es wird sich nicht eben gut anhören. Wahrhaftig! Ich an Eurer Stelle würde lieber bleiben, was Ihr jetzt seid: Ein Herr ohne Anhang, der sich Mr. Francis nennt. Nichts gegen eine gute Frau, aber noch die beste ist schlechter als gar keine! Das ist meine ehrliche Überzeugung, und daß ich nicht auf den Kopf gefallen bin, können Euch auch noch andere bestätigen.«

»Quatsch!« widersprach Troy gereizt. »Dort sitzt sie auf einem Haufen Geld mit Haus und Hof, Pferd und Wagen und allem Drum und Dran – und hier lebe ich als armseliger Glücksritter von der Hand in den Mund. Außerdem hat es keinen Sinn, jetzt noch zu diskutieren: Es ist zu spät, und ich bin froh darüber! Heute nachmittag erst hat man mich hier gesehen und erkannt. Gleich nach dem Schafmarkt schon hätte ich zu ihr gehen sollen! Nur Ihr mit Eurem Gefasel von Gericht und Scheidung habt mich zurückgehalten, aber jetzt schiebe ich es nicht mehr auf. Ich begreife nicht, welcher Teufel mich geritten hat, daß ich überhaupt jemals fortgelaufen bin! Verfluchte Sentimentalität – sonst nichts! Aber welcher Mann denkt schon daran, daß es seine Frau so eilig hat, ihn loszuwerden?«

»Ich hätte daran gedacht! Diesem Weib traue ich alles zu.«

»Pennyways! Vergeßt nicht, von wem Ihr sprecht!«

»Schon gut, Segeant. Ich sage nur, wenn ich an Eurer Stelle wäre, würde ich wieder zurück ins Ausland verschwinden, wo Ihr hergekommen seid. Dafür ist es noch nicht zu spät. Ich würde nicht den ganzen Dreck aufrühren und meinen guten Namen beschmutzen, nur um mit ihr zu leben. Die Geschichte von Eurer Zirkusspielerei kommt bestimmt heraus – das wißt Ihr, wenn Ihr's auch nicht haben wollt! Du liebes bißchen! Das wird ein Wirbel, wenn Ihr ausgerechnet heute in Boldwoods Weihnachtsparty hineinplatzt!«

»Hm, ja ... Ein besonders willkommener Gast werde ich nicht sein, wenn er sie im Haus hat«, sagte der Sergeant und lachte auf. »So etwas wie ein steinerner Gast: Entsetzt verstummen die Gäste, aus ist es mit dem munteren Treiben, die Lichter schwelen in geisterhaftem Blau, und die Würmer – brr, scheußlich! Bestell' uns noch einen Brandy, Pennyways, mich hat's ganz kalt überlaufen ... Was sonst? Ein Stock – ich brauche einen Spazierstock!«

Pennyways fühlte sich ein wenig in der Klemme, denn für den Fall, daß Bathsheba und Troy sich aussöhnten, brauchte er, nachdem er sich einen Rückhalt bei ihrem Gatten gesichert hatte, auch ihr Wohlwollen. »Manchmal kommt mir vor, sie mag Euch noch immer und ist im Grund doch eine gute Frau«, sagte er, um sich nichts zu vergeben. »Von außen sieht man's den Menschen nicht an. Geht nur hin, Sergeant, wenn Ihr's für richtig haltet. Ich für mein Teil werde tun, was Ihr mir sagt.«

»Wie spät ist es?« fragte Troy, als er sein Glas, schon im Stehen, mit einem Schluck geleert hatte. »Halb sieben. Wenn ich mir Zeit lasse, bin ich noch vor neun dort.«

Im Dunkel vor Boldwoods Haus stand eine Gruppe von Männern. Sie schauten zur Türe hin, die sich hin und wieder für einen Gast oder einen Bediensteten öffnete. Für einen Augenblick fiel dann ein Streifen goldenen Lichts heraus, um gleich wieder zu erlöschen, worauf draußen wieder nur die Lampe zwischen dem Immergrün über der Eingangstüre blaß wie ein Glühwurm schimmerte.

»Heute nachmittag hat man ihn in Casterbridge gesehen«, flüsterte einer. »Der Junge hat es gesagt – und ich glaub's. Seine Leiche hat man ja nie gefunden.«

»Eine verrückte Geschichte«, fand ein anderer. »Und ich wette, daß sie keine Ahnung hat.«

»Bestimmt nicht.«

»Vielleicht will er nicht, daß sie's weiß«, mutmaßte ein dritter.

»Wenn er am Leben ist und sich hier in der Nachbarschaft aufhält, führt er etwas im Schild«, fuhr der erste fort. »Arme Kleine! Mir tut sie leid, wenn es wahr ist. Er wird sie an den Bettelstab bringen.«

»Ach nein. Er wird sich ganz still einfügen«, meinte einer, der dazu neigte, den Fall optimistischer zu beurteilen.

»Wie verblendet muß sie gewesen sein, daß sie sich mit dem Burschen überhaupt eingelassen hat! Ihrem Dickkopf und Eigensinn möchte man es fast gönnen, statt sie zu bedauern.«

»Nein, nein, da stimme ich nicht zu. Sie hat sich nicht anders benommen als andere Mädchen, und wie hätte sie wissen sollen, was in ihm steckt? Wenn es wirklich wahr ist, wäre das eine viel zu harte Strafe – mehr als sie verdient. He! Wer ist das dort?« Diese letzte Bemerkung war auf das Knirschen von Schritten bezogen, die sich näherten.

»William Smallbury«, wies eine schattenhafte Gestalt sich aus. »Zappendustere Nacht, was? Fast hätte ich das Brett über den Bach drunten verfehlt – so was ist mir noch nie passiert! Gehört ihr zu Boldwoods Leuten?«

---

* Horaz *Satiren*, Erstes Buch, erste Ode: »Concurritur: horae/momento cita mors venit aut victoria laeta.« (Man stößt aufeinander,/Flugs ist ein rascher Tod oder fröhlicher Sieg schon errungen!)

»Ja – alle. Wir haben uns eben hier getroffen.«

»Ah, ich verstehe – du bist Sam Samway. Hab' mir schon gedacht, daß ich die Stimme kenne ... Geht ihr hinein?«

»Gleich. Nur –« Samway flüsterte: »Hast du's schon gehört, William?«

»Was? Daß man Sergeant Troy gesehen hat?« fragte Smallbury zurück, nun auch mit gedämpfter Stimme.

»Ja. In Casterbridge.«

»Ich hab's gehört. Vorhin erst hat Laban Tall etwas fallen lassen, aber ich glaub's nicht. Moment, da kommt anscheinend Laban selber –«

Schritte näherten sich.

»Laban?«

»Ja, ich bin's«, bestätigte Laban.

»Hast du sonst noch was gehört?«

»Nein«, erwiderte Tall, indem er sich zu der Gruppe gesellte. »Und ich meine, wir sollten es besser für uns behalten. Wenn es nicht stimmt, kann die Aufregung ihr nur schaden; und wenn es stimmt, kommt sie noch früh genug drauf. Gott geb', daß es nur ein böses Gerede ist! Henery Fray und ein paar andere sind nicht gut auf sie zu sprechen, aber mich hat sie immer nur anständig behandelt. Ein Hitzkopf ist sie, aber sie hat auch Mut und lügt nie, wenn ihr die Wahrheit auch noch so sehr schadet. Ich habe keinen Grund, ihr etwas Schlechtes zu wünschen.«

»Ja, bei ihr gibt's nicht die kleinen Weiberlügen – und das läßt sich nicht oft von einer Frau behaupten ... Wenn ihr etwas nicht paßt, sagt sie's dir ins Gesicht und läßt es dich nicht hintenherum merken.«

Eine Weile standen sie schweigend herum, jeder mit seinen eigenen Gedanken beschäftigt, während von drinnen der heitere Lärm vernehmbar war. Dann ging die Tür wieder auf, das Licht fiel heraus, und in dem hellen Viereck sah man die vertraute Figur Boldwoods. Die Türe schloß sich. Boldwood schritt langsam die Auffahrt herab.

»Der Herr ist's«, flüsterte einer der Männer, als er näherkam. »Seid still – er wird gleich wieder hineingehen. Bestimmt fände er es nicht richtig, daß wir hier herumhängen.«

Boldwood ging an den Männern vorbei, ohne sie zu bemerken, wie sie da im Gras unter den Büschen standen. Beim Gatter blieb er stehen, stützte sich darauf und holte tief Atem. Alle hörten, was er leise zu sich selbst sprach:

»Gott helfe mir, daß sie kommt und dieser Abend für mich nicht nur zur Qual wird! Oh, Liebste, Liebste – warum läßt du mich so auf dich warten?«

Alle konnten es verstehen. Hierauf verstummte Boldwood, und nun war wieder der gedämpfte Lärm aus dem Haus zu hören, bis sich nach ein paar Minuten von diesem Hintergrund das Geräusch leichter Räder abhob, die den Hügel herunterrollten. Sie näherten sich und hielten an. Boldwood eilte zurück zur Türe und stieß sie auf. Das Licht fiel auf Bathsheba, die den Weg heraufkam.

Es gelang Boldwood, seine Erregung zu einem einfachen Willkomm zu komprimieren. Die Männer vernahmen Bathshebas leichtes Lachen. Sie bat Boldwood, ihre Verspätung zu entschuldigen. Er führte sie hinein, und die Türe schloß sich wieder.

»Gütiger Heiland! Ich hab' nicht geahnt, daß es so schlimm um ihn steht«, sagte einer. »Ich hab' geglaubt, daß er sie sich längst aus dem Kopf geschlagen hat!«

»Wenn du das geglaubt hast, kennst du unseren Herrn schlecht«, entgegnete Samway.

»Wir hätten gleich weitergeben sollen, was wir erfahren haben«, fuhr der erste beunruhigt fort. »Da kann etwas Schlimmeres draus werden, als wir uns träumen lassen. Das wird dem armen Mr. Boldwood einen schweren Schlag versetzen! Ich wollte, Troy führe zur ... Gott verzeih' mir so einen Wunsch! Was für eine Gemeinheit, derart mit seiner Frau umzuspringen! Nichts in Weatherbury ist gut gelaufen, seit es ihn hier gibt. Jetzt ist mir die Lust auf das Fest vergangen ... Kommt ihr mit mir noch auf einen Schluck zum Mälzer?«

Samway, Tall und Smallbury waren damit einverstanden und verließen den Garten, während die übrigen ins Haus traten. Alsbald langten die drei bei der Mälzerei an, und zwar nicht auf der Straße, sondern durch den benachbarten Obstgarten. Aus dem Fensterchen leuchtete es wie immer. Samway war den anderen ein Stück voraus, hielt aber plötzlich an und wandte sich zu seinen Begleitern. »Pssst!« zischte er, »dort steht einer!«

Nun sahen sie alle, daß das Licht nicht wie sonst auf die efeugrüne Mauer traf, sondern etwas anderes beschien, das sich dicht vor dem Fenster befand. Es war das Gesicht eines Mannes.

»Kommt näher!« flüsterte Samway, und sie schlichen auf Zehenspitzen hin.

Nun war an der Nachricht nichts mehr zu bezweifeln: Troys Nase berührte fast sie Fensterscheibe. Er spähte in die Mälzerei und schien zugleich einem Gespräch zu lauschen, das drinnen geführt wurde – zwischen Oak und dem Mälzer.

»Und der ganze Zauber gilt ihr allein, was?« sagte der Alte. »Obwohl er so getan hat, als sei's nur wegen Weihnachten?«

»Da bin ich überfragt«, entgegnete Oak.

»Oh, das ist schon so – glaub mir! Ich begreife nur nicht, wie Farmer Boldwood ein solcher Narr sein kann, daß er in seinen Jahren vor diesem Weibsbild, das von ihm überhaupt nichts wissen will, so herumbalzt!«

Als die Männer Troy erkannt hatten, zogen sie sich so still, wie sie gekommen waren, wieder durch den Obstgarten zurück. Bathshebas Schicksal hing wie ein Gewitter in der Luft: Jedes Wort, das irgendwo fiel, bezog sich auf sie. Als sie außer Hörweite waren, blieben alle wie auf Befehl stehen.

»Mich hat fast der Schlag getroffen!« schnaufte Tall.

»Mich auch«, sagte Samway. »Was nun?«

»Uns geht es nichts an«, brummt Smallbury.

»Doch! Jeden von uns geht es etwas an!« widersprach Samway. »Wir wissen, daß unser Herr ins Verderben läuft, und daß auch sie keine Ahnung davon hat! Wir müssen ihnen sofort Nachricht geben! Laban, du kennst sie am besten, du mußt sie herausbitten und mit ihr reden.«

»Ich bin nicht der Mann für so etwas«, wehrte Laban nervös ab.

»Wenn's schon einer tun muß, wär's William. Er ist der älteste.«

»Ich will damit nichts zu schaffen haben«, stellte Smallbury klar. »Das ist eine heikle Sache. Und überhaupt, in ein paar Minuten geht er selber zu ihr!«

»Woher willst du das wissen? Los, Laban!«

»Also gut«, gab Tall widerstrebend nach. »Und was soll ich sagen?«

»Sag, daß du den Herrn sprechen mußt.«

»O nein! Mit Mr. Boldwood kann ich nicht reden. Wenn ich's jemandem sage, ist es die Gnädige.«

»Auch recht«, fand Samway.

Darauf ging Laban zur Eingangstüre. Als er sie aufdrückte,

flutete der Lärm – das Fest fand unmittelbar in der Diele statt – heraus wie eine Woge, die an ein stilles Ufer brandet, und verebbte, als er sie hinter sich schloß, wieder zu einem Murmeln. Draußen warteten sie alle voll Spannung, indem sie, als interessierten sie sich für nichts anderes, hinauf in die dunklen Wipfel schauten, die sich träge vor dem Himmel wiegten und gelegentlich unter einem leichten Windstoß zitterten. Einer begann auf und ab zu gehen, gelangte schließlich zurück an seinen Ausgangspunkt und blieb dort im Bewußtsein stehen, daß ein solches Wandern jetzt nicht der Mühe wert sei.

»Eigentlich müßte Laban die Gnädige schon gefunden haben«, brach Smallbury das Schweigen. »Vielleicht will sie nicht mit ihm reden?«

Die Türe schwang auf. Tall erschien und kam herüber.

»Na?« fragten beide zugleich.

»Ich habe mich dann doch nicht getraut, sie herauszubitten«, gestand Laban hilflos. »Es war so ein Durcheinander, weil sie sich alle anstrengen, ein bißchen Leben in das Fest zu bringen. Irgendwie funkt es nicht so recht, obwohl alles da ist, was das Herz begehrt. Da kann ich doch nicht mit so einer kalten Dusche daherkommen ... Nicht um die ewige Seligkeit!«

»Wahrscheinlich sollten wir alle hineingehen«, meinte Samway düster. »Vielleicht gelingt es mir, daß ich dem Herrn etwas zuflüstern kann.«

Also betraten sie zusammen die Diele, die man wegen ihrer Größe für den Anlaß gewählt und zugerichtet hatte. Die Jugend begann nun endlich doch zu tanzen. Bathsheba war im Zweifel gewesen, wie sie sich verhalten sollte, denn an sich war sie auch nichts anderes als ein schlankes, junges Mädchen, und die ihr auferlegte Rolle drückte sie. Schon fand sie es ganz verkehrt, daß sie überhaupt gekommen war, aber dann bedachte sie, wie herzlos es gewesen wäre, nicht zu erscheinen, und so entschloß sie sich zuletzt zu einem Kompromiß: Sie wollte eine Stunde lang bleiben und sich dann unauffällig empfehlen, zumal sie von vornherein wußte, daß sie unter keinen Umständen mittanzen oder -singen oder sonst an dem Treiben teilnehmen konnte.

Als die Stunde, die sie sich zugestanden hatte, mit Plaudern und Zuschauen vorbeigegangen war, sagte Bathsheba zu Liddy, daß sie keine Eile haben müsse, und begab sich in den kleinen Salon, um sich für den Heimweg zurechtzumachen.

Wie in der Halle hatte man auch hier mit Stechpalmen und Efeu dekoriert und warm geheizt. Niemand befand sich in dem Raum, aber Bathsheba war kaum ein paar Sekunden allein, als der Hausherr eintrat.

»Mrs. Troy! Ihr verlaßt uns doch nicht?« sagte er. »Es hat ja eben erst angefangen!«

»Wenn Ihr mich entschuldigt, möchte ich trotzdem gehen.« Sie war gehemmt in ihrem Verhalten, denn sie erinnerte sich an ihr Versprechen und konnte sich vorstellen, was nun kommen würde. »Aber es ist noch nicht spät«, fügte sie hinzu. »Ich werde zu Fuß gehen. Liddy und mein Bursche sollen bleiben, solange es ihnen Spaß macht.«

»Ich habe nach einer Gelegenheit gesucht, mit Euch zu sprechen«, sagte Blodwood. »Vielleicht wißt Ihr schon, welche Frage mir auf dem Herzen liegt?«

Bathsheba blickte schweigend zu Boden.

»Gebt Ihr es mir?« drang er in sie.

»Was?« hauchte sie.

»Nein, versucht mir nicht zu entwischen! Was sonst als Euer Wort? Ich will Euch nicht zur Last fallen und habe auch keineswegs den Wunsch, daß jemand davon erfährt, aber – gebt mir Euer Wort! Faßt es einfach als eine Absprache zwischen zwei Geschäftsleuten auf, denen die Liebe nichts mehr anhaben kann.« Boldwood wußte sehr wohl, wie falsch dieser Vergleich war, so weit er ihn selbst betraf, aber er hatte begriffen, daß anders mit ihr nicht zu reden war. »Ein Versprechen, daß Ihr mich nach fünf Jahren und neun Monaten heiraten werdet. Das schuldet Ihr mir!«

»Ich fühle, daß ich es Euch schulde«, gab Bathsheba zu: »Wenn Ihr darauf besteht . . . Aber ich bin nicht mehr dieselbe – eine unglückliche Frau – und nicht – nicht –«

»Ihr seid noch immer eine sehr schöne Frau«, versicherte Boldwood. Er stellte dies in aller Ehrlichkeit und aus voller Überzeugung fest. Es gab nicht den geringsten Anhalt, daß er etwa mit plumper Schmeichelei ihr Wohlwollen zu gewinnen versuchte. Dennoch zeitigte es nicht viel Wirkung, denn sie erwiderte so tonlos, daß sich allein darin schon ausdrückte, wie sie es meinte: »Mein Herz läßt mich völlig im Stich. Ich weiß wirklich nicht, wie ich mich in einer so schwierigen Lage verhalten soll, und ich habe keinen Menschen, der mir raten könnte. Aber ich gebe Euch mein Wort, wenn Ihr es unbedingt haben wollt. Ich gebe es Euch, um eine Schuld abzutragen – und selbstverständlich unter der Bedingung, daß mein Gatte tot ist.«

»Also werdet Ihr mich in etwas mehr als fünf und etwas weniger als sechs Jahren heiraten?«

»Drängt mich nicht zu sehr. Ich werde keinen anderen Mann heiraten.«

»Aber Ihr nennt mir doch einen Termin? Oder wollt Ihr mich mit einer leeren Phrase abspeisen?«

»Oh – ich weiß es nicht. Bitte, laßt mich jetzt nach Hause!« flehte sie, und ihr Atem ging schneller. »Ich habe Angst vor der Entscheidung! Ich möchte Euch nicht unrecht tun, aber damit, scheint es, tue ich mir selbst unrecht – und vielleicht verstößt es auch gegen Gottes Gebot ... Es ist durchaus nicht sicher, daß er tot ist. Das wäre dann entsetzlich! Laßt mich einen Anwalt fragen, ob ich mich darauf einlassen darf.«

»Sag die paar Worte, Liebste, und wir sprechen nicht weiter davon! Sechs Jahre lang ein Verhältnis wie zwischen zwei Menschen, die einander gut sind – und dann Hochzeit – oh, Bathsheba, sag es mir!« bettelte er mit belegter Stimme, nun nicht mehr fähig, sich im Rahmen schlichter Freundschaft zu halten. »Versprich dich mir! Ich verdiene es wirklich, denn ich habe dich mehr geliebt als je ein Mensch! Und wenn ich etwas Übereiltes gesagt oder mich heftig benommen habe – glaub mir, Liebste, daß ich dich nicht kränken wollte! Ich habe Todesqualen gelitten, Bathsheba, und ich wußte nicht, was ich redete. Keinen Hund würdest du so leiden lassen wie mich, wenn du es spüren könntest. Manchmal peinigt es mich, daß du weißt, was ich für dich gefühlt habe, und dann wieder tut es mir weh, daß du es nie in seinem vollen Umfang erfassen wirst. Sei mir gnädig und laß mich ein Geringes haben, da ich doch mein Leben für dich hingeben würde!«

Ihre Erregung verriet sich in den Rüschen des Kleides, die sich im Licht sträubten, und schließlich brach sie in Tränen aus. »Und Ihr werdet mich nicht – nicht drängen – zu nichts drängen – wenn ich sage, daß es in fünf oder sechs Jahren sein soll?« schluchzte sie, als sie wieder zu Worten fand.

»Ja, dann überlasse ich es der Zeit.«

»Gut also: Wenn er nicht zurückkehrt und wir beide dann noch leben, werde ich in sechs Jahren, vom heutigen Tag an gerechnet, Eure Frau.«

»Nun nehmt auch dies, damit Ihr mich nicht vergeßt –«

Boldwood war ganz nahe an sie herangetreten, umschloß mit beiden Händen eine der ihren und führte sie an seine Brust.

»Was ist das? O nein – einen Ring kann ich nicht tragen!« rief sie, als sie erkannte, was er vorhatte. »Ich will auch nicht, daß jemand von diesem Verlöbnis erfährt! Vielleicht schickt es sich nicht? Und wir sind doch gar nicht im üblichen Sinn verlobt? Besteht nicht darauf, Mr. Boldwood – nein!« Weil es ihr nicht gelang, ihm sofort die Hand zu entziehen, stampfte sie heftig mit dem Fuß auf, und ihre Augen füllten sich wieder mit Tränen.

»Er soll nur ein Pfand sein – ohne tiefere Bedeutung – ein Siegel, das einen Kontrakt beglaubigt«, versicherte er, nun etwas ruhiger, ohne jedoch ihre Hand freizugeben. »Bitte!«

Boldwood streifte den Ring über ihren Finger.

»Ich kann ihn nicht tragen!« Sie weinte, als hätte er ihr das Herz gebrochen. »Ihr macht mir Angst! So ein Wahnwitz! Laßt mich bitte heimgehen!«

»Nur heute abend! Tragt ihn nur heute abend – mir zu Gefallen!«

Bathsheba sank auf einen Stuhl und vergrub das Gesicht in ein Taschentuch, obwohl Boldwood noch immer ihre Hand hielt. Endlich flüsterte sie, als habe sie alle Hoffnung aufgegeben:

»So sei's drum! Nur heute abend, wenn Ihr so großen Wert darauf legt ... Aber laßt jetzt meine Hand los! Ich werde ihn wirklich diesen Abend lang tragen –«

»Und das soll zugleich der Beginn unserer heimlichen Brautzeit von sechs Jahren sein, an deren Ende wir vor den Altar treten?«

»Es muß wohl so kommen, wenn Ihr es wollt«, sagte sie, zu weiterer Gegenwehr nicht mehr fähig.

Boldwood drückte ihre Hand und ließ sie darauf in Bathshebas Schoß fallen. »Jetzt bin ich glücklich«, stellte er fest. »Gott segne Euch!«

Er verließ das Zimmer. Als er annehmen konnte, daß sie sich einigermaßen gefaßt hatte, schickte er eines von den Mädchen zu ihr. Bathsheba sorgte, so gut es ging, daß man die Spuren der Szene ihr nicht anmerkte, und begab sich ohne weiteres Säumen hinunter, zum Aufbruch bereit. Um zur Tür zu gelangen, war die Diele zu durchqueren, und vorher blieb sie noch am Fuß der Treppe, in der einen Ecke des Raumes, für die Dauer eines Abschiedsblicks stehen.

Die Musik hatte eine Pause eingelegt, man tanzte daher auch nicht. Am unteren Ende, das man für das Gesinde hergerichtet hatte, standen ein paar Männer mit düsteren Mienen beisammen und unterhielten sich flüsternd. Boldwood stand beim Kamin, und obwohl er von Wunschbildern gefesselt war, die ihr Versprechen hervorgerufen hatte, und die ihn für alles andere fast blind machten, war anscheinend auch ihm das seltsame Benehmen der Männer, die verstohlen um sich schauten, soeben aufgefallen.

»Wo fehlt's, Leute?« erkundigte er sich.

Einer wandte sich zu ihm und erwiderte bedrückt: »Es ist nur, daß Laban etwas gehört hat, Sir.«

»Das Allerneueste? Gibt's eine Heirat oder eine Verlobung – oder eine Kindstaufe? Oder ist wer gestorben?« fragte der Farmer munter weiter. »Heraus damit, Tall! Nach deinem Gesicht und dem heimlichen Getue muß ja etwas ganz Fürchterliches passiert sein!«

»Nein, Sir, es ist niemand gestorben«, erwiderte Tall.

»Obwohl ich's mir wünschen würde«, flüsterte Samway.

»Was brummst du, Samway?« fragte Boldwood, nun mit einiger Schärfe. »Wenn du etwas zu sagen hast, dann sag es! Andernfalls sieh zu, daß zum nächsten Tanz aufgespielt wird.«

»Mrs. Troy ist heruntergekommen«, bemerkte Samway zu Tall. »Wenn du's ihr sagen willst, mußt du es jetzt tun.«

»Wißt Ihr, was sie meinen?« fragte der Farmer Bathsheba, quer durch den Raum.

»Ich habe keine Ahnung«, sagte Bathsheba.

Von der Tür her war ein energisches Klopfen zu vernehmen. Einer der Männer öffnete sofort und ging hinaus.

»Mrs. Troy wird gewünscht«, sagte er, als er wieder erschien.

»Ich bin schon fertig«, antwortete Bathsheba. »Aber ich habe nicht gesagt, daß man mich abholen soll.«

»Es ist ein Fremder, Gnädige«, berichtigte der Mann bei der Türe.

»Ein Fremder?« wiederholte sie.

»Er soll hereinkommen«, sagte Boldwood.

Man gab die Einladung weiter, und schon stand Troy – so vermummt, wie wir ihn zuletzt gesehen haben – auf der Schwelle.

Es wurde gespenstisch still, alles blickte auf den späten Gast. Jene, die eben erfahren hatten, daß Troy sich in der Nähe herumtrieb, erkannten ihn sofort; die übrigen waren völlig verwirrt. Niemand beachtete Bathsheba. Sie lehnte leichenblaß an der Treppe, die Brauen wie im Schmerz verknotet, den Mund offen, und starrte dem Mann entgegen.

Boldwood zählte zu denen, die Troy nicht erkannten. »Herein – herein!« wiederholte er munter: »Trinkt einen Becher Weihnachtspunsch mit uns, Fremder!«

Troy trat nun bis in die Mitte des Raumes vor. Er nahm seine Mütze ab, legte den Mantelkragen um und sah Boldwood an. Nicht einmal jetzt begriff Boldwood, daß derjenige, der ihm so beständig die Ironie des Schicksals vor Augen geführt und schon einmal sein Glück zerstört, ihn gedemütigt und seines Teuersten beraubt hatte, abermals gekommen war, um all dies zu wiederholen. Troy begann wie auf Knopfdruck zu lachen. Jetzt erkannte ihn Boldwood.

Troy wandte sich zu Bathsheba. In welchen Abgrund der Verzweiflung sich das arme Mädchen nun stürzen sah, spottet aller Vorstellung und Worte. Sie war auf die unterste Stufe gesunken und saß da, mit blauen, trockenen Lippen, die dunklen Augen blicklos auf Troy geheftet, als sei sie im Zweifel, ob es sich nicht doch nur um ein grauenhaftes Trugbild handle.

Dann sprach Troy: »Bathsheba, ich bin hier, um dich abzuholen.«

Sie blieb stumm.

»Komm mit mir nach Hause – komm!«

Bathshebas Füße rührten sich, aber sie stand nicht auf.

Troy ging zu ihr hinüber.

»Kommt, Madam, versteht Ihr mich nicht?« herrschte er sie an.

Vom Kamin her ließ sich eine seltsame Stimme vernehmen – wie aus weiter Ferne und hinter Kerkermauern. Kaum jemand unter den Anwesenden erfaßte, daß dieser dünne Laut von Boldwood ausging. Die jähe Verzweiflung hatte ihn völlig verwandelt.

»Geh mit deinem Mann, Bathsheba!«

Dennoch rührte sie sich nicht. Tatsache war, daß Bathsheba keines Gefühls fähig war, obwohl man es ihr nicht ansah. Sie befand sich in einem Zustand völliger Entrücktheit; ein

Dunkel, für das es keine äußeren Anzeichen gab, hatte ihr Bewußtsein vorübergehend ausgelöscht.

Troy streckte seine Hand aus, um sie zu sich zu ziehen, als sie plötzlich zurückwich. Die Furcht vor ihm, die sich darin ausdrückte, schien ihn zu irritieren. Er packte sie am Arm. Ob der harte Griff ihr weh tat oder ob es nur die Berührung durch ihn war, blieb für immer ungeklärt: Sie wand sich unter ihm und stieß einen leisen, kurzen Schrei aus.

Der Schrei war jedoch kaum verklungen, als ihm ein ohrenbetäubender Knall folgte, der in dem Raum widerhallte und alle erstarren ließ. Die Eichentäfelung bebte, und grauer Qualm breitete sich in der Diele aus.

Verstört blickten die Gäste auf Boldwood. Hinter ihm, wie er da vor dem Kamin stand, befand sich der in solchen Häusern übliche Gewehrhalter für zwei Flinten. Als Bathsheba unter der Hand ihres Gatten aufschrie, war die hilflose Verzweiflung von Boldwood gewichen, seine Züge hatten sich verwandelt: Die Adern schwollen an, ein irres Leuchten trat in seinen Blick. Blitzschnell hatte er sich umgedreht, eine der Flinten herabgenommen, den Hahn gespannt und auf Troy geschossen.

Troy fiel. Der Abstand zwischen den beiden Männern war so gering, daß die Schrotladung sich nicht gestreut, sondern ihn als geballte Ladung getroffen hatte. Ein langezogenes, kehliges Ächzen – er krümmte sich – streckte sich – dann entspannte sich der Körper, um sich nicht mehr zu rühren.

Durch den Rauch sah man, wie Boldwood nun wieder an der Flinte hantierte. Sie besaß zwei Läufe, und er hatte inzwischen irgendwie sein Taschentuch am Abzug befestigt und war, mit dem Fuß am anderen Ende, eben dabei, die Mündung des zweiten Laufes auf sich zu richten. Sein Diener Samway bemerkte es als erster und warf sich inmitten der allgemeinen Verwirrung auf ihn. Schon hatte Boldwood an dem Taschentuch gezogen, wieder löste sich ein Schuß, aber ein rechtzeitiger Hieb Samways sandte die Kugeln in den Balken, der die Decke trug.

»Meinetwegen«, keuchte Boldwood. »Ich kann auch anders sterben!«

Er riß sich von Samyway los, schritt durch den Raum zu Bathsheba und küßte ihr die Hand. Dann setzte er seinen Hut auf, öffnete die Tür und verschwand in die Nacht, bevor es jemandem einfiel, ihn aufzuhalten.

Boldwood kam auf die Landstraße und schlug die Richtung nach Casterbridge ein. Stetigen Schrittes ging er über den Hügel von Yalbury, durch die Senke dahinter, stieg den Hügel von Mellstock hinan, überquerte das Moor und erreichte zwischen elf Uhr und Mitternacht die Stadt. Um diese Stunde waren die Straßen fast menschenleer, die schaukelnden Laternen beschienen nur die graugestrichenen Läden der Geschäfte und Streifen von hellem Straßenpflaster, auf dem seine Schritte widerhallten. Er wandte sich nach rechts und hielt vor einem Tor mit zwei eisenbeschlagenen Flügeln unter einem Bogen aus klobigem Mauerwerk an. Es war das Tor zum Stadtgefängnis. Darüber hing eine Lampe, bei deren Licht der vom Schicksal geschlagene Wanderer den Glockenzug fand.

Endlich öffnete sich der schmale Einlaß, und ein Wärter zeigte sich. Boldwood trat vor, sprach leise auf ihn ein, und nach einer Weile kam ein zweiter Mann. Boldwood ging hinein, das Tor schloß sich hinter ihm. Die Welt sah ihn nie wieder.

Lange zuvor schon war ganz Weatherbury auf den Beinen, und die Nachricht von der Wahnsinnstat, mit der Boldwoods frohes Fest geendet hatte, machte die Runde im Dorf. Von denen, die sich nicht im Haus befunden hatten, war Oak einer der ersten, der davon erfuhr, und das Bild, das sich ihm bot, als er etwa fünf Minuten nach Boldwoods Weggang die Diele betrat, war entsetzlich. Wie Schafe im Gewitter drängten sich die weiblichen Gäste an den Wänden, die Männer standen hilflos herum. Bathsheba hingegen war wie ein anderer Mensch. Sie saß neben Troy auf dem Boden und hatte seinen Kopf in ihren Schoß gelegt. Mit einer Hand preßte sie ihr Taschentuch auf seine Brust, obwohl kaum ein Tropfen Blut aus der Wunde geflossen war, und die andere umschloß eine von Troys Händen. Der allgemeine Aufruhr hatte sie aus ihrem Koma geweckt, und als es zu handeln galt, vermochte sie es wieder. Stoischen Heldenmut trifft man eher in den Werken der Philosophen als in der Wirklichkeit, und für die Anwesenden war Bathsheba schier ein Rätsel, denn bei ihr deckten sich Theorie und Praxis, und es kam selten vor, daß sie etwas für richtig hielt, was sie nicht auch selbst zu tun bereit war. Die Mütter großer Männer sind aus solchem Stoff, wesentlich für jede höhere Entwicklung, ein Odium für Damenkränzchen, der Schrecken aller Geschäftsleute und nie so geschätzt wie in kritischen Situationen. Troy, als Zentrum des weiten Raumes im Schoß seiner Frau liegend, beherrschte die Szene.

»Gabriel«, sagte sie ganz automatisch, als er eintrat, und kehrte ihm ein Antlitz zu, das sich nur durch die vertrauten Züge als das Ihre auswies, da alles andere darin völlig ausgelöscht war: »Du reitest sofort nach Casterbridge und holst einen Arzt! Ich glaube nicht, daß es noch viel Sinn hat, aber geh! Mr. Boldwood hat meinen Mann erschossen.«

Die simplen Worte, in die sie den Sachverhalt faßte, waren eindrucksvoller als jedes tragische Pathos und bewirkten, daß auch die übrigen Anwesenden wieder klarer sahen. Oak hatte kaum mehr begriffen, als diese kürzeste Formel, auf die sie den Vorfall brachte, ihm vermitteln konnte, aber er lief schon hinaus, sattelte ein Pferd und ritt los. Erst nach gut einer Meile überlegte er sich, daß es gescheiter gewesen wäre, wenn er einen anderen Mann geschickt hätte und selbst im Haus geblieben wäre. Was war mit Boldwood? Man hätte sich um ihn kümmern müssen. War er verrückt geworden? War ein Streit ausgebrochen? Und wie war Troys Gegenwart zu erklären? Wo war er hergekommen? Wie hatte er so plötzlich auftauchen können, da man ihn doch auf dem Meeresgrund vermutet hatte? Unmittelbar vor dem Betreten von Boldwoods Haus hatte Oak das Gerücht von Troys Heimkehr vernommen und war somit bis zu einem gewissen Grad auf sein Erscheinen vorbereitet gewesen, aber die Katastrophe war hereingebrochen, bevor er sich mit der Nachricht auseinandergesetzt hatte. Dennoch war es jetzt zu spät, um einen anderen Boten auszuschicken, und mithin ritt Gabriel weiter. So beschäftigt war er mit den Fragen, die sich aufdrängten, daß er gar nicht bemerkte, wie er etwa drei Meilen vor Casterbridge einen Wanderer von athletischem Wuchs überholte, der unter einer dunklen Hecke in derselben Richtung unterwegs war.

Die Entfernung, die er zurückzulegen hatte, und andere Behinderungen, die mit der vorgerückten Stunde und der herrschenden Dunkelheit zusammenhingen, verzögerten das Eintreffen Mr. Aldritchs, des Wundarztes, so daß zwischen dem Zeitpunkt des Schusses und seiner Ankunft im Haus mehr als drei Stunden vergingen. Oak wurde darüber hinaus in der Stadt aufgehalten, weil er den Vorfall bei den Behörden zu melden hatte. Dann erfuhr er, daß auch Boldwood nach Casterbridge gekommen war und sich gestellt hatte.

Inzwischen fand der Wundarzt, als er in die Diele von Boldwoods Haus eilte, diese dunkel und völlig verlassen vor. Er ging weiter in die hofseitigen Räume, wo er in der Küche einen alten Mann entdeckte, den er ins Verhör nahm.

»Sie hat ihn zu sich nach Hause gebracht, Sir«, teilte ihm der Alte mit.

»Wer ›sie‹?« fragte der Doktor.

»Mrs. Troy. Er war mausetot, Sir.«

Das war eine unerwartete Wendung. »So etwas hätte sie nicht tun dürfen«, stellte der Doktor fest. »Der Fall muß aufgenommen werden, und sie hätte warten sollen, bis man ihr sagt, was zu geschehen hat.«

»Ja, Sir. Man hat sie darauf aufmerksam gemacht, daß sie warten soll, bis nach dem Gesetz entschieden worden ist. Aber sie hat gesagt, daß das Gesetz sie nichts angeht, und daß alle Leichenbeschauer von ganz England sie nicht dazu bringen können, daß sie ihren geliebten Mann hier liegen und von den Leuten anglotzen läßt.«

Darauf fuhr Mr. Aldritch unverzüglich zurück auf den Hügel zu Bathsheba. Als erste begegnete ihm dort die arme Liddy, die in den letzten Stunden meßbar abgemagert zu sein schien. »Was hat man getan?« fragte er sie.

»Ich weiß es nicht, Sir«, antwortete Liddy mit angehaltenem Atem. »Meine Herrin hat alles getan.«

»Wo ist sie?«

»Oben bei ihm, Sir. Die Männer haben ihn hergebracht und nach oben getragen, und sie hat ihnen gesagt, daß sie ihre Hilfe nicht mehr braucht. Sie hat mich gerufen, damit ich die Badewanne fülle, und dann hat sie mir gesagt, daß ich zu Bett gehen soll, weil ich so krank aussehe. Danach hat sie sich mit ihm in dem Zimmer eingeschlossen und niemanden – nicht die Pflegerin und auch sonst keinen Menschen – zu sich hineingelassen. Ich habe mir gedacht, daß ich im Nebenzimmer warten werde, falls sie mich haben will. Ich habe gehört, wie sie mehr als eine Stunde drinnen herumgegangen ist, aber sie ist nur einmal herausgekommen und hat neue Kerzen geholt, weil die, die sie gehabt hat, heruntergebrannt waren. Sie hat mir gesagt, daß ich sie wissen lassen soll, wenn Ihr oder Pfarrer Thirdly kommt, Sir.«

Im selben Augenblick erschien auch Oak mit dem Pfarrer, und Liddy Smallbury führte sie alle in den Oberstock. Grabesstille herrschte, als sie auf der Galerie anhielten. Liddy klopfte, und von drinnen hörte man Bathshebas Kleid rascheln. Der Schlüssel drehte sich im Schloß, dann öffnete sie die Türe. Sie machte einen ruhigen, beinahe steifen Eindruck, ein Standbild der tragischen Muse mit einer Spur Leben.

»Oh, Mr. Aldritch, da seid ihr endlich«, kam es leise von ihren Lippen. Sie stieß die Türe weit auf. »Ah – und Mr. Thirdly! – Es ist alles besorgt: Jetzt darf ihn jeder sehen.« Hierauf schritt sie an dem Arzt vorbei über die Galerie und verschwand in einem anderen Zimmer.

Als die drei Männer in die von Bathsheba verlassene Totenkammer blickten, sahen sie im Licht der Kerzen, die auf den Kommoden standen, etwas Langes, weiß Verhülltes, das am anderen Ende des Schlafzimmers lag. Rundherum befand sich alles in peinlicher Ordnung. Der Doktor ging hinein und kam nach ein paar Minuten auf die Galerie zurück, wo Oak und der Pfarrer noch immer warteten.

»Wie sie gesagt hat: Es ist wahrhaftig alles besorgt«, teilte Mr. Aldritch in gedämpftem Ton mit. »Der Körper ist entkleidet und im Leichenhemd aufgebahrt, wie es sich gehört. Gnädiger Gott – was für ein Mädchen! Sie muß Nerven aus Stahl haben.«

»Nur das Herz einer Frau«, kam es flüsternd zu Ohren der drei Männer, und als sie sich umdrehten, sahen sie Bathsheba bei sich stehen. Dann – als wolle sie zugleich beweisen, daß solcher Mut mehr in ihrem Willen als in ihrer Natur begründet war – sank sie zwischen ihnen lautlos nieder und lag wie ein Bündel Kleider auf dem Bretterboden. Das Bewußtsein, daß Übermenschliches nicht länger von ihr verlangt wurde, hatte ihr die Kraft, sich weiter aufrecht zu halten, genommen.

Sie trugen sie in ein anderes Zimmer, und die ärztliche Hilfe, die für Troy zu spät gekommen war, erwies sich nun in Bathshebas Fall als unschätzbar, denn sie durchlief nun eine ganze Folge von Ohnmachtsanfällen, die eine Weile durchaus Anlaß zu Besorgnis gaben. Man brachte die Patientin zu Bett. Als Oak schließlich den Worten des Arztes entnahm, daß nichts wirklich Schlimmes mehr für sie zu befürchten war, verließ er das Haus. Liddy hielt Wache bei Bathsheba und hörte in den langen, trägen Stunden dieser Unglücksnacht das leise Wimmern ihrer Herrin: »Oh, es ist meine Schuld! Wie kann ich noch weiterleben? Herr im Himmel, wie kann ich weiterleben?«

Versetzen wir uns ohne Umschweife in den Monat März, an einem windigen Tag ohne Sonne, Frost oder Tau. Auf dem Hügel von Yalbury, etwa auf halbem Weg zwischen Weatherbury und Casterbridge, wo die Landstraße über die Kuppe läuft, hatte sich eine Menge Volk versammelt und hielt Ausschau gegen Norden. Viele Neugierige waren da, eine Gruppe von Pikenieren und zwei Trompeter, und in der Mitte hielten Kutschen, wobei in einer von ihnen der Oberste Landrichter saß. Unter den Neugierigen, von denen viele auf die Böschungen zu Seiten der Straße hinaufgeklettert waren, befanden sich mehrere Männer und Jungen aus Weatherbury, so auch Poorgrass, Coggan und Cain Ball.

Nach einer halben Stunde zeigte sich an der Stelle, wo man es erwartete, eine leichte Staubwolke, und bald darauf fuhr eine Kalesche, mit der zwei Beisitzer des Westlichen Kreisgerichts anreisten, den Hügel hinauf und kam auf der Kuppe zum Stehen. Die pausbäckigen Trompeter bliesen eine Fanfare, der Landrichter stieg in die Kalesche um, und dann formierten sich Volk, Pikeniere und Wagen zu einer Prozession, die sich zur Stadt hin bewegte. Nur die Leute aus Weatherbury kehrten, nachdem sie den Richter abfahren gesehen hatten, wieder nach Hause zu ihrem Tagwerk zurück.

»Ich hab' dich gesehen, Joseph, wie du dich ganz dicht an die Kutsche rangedrückt hast«, sagte Coggan im Gehen. »Konntest du erkennen, wie der Landrichter dreingeschaut hat?«

»Ich hab' ihn gesehen«, bestätigte Poorgrass. »Als hätt' ich ihm ins Herz schauen wollen, so scharf hab ich ihn angeschaut. Und in seinen Augen war etwas Mildes ... Das heißt – um in einer so ernsten Sache bei der Wahrheit zu bleiben – in dem einen Auge, das in meine Richtung geschaut hat.«

»Na, ich hoffe das Beste«, meinte Coggan. »So schlimm es auch sein wird. Aber zur Verhandlung gehe ich nicht, und ich würde auch euch anderen raten, daß ihr nicht hingeht, wenn man euch nicht braucht. Es stört ihn bestimmt beim Denken, wenn er merkt, daß wir ihn wie ein Wundertier anglotzen.«

»Genau das habe ich heute früh auch gesagt«, stellte Joseph fest. »›Nun wird er auf der Waage der Gerechtigkeit gewogen‹, hab' ich auf meine philosophische Art gesagt, ›und wenn er zu leicht befunden wird, kommt es über ihn.‹ Und einer, der danebengestanden ist, hat dazu gesagt: ›Auf einen Mann, der solche Worte findet, sollt ihr hören.‹ Aber ich will mich dessen nicht rühmen, denn ich habe nur gesagt, was zu sagen war, und das war nicht viel. Wenn auch das ganze Land die Worte im Mund führt, die ein paar Männer finden, als ob sie ihnen von der Natur gedacht gewesen wären.«

»So ist's, Joseph. Und jetzt also, Nachbarn, verdrückt sich ein jeder in seine vier Wände.«

Dieser Beschluß wurde eingehalten. Voll Unruhe wartete man am folgenden Tag auf Nachricht. Die Spannung wurde allerdings am Nachmittag durch eine Entdeckung abgelenkt, die für Boldwoods Benehmen und Zustand eine bessere Erklärung zu geben schien als alle schon bekannten Einzelheiten.

Daß Boldwood in der Zeit zwischen dem Schafmarkt von Greenhill und dem Weihnachtsabend sehr erregt und unberechenbar gewesen war, wußten seine näheren Bekannten; keiner aber war auf den Gedanken gekommen, daß Boldwood da schon ganz eindeutige Symptome jener Geisteszerrüttung zeigte, deren ihn nur Bathsheba und Oak – jeder für sich und aus verschiedenem Anlaß – für Momente verdächtigt hatten. In einem verschlossenen Kabinett fand sich eine sehr eigenartige Sammlung: Mehrere komplette Damentoiletten aus teuren Stoffen – Seide, Satin, Popeline und Samt, alles in Farben, von denen sich nach der Art, wie Bathsheba gekleidet war, annehmen ließ, daß sie dafür eine Vorliebe hatte; zwei Muffs, einer aus Zobel und der andere aus Hermelin; vor allem aber ein Kästchen mit Schmuck, das vier schwere Goldarmbänder, mehrere Medaillons und Ringe enthielt, durchwegs in bester Qualität und Verarbeitung. All das hatte er nach und nach in Casterbridge und an anderen Orten zusammengekauft und heimlich ins Haus gebracht. Jedes Stück war sorgfältig in Papier verpackt, und jedes Päckchen trug die Aufschrift »Bathsheba Boldwood« und darunter ein Datum, das jeweils sechs Jahre vorauslag.

Diese einigermaßen rührenden Zeugnisse für einen von der Liebe verwirrten Geist gaben den Gesprächsstoff in Warrens Mälzerei ab, als Oak, aus Casterbridge kommend, die Nachricht vom Ausgang des Prozesses brachte. Es war Nachmittag, und im Widerschein der Ofenglut ließ sich aus seinem Gesicht ablesen, was geschehen war: Erwartungsgemäß hatte Boldwood sich schuldig bekannt und war zum Tod verurteilt worden.

Die Überzeugung, daß Boldwood in der letzten Zeit für seine Handlungen moralisch nicht verantwortlich gewesen war, griff nun um sich. Bereits vor dem Prozeß hatten verschiedene Tatsachen, die man ermittelt hatte, einen solchen Schluß sehr nahegelegt, aber es war nicht genug gewesen, um eine Untersuchung seines Geisteszustandes anzuordnen. Jetzt, da man sich fragte, ob er nicht etwa doch verrückt sei, war es erstaunlich, wie vieler Nebensächlichkeiten man sich erinnerte, die sich anscheinend nur aus einer psychischen Krankheit erklären ließen – unter anderem auch die Geschichte vom Sommer vor einem Jahr, als er die Kornschober hatte zugrundegehen lassen.

Man richtete eine Petition an den Innenminister, in welcher die Umstände dargelegt wurden, die eine Revision des Urteils gerechtfertigt erscheinen ließen. So viele Unterschriften wie sonst in solchen Fällen kamen in Casterbridge freilich nicht zusammen, denn Boldwood hatte sich bei den Geschäftsleuten nicht viele Freunde erworben. Sie fanden, daß ein Mann, der lieber direkt bei den Erzeugern kaufte und sich damit über den ersten und wichtigsten Glaubenssatz provinzieller Existenz – daß die Dörfer dazu geschaffen sind, um die kleinen Landstädte mit Kundschaft zu versorgen – bedenkenlos hinweggesetzt hatte, auch ein gestörtes Verhältnis zu den Zehn Geboten haben mußte. Bei den Petenten handelte es sich um ein paar mitleidige Seelen, die sich von den nachträglich ermittelten Indizien vielleicht ungebührlich beeindrucken ließen. Ein neues Beweisverfahren sollte eingeleitet werden, von dem man sich erhoffte, daß sich die Tat nicht mehr als Mord, sondern als Folge mangelnder Zurechnungsfähigkeit darstellen werde.

Das Ergebnis der Petition wurde in Weatherbury mit Sorge und Spannung erwartet. Die Hinrichtung war für einen Samstagmorgen festgesetzt, zwei Wochen nach der Verkündung des Urteils, und bis am Freitagnachmittag war keine Antwort gekommen. An diesem Nachmittag kam Gabriel aus dem Gefängnis, wo er sich von Boldwood verabschiedet hatte, und bog in eine Seitenstraße, weil er die Stadt vermeiden wollte. Beim letzten Haus hörte er ein Hämmern und hob seinen Kopf, um zurückzublicken. Über die Schornsteine hinweg konnte er die obere Hälfte des Gefängnistores sehen, goldglühend in der späten Sonne, und einige Gestalten: Zimmerleute, die innerhalb der Mauern einen Balken senkrecht aufrichteten. Gabriel wandte sich rasch ab und eilte weiter.

Es war finster, als er nach Hause kam, aber das halbe Dorf erwartete ihn auf der Straße.

»Nichts«, sagte Gabriel müde. »Und ich fürchte, viel ist nicht zu hoffen. Ich bin zwei Stunden bei ihm gewesen.«

»Glaubst du, daß er richtig von Sinnen war, wie er es getan hat?« fragte Smallbury.

»Das traue ich mich wirklich nicht zu behaupten«, meinte Oak. »Aber darüber können wir ein andermal weiterreden. Gibt es was Neues von unserer Herrin?«

»Nichts.«

»Ist sie heruntergekommen?«

»Nein. Und sonst geht's ihr halt wie gehabt, nicht sehr viel besser als zu Weihnachten. Immer wieder fragt sie, ob du schon zurück bist und man etwas erfahren hat, bis einem das Antworten leid wird ... Soll ich zu ihr gehen und ihr sagen, daß du hier bist?«

»Nein«, entschied Oak. »Noch ist nicht alles verloren. Aber in der Stadt habe ich es nicht länger ausgehalten, überhaupt nach dem Besuch bei ihm ... Laban soll – ist Laban hier?«

»Ja«, meldete sich Tall.

»Ich habe ausgemacht, daß du heute noch ganz spät zur Stadt reitest. Mach dich etwa um neun auf den Weg und warte dort eine Weile, so daß du gegen Mitternacht wieder hier bist. Wenn bis elf nichts eintrifft, gibt es, sagt man, keine Chance mehr.«

»Ich bete, daß sie ihn leben lassen«, sagte Liddy. »Wenn er sterben muß, wird auch sie noch verrückt. Die arme Frau! So leiden zu müssen! Sie hat es wirklich verdient, daß wir mit ihr fühlen.«

»Hat sie sich sehr verändert?« erkundigte sich Coggan.

»Wenn du unsere Herrin seit Weihnachten nicht gesehen hast, würdest du sie nicht wiedererkennen«, versicherte Liddy. »So unglücklich schaut sie drein, daß sie wie ein anderer Mensch wirkt. Vor zwei Jahren war sie noch ein rechter Wildfang – und jetzt das!«

Laban brach auf wie befohlen, und um elf wanderten schon einige Dörfler auf der Straße gegen Casterbridge ihm entgegen – unter ihnen auch Oak und fast alle übrigen Männer Bathshebas. Obwohl sein Gewissen ihm sagte, daß Boldwood den Tod verdient habe, hoffte Gabriel, daß die Strafe ausgesetzt werde, denn der Farmer hatte über Qualitäten verfügt, die Oak sehr zu schätzen verstand. Endlich, als alle schon todmüde waren, hörte man von fern den Hufschlag eines Pferdes.

»Jetzt werden wir es gleich wissen, so oder so«, sagte Coggan, und alle stiegen von der Böschung hinunter auf die Straße, so daß der Reiter mitten in den Haufen hineinsprengte.

»Bist du's, Laban?« fragte Gabriel.

»Ja. Es ist da! Er muß nicht sterben! Sie haben ihm Kerker nach Seiner Majestät Ermessen gegeben.«

»Hurra!« rief Coggan. Auch ihm fiel ein Stein vom Herzen. »Und der Teufel schaut durch die Finger!«

Mit dem Frühling lebte auch Bathsheba wieder auf. Die tiefe Niedergeschlagenheit, die nach dem schleichenden Fieber, an dem sie gelitten, über Bathsheba gekommen war, wich zusehends von ihr, seit alles Ungewisse nun entschieden war.

Dennoch kam sie nur selten mit anderen Menschen zusammen. Sie hielt sich im Haus auf oder ging eben noch bis in den Garten und mied alle Gesellschaft, sogar Liddy. Weder wollte sie sich mit jemandem aussprechen noch sich bemitleiden lassen.

Als der Sommer herankam, verbrachte sie mehr von ihrer Zeit im Freien und interessierte sich aus schierer Notwendigkeit auch für die Angelegenheiten der Farm, wenngleich sie nie ausritt oder wie früher selbst die Arbeiten beaufsichtigte. An einem Freitagabend im Herbst ging sie ein Stück weit auf der Straße und betrat zum ersten Mal seit dem tragischen Weihnachtsfest das Dorf.

Noch fehlten ihren Wangen die frischen Farben, und die durchsichtige Blässe hob sich gegen das Pechschwarz des Kleides ab, daß es einen geradezu gespenstischen Eindruck machte. Als sie einen kleinen Kaufladen am anderen Ortsende erreicht hatte, fast auf der Höhe des Kirchhofs, hörte Bathsheba in der Kirche singen und schloß daraus, daß der Chor bei einer Probe war. Sie überquerte die Straße, öffnete das Gatter und trat in den Kirchhof. Die hochliegenden Gesimse der Kirchenfenster verbargen sie vor den Augen der drinnen Versammelten. Das Ziel ihres heimlichen Ganges war der Winkel, wo Troy die Blumen auf Fanny Robins Grab gepflanzt hatte.

Bathshebas Gesicht drückte Befriedigung aus, als sie die Inschrift auf dem Marmor nun bis zum Ende las. Oben standen Troys eigene Worte:

ERRICHTET IN LIEBE UND TRAUER
VON FRANCIS TROY
FÜR FANNY ROBIN
GESTORBEN AM 9. X. 18—
IM ALTER VON 20 JAHREN

Darunter war nun in neuen Lettern eingemeißelt:

SIE TEILT IHR GRAB MIT DEN
STERBLICHEN RESTEN DES OBGENANNTEN
FRANCIS TROY
GESTORBEN AM 24. XII. 18—
IM ALTER VON 26 JAHREN

Während sie lesend und sinnend dort verweilte, begann in der Kirche wieder die Orgel zu spielen. Leichtfüßig, wie sie gekommen, ging Bathsheba herum zur Vorhalle und lauschte. Die Türe war zu, und der Chor drinnen studierte eine neue Hymne ein. Gefühle, die sie schon für völlig in sich abgestorben gehalten hatte, bewegten Bathsheba. Klar und deutlich brachten die dünnen Stimmen der Kinder die Worte, die sie ohne viel Denken oder Verständnis sangen, an Bathshebas Ohr:

> Geleite, mildes Licht, inmitten dieser Nacht
> Du mich auf meinem Wege

Wie viele Frauen war Bathsheba immer sehr von Stimmungen abhängig. Sie spürte es im Hals wie einen Kloß, die Augen füllten sich, und sie war bereit, den Tränen ihren Lauf zu lassen. Reichlich flossen sie, eine davon fiel auf die Steinbank neben Bathsheba, und da sie nun schon einmal zu weinen angefangen hatte, ohne recht zu wissen warum, vermochte sie nun unter dem Andrängen von Gedanken, die ihr nur zu vertraut waren, nicht mehr aufzuhören. Die Welt hätte sie dafür gegeben, so wie diese Kinder zu sein, die sich nicht um den Text kümmerten, weil sie in ihrer Unschuld ihn nicht brauchten, um sich auszudrücken! Alle dramatischen Szenen ihrer letzten Vergangenheit wurden lebendig und durch ihre augenblicklichen Gefühle noch gesteigert. Selbst Ereignisse, bei denen sie seinerzeit nichts empfunden hatte, rührten ihr jetzt ans Herz. Und doch war es ein Gram, dem sie sich fast lustvoll hingab, nicht mehr der frühere peinigende Schmerz.

Bathsheba hatte ihr Antlitz in den Händen vergraben und bemerkte daher nicht den Mann, der leise in die Vorhalle getreten war. Als er Bathsheba sah, wollte er sich zunächst zurückziehen, blieb aber dann stehen und beobachtete sie. Eine Weile saß Bathsheba mit gesenktem Kopf da, und als sie schließlich aufblickte, war ihr Gesicht naß und ihre Augen waren tränenblind. »Oak!« rief sie bestürzt. »Seit wann bist du hier?«

»Ein paar Minuten erst, Madam«, entgegnete Gabriel respektvoll.

»Gehst du hinein?« fragte Bathsheba, und von drinnen ertönte es wie auf Stichwort:

> Den goldnen Tag hab' ich geliebt, wiewohl mit Bangen,
> folgt' meinem Hochmut ich: Dies sei ab nun vergangen!

»Ich bin einer von den Bässen«, klärte Gabriel sie auf. »Ich singe schon seit ein paar Monaten im Chor.«

»Tatsächlich? Das ist mir gar nicht aufgefallen. Dann will ich dich nicht aufhalten.«

> Daß ich sie wiederfand, die ich geliebt seit langem –

sangen die Kinder.

»Ich will Euch nicht vertreiben, Madam. Heute ist mir ohnedies nicht sehr zum Singen.«

»O nein – du vertreibst mich nicht.«

Beide standen sie einigermaßen verlegen da. Bathsheba versuchte, ihr gerötetes Gesicht trockenzuwischen, ohne daß Gabriel es merkte. »Ich habe Euch lange nicht gesehen«, begann Oak schließlich. »Jedenfalls nicht mit Euch gesprochen, nicht wahr?« Aber er fürchtete, unangenehme Erinnerungen in ihr zu wecken, und unterbrach sich: »Seid Ihr in der Kirche gewesen?«

»Nein«, erwiderte sie, »ich wollte mir das Grab ansehen – ob sie den Text so geschrieben haben, wie ich es wollte ... Wir denken doch beide an dasselbe. Wenn dir danach ist, brauchst du das Thema nicht zu vermeiden.«

»Und alles ist nach Eurem Wunsch geschehen?« erkundigte sich Oak.

»Ja. Komm und schau selbst, wenn du es noch nicht getan hast.«

So gingen sie miteinander hin und lasen die Inschrift. »Vor acht Monaten!« murmelte Gabriel, als er das Datum sah. »Mir kommt es wie gestern vor.«

»Und mir wie eine Ewigkeit – und so, als wäre ich zwischendurch tot gewesen. Jetzt werde ich heimgehen, Oak.«

Oak kam ihr nach. »Ich habe nach einer Gelegenheit gesucht, um mit Euch etwas zu besprechen«, sagte er zögernd. »Nur etwas Geschäftliches ... Wenn Ihr erlaubt, kann ich es ebensogut jetzt hier tun.«

405

»Ja, natürlich.«

»Es ist nämlich so, daß ich vielleicht schon bald die Verwaltung Eurer Farm niederlegen muß, Mrs. Troy. Ich werde möglicherweise auswandern – nicht sofort, aber im nächsten Frühling.«

»Auswandern!« rief sie überrascht und ehrlich erschrocken. »Warum willst du auswandern, Gabriel?«

»Ich finde, es ist das Gescheiteste«, stotterte Gabriel. »Ich habe mir gedacht, ich könnte es in Kalifornien versuchen –«

»Aber hier rechnen doch alle damit, daß du die Farm des armen Mr. Boldwood übernehmen wirst!«

»Er hat den Pachtvertrag aufgekündigt, so viel stimmt daran. Aber es ist noch nichts entschieden, und ich habe meine Gründe, mich nicht zu bewerben. Ich werde mein Jahr als Treuhänder abdienen, mehr nicht.«

»Und was soll ich ohne dich anfangen? Oh, Gabriel, du darfst nicht fortgehen! So lange bist du mir in guten und bösen Zeiten an der Seite gestanden, daß du mir wirklich weh tun würdest! Ich habe mir vorgestellt, daß du doch hin und wieder einen Blick zu uns herüberwerfen könntest, wenn du die andere Farm als Pächter führst.«

»Das hätte ich gern getan.«

»Und jetzt habe ich Hilfe nötiger als zuvor – und du willst auswandern!«

»Ja, das ist ja das Vertrackte an der Sache«, erwiderte Gabriel betrübt. »Eben weil Ihr Hilfe braucht, habe ich das Gefühl, daß ich fort muß. Guten Abend, Madam.« Offensichtlich hatte er es eilig, von ihr loszukommen, und er verließ den Kirchhof auf einem Weg, auf dem sie ihm unter keinem Vorwand folgen konnte.

Bathsheba begab sich nach Hause. Sie hatte nun ein neues Problem zu begrübeln, aber es war eher lästig als lebensbedrohend und erwies sich dadurch als heilsam, weil es sie von den Schatten, die über ihrem Dasein lagen, ablenkte. Oak und sein Bedürfnis, sich von ihr zu lösen, gaben ihr viel zum Nachdenken, und dabei fielen ihr aus jüngster Zeit mehrere Vorfälle ein, die für sich allein belanglos schienen, insgesamt aber erkennen ließen, daß er sie überhaupt zu meiden suchte. Es schmerzte sie nun doch sehr, daß auch der letzte ihrer alten Getreuen sie im Stich lassen wollte. Immer hatte er an sie geglaubt und ihre Partei ergriffen, wenn alle Welt gegen sie verschworen war, aber jetzt war er wohl müde geworden, er verließ seinen Posten, und sie würde ihren Kampf allein zu kämpfen haben.

Drei Wochen waren verstrichen, und er lieferte weitere Beweise dafür, daß er sein Interesse an ihr verloren hatte. Sie stellte fest, daß Oak nie mehr, wenn sie um die Wege sein konnte, in das kleine Empfangszimmer oder Büro kam, wo die Rechnungsbücher der Farm aufbewahrt waren, daß er dort nie mehr auf sie wartete oder ihr, wie er es in den Monaten ihrer Weltflucht getan hatte, eine Nachricht hinterließ, sondern den Raum nur zu Zeiten betrat, wenn ihre Anwesenheit in diesem Teil des Haues kaum zu erwarten war. Brauchte er eine Weisung von ihr, so schickte er einen der Männer als Boten oder einen Zettel ohne Anrede oder Unterschrift, so daß sie nicht anders konnte, als ihm auf dieselbe unpersönliche Weise zu antworten. Nachgerade begann die arme Bathsheba unter der schlimmsten aller Kränkungen zu leiden, dem Gefühl, daß sie verachtet wurde.

Traurig schleppte sich unter solch melancholischem Grübeln der Herbst hin, bis schließlich der Weihnachtstag herankam, an dem sich das erste Jahr ihrer Witwenschaft erfüllte und sie nun schon zwei und ein viertel Jahre allein lebte. Merkwürdig und unbegreiflich war es, daß, wenn sie ihr Herz befragte, jenes Ereignis, von dem doch anzunehmen gewesen wäre, diese Tage würden es ihr vor allem anderen in Erinnerung bringen, sie nicht bewegte; vielmehr bedrückte sie das quälende Bewußtsein, daß alle sich von ihr abgewandt hatten. Sie wußte keinen Grund dafür, hatte aber den Eindruck, daß Oak an der Spitze dieser Fronde stehe. Als sie am Weihnachtstag aus der Kirche kam, blickte sie in der Hoffnung um sich, daß Oak, dessen Baß sie über sich im Chor unbefangen dröhnen gehört hatte, wie früher ihre Nähe suchen werde. Da war er schon, wie immer, und kam hinter ihr den Weg herunter. Als er jedoch sah, wie Bathsheba sich umdrehte, kehrte er seinen Blick von ihr ab, und vor dem Gatter nützte er den erstbesten Vorwand, um sich abzusetzen.

Der Schlag, den sie nun schon lange erwartet hatte, kam am nächsten Morgen: Ein Brief von Oak, in dem er ihr in aller Form mitteilte, daß er seinen Anstellungsvertrag am bevorstehenden Lichtmeßtag nicht zu erneuern gedenke.

Bathsheba setzte sich mit dem Brief hin und weinte bitterlich. Es kränkte und schmerzte sie, daß Gabriels hoffnungslose

Liebe, die sie als unkündbaren Besitz auf Lebenszeit betrachtet hatte, ihr auf diese Weise entzogen werden sollte, nur weil es ihm so paßte. Auch beunruhigte sie die Aussicht, daß sie wieder auf sich allein gestellt sein würde. Ihr schien, daß sie nie wieder genug Energie aufbringen könne, um auf dem Markt zu feilschen und Geschäfte zu machen. Seit Troys Tod hatte sich Oak um alle finanziellen Angelegenheiten gekümmert und sich neben seiner eigenen auch ihrer Interessen angenommen. Was sollte sie jetzt tun? Öd und leer lag die Zukunft vor ihr.

So verlassen fühlte sich Bathseba an diesem Abend, daß sie in ihrem Hunger nach Mitgefühl und Sympathie und aus Trauer über den Verlust des einzigen treuen Freundes, den sie gehabt hatte, ihren Hut aufsetzte, den Mantel nahm und nach Sonnenuntergang zu Oaks Haus ging. Blaßgelb schimmerte eine schmale Mondsichel über ihrem Weg.

Ein munteres Feuer erhellte das Fenster, aber drinnen war niemand zu sehen. Hastig klopfte sie, und dabei fiel ihr ein, daß es vielleicht doch nicht schicklich war, wenn eine alleinstehende Frau einen Junggesellen besuchte; andererseits handelte es sich aber doch um ihren Verwalter, so daß man ihr wohl nicht verübeln konnte, wenn sie ihn sehen wollte, um etwas Geschäftliches mit ihm zu bereden. Gabriel öffnete die Türe, und das Mondlicht glänzte auf seiner Stirn.

»Mr. Oak«, stieß Bathseba hervor.

»Der bin ich«, bestätigte Gabriel. »Mit wem habe ich die Ehre? – Oh, wie dumm von mir, meine Herrin nicht gleich zu erkennen!«

»Lange werde ich es nicht mehr sein – nicht wahr, Gabriel?« stellte sie dazu pathetisch fest.

»Nein, wahrscheinlich nicht«, erwiderte Oak ein wenig verlegen. »Aber kommt doch herein, Madam ... Ich hole nur eine Kerze –«

»Nein, nicht meinetwegen.«

»Ich habe so selten Damenbesuch, daß ich Euch kaum etwas anzubieten habe. Wollt Ihr nicht Platz nehmen? Hier ist ein Stuhl – oder der dort ... Es tut mir leid, daß ich keine Polstersessel habe, aber ich – ich habe mir schon vorgenommen, ein paar neue Stühle anzuschaffen.« Oak rückte gleich mehrere Sitzgelegenheiten für sie zurecht.

»Für mich sind sie gut genug.«

So setzten sie sich also. Der Schein des Feuers flackerte auf ihren Gesichtern und auf den alten, vom langen Gebrauch blankpolierten Möbeln, aus denen Oaks Einrichtung bestand. Beide kannten einander doch recht gut, und so empfanden sie es als seltsam, daß die ungewohnte Umgebung und die ebenso ungewohnten Umstände dieser Begegnung sie verlegen und nervös machten. Auf den Feldern oder in Bathshebas Haus waren solche Hemmungen nie aufgekommen. Jetzt, da Oak sich in der Rolle des Gastgebers befand, war ihnen wie damals am Anfang, als sie einander noch fremd gewesen waren.

»Du findest es vielleicht merkwürdig, daß ich gekommen bin, aber –«

»O nein, überhaupt nicht.«

»– aber ich habe mir gedacht, Gabriel ... ich habe mir gedacht, daß ich dich vielleicht gekränkt habe, und daß du deshalb fortgehst ... Mich hat der Gedanke sehr bedrückt, und da mußte ich einfach zu dir herüberkommen.«

»Mich gekränkt! Was bringt Euch darauf, Bathsheba?«

»Also stimmt es nicht?« fragte sie erleichtert. »Aber was treibt dich dann fort?«

»Auswandern werde ich nicht. Als ich es Euch sagte, war mir nicht klar, daß Ihr etwas dagegen haben würdet, sonst hätte ich es mir nie einfallen lassen«, bekannte er schlicht. »Ich habe Little Weatherbury gepachtet und werde an Lichtmeß die Farm auf eigene Rechnung übernehmen. Ihr wißt ja, daß ich schon seit einiger Zeit einen Anteil gehabt habe. Mich würde das nicht hindern, auch Eure Geschäfte so wie bisher zu besorgen. Es ist nur, daß die Leute über uns reden.«

»Wie?« rief Bathsheba überrascht. »Über dich und mich? Was denn?«

»Das kann ich Euch nicht sagen.«

»Aber es wäre sicher gescheiter, wenn du es doch tätest. Du warst so oft mein Lehrer und Ratgeber, daß ich nicht einsehe, wovor du dich zu fürchten hättest.«

»Diesmal geht es nicht darum, daß Ihr etwas angestellt habt. Um es auf den kürzesten Nenner zu bringen: Es heißt, daß ich mich hier eingenistet habe, um dem armen Boldwood seine Farm abzuknöpfen, und jetzt nur darauf warte, auch Euch zu kriegen.«

»Mich kriegen: Was soll das bedeuten?«

»Daß Ihr meine Frau werdet! Nehmt es mir nicht übel, Ihr wart es, die es so genau wissen wollte.«

Entgegen Oaks Erwartungen reagierte Bathsheba keineswegs so entsetzt, als hätte man neben ihr eine Kanone abgeschossen. »Ich deine Frau! Ich habe nicht geahnt, daß es das ist, was du gemeint hast«, sagte sie ruhig. »Wie absurd, schon jetzt an so etwas zu denken!«

»Ja, natürlich. Es ist absurd. Ich habe keine solchen Absichten. Das ist diesmal hoffentlich klar genug. Ihr seid gewiß die letzte, die ich um ihre Hand bitten würde. Es ist absurd –«

»Schon jetzt daran zu denken, habe ich gesagt!«

»Ich bitte sehr um Vergebung, wenn ich Euch berichtige, aber Eure Worte waren: ›Wie absurd‹!«

»Ich bitte auch um Vergebung!« widersprach sie mit Tränen in den Augen. »Ich habe ›schon jetzt‹ gesagt! Es ist ja egal – ganz egal –, aber ich habe ›schon jetzt‹ gesagt. Auch wenn ich's nicht so gemeint habe. Das mußt du mir glauben, Oak!«

Gabriel blickte ihr lange in die Augen, aber das Licht vom Kamin her war zu schwach, als daß viel zu sehen gewesen wäre. »Bathsheba«, sagte er schließlich weich, voll Verwunderung, und beugte sich zu ihr. »Wenn ich nur eines wüßte – ob du mir eine Chance gibst, dich zu lieben, dich für mich zu gewinnen und irgendwann zu meiner Frau zu machen – wenn ich nur das wüßte!«

»Aber du wirst es nie erfahren!« sagte sie leise.

»Und warum nicht?«

»Weil du nie fragst.«

»Oh – oh!« rief Gabriel und lachte vor Freude heraus. »Meine liebste, einzige –«

»Du hättest mir nicht diesen groben Brief schreiben dürfen«, unterbrach sie ihn. »Er zeigt nur, daß dir an mir überhaupt nichts gelegen hat, und daß du drauf und dran gewesen bist, mich wie alle anderen zu verlassen! Das war sehr herzlos von dir, wenn man bedenkt, daß ich deine erste Liebe war und du mein erster Verehrer gewesen bist. Ich werde das nicht vergessen.«

»Meine Güte, Bathsheba!« lachte er. »Ich habe es nur getan, weil ich als unverheirateter Mann und Geschäftsführer einer so hübschen, jungen Frau doch in eine ziemlich heikle Rolle gedrängt war – um so heikler, als ja die Leute wußten, daß du mir nicht gleichgültig bist. Nach dem, was man über uns beide geredet hat, mußte ich um deinen guten Ruf besorgt sein. Kein Mensch ahnt, wie schwer mir dieser Entschluß geworden ist!«

»Und das war alles?«

»Ja, das war alles.«

»Wie gut, daß ich gekommen bin!« stellte sie dankbar fest, als sie nun aufstand. »Ich mußte immer wieder an dich denken, seit ich mir einbildete, daß du mich nicht einmal mehr sehen willst. Aber jetzt muß ich gehen, sonst vermißt man mich. So etwas, Gabriel!« fügte sie mit einem leichten Lachen hinzu. »Das sieht ja ganz so aus, als wäre ich gekommen, weil ich um dich anhalten wollte – schrecklich!«

»Nicht mehr als recht und billig«, fand Oak. »Meilenweit und jahrelang bin ich hinter dir hergetanzt, meine schöne Bathsheba! Sehr nett ist es nicht von dir, wenn du mir diesen einen Besuch nicht gönnst!«

Er begleitete sie den Hügel hinauf. Unterwegs erklärte er ihr, wie er sich seine Zukunft als Pächter der anderen Farm zurechtgelegt hatte. Sie sprachen nur wenig von den Gefühlen, die sie bewegten: Schöne Worte waren vermutlich zwischen zwei so erprobten Freunden nicht nötig. Zwischen ihnen wirkte jener nachhaltige Magnetismus, der – wenn überhaupt – sich entwickkelt, wenn zwei Menschen, die der Zufall zusammengeführt hat, zunächst die weniger angenehmen Seiten am anderen und erst nachher seine Vorzüge kennenlernen, wobei ihre Neigung in den Fugen der harten, nüchternen Realität aufsprießt. So eine kameradschaftliche Verbundenheit, die meist auf gemeinsamen Interessen gründet, tritt leider nur selten zur Liebe zwischen den Geschlechtern hinzu, weil Mann und Frau sich regelmäßig nicht zu gemeinsamer Arbeit, sondern in ihrem Vergnügen zusammenfinden. Wo jedoch glückliche Umstände eine solche Entwicklung ermöglichen, erweist sich diese Legierung als die einzige Art von Liebe, die wirklich so stark ist wie der Tod – das Wasser kann sie nicht löschen, die Flut nicht ertränken –, und neben der die Gefühlswallungen, die unter dem Namen Liebe einhergehen, sich wie flüchtige Dämpfe ausnehmen.

»Das Diskreteste, Unauffälligste und Einfachste an Hochzeit!«

So verlangte es Bathsheba eines Abends, eine Weile nach den Ereignissen des letzten Kapitels, und Oak dachte eine geschlagene Stunde lang darüber nach, wie er ihrem Wunsch gerecht werden könnte.

»Eine Heiratsgenehmigung, das ist klar – wir brauchen eine Genehmigung«, sagte er zu sich selbst. »Zunächst also die Genehmigung . . .«

Ein paar Tage danach trat Oak bei Nacht und Nebel aus dem Standesamt von Casterbridge. Auf dem Heimweg ging vor ihm jemand mit schweren Schritten. Gabriel überholte ihn und erkannte Coggan. Zusammen wanderten sie bis zum Dorf, bis zu dem schmalen Gäßchen hinter der Kirche, das zu Laban Talls Haus führte. Tall war kürzlich zum Kirchendiener bestellt worden und starb allsonntäglich fast vor Angst, wenn er hörte, wie seine eigene, einsame Stimme gewisse Donnerworte der Psalmen sprach, die sonst keiner der Andächtigen in den Mund zu nehmen wagte.

»Gute Nacht, Coggan«, wünschte Oak. »Ich gehe jetzt dort hinunter.«

»Oh?« wunderte sich Coggan. »Darf man fragen, was der Herr heute noch vorhat?«

Es wäre unter den gegebenen Umständen unfreundlich gewesen, Coggan nicht ins Vertrauen zu ziehen. Coggan war durch die Jahre, in denen Gabriel an seiner unglücklichen Liebe zu Bathsheba gelitten hatte, mit ihm durch Dick und Dünn gegangen, und so sagte Gabriel: »Kannst du schweigen, Coggan?«

»Das habe ich dir wohl schon bewiesen.«

»Ja, das hast du. Also – es geht darum, daß die Herrin und ich morgen heiraten wollen.«

»Potzblitz! Und dabei hab' ich's mir doch von Zeit zu Zeit gedacht, daß es vielleicht darauf hinauslaufen wird . . . So heimlich zu tun! Na, mich geht's nichts an, und dir wünsche ich, daß du mit ihr glücklich wirst.«

»Danke, Coggan. Mein Wunsch war es nicht, daß wir alles Aufsehen vermeiden, und wir beide hätten es wohl anders gehalten, wenn nicht allerhand geschehen wäre, was nicht mit einer fröhlichen Hochzeit zusammenpaßt. Bathsheba möchte nicht, daß das ganze Dorf in der Kirche sitzt und sie anstarrt – sie hat richtig Angst davor –, und so lasse ich ihr halt ihren Willen.«

»Ich verstehe. Wahrscheinlich habt ihr recht. Und jetzt gehst du zum Mesner?«

»Wenn du willst, kannst du mich begleiten.«

»Ich fürchte, sehr geheim wirst du's nicht halten können«, meinte Coggan, als sie weitergingen. »In einer halben Stunde wird es Labans Alte im ganzen Ort herumposaunt haben.«

»Meiner Seel', das wird sie! Daran habe ich gar nicht gedacht«, überlegte Oak. »Trotzdem muß ich es ihm noch heute abend sagen, denn er hat weit zur Arbeit und geht schon früh aus dem Haus.«

»Paß auf! Ich weiß, wie wir mit ihr fertig werden«, sagte Coggan. »Ich klopfe an und sage, daß Laban herauskommen soll, und du hältst dich einstweilen im Hintergrund. Wenn er dann da ist, kannst du mit ihm reden. Sie kriegt bestimmt nicht heraus, was ich von ihm will. Ich mache ihr vor, daß es mit seiner Arbeit auf der Farm zu tun hat und ich ihm etwas auszurichten habe.«

Der Plan schien erfolgversprechend. Stracks trat Coggan zur Türe und klopfte. Mrs. Tall höchstselbst öffnete.

»Ich muß mit Laban sprechen.«

»Der ist nicht zuhaus und kommt nicht vor elf. Seit er nicht mehr hier arbeitet, muß er bis nach Yalbury hinüber. Ihr könnt es auch mir sagen.«

»Kann ich nicht. Wartet –« Coggan ging um die Ecke des Vorhauses, um sich mit Oak zu beraten.

»Wen habt Ihr da?« fragte Mrs. Tall.

»Nur einen Freund«, erwiderte Coggan.

»Sag ihr, daß die Herrin ihn morgen um zehn bei der Kirchentür erwartet«, flüsterte Oak. »Und daß er unbedingt dort zu sein hat. Im Sonntagsanzug!«

»Mit dem Sonntagsanzug landen wir im Eimer«, gab Coggan zu bedenken.

»Sei's drum«, entschied Oak. »Sag's ihr!«

Also bestellte Coggan den Auftrag. »Auch wenn's regnet, hagelt und schneit«, fügte er hinzu. »Es ist sehr wichtig, weil es nämlich um eine langfristige Zusammenlegung geht und die zwei Farmer ihn als Zeugen für den Vertrag brauchen. Das wär's – und Euch habe ich's nur gesagt, Mutter Tall, weil Ihr es seid und ich auf Euch so große Stücke halte.«

Coggan setzte sich ab, bevor sie weiterfragen konnte. Die anschließende Vorsprache beim Pfarrer verlief ohne Zwischenfälle. Danach ging Oak nach Hause und rüstete sich für den nächsten Tag.

»Liddy«, sagte Bathsheba am selben Abend beim Schlafengehen. »Wenn ich nicht von selbst aufwache, mußt du mich morgen um sieben wecken!«

»Aber ihr wacht doch immer schon früher auf, Madam«, entgegnete Liddy.

»Ja, aber ich habe etwas Wichtiges vor – du wirst es noch erfahren, wenn es soweit ist – und da will ich lieber nichts riskieren.«

Bathsheba wachte allerdings schon um vier von selbst auf und konnte nicht wieder einschlafen. Gegen sechs war sie überzeugt, daß ihre Uhr über Nacht stehengeblieben sein mußte, und hielt es nicht länger aus. Sie ging zu Liddys Tür und klopfte, bis sie Liddy endlich aus dem Bett geholt hatte.

»Aber es war doch ich, die Euch wecken sollte?« erinnerte sich die verwirrte Liddy. »Es ist noch nicht sechs!«

»Natürlich ist es sechs: Wie kannst du so etwas behaupten! Ich weiß genau, daß es schon sieben vorbei sein muß. Komm zu mir hinüber, sobald du fertig bist. Ich will, daß du mir die Haare gut durchbürstest.«

Als Liddy in Bathshebas Zimmer kam, wartete ihre Herrin schon auf sie. Liddy konnte diese ungewöhnliche Eile nicht begreifen. »Was ist denn los, Madam?« fragte sie.

»Ich will es dir verraten«, sagte Bathsheba, und ein listiges Lachen funkelte in ihren Augen. »Heute kommt Farmer Oak zum Dinner.«

»Farmer Oak? Und sonst niemand? Nur Ihr und er?«

»Ja.«

»Aber ist das nicht gefährlich, Madam, nach all dem Gerede?« zweifelte ihre Gefährtin. »Eine Frau verliert so leicht ihren guten Ruf.«

Bathsheba lachte und wurde rot. Dann flüsterte sie, obwohl sie allein waren, etwas in Liddys Ohr. Liddy riß die Augen auf und rief: »Herr im Himmel! Da schlägt mir ja das Herz bis zum Hals!«

»Mir auch«, gab Bathsheda zu. »Aber jetzt gibt es kein Zurück mehr.«

Es war ein unfreundlicher, feuchter Morgen, aber um zwanzig Minuten vor zehn trat Oak aus seinem Haus. In jenem Tempo, das ein Mann einschlägt, wenn er auf Freiersfüßen wandelt, stieg er den Hügel hinan und klopfte an Batshebas Türe. Zehn Minuten später schwebten ein großer und ein kleiner Regenschirm heraus und bewegten sich durch den Nebel zur Kirche. Die Entfernung betrug eine knappe Viertelmeile, so daß es die beiden vernünftigen Leute für überflüssig gehalten hatten, einen Wagen zu nehmen. Nur aus nächster Nähe hatte jemand unter den Schirmen Oak und Bathsheba erkannt, zum ersten Mal Arm in Arm, Oak in einem Bratenrock, der bis an die Knie reichte, und Bathsheba in einem Mantel, unter dem nur die Holzpantoffeln hervorsahen. Trotz dieser schlichten Kleidung wirkte sie irgendwie verjüngt –

– als habe sich die Rose zur Knospe rückverwandelt.

Ihre innere Ruhe hatte ihren Wangen wieder Farbe gegeben, und da sie auf Gabriels Bitte die Haare an diesem Morgen wieder so trug wie vor Jahren auf dem Hügel von Norcombe, war sie in seinen Augen fast wieder das Mädchen aus jenem zauberhaften Traum – in Anbetracht ihrer vierundzwanzig Jahre freilich kein besonders großes Wunder. In der Kirche befanden sich Tall, Liddy und der Pfarrer, und die Zeremonie war bemerkenswert rasch vollzogen.

Friedlich setzten sich die beiden am Abend in Bathshebas Salon zum Tee. Wenngleich auf sicherem Weg dahin, hatte Farmer Oak fürs erste weder Geld noch ein Haus oder nennenswerten Hausrat, während Bathsheba über das alles in Fülle gebot, und so hatten sie sich darauf geeinigt, daß er zu ihr ziehen sollte.

Bathsheba schenkte eben eine Tasse Tee ein, als ein Böllerschuß zu ihren Ohren drang und vor dem Haus ein Lärm losbrach, als bliese ein Dutzend Trompeten.

»Aha!« lachte Oak. »Hab' ich es doch den Burschen angesehen, daß sie etwas aushecken!«

Oak nahm die Kerze und ging hinaus, Bathsheba legte sich einen Schal um und folgte ihm. Das Licht fiel auf eine Gruppe männlicher Gestalten, die sich auf dem Kiesplatz versammelt hatten und nun, als sie die Jungverheirateten unter dem Vordache sahen, in ein lautes »Hurra!« ausbrachen, während im Hintergrund der nächste Böller krachte und Trommel, Tamburin,

Klarinette, Krummhorn, Oboe, Fiedel und Baßgeige – als Reste des einst hochberühmten Orchesters von Weatherbury, dieselben Instrumente, mit denen die Urgroßväter jener, die nun auf ihnen spielten, die Heldentaten Marlboroughs gefeiert hatten – zu einem wüsten Konzert einsetzten. Die Künstler marschierten herbei und gingen vor dem Haus in Stellung.

»Das haben wir Mark Clark und Jan, diesen klugen Burschen, zu verdanken«, sagte Oak. »Kommt herein, Freunde, und laßt Euch von uns bewirten!«

»Nicht heute abend«, lehnte Mr. Clark in edler Selbstverleugnung ab. »Vielen Dank – lieber ein andermal, wenn wir weniger stören. Trotzdem haben wir gefunden, daß wir den heutigen Tag nicht ganz ohne Sang und Klang vorbeigehen lassen dürfen. Wenn Ihr etwas zu Warren hinüberschickt, wär' nichts dagegen einzuwenden ... Ein Hoch unserem Nachbarn Oak und seiner schönen Braut!«

»Danke – danke euch allen!« erwiderte Gabriel. »Bei Warren gibt's gleich einen Schluck und einen guten Bissen für euch. Gerade vorhin habe ich zu meiner Frau gesagt, daß ich mich nicht wundern würde, wenn unsere alten Freunde uns ein Ständchen brächten.«

»Allerhand«, bemerkte Coggan anerkennend zu seinen Begleitern, »wie der Mann schon ›meine Frau‹ sagt, als wär's ihm angeboren! Und dabei ist er doch gerade erst unter die Haube geraten! Wie findet ihr das, Nachbarn?«

»Keinen Silberhochzeiter wüßt' ich, dem's glatter herauskommt als ihm«, bestätigte Jacob Smallbury. »Eine Spur frostiger hätt's vielleicht noch echter geklungen, aber das kann man heute von ihm nicht verlangen.«

»Wird es schon noch lernen«, meinte Jan und blinzelte vergnügt.

Oak lachte, Bathsheba lächelte – so leicht wie früher kam ihr das Lachen nicht mehr. Dann wandten sich ihre Freunde zum Gehen.

»Na, das hat sich ja ganz gut gefügt«, seufzte Joseph Poorgrass zufrieden, als sie abzogen. »Und ich wünsche ihm alles Gute mit ihr – obwohl es mich schon ein paar Mal angekommen wär', auf meine biblische Art mit dem Propheten Hosea zu sagen: ›Ephraim ist ein Götzendiener; haltet euch fern von ihm.‹ Weil's aber nun einmal ist, wie's ist, könnt' es auch schlimmer sein. Ich bin keiner von den Undankbaren.«

1840   Am 2. Juni wird Thomas Hardy als ältestes von vier Kindern des Baumeisters und Steinmetzen Thomas Hardy und seiner Frau Jemima, Köchin und Dienstmagd, in Upper Bockhampton, Stinsford, in der südenglischen Grafschaft Dorset geboren.

1848–56   Schulbesuch in Bockhampton und Dorchester; intensives Studium des Lateinischen, später auch des Französischen und Deutschen; erste Lektüre klassischer Autoren.

1856–62   Hardy wird Schüler des Architekten und Kirchenrestaurators John Hicks in Dorchester. Angeleitet von dem Altphilologen Horace Moule liest er die griechischen Dramatiker; in diese Zeit fällt auch seine Beschäftigung mit Darwins ›Origin of Species‹ (›Über die Entstehung der Arten‹, 1859). Erste Gedichte entstehen.

1862–67   Hardy arbeitet in London als Assistent des bekannten Architekten Arthur Blomfield. Beschäftigung mit den Theorien von Herbert Spencer, Thomas Huxley und John Stuart Mill und mit den Werken von Shelley, Browning, Scott und Swinburne. Er publiziert seinen ersten Artikel ›How I Built Myself a House‹ (1865) in *Chamber's Journal,* findet jedoch für seine Gedichte keine Möglichkeit zur Veröffentlichung.

1867–70   Aus gesundheitlichen Gründen Rückkehr nach Dorset, Wiederaufnahme der Arbeit bei Hicks. Hardy schreibt seinen ersten, heute verlorenen Roman ›The Poor Man and the Lady‹, der auf Anraten des Romanciers George Meredith nicht zur Veröffentlichung gelangt. Im Rahmen seiner Tätigkeit als Architekt und Restaurator Aufenthalt in Cornwall, wo er seine zukünftige Frau Emma Lavinia Gifford kennenlernt, die er 1874 heiratet.

1871–73   Erste Romanveröffentlichungen: ›Desperate Remedies‹ (1871), ›Under the Greenwood Tree‹ (1872), ›A Pair of Blue Eyes‹ (1873).

1874   Im *Cornhill Magazine* von Leslie Stephen, dem Vater von Virginia Woolf, erscheint anonym als Fortsetzungsroman der erste seiner großen »Wessex Romane«: ›Far from the Madding Crowd‹ (›Am grünen Rand der Welt‹). Dieser Publikumserfolg ermutigt Hardy, sich ganz dem Schreiben zu widmen. In London wird Hardy bald zu einer bekannten Persönlichkeit des literarischen Lebens.

1875–97 In schneller Folge erscheinen seine weiteren Meisterwerke: ›The Return of the Native‹ (1878), ›The Trumpet-Major‹ (1880), ›The Mayor of Casterbridge‹ (1886), ›The Woodlanders‹ (1887), ›Tess of the D'Urbervilles‹ (1891), ›Jude the Obscure‹ (1896). Anfeindungen der viktorianischen Öffentlichkeit, die sich durch den kritischen Realismus seiner Werke angegriffen fühlt, veranlassen Hardy, keine weiteren Romane mehr zu schreiben.

1898 In den folgenden Jahren wendet sich Hardy (er lebt seit 1885 wieder in der Nähe von Dorchester) deshalb verstärkt seinen Gedichten (›Wessex Poems‹, 1898 und ›Poems of the Past and the Present‹, 1902) sowie seinem monumentalen Lesedrama ›The Dynasts‹ (1904–08) zu, das die Zeit der Napoleonischen Herrschaft zum Thema hat. Seine Romane erfahren lediglich eine letzte Durchsicht (1912).

1912 Tod seiner Frau.

1913–28 Verleihung der Ehrendoktorwürde der Universitäten Cambridge und Oxford. Im Jahr 1914 heiratet Hardy seine Sekretärin Florence Emily Dugdale. Entstehen der späten Lyrik sowie des Dramas ›The Famous Tragedy of the Queen of Cornwall‹ (1923).

1928 Am 11. Januar stirbt Thomas Hardy im Alter von 88 Jahren. Er wird in der Westminster Abbey beigesetzt; sein Herz wird, gemäß seinem Wunsch, auf dem Friedhof seines Geburtsortes begraben.

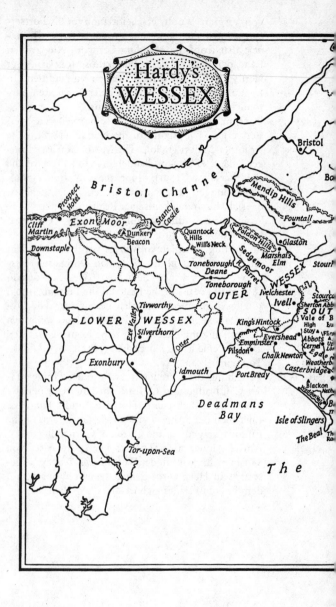

Fictitious names: *Exonbury*
Real names: Portsmouth

H. A. Shelley

Bei Thomas Hardy	*In Wirklichkeit*
Abbot's-Cernel	Cerne Abbas
Abbotsea	Abbotsbury
Aldbrickham	Reading
Alfredston	Wantage
Anglebury	Wareham
Badbury Rings	Berg bei Wimborne Minster
Budmouth	Weymouth
Bullbarrow	Berg bei Sturminster Newton
Casterbridge	Dorchester
Chalk-Newton	Maiden Newton
Chaseborough	Cranborne
Christminster	Oxford
Cresscombe	Letcombe Basset
Damer's Wood	Came Wood bei Dorchester
Dogbury	Berg bei High Stoy
Durnover	Fordington
Egdon Heath	Heideflächen zwischen Bournemouth und Dorchester
Emminster	Beaminster
Evershead	Evershot
Exonbury	Exeter
Fensworth	Letcombe Regis
Flintcomb-Ash	Nettlecombe-Tout
Greenhill	Woodbury Hill bei Bere Regis
Hope Cove	Church Hope
Kennetbridge	Newbury
Kingsbere und King's-Bere	Bere Regis
Leddenton	Gillingham
Longpuddle	Piddlehinton (von Hardy auch Upper Longpuddle genannt)
Lulwind Cove	Lulworth Cove
Lumsdon	Cumnor
Marlott	Marnhull
Marygreen	Fawley
Melchester	Salisbury
Mellstock	Stinsford und Lower und Higher Bockhampton
Middleton Abbey	Milton Abbas

Bei Thomas Hardy	In Wirklichkeit
Nether-Moynton	Overmoigne
Norcombe Hill	Berg bei Toller Down
Nuttlebury	Hazelbury Bryan
Oxwell Hall	Poxwell
Port-Bredy	Bridport
Pos'ham	Portisham
Quartershot	Aldershot
Rainbarrow	Rainbarrows, Hügel nördlich der Route Dorchester-Wareham
Ridgeway	Straße zwischen Dorchester und Weymouth
Roy-Town	Troy Town
St Aldhelm's Head	St Alban's Head
Sandbourne	Bournemouth
Shaston	Shaftesbury
Sherton	Sherborne
Shottsford und Shottsford Forum	Blandford
Stoke-Barehills	Basingstoke
Stourcastle	Sturminster Newton
Upper Longpuddle	Piddlehinton (von Hardy auch Longpuddle genannt)
Weatherbury	Puddletown
Wellbridge	Wool
Wintonchester	Winchester
Yalbury Wood	Yellowham Wood

COTTA'S BIBLIOTHEK DER MODERNE

Eine Auswahl:

Kenneth Patchen: Erinnerungen eines schüchternen Pornographen
Roman. Aus dem Amerikanischen von
Katharina Behrens. 275 Seiten, Bd. 22

Gottfried Benn: Doppelleben
Zwei Selbstdarstellungen · 199 Seiten, Bd. 23

**Marcel Jouhandeau:
Das Leben und Sterben eines Hahns**
Tiergeschichten. Aus dem Französischen von
Friedhelm Kemp. 118 Seiten, Bd. 24

Albert Cohen: Das Buch meiner Mutter
Aus dem Französischen von Lilly von Sauter.
108 Seiten, Bd. 25

Louise de Vilmorin: Belles Amours
Roman. Aus dem Französischen von Peter Gan.
149 Seiten, Bd. 26

Karel Čapek: Hordubal
Roman. Aus dem Tschechischen von Otto Pick.
152 Seiten, Bd. 27

Klett-Cotta